C0-AWJ-548

Europe 1946
Entre le deuil et l'espoir

Cet ouvrage constitue les actes d'un colloque international organisé par le **Mémorial de Caen** et le CNRS (CRHQ) les 22, 23 et 24 février 1996 avec la coopération de **l'Institut des Sciences de l'Homme de Vienne**, le **Centre Marc Bloch de Berlin** et **l'Institut des Sciences sociales de Hambourg**. Il rassemble les communications qui ont été présentées à cette occasion.

Publié avec le soutien du ministère des Anciens Combattants et Victimes de Guerre, Délégation à la Mémoire et à l'Information historique.

ISBN 2-87027-666-4
D/1638/1996/40

Sous la direction de
Francine-Dominique Liechtenhan

Europe 1946
Entre le deuil et l'espoir

Textes de

Brad Abrams, Serge Barcellini, Alija Barkovets,
Cyril Buffet, Michel Cadot, Pierre Chaunu,
Bernard Genton, Bernd Greiner, Lothar Höbelt,
Dietmar Hüser, Stefan Karner, Robert Kopp,
Emmanuel Le Roy Ladurie, Sylvie Lindeperg,
Norbert Mendgen, Barbara Porpaczy,
Romain Rainero, Jan Philipp Reemtsma, Anne Simonin,
Jean Solchany, Arnold Suppan, Antoine de Tarlé,
Matthias Waschek, Gaby Zipfel

Interventions

SOMMAIRE

La vie intellectuelle : mirages et espoirs

LES AUTEURS

Emmanuel Le Roy Ladurie est professeur au Collège de France et membre de l'Institut (Académie des Sciences morales et politiques). Il a été l'Administrateur général de la Bibliothèque nationale (1987-1994) dont il préside toujours le Conseil scientifique. Auteur d'innombrables ouvrages historiques, il se fit une renommée internationale avec *Montaillou, village occitan* (Gallimard, 1975). Il vient de publier *Le Siècle des Platter* (Fayard, 1995) dont le second tome doit paraître en 1998.

Cyril Buffet a été chercheur au Nuclear History Program (1989-1993) et au Centre Marc Bloch de Berlin (1993-1995). Docteur en histoire, il est l'auteur de plusieurs ouvrages dont *La France et l'Allemagne* (A. Colin, 1991), *Berlin* (Fayard, 1993), *Histoire de Berlin des origines à nos jours (*PUF, 1994), et avec Béatrice Heuser, il a dirigé l'ouvrage collectif *Haunted by History. Myths in International Relations* (Berghahn, 1997). Il est également l'auteur du documentaire télévisé *Les meilleurs ennemis du monde. Des influences culturelles entre la France et l'Allemagne* (Arte, 1996).

Lothar Höbelt est professeur assistant à l'Université de Vienne et professeur invité de l'Université de Chicago. Il a signé de nombreux articles et a publié entre autres *Die britische Appeasement-Politik 1937-1939* (Vienne, 1983), *Kornblume und Kaiseradler* (Vienne, 1993) et il édité *Für Oesterreichs Freiheit. Karl Grueber* (Innsbruck, 1991), *Aus den Denkwürdigkeiten Anton Ritters von Schmerling* (Vienne, 1993).

Romain H. Rainero est professeur titulaire de la chaire d'Histoire contemporaine auprès de la Faculté de Sciences Politiques de l'Université de Milan, après avoir tenu près de la Faculté de Lettre de Gênes celle d'Histoire des Traités et Politique internationale. Professeur invité de plusieurs universités étrangères dont Aix-en-Provence, Tunis et Paris (Fondation nationale des Sciences Politiques) et Nice. Il est membre du Comité d'Histoire du ministère de la Défense et du Comité historique franco-italien du ministère des Affaires étrangères. Auteur de nombreux ouvrages.

Barbara Porpaczy enseigne le français et l'histoire dans un lycée viennois. Elle prépare une thèse sur « Les relations culturelles franco-autrichiennes pendant l'occupation de l'Autriche de 1945 à 1955 ».

Arnold SUPPAN a fait ses études d'histoire et de philologie allemande à l'Université de Vienne. Après y avoir enseigné, il fut nommé en 1988 directeur de l'Institut autrichien d'Europe de l'Est et du Sud-Est; depuis 1994, il est professeur d'histoire d'Europe orientale à l'Université de Vienne. Ses nombreuses publications portent sur l'histoire de l'Europe centrale et orientale des XIXe et XXe siècles, entre autres: *Innere front 1918* (Vienne, 1974); *Die österreichische Volksgruppen* (Vienne, 1983) et *Jugoslawien und Österreich 1918-1938*.

Stefan KARNER est professeur à l'Université de Graz depuis 1993 et le directeur du Ludwig Boltzmann Institut de recherche sur les conséquences de guerre. Il fut parmi les premiers à travailler aux Archives secrètes de l'URSS, où il s'est plus particulièrement occupé de l'histoire des prisonniers de guerre. Il publia *Die Steiermark im Dritten Reich 1938-1945* (Graz, 1986), *Geheime Akten des KGB «Margarita Ottilinger»* (Graz, 1993), *Im Archipel GUPVI. Zur Kriegsgefangenschaft und Internierung in der Sowjetunion 1941-1956* (Vienne-Munich) et *Gefangen in Russland. Beiträge des Symposiums auf der Schallaburg 1995* (Graz, 1995).

Alija BARKOVETS est historienne et archiviste. Elle est actuellement directeur adjoint des Archives d'Etat de la Fédération russe. Elle a consacré ses recherches aux mouvements contestataires des années 1920-1930 en URSS et prépare avec Francine-Dominique Liechtenhan un ouvrage sur les «Trésors de guerre» (*Du pillage des nazis aux trophées des Soviétiques*).

Serge BARCELLINI est Inspecteur général au ministère des Anciens Combattants et Victimes de Guerre. Auteur de nombreux articles, il a signé avec Annette Wieviorka un ouvrage sur les lieux du souvenir de la Seconde Guerre mondiale en France: *Passant souviens-toi!* (Plon, 1995).

Dietmar HÜSER est maître de conférences à l'Institut historique de l'Université de la Sarre à Sarrebruck où il s'occupe en particulier de l'histoire contemporaine de l'Europe occidentale. Il a publié notamment *Frankreichs «doppelte Deutschlandpolitik». Dynamik aus der Defensive – Planen, Entscheiden, Umsetzen in gesellschaftlichen und wirtschftlichen, innen- und aussenpolitischen Krisenzeiten 1944-1950* (Berlin, Duncker & Humblot, 1996).

Gaby ZIPFEL, germaniste, philosophe et politologue, est chargée de la rédaction de la revue des Institut de Sciences sociales de Hambourg *Mittelweg 36*. Elle consacre ses recherches au rôle de la femme pendant et à la suite de la Seconde Guerre mondiale.

Bernd GREINER est politologue et historien; il dirige un groupe de recherche sur «le rôle de la violence dans les procédés de civilisation» à l'Institut de Sciences sociales de Hambourg. Il a publié plusieurs articles et ouvrages dont la *Kuba-Krise, Analysen, Dokumente, Zeitzeugen* (Hambourg, 1988) et la *Morgenthau-Legende. Zur Geschichte eines umstrittenen Plans* (Hambourg, 1995).

Pierre CHAUNU est né à Verdun. Agrégé d'histoire, professeur à l'Université de Paris-Sorbonne, chroniqueur au *Figaro*, un des créateurs de l'histoire quantitative, il est membre de l'Institut. Son œuvre comporte plus d'une centaine de titres. Ses derniers livres: *L'héritage, Au risque de la haine* (Aubier, 1995) et en collaboration avec Eric Mension-Rigau, *Baptême de Clovis, Baptême de la France. De la religion d'Etat à la laïcité d'Etat* (Balland, 1996).

Norbert MENDGEN, ingénieur et architecte, a enseigné en Amérique et en Grande-Bretagne. Il est conservateur en chef et responsable de l'entretien des monuments de la Sarre; co-fondateur de la Société anonyme des spécialistes d'entretien de monuments industriels, il a publié de nombreux articles sur l'archéologie industrielle et la sauvegarde de tels bâtiments.

Matthias WASCHEK est responsable de la programmation des cycles de conférences et de colloques au Service culturel du musée du Louvre et donne un cours d'ouverture sur « l'Art comme stratégie du marketing » à l'Institut de Sciences politiques à Paris. Il a publié sa thèse sur Emile Bernard et prépare un ouvrage sur la céramique française au XIXe siècle.

Sylvie LINDEPERG est maître de conférences à l'Université de Southampton où elle enseigne le cinéma et l'histoire. Elle est co-fondatrice d'un groupe de recherche interuniversitaire britannique sur l'étude des médias. Auteur de nombreux articles sur le cinéma, la presse filmée et la télévision, elle publiera début 1997 aux éditions du CNRS *Les écrans de l'ombre, usages et refiguration de la Seconde Guerre mondiale dans le cinéma français.*

Anne SIMONIN est diplômée de l'Institut d'Etudes politiques et docteur en histoire. Chargée de recherche au CNRS, elle consacre ses recherches à la guerre d'Algérie. Elle a notamment publié *Les Editions de Minuit 1942-1955 : le devoir d'insoumission* (IMEC Editions, 1994).

Antoine de TARLÉ est directeur général adjoint du journal Ouest-France et responsable de la filiale « Edition » de ce groupe. Il anime un séminaire sur l'économie de la presse écrite à l'Institut de Sciences politiques de Paris. Il signe de nombreux articles sur la vie politique et les médias dans la presse et dans des ouvrages collectifs, tels *Newspapers and Democraty, Television and Political Life,* les *Enjeux de la Fin du Siècle.*

Michel CADOT est professeur émérite à l'Université de Paris III – Sorbonne nouvelle. Auteur d'une importante thèse sur *La Russie dans la vie intellectuelle française* (Fayard, 1967), spécialiste de littérature comparée, il signe de nombreux articles sur les relations entre la France et l'Allemagne, la Russie et les autres pays slaves. Il dirige actuellement un projet de recherche sur les relations franco-russes aux XIXe et XXe siècles, ceci à partir de documents d'archives russes inédits.

Jean SOLCHANY, ancien élève de l'Ecole Normale supérieure de Fontenay Saint-Cloud, agrégé d'histoire, est maître de conférences à l'Institut d'Etudes politiques de Lyon. Auteur d'un doctorat consacré à la réflexion sur le nazisme dans l'Allemagne de l'immédiat après-guerre (1945-1949), il prépare avec Isabelle von Bueltzingsloewen une *Histoire des Allemands aux XIXe et XXe siècles.*

Jan Philipp REEMTSMA créa, après des études d'allemand et de philosophie, la Fondation Arno Schmidt (1981) et fonda l'Institut de Sciences sociales de Hambourg (1984). Il enseigne à l'Université de Hambourg et coédita *« Nonca Mas ! » Ein Bericht über Entführung, Folter und Mord durch die Militärdiktatur in Argentinien* (Hambourg, 1987) ; *Die Auschwitz-Hefte. Texte der politischen Zeitschrift « Przeglad Lekarski » über historische, psychische und medizinische Aspekte des Lebens und Sterbens in Auschwitz* (Hambourg, 1987, rééd. 1994, 2 vol.) ; *Folter. Zur Analyse eines Herrschaftsmittels* (Hambourg, 1991). Depuis 1981, il s'occupe aussi de la publication des *Œuvres* d'Arno Schmidt.

Bernard GENTON, ancien élève de l'Ecole Normale supérieure, agrégé d'anglais, fut attaché culturel à Boston, chargé de mission au ministère de la Culture et directeur de l'Institut français de Berlin. Il est actuellement maître de conférences à l'Institut d'Etudes politiques de Strasbourg. Bernard Genton se consacre actuellement à la politique culturelle des Alliés à Berlin (1945-1949).

Brad F. ABRAMS, de l'Université de Stanford, a été Visiting Fellow à l'Institut des Sciences de l'Homme de Vienne où il a préparé sa thèse sur les intellectuels tchèques dans l'immédiat après-guerre. Il a signé plusieurs articles sur la question publiés dans des revues internationales.

Robert KOPP est professeur de littérature française à l'Université de Bâle. Il a été Doyen de la Faculté de Lettres de 1983-1985. Professeur associé dans plusieurs universités françaises (Paris IV, Nanterre, Ecole pratique des Hautes Etudes), il est aussi responsable de l'édition des textes « classiques » dans la collection « Bouquins » (Laffont) où il réédita le *Journal* des Goncourt. Il publia de nombreux articles et ouvrages sur Rousseau, Chateaubriand, Baudelaire, Nerval, Gobineau, Barrès, Pierre Jean Jouve, Denis de Rougemont.

Francine-Dominique LIECHTENHAN, historienne, est chargée de recherche au CNRS et chargée de cours à l'Université de Paris III-Sorbonne Nouvelle. Elle est spécialiste de l'histoire des relations internationales, notamment de celles de la Russie avec le monde occidental.

Introduction

Emmanuel LE ROY LADURIE

L'ANNÉE 1946, DANS TOUS SES ÉTATS

J'introduis ici ce colloque par quelques considérations générales, notamment européennes. Je traiterai donc de l'année 1946 et je donnerai de la sorte un coup d'œil sur l'Europe, sinon sur le monde, en m'efforçant du reste d'aller de l'année 1945 à 1950 sans me restreindre tout à fait à 1946. Ajoutons que dans la mesure où ce qu'on appelait autrefois le camp soviétique s'est quelque peu écroulé, nous pouvons regarder ces années d'après-guerre comme correspondant à une époque historique dépassée et cela avec le recul qui s'impose. On ressentait dès 1946 à travers un certain déclin de l'Europe, peut-être momentané, l'existence de divers « grands mondes » : soit l'économie de marché libérale des Etats-Unis et d'une Europe qui se reconstruisait ; l'URSS et le monde communiste ; enfin un tiers-monde où apparaissaient de nouveaux centres de pouvoir et une vraie indépendance... ou une fausse émancipation trop souvent. On sentait dès 1946 la possibilité du rétrécissement de la planète par une culture universelle de type souvent anglo-saxon ; par le commerce, par les transports... ; les avions transatlantiques ou transocéaniques étaient encore à hélices ; l'avion à réaction qui marquera vraiment le bouclage de la planète vaut surtout, quant au transport des passagers, pour les années 1950. Soit l'infortuné Comet, et puis Caravelle un peu plus tard. L'autre événement marquant tient bien sûr à l'essai atomique de Bikini (25 juillet 1946). Cette explosion, dans le Pacifique, s'en prenait à des navires de guerre allemands, italiens ou japonais préalablement mis au rebut ; la chose aujourd'hui passerait pour être de mauvais goût, mais dans l'esprit de la victoire d'alors, cela se comprenait. C'était l'époque aussi où les Etats-Unis en 1946 lançaient le premier plan Baruch, visant au contrôle international atomique ; ce projet, du reste, était quelque peu naïf et ne ressemblait pas tellement à ce que sera par ailleurs la politique nucléaire de Truman. 1946 encore : les USA mettent un terme à leur collaboration atomique avec l'Angleterre ; c'est la fin (plus ou moins) du projet Manhattan. Autre bombe atomique, la démographie, là je n'ai pas les chiffres précis de l'année 46, mais en 1900 la terre avait un milliard six cents millions d'habitants ; en 1950, deux milliards cinq cents millions. L'an 1946 inaugure aussi le temps de la guerre froide, les années de la croissance économique, même en Allemagne ; et puis les fameuses Trente Glorieuses de Fourastié ; l'optimisme n'était pas encore de mise, mais allait pouvoir se développer assez vite pour ensuite retomber quelque peu de nos jours. L'année 46 est également « encadrée » si je puis dire dès juillet 1944 par la conférence de Bretton Woods jetant les bases du système économique de l'après-guerre et créant le fonds monétaire international... qui deviendra un bouc émissaire assez commode ; créant la banque mondiale également, laquelle permettra de favoriser les échanges comme d'éviter de nouvelles crises universelles. Aussi bien sur ce système de Bretton Woods vient se greffer dès 1944 l'accord général quant aux douanes et au commerce, le fameux GATT qui fera beaucoup parler de lui à l'époque de M. Balladur en France. Il y a dès cette époque essor du commerce mondial avec des caractéristiques nouvelles : car à partir de l'année 1946 les produits industriels tendent à l'emporter sur les matières premières dans le trafic international. Je parlais à l'instant même de l'internationalisation des communications ; mais on voit naître, par ailleurs, une véritable organisation internationale avec l'ONU. Quant aux chronologies de la guerre froide, nous entreprendrons, une fois de plus, « d'encadrer » 1946 ; en 1945 il y eut Yalta, Postdam, Hiroshima, les débuts de la démocratie populaire en Yougoslavie – nous nous éloignons aujourd'hui de plus en plus de celle-ci ! En 1946, on note le discours de Churchill à Fulton, définissant le rideau de fer, le discours de Byrnes à Stuttgart pour une reconstruction des Allemagnes ; le communisme s'installe en Bulgarie et Roumanie ; la guerre d'Indochine commence. En 1947, fusion des zones d'occupation américaines et anglaises en Allemagne. 1948 : le coup de Prague. Qui est vainqueur, qui est vaincu ? Japon, Allemagne, Italie sont évidemment des pays vaincus ; la France est un pays vaincu en 40 puis pseudo-vainqueur en 45 ; l'Angleterre et l'URSS s'imaginent vainqueurs en 45 ; les Etats-Unis sont les véritables vainqueurs et on peut leur ajouter, avec une touche d'humour, la Suisse et la Suède qui purent traverser la guerre sans trop de problèmes. Saluons aussi au passage les trois grands Européens : Schumann, Gasperi, Adenauer.

On parle toujours de l'accord (plus tardif) entre de Gaulle et Adenauer ; mais il faut rappeler que Jean Monnet, et puis le lorrain Robert Schumann jouaient dès cette époque un rôle essentiel. En France, l'épuration continuait ou se terminait ; ces jours-ci encore, dans un hebdomadaire, le général Buis se plaignait des femmes tondues à la Libération ; il aurait pu ajouter aussi qu'un certain nombre de femmes et d'hommes ont été fusillés lors d'exécutions sommaires... Cela dit, il faut en profiter pour rendre hommage aux résistants, dont Buis, et à tant d'autres qui payèrent de leur vie l'opposition au nazisme. Début 1946 : départ de De Gaulle ; « *vous avez repris vos querelles partisanes* », déclare le général à ses ministres ; il reviendra douze ans après ; il aura quand même donné le temps aux partis non communistes en France de s'organiser face à ce qui était peut-être effectivement – les historiens en conviennent maintenant – un danger de prise de pouvoir par les disciples de Staline. C'est l'époque aussi des nationalisations françaises dont le but, nous dit-on, fut de relancer la production ; mais elles pèsent encore d'un certain poids idéologique dans notre vie nationale comme on a pu le constater tout récemment lors des dernières grèves, celles de l'hiver 95, qui furent effectivement des actions menées en ce secteur nationalisé ou en secteur de sécurité sociale ; celui-ci ayant bien sûr sa légitimité, mais il demeure que nous l'avons hérité de ces années 45-46. La nouvelle Constitution (celle de 1946 justement) opère dans les faits en France un retour à la IIIe République, un revenez-y à un système qui restera jusqu'à nos jours pratiqué en Italie, mais dont de Gaulle, à juste titre, nous aura débarrassés dès 1958 ; il y aura donc 22 gouvernements en France de 1946 à 1958, mais il est vrai qu'existait alors une stabilité des administrations, qui ne subsiste plus au même point, puisqu'à la fin de notre XXe siècle, en France, un système des dépouilles y compris administratives s'est souvent instauré lors des alternances politiques. Enfin pour en rester à 1946, l'Empire français devenu l'Union française existait encore, mais va souffrir bien sûr des débuts de la guerre d'Indochine, souffrir et même bientôt disparaître un jour ou l'autre.

En Allemagne, le système d'occupation étrangère crée un déséquilibre très net dans les rapports entre grandes forces culturelles en ce pays : de fait, l'occupation de l'Est germanique, la destruction des territoires allemands qui se trouvaient en Pologne et en Prusse orientale marquent un recul, on doit le souligner, de l'Allemagne protestante par rapport à une Allemagne catholique devenue plus importante, et ceci nous donnera Adenauer et Kohl un peu plus tard. C'est l'époque où Rossellini, déjà bon cinéaste à l'époque mussolinienne, tourne avec talent *Allemagne, année zéro*, il voit s'y profiler à nouveau un danger nazi à Berlin, ce qui était quelque peu paranoïaque en une époque où le péril berlinois était surtout soviétique, mais cela n'enlève rien ou très peu à la valeur esthétique de son film. Enfin je faisais allusion tout à l'heure au discours de Byrnes en septembre 46 à Stuttgart ; il ne s'agit déjà plus comme au temps du plan Morgenthau, ce plan écologique qui voulait transformer l'Allemagne en une sorte d'herbage normand, il ne s'agit plus du tout de cela, mais au contraire de reconstruire l'économie allemande ; le discours de Byrnes annonce effectivement ce qui va se passer. Adenauer, 70 ans en 1945, a encore tout son avenir devant lui cependant que le socialiste Schumacher, nostalgique des provinces protestantes de l'Est, n'a pas la partie aussi facile.

La nouvelle politique des alliés, la réforme monétaire, les milliards de dollars du plan Marshall, la capacité travailleuse des « Germains » font que le miracle allemand va bientôt se dessiner et donnera tous ses fruits dix ou quinze ans plus tard.

En Autriche, l'échec de la prise de pouvoir communiste, l'argent du plan Marshall, un sévère programme de reconstruction, une durable coalition entre socialistes et populistes, une politique économique calquée sur le modèle allemand permettant le retour graduel de la prospérité. En Allemagne de l'Est, en 1946, on assiste à la fusion du parti communiste et du SPD sous la houlette russe. Le SPD en l'occurrence a été violé par les communistes, mais il a montré peut-être – c'est du moins une thèse qu'on soutient quelquefois – une certaine complaisance dans cette affaire. Le SED avec son chef Walter Ulbricht devient donc une sorte de proconsulat soviétique en Allemagne de l'Est. Cette zone porte le plus gros poids des réparations vis-à-vis de la Russie et en 1952 encore, le quart de la production de l'Allemagne de l'Est va du côté soviétique. Le plus gros problème de ce pays, c'est l'exode puisque deux millions et demi de personnes vont quitter (vers l'ouest) ce qui va devenir la RDA.

L'Italie, pays vaincu, n'éprouve pas la crise de culpabilité qui est réservée semble-t-il aux Allemands. Et des films pleins de talent sur quelques groupes de partisans font oublier à tout jamais le fameux coup de poignard dans le dos de 1940. En juin 1946 un référendum incline vers la République : l'Union nationale péninsulaire durera jusqu'en 1947.

Du côté du Bénélux, la Belgique avait conservé pendant la guerre le contrôle du Congo. Le Congo c'était pour les Belges la richissime ressource de l'uranium; c'est de cette époque ou un peu plus tard que date l'éclairage nocturne des autoroutes belges, qui constitue toujours une surprise pour l'Etranger passant. Les Hollandais, dès 1945, ont lancé un plan de stabilisation, réforme monétaire, mise sur pied d'un office central de planification, contrôle des salaires et des prix, amélioration du niveau de vie et ils s'apercevront que la perte de l'Indonésie n'est pas une telle catastrophe, une fois la prospérité revenue dans ce pays. En Suisse, on organisera les rencontres internationales de Genève; c'était l'époque où les Helvètes étaient pro-européens (en 1946) et il est vrai que la Suisse est une métaphore de l'Europe avec cette entente entre les populations de langue romane et de langue alémanique, métaphore qui n'a peut-être pas toujours, malheureusement, joué son rôle lors des périodes récentes.

Regardons maintenant vers l'Est. La Tchécoslovaquie avait peu souffert de la guerre; en 1947 il y eut un recul du parti communiste aux élections; mais le coup de Prague y mettra « bon ordre » en 1948 et le drame tchécoslovaque sera la régression d'une puissance industrielle, très proche de ce qu'étaient avant-guerre la Suisse et l'Autriche, et qui peut-être va retrouver maintenant (1996) ce rôle. En Hongrie, c'est la tragédie bien sûr d'une libération qui n'en est pas une; elle est aggravée par la prépondérance de Matthias Radkosi, chef du parti communiste de 1945 à 56; il élimine le parti des petits propriétaires, des paysans qui avaient pourtant obtenu 50 % des voix à la Libération. Dès 1945, réforme agraire, nationalisation des banques et de l'industrie... les communistes hongrois qui n'avaient obtenu pourtant que 16 % des votes s'installent au ministère de l'Intérieur, à la police et ironie de l'histoire en 1946, l'impitoyable ministre de l'Intérieur et de la police s'appelle M. Laszlo Reich; inutile je crois de faire un dessin à propos du châtiment imprévu qui lui retombera par la suite sur la tête, à ce « malheureux ». En Pologne, six millions de morts pendant la guerre, 20 % de la population nous dit-on; le passage au communisme est décidé par les Russes dès 1944-45; il est scellé par les élections pro-communistes, très « arrangées », de 1947. La Yougoslavie, deux millions de morts; 10 % de la population; la monarchie fut abolie en Yougoslavie à l'automne de 1945 et dès cette époque ce pays devient une République populaire avec un Etat fédéral, un communisme très dur et des conflits ethniques qui provoquent des centaines de milliers de morts. Assez vite ces confits ethniques sont mis au frigidaire et l'on ne prévoit pas évidemment ce qui va se passer en notre temps. La Roumanie change de camp, limite ses pertes territoriales, sauf en ce qui concerne la Bessarabie; dès 1945, le parti national paysan est interdit; son chef est emprisonné; en décembre 1947 la monarchie est supprimée; en 1948, le parti communiste roumain est épuré; son chef Georgiu Dej, leader nouveau, prend le pouvoir et plus tard ce sera Ceaucescu. En Bulgarie, pays allié des Russes depuis le XIXe siècle, la monarchie est abolie en 1946 et Dimitrov sera remplacé en 1949; ce sera la fin de l'idée de Confédération balkanique qui déplaisait à Staline. Notons aussi que la monarchie devient une espèce européenne en voie de disparition, c'est seulement Juan Carlos qui renversera, on ne sait pas pour combien de temps, cette tendance. Mais restons dans les Balkans: en Grèce, en 1946, la guerre sévit entre les communistes et les non-communistes soutenus par les Anglais; en mars 1946, les élections générales marquent la défaite du parti communiste. La guerre civile a repris en mai 46, animée par les durs du parti communiste grec; les Etats-Unis en 47 prendront le relais de l'Angleterre et en décembre 47 la guérilla contrôlerait, nous dit-on, les 4/5e de la Grèce, mais aucune grande ville; d'où l'idée qui sera fatale aux communistes grecs de passer à la guerre en rase campagne, si on peut parler de rase campagne en Grèce: la défection de Tito mettra fin aux rêves du communisme hellène, et de façon cruelle.

Intéressant aussi de jeter un coup d'oeil au nord de l'Europe, la Suède avait un gouvernement d'union nationale auquel succède dans l'été 1945 un gouvernement socialiste homogène; c'est l'époque de Tag Erlander, le socialiste qui restera 23 ans au pouvoir, c'est-à-dire une durée comparable à celle du chancelier Oxenstiern dans l'Ancien Régime suédois. Réforme sociale suédoise, sécurité sociale: tout le monde est d'accord, sauf sur le financement; un impôt progressif est mis en place et l'atteinte qui est ainsi portée aux revenus d'un grand nombre de gens fait penser, disent certains Scandinaves, à l'expropriation de l'Eglise par les protestants au XVIe siècle. Mais au fond le destin de la Suède est assez proche de celui de l'Angleterre avec la victoire britannique du Labour party en mai 45. On va donc mettre en application outre-Manche, le plan Beveridge, élaboré dès 1942, avec sécurité sociale pour la plupart des gens; et puis les nationalisations des mines de charbon, du gaz, de l'électricité, des chemins de fer, des lignes aériennes, de la métallurgie. Les conservateurs revenus au pouvoir en 1951 ne changeront pratiquement rien à tout ceci, à part la dénationalisation de la métallurgie et cela fait penser au fond à ces alternances françaises depuis quelques années où les acquis du socialisme ne sont guère contestés par le gouvernement suivant. En 1950 en revanche, le Labour party a raté l'Europe, mais le plan Marshall, et les Trente Glorieuses aboutissent à ce que l'Angleterre opère elle aussi un redémarrage économique assez réussi.

Du côté de la Russie enfin, la prophétie de Tocqueville prévoyant qu'il y aura deux superpuissances, les Etats-Unis et la Russie, semble se réaliser, mais remarquons que cette prophétie, tout à fait valable pour les années 1945-1985, l'est beaucoup moins maintenant; Tocqueville fut bon prophète pour une trentaine ou une quarantaine d'années. Il n'y a plus aujourd'hui qu'une seule superpuissance nord-armoricaine. L'URSS fut un champ de bataille et les zones occupées par les Allemands détenaient 40 % de la population soviétique; elles donnaient 58 % de l'acier, 40 % des céréales, avec 41 % des chemins de fer, à ceci près quand même que c'était moins la Russie proprement dite que l'Ukraine et les pays périphériques de l'ouest du pays qui étaient occupés. En février 1946, Staline prononce à Moscou un discours dur, demandant de nouveaux efforts, prévoyant implicitement de nouvelles victimes, et des épurations. L'époque de guerre qu'avait chérie Pasternak, l'ère de l'amour non partisan de la patrie, semble révolue. Les prisonniers de guerre russes, retour d'Allemagne, sont envoyés en Sibérie, et Jdanov, qui meurt assez rapidement à cette époque, va néanmoins avant son décès proposer une ligne idéologique très dure qui aura des retentissements jusqu'en France; l'idéologie communiste semble être doué d'un avenir mondial tout à fait marqué. Illusion... ?

Voilà donc une petite tournée européenne que j'ai effectuée très rapidement. Peut-on dire un mot des Etats-Unis? Ce n'est pas exactement notre sujet et nous n'avons pas beaucoup de temps. Néanmoins, M. Alain Minc vient de publier un ouvrage qui s'appelle *Anti-portraits*, dans lequel on peut lire un chapitre sur Truman qui me paraît intéressant: Truman a pris les décisions qui s'imposaient; il a percé à jour les projets de Staline, il a maintenu la présence américaine en Europe; il n'a pas réitéré les erreurs pratiquées après la Première Guerre mondiale par le célèbre professeur de Princeton, Woodrow Wilson, ni non plus les sottises commises vis-à-vis de l'Europe de l'Est par Roosevelt lors des dernières années de la Seconde Guerre mondiale. Faut-il rappeler que Roosevelt voulait, avec l'Alsace-Lorraine et la Belgique, créer un Etat tampon entre la France et l'Allemagne; il a fallu que Antony Eden, horrifié, lui fasse remarquer que ce projet était grotesque... pour qu'on n'en parle plus. Vous me permettrez donc, en toute simplicité, de conclure sur cette note d'humour noir... qui s'est néanmoins, quant à l'Alsace-Lorraine, terminée par un *happy end* bien français.

POLITIQUE ET DROIT INTERNATIONAL

Cyril BUFFET

DE LA VOIE PARTICULIÈRE À L'IMPASSE POLITIQUE : LA RECOMPOSITION DU PAYSAGE POLITIQUE EN ALLEMAGNE OCCUPÉE

« Komm, Wilhelm Pieck, sei unser Gast
und gib, was du uns versprochen hast.
Nicht nur Rüben, Kraut und Kohl,
sondern was du ißt und Herr Grotewohl. » [1]

Alors que Hitler se suicide dans son bunker, Walter Ulbricht, leader communiste allemand réfugié à Moscou pendant la guerre, arrive à Berlin. Il dirige l'un des trois groupes de communistes allemands rapatriés par les Soviétiques afin de mettre en place une nouvelle organisation administrative et politique dans les territoires occupés par l'Armée rouge [2]. Les deux autres groupes sont envoyés dans le Mecklembourg et en Saxe. Ulbricht et ses huit collaborateurs ont en charge la capitale allemande que les Soviétiques occupent seuls pendant deux mois. Les uns et les autres utilisent ce laps de temps pour s'assurer une avance décisive sur leurs rivaux de demain. Ils s'emparent ainsi d'une position-clef dans le domaine de l'information puisqu'ils détiennent le monopole radiophonique jusqu'en septembre 1946 et deux tiers des journaux imprimés à Berlin à la fin de 1947 sont encore sous licence russe [3]. La police passe également sous contrôle communiste, aussi bien à Berlin qu'en zone soviétique (SBZ) [4]. Les trois équipes ont pour tâche ensuite de désigner des municipalités dont la composition obéit à la consigne formelle donnée par Ulbricht à ses compagnons : « *cela doit avoir l'air démocratique, mais nous devons avoir tout en main* »[5]. Ils pratiquent à cet effet un savant dosage politique, plaçant aux postes en vue des personnalités indépendantes ou sociales-démocrates, mais les fonctions influentes sont détenues par les communistes. La municipalité berlinoise correspond scrupuleusement à cette répartition : le nouveau maire est un vieil architecte apolitique et digne qui après dix-huit mois de loyaux services disparaît aussi vite qu'il était apparu ; le reste du *Magistrat* comprend huit membres « bourgeois » ou socialistes et neuf communistes[6]. Et au sein des administrations des vingt arrondissements berlinois, le rapport politique s'établit à 100 communistes pour 130 « autres ». Pendant un an et demi, le KPD contrôle la municipalité centrale de Berlin.

Rappelés à Moscou, Ulbricht et les deux autres chefs des groupes communistes (Anton Ackermann et Gustav Sobottka) rencontrent le 4 juin Staline, Molotov et Jdanov qui procèdent à la désignation des instances dirigeantes d'un grand « *parti des travailleurs* » poursuivant des buts réformistes. Le Kremlin accepte la proposition d'Ulbricht d'éliminer les comités antifascistes, afin d'éviter le risque d'un « *double pouvoir* »[7]. Ulbricht et ses compagnons rentrent ensuite en Allemagne orientale, avec le vieux dirigeant Wilhelm Pieck réfugié, lui aussi, à Moscou où les communistes émigrés ont soigneusement planifié pendant la guerre leur retour en Allemagne[8]. Ulbricht prépare donc aussitôt la refondation du parti communiste (KPD)[9], après avoir éliminé les comités antinazis qui, surgis spontanément à la fin des hostilités, recrutaient surtout leurs membres au sein de la gauche et s'étaient constitués sur une large base dépassant les clivages de Weimar[10]. Ces comités témoignent de l'existence d'un fort mouvement unitaire en Allemagne où maints partis ouvriers unifiés voient le jour au niveau local. Au regret de nombreux militants désireux de rebâtir la grande communauté socialiste, le KPD choisit donc dans un premier temps de ne pas exploiter ce puissant courant unitaire qui se manifeste par exemple à Forst où 200 communistes et 200 sociaux-démocrates réclament une seule « *direction pour la classe ouvrière unie* »[11]. Il veut d'abord profiter de son aura d'opposant irréductible à Hitler, de son avance organisationnelle, du soutien indéfectible des forces soviétiques, et de l'attrait d'un programme mesuré susceptible de gagner à sa cause de larges couches de la population[12]. Mais il prend ainsi le risque de laisser se structurer des appareils partisans qui deviendront inéluctablement des concurrents et qui en tout cas se montreront réticents soit à se saborder soit à être absorbés.

Le parti du peuple

Dès le lendemain de l'autorisation par l'administration d'occupation soviétique (SMAD) des partis démocratiques – l'URSS étant la première puissance occupante à prendre cette décision –, le KPD réapparaît le 11 juin 1945 en publiant son manifeste qui se réfère significativement à 1848 et non à 1917 ou 1918[13]. Rédigé à Moscou par Anton Ackermann, ce programme fait preuve de modération, soulignant les convergences entre les forces progessistes, dans le double but de servir de plate-forme à un bloc des partis antifascistes et de favoriser un rapprochement avec les sociaux-démocrates. Se démarquant de Moscou dont il ne veut pas apparaître comme une émanation, le KPD renonce à appliquer à l'Allemagne le régime de l'URSS : «*Nous estimons que la voie qui consisterait à imposer à l'Allemagne le système soviétique serait erronée... Les intérêts décisifs du peuple allemand dans la situation actuelle prescrivent pour l'Allemagne une autre voie, celle d'un régime antifasciste et démocratique*». Le KPD se présente en outre comme le défenseur des intérêts du peuple allemand, notamment de l'unité nationale. Il cherche à se donner l'image d'un «*parti du peuple*», d'une formation réformiste qui ne souhaite ni bouleverser la société allemande ni importer un régime étranger. Il propose en somme une alternative aux modèles stalinien et libéral, se souciant de maintenir à équidistance l'Est et l'Ouest, l'Allemagne servant de trait d'union, ce qui s'apparente aussi du reste à la «*politique de pont*» pratiquée par certains démocrates-chrétiens comme Jakob Kaiser.

En refondant leur parti dans la capitale allemande, les communistes estiment acquérir une dimension nationale, et non pas seulement zonale. Cela correspond symboliquement à leur ardent désir de vouloir représenter et défendre l'unité de l'Allemagne. Durant les premières années de l'après-guerre, le KPD utilise Berlin comme tribune nationale pour diffuser ses mots d'ordre unitaires et pacifistes, dans le dessein de conquérir l'assentiment de la population. Le KPD se présente comme le champion de l'unité nationale, un thème qu'il juge politiquement fédérateur et électoralement profitable. Il développe une stratégie analogue à celle de l'URSS[14] qui souhaite également exercer une influence sur l'ensemble de l'Allemagne et qui cherche à cet effet «*à utiliser le levier puissant que constitue Berlin*»[15]. Aux yeux des communistes et des Soviétiques, Berlin sert de laboratoire politique, comme le souligne un rapport français: «*Les Autorités soviétiques, en prenant au mois de septembre* [1945], *l'initiative d'établir dans leur zone des Secrétariats d'Etat allemands*[16], *se sont préparés des équipes capables d'assurer l'administration générale de l'Allemagne dans les mêmes conditions que le Magistrat en ce qui concerne le Grand-Berlin*»[17]. Or, l'opinion publique se montre dans son ensemble assez réticente à s'engager politiquement, en tout cas du côté communiste, préoccupée avant tout par la situation matérielle[18]. Mais il y a une exception. La SBZ apparaît en effet nettement plus politisée que les zones occidentales; l'encadrement des partis y est en tout cas plus étroit. Cet important engagement politique des Allemands de l'Est répond à diverses considérations: l'espérance en un nouvel ordre social, le carriérisme ou l'opportunisme, des réflexes de peur...

Le programme du KPD vise explicitement à ne pas heurter les sensibilités des non-communistes et il réussit en partie, puisque maints sociaux-démocrates, comme Otto Grotewohl, et maints chrétiens-démocrates, comme Jakob Kaiser, approuvent cette orientation générale. Le KPD veut ainsi rendre possible, d'une part, la constitution d'un «*front unitaire des partis antifascistes*» (réalisé le 14 juillet 1945) au sein duquel il espère occuper une place prépondérante[19], et d'autre part, une entente préalable à une fusion avec le parti social-démocrate. Non seulement il tient à mettre fin à la rivalité traditionnelle avec le SPD, mais il cherche à neutraliser un concurrent dangereux, puisque les deux partis recrutent leurs électeurs et leurs adhérents dans des milieux sensiblement identiques. Le KPD ne développe pas immédiatement une stratégie unitaire, préférant tout d'abord se structurer, se renforcer et s'implanter solidement avant de fusionner avec le SPD. Dans les zones occidentales, le KPD se reconstitue progressivement au niveau des fédérations, mais la ligne sinueuse suivie par la centrale berlinoise, qui ne se réfère pas plus à la dictature du prolétariat qu'au socialisme tout en écartant le regroupement organique des partis ouvriers, heurte la sensibilité de camarades qui seront plus tard accusés de «*sectarisme*»[20].

La reconstitution des partis en Allemagne occupée s'effectue généralement à partir d'initiatives locales, ce qui favorise l'émergence, au sein d'une même formation, de courants variés. C'est notamment le cas pour le parti social-démocrate. Pris de court, quelques sociaux-démocrates réunis à Berlin décident dès le 15 juin de créer un comité directeur présidé par Otto Grotewohl, Max Fechner et Erich Gniffke et, deux jours plus tard, le SPD est refondé, tout au moins en SBZ et à Berlin. Le SPD-Est se prononce en faveur de l'unité avec le KPD, ce qu'il propose d'ailleurs immédiatement à ce dernier qui se montre guère empressé, acceptant seulement la mise en place de commissions chargées d'étudier les conditions d'une unité organique [21]. De semblables instances paritaires se mettent ultérieurement en place dans les zones occidentales. En revanche, le SPD-Ouest adopte, sous l'influence de Kurt Schumacher, une orientation clairement anticommuniste [22].

En zone soviétique, le parti chrétien-démocrate (CDU) voit le jour le 26 juin et le parti libéral (LDP) le 5 juillet. A la fin de l'année 1945, le LDP compte en SBZ 88 000 membres et la CDU 68 000 contre 400 000 à l'Ouest. Les éléments hostiles à une entente avec les communistes au sein de ces partis, respectivement Eugen Schiffer et Andreas Hermes, sont progressivement éliminés, alors que sont promues des personnalités plus souples, comme Otto Nuschke et Wilhelm Külz [23].

Le KPD applique à sa manière la «*tactique du salami*» mise en œuvre par les partis communistes d'Europe de l'Est pour s'emparer du pouvoir et plus tard exposée par le dirigeant hongrois Rakosi [24]. Cette tactique consiste, d'un côté, à progressivement neutraliser ou absorber les adversaires potentiels et, de l'autre, à conquérir les masses en prenant la tête du «*mouvement de reconstruction*». Or, la situation particulière de l'Allemagne – vaincue, occupée, divisée – oblige le KPD à s'adapter, car sa stratégie vise aussi des zones où son influence s'exerce moins fortement qu'en SBZ où il peut compter sur le soutien actif des Soviétiques. Il doit en outre calmer les éventuelles appréhensions des Occidentaux et inspirer confiance à ses partenaires politiques. Sa tâche apparaît ardue, dans la mesure où il est prisonnier de contradictions irréductibles. Tout en cherchant à se démarquer de l'URSS, il doit en effet développer une propagande russophile, ce qui s'avère vraiment difficile quand Moscou accentue les pressions économiques sur la SBZ. Le KPD doit également lutter contre un anticommunisme largement répandu dans une population longtemps soumise au matraquage de Goebbels. Il ne parvient pas à se défaire de l'image de marionnette soviétique, voire d'agent d'exploitation de l'occupant dont les exigences ne cessent de croître. Il éprouve de ce fait quelque difficulté à convaincre les masses allemandes de sa volonté de défendre leurs intérêts. Il souffre en effet d'une immédiate perte de prestige et de popularité, en raison de sa connivence avec les Soviétiques et du comportement de ceux-ci avant et après la capitulation. Les viols perpétrés massivement par les soldats de l'Armée rouge obèrent toute la stratégie communiste qu'hypothéquent encore plus toutes les mesures prises par l'occupant russe (expulsions, réquisitions, transferts, séquestrations, enlèvements, démantèlements, emprisonnements, collectivisation…)[25]. A l'instar d'un diplomate français, les Allemands sont convaincus que les communistes et les Soviétiques s'efforcent *«d'introduire méthodiquement le régime politique, économique et social en vigueur en Russie»*[26]. Et près des trois quarts des habitants de la zone américaine considèrent en 1947-1948 le communisme comme «*entièrement mauvais*» et seulement un peu plus d'un tiers se déclare favorable à un gouvernement central siégeant à Berlin[27], qui serait à participation communiste et soumis à la pression soviétique.

Or, Berlin devient rapidement le lieu et l'enjeu d'un affrontement politique qui, moins d'un an après la fin de la guerre, provoque une première division préfigurant la partition finale. Cette lutte se cristallise autour de la question de la fusion du SPD et du KPD. Cette affaire conditionne toute la vie politique allemande pendant près d'un an. Le destin de l'unité politique de l'Allemagne se joue au début du printemps 1946. Les observateurs de l'époque ne s'y trompent pas. Ainsi, le conseiller politique du commandant en chef français, Tarbé de Saint-Hardouin, remarque en mars 1946 que, «*dans le jeu des partis et des syndicats*[28] *qui se développe à Berlin sous l'influence à peine camouflée des Soviets dans un sens doublement unitaire (unité nationale et unité de programmes ou même fusion des partis), nous nous trouvons actuellement à un tournant et les semaines qui vont suivre peuvent décider du rôle de Berlin dans l'Allemagne de demain ainsi que de l'orientation de cette Allemagne*»[29]. La tension culmine en effet à deux reprises le 31 mars et le 21 avril, mais c'est seulement six mois plus tard qu'il est possible de connaître tous les effets de cette crise profonde.

Le mythe unitaire

Le débat sur la réunification du mouvement ouvrier date des années hitlériennes. Certains sociaux-démocrates et communistes estiment qu'une des causes de la prise du pouvoir par les nazis réside dans la lutte acharnée que leurs partis se sont livrés sous Weimar. Il faut donc y mettre fin. Le «*Manifeste de Buchenwald*» du social-démocrate Hermann Brill exige par exemple l'union des forces progressistes au sein d'une Ligue des Socialistes Démocrates. De son côté, la commission centrale du SPD de SBZ demande dès le 15 juin 1945 «*l'unité organisatrice de la classe ouvrière*»[30]. Même si certains rechignent à s'associer à ceux qui restent des «*social-traîtres*» maints communistes désirent sincèrement une telle union. Néanmoins, le KPD freine au début ces tendances intégrationnistes, car il tient en premier lieu à renforcer ses structures et son implantation, à former des cadres[31] et à recruter des militants. Il ne veut pas toutefois renoncer aux bénéfices d'une entente avec les sociaux-démocrates. Aussi conclut-il avec eux dès le 19 juin un «*accord d'unité d'action*» qui se traduit par la mise en place d'un comité de travail permanent, paritaire et conjointement présidé par Ulbricht et Grotewohl[32].

Pendant tout l'été 1945, le KPD se reconstitue et recherche l'appui populaire en prenant la tête des mouvements revendicatifs aussi bien dans les villes que dans les campagnes. C'est ainsi qu'il prend une part active à la réforme agraire opérée en SBZ à partir de septembre. Mais un retournement de la situation politique se produit à cette date. Grotewohl prend le 14 septembre ses distances à l'égard du KPD, car il estime désormais qu'un grand parti social-démocrate quadrizonal a toutes les chances de jouer un rôle prépondérant sur le plan national et il privilégie en conséquence le renforcement interne et le développement externe de sa formation[33]. En effet, le SPD devient rapidement le premier parti de SBZ, comptant 302 000 membres à cette date et 695 000 six mois plus tard[34]. Au contraire, Pieck change de tactique en appelant à la «*création d'un parti unifié*»[35], une offre renouvelée par Ulbricht à la mi-octobre[36].

Le KPD s'aperçoit que le SPD, aussi bien à l'Est qu'à l'Ouest[37], obtient une large audience risquant de réduire à néant tous ses efforts qui lui permettent d'août 1945 à février 1946 de quadrupler ses effectifs, passant de 151 000 membres à 624 000, alors qu'en 1933 il n'en comptait que 99 000 (dont un tiers à Berlin) sur le futur territoire de la SBZ[38]. Malgré cette active politique de recrutement et son antériorité sur le terrain, le KPD se rend compte que le SPD tend à le supplanter et, dans certaines régions, à regagner une suprématie traditionnelle. Ainsi, à Görlitz, «perle de la Lusace» située sur la Neisse à la fontière polonaise, la gauche recrutait avant 1933 ses militants parmi les ouvriers de l'industrie ferroviaire, 1113 pour le SPD et 400 pour le KPD. Mais en 1945, la disproportion s'accentue, puisqu'en décembre, les sociaux-démocrates sont 4744 et les communistes 1163 seulement[39].

Le KPD doit donc agir rapidement s'il veut préserver ses chances de conquête du pouvoir, tout en profitant des dissensions apparues au sein du parti social-démocrate à l'occasion précisément du problème des rapports avec le KPD. Celui-ci réoriente sa stratégie en vue de parvenir à la fusion avant que des élections ne fixent le rapport des forces politiques. Malgré ses hésitations, le SPD de l'Est dirigé par Grotewohl penche par réalisme en faveur d'une entente avec le KPD, car il estime que l'URSS sera bientôt la puissance dominante en Europe[40]. Du reste, le maréchal Joukov ne lui cache pas en février 1946 qu'il n'a pas vraiment le choix: «*Que cela vous plaise ou non, telle est la situation poltique*»[41]. Au contraire, le SPD de l'Ouest, à la tête duquel s'impose Kurt Schumacher, refuse de s'unir au KPD, fossoyeur de la démocratie allemande et «*parti d'Etat étranger*»[42]. Ces deux tendances s'affrontent à Hanovre les 5 et 6 octobre, lors de la première conférence générale du SPD organisée depuis 1933. Outre la rivalité personnelle entre les deux hommes, l'intransigeance de Schumacher, foncièrement hostile à toute coopération avec le KPD, isole certes Grotewohl mais, en ne tenant pas compte des réalités est-allemandes et en ne lui offrant comme alternative que le suicide politique ou la recherche d'un affrontement perdu d'avance, il le pousse fatalement dans les bras communistes dans lesquels il se jette d'autant plus facilement qu'il connaît les aspirations unitaires de ses camarades[43]. Grotewohl peut aussi craindre d'être dépassé par une base plus rassembleuse que le sommet, d'autant plus que des officiers de propagande soviétiques commencent à l'automne à exercer de fortes pressions sur les groupes locaux du SPD pour les inciter à manifester leur désir d'unité auprès de la direction du parti. La SMAD use aussi bien de la persuasion que de la coercition. Ainsi, en Saxe, le colonel Vatnik engage une «*lutte ouverte*» contre les sociaux-démocrates récalcitrants qui sont intimidés, battus ou traduits en justice. En Thuringe, le général Kolesnichenko s'implique tellement dans cette opération que sa province est la première à annoncer la fusion des deux partis ouvriers[44]. A l'égard des dirigeants du SPD, les Soviétiques adoptent des méthodes plus subtiles. Par exemple, le maréchal Joukov promet à la fois à Gniffke de démettre Ulbricht qui est détesté[45], et à Grotewohl de réduire les troupes stationnées en SBZ. Quant au colonel Tulpanov, chef de l'administration de la Propagande, il couvre de cadeaux Grotewohl dont le fils est en outre libéré d'un camp de prisonniers britannique grâce à une intervention soviétique[46].

Le KPD se décide donc à engager le processus d'unification avant que la tendance «*anti-fusionniste*» ne l'emporte complètement au sein du SPD. L'opération est lancée le 9 novembre par Wilhelm Pieck qui recommande solennellement l'union des deux partis. Elle prend un sens particulier après l'annonce de résultats désastreux pour les communistes lors d'élections ayant lieu justement en novembre dans des pays où l'Armée rouge est pourtant présente. En Hongrie, ils n'obtiennent que 70 sièges contre 246 aux conservateurs, et en Autriche seulement 4 mandats contre 161 à ses deux principaux concurrents. Le KPD estime qu'il s'agit d'un double avertissement dont il faut tenir compte, s'il ne veut pas connaître le même sort. Ces déroutes électorales semblent également condamner la stratégie de «*front antifasciste*». Le commandant soviétique de Berlin, le général Smirnov, s'inquiète pour sa part de l'état d'esprit des Allemands qui «*voient de manière plutôt négative la politique des partis antifascistes*» et qui, à cause d'incidents survenus avec des soldats de l'Armée rouge, inclinent à «*haïr les communistes*», d'autant plus que «*le KPD essaye de contraindre par différents moyens la population à devenir communiste*»[47]. Ces appréhensions semblent alors se confirmer, car le bloc démocratique de SBZ est justement secoué par une grave crise[48].

En effet, les deux présidents de la CDU de zone soviétique, Andreas Hermes et Walther Schreiber, critiquent publiquement les modalités de la réforme agraire et la pesante tutelle de la puissance occupante. Hermes n'hésite pas à déclarer qu'il n'a pas «*combattu contre une dictature pour l'échanger contre une autre*»[49]. La SMAD exige le 19 décembre leur démission, ce que le comité central de la CDU-Est finit par accepter, les remplaçant par Jakob Kaiser et Ernst Lemmer[50]. Tous ces événements incitent les communistes à accélérer le processus de fusion, mais ils fournissent aussi des arguments de poids aux contempteurs de celle-ci.

Dès le 20 décembre, une «conférence des Soixante», 30 membres du SPD-Est et 30 du KPD, se tient à Berlin[51]. Elle désigne une commission d'étude paritaire (Grotewohl, Dahrendorf, Pieck, Ulbricht, Ackermann...) chargée de déterminer les modalités pratiques et politiques de la création d'un parti ouvrier unique[52]. Les sociaux-démocrates posent certaines conditions, voulant obtenir des garanties sur le fonctionnement interne du futur parti. Grotewohl critique en particulier les pressions exercées par les Soviétiques qui favorisent en plus outrageusement les communistes[53]. Il cherche ainsi à rassurer Schumacher, car un congrès du SPD-Est doit ratifier le projet de fusion. Les communistes se soucient également de tranquiliser leurs partenaires. Dans cette optique, ils développent à nouveau le thème de la « voie particulière » (*Sonderweg*) déjà contenu dans le programme du KPD. Le brillant idéologue du KPD, Anton Ackermann, publie un article qui connaît un grand retentissement. Sous le titre «*Existe-t-il une voie spécifiquement allemande vers le socialisme ?*», il se prononce pour une «*république antifasciste-démocratique*» qui soit «*l'Etat de tous les travailleurs*» et il réaffirme que «*la plus grande faute serait d'exagérer la valeur universelle de l'expérience russe*». Ackermann propose ainsi une troisième voie entre le stalinisme et le capitalisme, une alternative susceptible de préserver la spécificité de l'Allemagne, ce qui séduit plus d'un dirigeant, non seulement social-démocrate (Grotewohl[54], Gniffke), mais aussi libéral (Wilhelm Külz (1875-1948), fondateur du LDP de SBZ) et chrétien comme Kaiser et Lemmer.

L'article d'Ackermann déclenche réellement la campagne d'unification, qui se développe tout au long de l'hiver, sous l'impulsion du KPD. Elle est marquée le 3 janvier 1946 par une grande manifestation organisée à Berlin, à l'occasion du soixante-dixième anniversaire de Pieck, chaleureusement congratulé par Grotewohl. Les photographes de presse immortalisent une première fois leur longue poignée de mains. Le lendemain, Pieck déclare devant la «*conférence des fonctionnaires*» de son parti que le KPD, n'étant pas en mesure de vaincre électoralement, doit s'unir au SPD[55]. Mais ce rapprochement ne reçoit pas l'approbation des sociaux-démocrates de l'Ouest. Ainsi, trois jours plus tard, les militants du SPD de zone américaine refusent largement la fusion. Et les résultats des élections municipales organisées dans cette zone les 20 et 27 janvier confortent leur opposition, puisque le SPD recueille en Hesse 41,4 % des voix contre seulement 4,6 % au KPD[56].

A la suite de cette consultation, le SPD de l'Ouest tente d'infléchir la position de Grotewohl. Le comité central du parti social-démocrate adopte le 11 février une résolution exigeant que la question de la fusion soit soumise au plus tôt au vote des adhérents. La situation se radicalise une première fois quand les « antifusionnistes » berlinois ne peuvent pas s'exprimer dans les colonnes du journal du parti et une seconde fois quand la rupture intervient entre Grotewohl et Schumacher, le 21 février, après deux jours de discussions stériles. A cette date, le parti social-démocrate allemand éclate. Schumacher annonce que le comité central de Berlin n'est compétent que pour la SBZ et il affirme qu'aucun délégué de zones occidentales n'assistera au congrès de fusion, sinon il sera exclu. Il obtient également l'engagement des différentes organisations sociales-démocrates de l'Ouest de rompre tout contact avec celles de la zone soviétique. Cette cassure affecte durement un parti qui recrutait en 1933 la majorité de ses adhérents dans les régions orientales d'Allemagne[57].

Dès lors, la crise au sein du SPD se circonscrit à la section berlinoise qui tente de maintenir son indépendance, avec le soutien actif de Schumacher qui, malgré une santé fragile, effectue à plusieurs reprises le voyage de Berlin, afin d'exhorter le SPD local à organiser un référendum sur la fusion. Cette proposition est du reste adoptée le 1er mars à une écrasante majorité par la commission permanente du parti berlinois et la consultation est ensuite fixée au 31 mars. Celle-ci doit se dérouler à bulletin secret dans tous les arrondissements de la ville. Or, les autorités soviétiques interdisent immédiatement dans leur secteur ce scrutin qui n'est pas non plus reconnu par Grotewohl. En revanche, le commandant américain se charge d'assurer la protection de l'opération qui ne peut donc avoir lieu que dans les trois secteurs occidentaux. En même temps que se produit cette scission, Grotewohl accélère de son côté le processus de fusion.

En février, la direction du parti communiste se rend à Moscou où elle obtient l'accord définitif du Kremlin pour la fusion. Lors d'une réunion commune tenue le 26 février, les comités directeurs du SPD-Est et du KPD décident de s'unifier le 21 avril. Pendant tout le mois de mars, les uns et les autres se mobilisent en vue de cet événement. Dès le 2 mars, en présence de Grotewohl, le KPD organise une grande manifestation au cours de laquelle Ulbricht expose le programme *« d'une nouvelle réorganisation de l'Allemagne »*[58] ; cinq jours plus tard, c'est la naissance des Jeunesses Libres placées sous la houlette d'Erich Honecker[59]. Le 17 mars, les deux partis commémorent ensemble les victimes de 1848. Enfin, le 25, la ligue des femmes, présidée conjointement depuis sa fondation en septembre précédent par une communiste et une sociale-démocrate[60], tient un rassemblement à l'opéra d'Etat. Le mois s'achève par le référendum.

Aucun incident n'émaille cette consultation qui a lieu seulement dans la partie occidentale de Berlin. Le résultat est net : 82,2 % des 23 755 adhérents participant au scrutin (sur 33 247 inscrits) se prononcent contre la fusion[61]. Ce vote clair consomme la rupture entre les unionistes et les autres, même si le mythe de l'unité de la classe ouvrière reste profondément ancré dans les mentalités socialistes, puisqu'à la question relative à une alliance entre le SPD et le KPD, 61,7 % des militants répondent tout de même favorablement. Ce référendum accentue davantage la singularité berlinoise. La ville est non seulement la seule région allemande occupée «*conjointement*» par les quatre puissances victorieuses, mais elle devient très tôt le théâtre et l'enjeu d'une rivalité politique de plus en plus acharnée. C'est aussi à ce moment que Berlin acquiert une valeur prophétique pour l'ensemble de l'Allemagne. L'ancienne capitale du Reich est désormais divisée politiquement.

L'interprétation donnée à ce référendum diverge d'un bord à l'autre. Schumacher et ses partisans le considèrent comme un indéniable succès qui justifie leur opposition irréductible à Grotewohl. Celui-ci essuie certes un échec retentissant, mais il espère aussi, comme ses alliés communistes, qu'il s'agit seulement d'un épiphénomène dénué de réelle influence populaire. Les Soviétiques se montrent inquiets, bien que Grotewohl et Pieck estiment que leur démarche unitaire obtient le soutien des masses, comme devraient le démontrer les prochaines élections [62]. Quoi qu'il en soit, ils poursuivent le processus d'unification, alors que le SPD berlinois se dote d'une nouvelle direction anti-fusionniste [63].

Dans les semaines suivantes, l'athmosphère s'alourdit à Berlin. Alors que le mouvement de fusion prend son essor en SBZ, un tribunal militaire américain condamne à cinq ans de prison le président du KPD de l'arrondissement berlinois de Schöneberg, reconnu coupable d'avoir tenté de placer l'administration locale sous la tutelle de son parti (le général Clay le gracie plus tard). Ce jugement alimente la polémique politique dont la presse se fait l'écho [64]. Les Etats-Unis interviennent du reste dans le débat sur la fusion. Ainsi, le gouverneur militaire américain condamne fermement une procédure qui «*ne reflète pas le libre choix de la majorité des membres du parti*» [65].

A la mi-avril, les événements se précipitent. Le 13, les fonctionnaires municipaux berlinois membres du SPD se prononcent pour l'unification, suivis le lendemain par leurs collègues communistes. Le 19 ont lieu dans des théâtres deux réunions politiques importantes qui, significativement, ont lieu en secteur soviétique. D'une part, le SPD-Est, qui prétend de cette manière être l'héritier du parti de 1875, organise le quarantième congrès du parti. De l'autre, le KPD tient son quinzième et dernier congrès. L'un et l'autre décident à l'unanimité de s'unir en une seule organisation. Le lendemain, Schumacher prend la parole en secteur français et tente une ultime fois de convaincre ses camarades de surseoir à la fusion[66]. Il se rend même peu après au siège du SPD, récemment transféré à l'Est, où il rencontre Grotewohl qui campe sur ses positions. La rupture est dès lors irrémédiable.

Le congrès d'unification a donc lieu le 21 avril 1946 à l'*Admiralspalast*, salle de spectacles du secteur soviétique. En présence de 548 délégués du SPD et 507 représentants du KPD (230 viennent de l'Ouest), Pieck et Grotewohl portent sur les fonds baptismaux le «parti socialiste unifié d'Allemagne» (SED). La réconciliation est scellée par une nouvelle «poignée de mains historique» qui devient l'emblème du nouveau parti, référence explicite au drapeau social-démocrate de 1863. Pieck et Grotewohl sont portés à la présidence commune du SED; la parité est aussi maintenue au comité directeur dominé toutefois par Ulbricht qui rapidement «*joue le rôle principal dans le parti*»[67]. Dès le lendemain, le SED organise son congrès inaugural, en même temps que paraît le premier numéro de son organe officiel dont le titre est déjà tout un programme, *Neues Deutschland*, créé par la fusion des journaux communiste *Die deutsche Volkszeitung* et social-démocrate *Das Volk*. Le congrès adopte un programme s'inspirant de l'idée du *Sonderweg* et préconisant un «*passage pacifique*» de la république antifasciste-démocratique à l'Etat socialiste.

A cette date, le SED représente une force politique très puissante. Il compte 1,3 million de membres, dont 53 % proviennent du SPD-Est[68], et 6600 groupes locaux répartis sur tout le territoire de la SBZ. C'est le cas par exemple à Altenburg. Les mines de lignite et les industries mécaniques font de cette ville moyenne de Thuringe orientale un bastion social-démocrate: avant 1933, le SPD y comptait trois fois plus de militants que le KPD et il remportait largement toutes les élections. Après la guerre, Altenburg redevient une cité sociale-démocrate, même si les communistes parviennent à refaire une partie de leur retard. Au moment de la fusion, qui n'est finalement acceptée par le SPD local qu'après de fortes pressions exercées par la SMAD, 6500 sociaux-démocrates et 4100 communistes adhèrent au SED[69].

Les dirigeants du SED ne doutent pas que leur parti remportera les prochaines élections et sera donc en mesure de s'assurer une position dominante, d'abord dans les diverses instances politiques allemandes, puis au sein d'un futur gouvernement central: le communiste Franz Dahlem ne revendique-t-il pas aussitôt pour le SED «*la responsabilité de construire démocratiquement le pays*»[70]? Ils ne désespèrent pas non plus de peser sur les destinées politiques des zones occidentales. Leur objectif est de présenter le SED comme la première force politique d'Allemagne, qui plus est dotée d'une ambition unitaire : ses statuts ne proclament-ils pas qu'il est *« l'organisation politique de la classe ouvrière allemande »* [71] ? Dans cette optique, il se sert de la SBZ et de Berlin comme d'un tremplin lui permettant de s'imposer au niveau national. Or, l'extension à l'Ouest du SED se heurte à divers obstacles.

Les autorités d'occupation occidentales adoptent des positions variées à l'égard du SED : la conciliation initiale du côté des Américains, la fermeté pour les Anglais et l'interdiction de la part des Français. Au fil des mois, les administrations américaine et britannique luttent plus rigoureusement contre les tentatives communistes d'unification, en parallèle avec les mesures coercitives prises par Schumacher à l'encontre de militants de toute façon échaudés par la manière dont s'est opérée la fusion à l'Est. Le KPD ne représente pas d'ailleurs une réelle menace pour le SPD, dans la mesure où il ne parvient à obtenir qu'entre 4 % et 12 % aux élections municipales qui se déroulèrent en janvier 1946 en zone américaine – des scores confirmés par les consultations suivantes, au niveau des cercles et des *Länder* [72].

Les sanctions électorales

A partir d'avril 1946, l'Allemagne entre dans une intense période électorale culminant le 20 octobre à Berlin. Les scrutins témoignent d'une profonde coupure politique entre l'Est et l'Ouest.

Après le choc causé par la création du SED, le SPD-Ouest se ressaisit le 11 mai à Hanovre lors de son premier congrès d'après-guerre, en portant à sa présidence l'intransigeant Schumacher. Prônant le réformisme et l'indépendance nationale, il engrange de bons résultats (entre 35 % et 40 % des voix aux divers scrutins locaux et régionaux), se classant en tête en Allemagne occidentale [73]. Par exemple, il est alors le parti préféré des habitants de zone américaine [74]. Mais la tendance s'inverse l'année suivante, car le SPD use d'une phraséologie marxiste qui heurte les sensibilités modérées et, avec le déclenchement de la guerre froide, une majorité d'Allemands considère les occupants occidentaux comme le seul rempart valable contre la menace soviétique [75].

Dans le même temps, le SED cherche à l'Est à la fois à se

consolider sur le plan interne et à élargir sa base. Visant un double objectif – d'une part manifester le dynamisme et le pouvoir d'attraction de la nouvelle formation, d'autre part renverser le rapport des forces numérique au sein du parti –, les communistes procèdent à de vastes recrutements: en seize mois d'existence, le SED augmente de 500 000 membres [76] et sa section d'Altenburg enregistre avant la fin de 1947 plus de 8000 adhésions, regoupant ainsi 10 % de la population locale [77] ! Il plaide à cet effet pour la réintégration politique et sociale des nazis les moins compromis et les plus coopératifs [78]. Ceux-ci sont souvent utilisés dans la lutte interne contre les sociaux-démocrates [79]. Dès avant la fondation du SED, Ulbricht s'était fixé pour but d'« *écarter les anciens sociaux-démocrates* » [80]. Il dénonce ensuite les « *agents de Schumacher* » dont certains quittent plus ou moins volontairement le parti [81]. En 1948, la campagne contre les sociaux-démocrates s'amplifie dans la perspective de la bolchevisation du SED, transformé en « *parti d'un nouveau type* ». Dans le même temps, le SED se déprolétarise peu à peu et devient progressivement un mouvement d'apparatchiks [82].

A partir de juin 1946, le SED multiplie ses écoles chargées de former des permanents et il lance une revue théorique au titre significatif, *Einheit*, qui cautionne dans sa première livraison le *Sonderweg* fondé sur « *le maintien de la propriété privée des moyens de production* » et le rejet de la « *transposition mécanique du système soviétique en Allemagne* ». Le SED se présente comme un vaste mouvement ouvert, dynamique et unitaire, défendant les intérêts allemands. Il essaye ainsi d'infléchir la politique soviétique des réparations, et il réussit en partie puisque le chef de la SMAD annonce le 21 mai 1946 la fin (provisoire) des démantèlements et des transferts. Il se présente également, selon les termes de Grotewohl, comme la seule force politique capable de « *reconstruire un Etat unifié* » [83]. Le SED croit pouvoir alors envisager l'avenir avec confiance, même s'il doit prendre en compte la résistance du SPD berlinois. Celui-ci est en mai autorisé, comme le SED, dans les quatre secteurs de Berlin par décision du Conseil de Contrôle interallié. Craignant des représailles similaires des Occidentaux, le représentant soviétique à cet organisme suprême n'émet pas de veto, certes pour des raisons de propagande, mais aussi parce qu'il pense que les circonstances favorisent objectivement le SED. Celui-ci lance d'ailleurs au début de l'été une campagne d'unification à l'Ouest qui se révèle vite inadaptée. Présidant une série de meetings spectaculaires, Gniffke, Ulbricht, Pieck et Grotewohl parcourent les zones américaine et anglaise.

Mais cette manœuvre échoue, car le KPD reste marginalisé et l'exemple de la fondation du SED suscite seulement la désapprobation parmi les sociaux-démocrates. Le SED et le KPD en sont réduits en février 1947 à créer un simple groupe de travail [84].

Dans la perspective des élections berlinoises – les premières depuis 1932 – fixées au 20 octobre 1946, le SPD et le SED se livrent une lutte sévère. Le parti social-démocrate n'hésite pas à porter la contradiction sur le territoire adverse, en organisant en août des meetings en secteur soviétique. Il condamne notamment l'acceptation par le SED de la ligne Oder-Neisse, un sujet épineux qui cause maintes irritations au sein du parti unifié. Les journaux reproduisant ces attaques, même ceux sous licence occidentale, sont saisis par les autorités soviétiques, ce qui soulève les protestations officielles des commandants américain et britannique dont «*les préventions contre la politique soviétique paraissent s'accentuer*» [85]. La situation politique interne alimente les tensions interalliées qui, à leur tour, influencent fortement les orientations des partis.

Jugeant «*trop brutale*» la propagande soviétique, un diplomate français en poste à Berlin choisit cette occasion pour établir le rapport des forces en Allemagne orientale. Il privilégie le SED, que d'aucuns traduisent par «*So endet Deutschland*», parti dirigé par Grotewohl, «*résolument gagné à la cause soviétique davantage par intérêt que par conviction*», et par Ulbricht, un «*communiste sincère*» mais «*sans finesse, rude, parfois brutal*». Il estime que le SPD berlinois «*manque d'envergure*», la CDU «*d'énergie et de courage*» et que le LDP est «*contrôlé par les Russes*» [86]. Ce tableau semble correspondre à l'impression qui prévaut alors parmi les occupants: le SED fait figure de parti dominant que les autres formations ne sont pas en mesure de contrebalancer, tout au moins en SBZ où il remporte aisément les élections municipales de septembre, recueillant en moyenne 57 % des voix [87]. Mais à Altenburg par exemple, il doit se contenter, malgré le soutien financier de la SMAD, de 51,8 % des voix, ce qui correspond tout bonnement au score de la gauche sous Weimar [88]; et dans les grandes villes saxonnes, il obtient moins que les partis «bourgeois» ensemble [89]. Cependant, les urnes confèrent au SED une légitimité dont il compte bien se prévaloir au niveau national. Mais la SMAD commet des maladresses tactiques qui portent atteinte indirectement à la crédibilité de son protégé qui s'efforce de présenter la SBZ comme une zone démocratique. C'est ainsi que le renvoi le 12 septembre du directeur de l'administration des Mines et Combustibles, Ferdinand Friedensburg, accusé de «*menées fascistes*», suscite une vive émotion, d'autant plus que celui-ci est candidat chrétien-démocrate aux prochaines élections berlinoises[90]. Mais avant celles-ci ont lieu en zones française et anglaise d'autres consultations locales qui confirment la division politique entre les deux parties de l'Allemagne. Presque partout, le SPD améliore ses scores par rapport à ceux enregistrés sous Weimar. La CDU s'implante solidement en Rhénanie, au Palatinat, en Wurtemberg, et fait figure de principal rival du parti de Schumacher. En revanche, les communistes se trouvent marginalisés : alors que le KPD représentait 17 % du corps électoral en novembre 1932, il atteint désormais à peine 8 %[91]. Au fil des scrutins, le fossé politique ne cesse de se creuser entre l'Est et l'Ouest de l'Allemagne, et aussi entre les deux moitiés de Berlin.

La campagne électorale berlinoise se cristallise autour de la rivalité entre le SED et le KPD. Le premier fonde sa propagande politique sur le sentiment unitaire et sur l'antifascisme. Ulbricht avait d'ailleurs déclaré au début de l'année que les élections ne servent pas tant «*mesurer la force relative des partis*» qu'à «*influencer les masses dans un sens antifasciste*»[92]. Le SED tente de faire croire qu'il est l'unique et véritable parti antifasciste. A cet effet, il est l'instigateur d'une impressionnante manifestation des victimes du nazisme, organisée le 22 septembre sur l'esplanade du château royal de Berlin en ruine. De son côté, le *Kulturbund*, vaste mouvement culturel contrôlé par les communistes, incite le 13 octobre les électeurs à désigner les «*vrais démocrates*» et «*vrais antifascistes*» ayant fait «*leurs preuves pendant la première année de reconstruction*». Enfin, cinq jours avant le scrutin, la DEFA, compagnie cinématographique sous licence soviétique, présente le premier film allemand de l'après-guerre, *Die Mörder sind unter uns*. Projeté au cours d'une grande soirée à l'opéra d'Etat, ce film, qui délivre un vibrant message démocratique, constitue un événement politique puisqu'il alerte les spectateurs-électeurs sur les dangers, toujours présents, du fascisme. Le SPD espère quant à lui mobiliser les Berlinois sur le thème de la liberté[93]. Déclaré *persona non grata* en secteur soviétique, Schumacher lance le 16 octobre, en secteur occidental, un appel pathétique, accordant au prochain vote une valeur nationale. Les sociaux-démocrates dramatisent en effet la situation, afin de convaincre les derniers hésitants. Ne disposant d'aucune source d'évaluation, ils tablent sur un ultime sursaut des électeurs. Ils ne seront pas déçus.

Les élections se déroulent dans le calme. Très motivée et consciente de l'enjeu, la population berlinoise se presse en masse dans les bureaux de vote : le taux de participation atteint d'ailleurs le niveau exceptionnel de 92,3 % sur un total de 2 307 122 électeurs [94]. Les résultats causent une énorme surprise[95].

Élections municipales berlinoises

	voix	%	sièges
SPD	1 015 609	48,7	63
CDU	462 425	22,2	29
SED	412 582	19,8	26
LDP	194 722	9,3	12

Le SPD remporte une victoire éclatante et le SED subit une défaite cinglante : 600 000 voix séparent les deux partis de gauche. Dans l'ensemble de Berlin, le SPD frise la majorité absolue qu'il atteint dans sept arrondissements, tous situés à l'Ouest, et il arrive en tête dans 19 arrondissements sur 20 (dans le dernier partage-t-il encore la première place avec la CDU). Il améliore de près de 17 points son précédent record datant de 1925. Quant au SED, il ne fait guère mieux que le KPD sous Weimar : les Berlinois l'identifient simplement à une organisation communiste. Comme c'était prévisible, il réalise ses meilleurs scores en secteur soviétique. Mais au niveau global, il est dépassé par la CDU, et dans six arrondissements, il se classe en dernière position. A Wedding (secteur français), le KPD est par exemple largement distancé par le SPD, n'obtenant que 29 %, alors qu'à la fin de la République de Weimar, il recueillait dans cet arrondissement ouvrier plus de 60 % des suffrages [96].

Ce scrutin du 20 octobre 1946 représente un tournant politique. Ces résultats hypothèquent lourdement la stratégie communiste de conquête du pouvoir et ils remettent en cause la situation de fait créée lors de la capitulation allemande. Les communistes perdent ce jour la position dominante qu'ils occupaient [97]. Et Berlin, qu'ils contrôlaient souverainement jusqu'à cette date, devient un foyer de tension et de rébellion incrusté en plein cœur de la zone soviétique. Berlin ne cesse de se différencier de la SBZ, encore plus en ce 20 octobre où des élections y ont également lieu. Le SED ne remporte qu'un succès mitigé. Il obtient certes la majorité absolue au Mecklembourg, en Thuringe et en Saxe, mais seulement la majorité relative en Saxe-Anhalt et au Brandebourg [98]. Grâce aux soi-disant « *organisations de masses* », il réussit par la suite à s'assurer une position prépondérante au sein des *Landtage* et des gouvernements régionaux [99]. Ces divers résultats électoraux plongent le SED dans la perplexité ; il apparaît totalement désorienté. Il analyse ces revers notamment par la désaffection des femmes qui se montrent récalcitrantes à tout rapprochement avec les Soviétiques et à voter en conséquence pour leurs soutiens politiques [100]. Le souvenir des viols conditionne leur attitude, ce que reconnaît implicitement Hermann Matern au lendemain de la défaite électorale ; « *Malgré tous nos efforts, nous ne pouvions gagner les femmes à notre cause* ». [101]

Le SED tente de se ressaisir, en renforçant la cohésion interne du parti. Dès le 25 octobre, il décide de porter ses efforts sur la formation des cadres et des militants dont 180 000 doivent recevoir en un an une instruction poussée. Cette mesure vise également à permettre d'assurer la mainmise communiste sur l'appareil du parti et d'absorber ou d'éliminer les éléments sociaux-démocrates. Le SED ne désespère pas à terme de pouvoir réduire le pôle de contestation que constitue Berlin, qui risque néanmoins de devenir un foyer de contamination de toute la SBZ. La rivalité politique en Allemagne orientale tourne rapidement à l'affrontement.

Au sein du nouveau *Magistrat* berlinois, le SPD détient désormais les principales charges, dont celle de bourgmestre attribuée à un homme conciliant, Otto Ostrowski. Le SED obtient trois postes dont celui de troisième maire-adjoint [102]. 1946 s'achève en Allemagne dans le calme, mais les événements ayant ponctué cette année, en particulier le référendum sur la fusion, la création du SED et les premières élections libres depuis plus de treize ans, marquent durablement les consciences allemandes : ils engendrent des clivages qui nourrissent les prochains affrontements. Ceux-ci ne tardent pas d'ailleurs à se manifester et ils prennent une coloration particulière, car ils s'inscrivent dans le cadre de la guerre froide. Quelques mois après sa désignation, Ostrowski est à l'origine d'une profonde crise qui entraîne rapidement un blocage politique, prélude au blocus de 1948. Cherchant en effet à s'accorder avec le SED, il est désavoué par son propre parti et contraint à la démission en avril 1947. Son départ ne met pas fin à la crise ; il l'aggrave plutôt, car son successeur, Ernst Reuter, est un adversaire résolu des communistes. Dans la mesure où son élection doit être approuvé à l'unanimité par la *Kommandatura* interalliée, Reuter ne peut pas entrer en fonction, car il est invalidé par les Soviétiques.

Jusqu'en décembre 1948, Berlin est privé de maire ; après cette date, la ville en aura deux. La guerre froide sonne le glas du *Sonderweg*. Ackermann fait son autocritique publique, en admettant que cette théorie est « *absolument fausse et dangereuse* » puisqu'il n'y a qu'une «*seule voie possible vers le socialisme*»[103]. Le SED abandonne toute référence à 1848, dont le centenaire est pourtant fêté en mars précédent en grande pompe par toutes les organisations communistes, et les discours et articles de ses dirigeants, comme Ulbricht, n'évoquent plus le père de la social-démocratie, August Bebel, mais mentionnent exclusivement «*les enseignements scientifiques de Marx, Engels, Lénine et Staline*»[104]. Cette «voie particulière» se révèle pour l'instant être une impasse politique: d'aucuns chercheront à l'emprunter à nouveau en 1989-1990, au moment de l'effondrement de la RDA et cette idée séduisante constitue un élément important du corpus idéologique du PDS... A l'occasion du cinquantenaire de la création du SED, la question de la fusion, contrainte ou volontaire, entre le KPD et le SPD alimente toujours le débat politique en Allemagne[105]. Elle souligne la recomposition du paysage politique intervenue avec la réunification: le parti libéral (FDP) lutte pour sa survie, alors que le SPD est confronté à la double concurrence à l'Ouest des Verts et à l'Est des anciens communistes. Le système politique de RFA, dont la solidité et la stabilité ont fait depuis près d'un demi-siècle l'admiration des autres pays européens, serait-il ainsi remis en cause?

Notes

[1] Inspiré du *Deutschlandlied* et du bénédicité, ce tract contre le SED est distribué en SBZ en 1946-1947. Cité par Norman N. Naimark, *The Russians in Germany. A History of the Soviet Zone of Occupation 1945-1949*, The Belknap Press of Harvard University Press, Cambridge, 1995, p.389.

[2] Gerhard Keiderling (dir.), *«Gruppe Ulbricht» in Berlin April bis Juni 1945: von den Vorbereitungen im Sommer 1944 bis zur Wiedergründung der KPD im Juni 1945. Eine Dokumentation*, Arno Spitz Verlag, Berlin, 1993.

[3] Peter de Mendelssohn, *Zeitungsstadt Berlin. Menschen und Mächte in der Geschichte der deutschen Presse*, Ullstein, Berlin-Ouest, 1982, pp. 611-613. Heinz-Dietrich Fischer: *Parteien und Presse in Deutschland seit 1945*, Schünemann Universitätsverlag, Brême, 1971, 600 p.

[4] Erich Gniffke, *Jahre mit Ulbricht*, Verlag Wissenschaft und Politik, Cologne, 1966, p. 84.

[5] Wolfgang Leonhard, *Die Revolution entlässt ihre Kinder*, Kiepenheuer & Witsch, Cologne, 1955, p. 365.

[6] *Berlin. Kampf um Freiheit und Selbstverwaltung 1945-1946*. Walter de Gruyter, Berlin-Ouest, 1961, p. 58.

[7] Naimark, *op. cit.*, pp. 257-258.

[8] Cf. Peter Erler, Horst Laude, Manfred Wilke (dir.): «*Nach Hitler kommen*

wir!» Dokumente zur Programmatik der Moskauer KPD-Führung 1944/45 für Nachkriegsdeutschland. Berlin, 1994.

[9] Günter Benser: *Die KPD im Jahre der Befreiung. Vorbereitung und Aufbau des legalen kommunistischen Massenpartei (Jahreswende 44/45 bis Herbst 1945)*, Dietz Verlag, Berlin-Est, 1985, p. 116-123.

[10] Leonhard, *op. cit.*, pp. 337-344.

[11] Naimark, *op.cit.*, p. 273.

[12] Les développements sur le KPD, principalement celui de l'Ouest, se fondent sur la thèse remarquable et malheureusement encore inédite de: Jean-Marie Argelès: *Le parti communiste allemand (KPD) dans l'Allemagne de l'Ouest de 1945 à 1953. L'effondrement et les débats internes.* Université Paris VIII (sous la direction de Gilbert Badia), 1995, 2 vol., pp. 59-61.

[13] Helene Fiedler (dir.): *Zur Sozialpolitik in der antifaschistisch-demokratischen Umwälzung 1945-1949.* Dietz Verlag, Berlin-Est, 1984, pp. 21-24. Dans le même ordre d'idées, il faut noter que, sur la façade du comité central du KPD, ne sont apposés en 1945-1946 que les portraits de Marx, Engels et Bebel, ceux de Lénine et Staline ne feront leur apparition qu'après la communisation du SED.

[14] Sur la politique allemande de l'URSS, voir notamment: Boris Meissner, *Rußland, die Westmächte und Deutschland: Die sowjetische Deutschlandpolitik, 1943-1953*, H.H. Nölke, Hambourg, 1953; Vojtech Mastny, *Russia's Road to the Cold War*, Columbia University Press, New York, 1979; Walrab von Buttlar, *Ziele und Zielkonflikte der sowjetischen Deutschlandpolitik 1945-1947*, Klett-Cotta, Stuttgart, 1980.

[15] Ministère des Affaires étrangères [ultérieurement MAE], Série Y 55, vol. 173-1a, Saint-Hardouin à Bidault, Berlin, 5/3/46, n°1304, confidentiel.

[16] Il s'agit plus précisément des administrations centrales allemandes (DZV), créées par l'ordre 17 de la SMAD en date du 27 juillet 1945, mais publié seulement le 12 septembre suivant. Les DZV sont placées sous le contrôle direct de la SMAD. Elles sont au nombre de douze, s'occupant de domaines techniques. Cf. Dietrich Staritz, *Die Gründung der DDR. Von der sowjetischen Besatzungsherrschaft zum sozialistischen Staat*, DTV, Munich, 1984, pp. 43-47.

[17] MAE, Série Y, vol.173-1a, Saint-Hardouin à Bidault, Berlin, 28/2/46, n°1054/F.

[18] *Sondages* (IFOP), n°20, 16/12/47, pp. 261-267. *Sondages de l'opinion publique française* (Service de Sondages et Statistiques), n°44, juin-juillet 1948, pp. 655-663.

[19] Dietrich Staritz & Hermann Weber: *Einheitsfront/Einheitspartei, Kommunisten und Sozialdemokraten in Ost- und Westeuropa*, Verlag Wissenschaft und Politik, Cologne, 1989, pp. 54-63.

[20] Argelès, *op. cit.*, pp. 103-107.

[21] Gniffke, *op. cit.*, pp. 25-27. A titre comparatif, se reporter à: Edgar Wolfrum: *Französische Besatzungspolitik und deutsche Sozialdemokratie. Politische Neuansätze in der «vergessenen Zone» bis zur Bildung des Südweststaates 1945-1952*, Droste, Düsseldorf, 1991, 366 p. Karsten Schröder: *Die FDP in der britischen Besatzungszone 1946-1948*, Droste, Düsseldorf, 1985, 329 p.

[22] François Tournadre, «La Création du SED», *in* Henri Ménudier (dir.), *L'Allemagne occupée 1945-1949*, Bruxelles, Complexe, 1990, pp. 249-250.

[23] Ferdinand Friedensburg, *Es ging um Deutschlands Einheit. Rückschau eines Berliners auf den Jahre nach 1945*, Haude & Spener, Berlin-Ouset, 1971, pp. 51-53. Otto Nuschke: *Reden und Aufsätze 1919-1950*, Union Verlag, Berlin-Est, 1957, 755 p.

[24] *Articles et Documents*, n°2536, 19 novembre 1952, pp. 1-17. Hélène Carrère d'Encausse, *Le Grand Frère*, Flammarion, Paris, 1983, pp. 82-92.

[25] Naimark, *op. cit.*, pp. 79-89, 107-115 et 119-120.

[26] MAE, Série Y 55/3, vol. 175. Charmasse à Bidault, Berlin, 12/6/46, n°2516/F.

[27] *Sondages*, n°11, 1/6/48, pp. 132-134. *Report* (OMGUS), n°131, 4/8/48.

[28] La confédération allemande des syndicats libres (FDGB) est fondée le 15 juin 1945 en SBZ et à Berlin; sa direction est composée de 14 communistes, 13 sociaux-démocrates et 4 chrétiens-démocrates. Le FDGB est en fait sous obédience du KPD, ce qui suscite le mécontentement des autres partis. En janvier 1946, il procède à des élections internes qui permettent au KPD de s'assurer de confortables majorités, aussi bien parmi les délégués d'arrondissement (312 contre 246) qu'au sein des comités d'arrondissement (164 contre 135). La direction du syndicat est ensuite élue, avec à sa tête 3 présidents, un SPD, un KPD et un CDU.

[29] MAE, Série Y 55, vol.173-1a, Saint-Hardouin à Bidault, Berlin, 5/3/46, n°1304, confidentiel.

[30] Cf. Frank Moraw, *Die Parole der «Einheit» und die deutsche Sozialdemokratie*, Verlag Neue Gesellschaft, Bonn, 1973.

[31] Des écoles du parti sont ouvertes dans chaque région de SBZ et une école supérieure du parti est créée à la fin de l'année 1945 à Liebenwalde, au nord de Berlin.

[32] Gniffke, *op. cit.*, p. 32.

[33] Otto Grotewohl, «Wo stehen wir? Wohin gehen wir? Der historische Auftrag der SPD» *Das Volk*, 14/9/45.

[34] Stiftung Archiv der Parteien und Massenorganisationen der DDR im Bundesarchiv [ultérieurement SAPMO], ZPA, IV 2/5/4969, p. 12a.

[35] Wilhelm Pieck: *Reden und Aufsätze*. Tome II: 1945-1950. Dietz Verlag, Berlin-Est, 1954, 608 p.

[36] Walter Ulbricht: *Zur Geschichte der deutschen Arbeiterbewegung. Aus Reden und Aufsätzen*, Tome III: 1945-1950, Dietz Verlag, Berlin-Est, 1953, p. 504.

[37] Dans les trois zones occidentales, le SPD compte en 1947 plus de 875 000 membres.

[38] SAPMO, ZPA, IV 2/5/4969, p. 24.

[39] SAPMO, ZPA, IV 2/5/1372. Voir aussi: Bruno Benthien: *Reiseführer DDR*. VEB Tourist Verlag, Berlin-Est, 1990, pp. 469-472. Cette situation particulière permet de comprendre pourquoi Görlitz est l'un des foyers de l'insurrection en 1953. Cf. Manfred Hagen: *Juni '53*. Steiner Verlag, Stuttgart, 1992, pp. 157-160.

[40] Lucio Caracciolo: «Der Untergang der Sozialdemokratie in der sowjetischen Besatzungszone. Otto Grotewohl und die <Einheit der Arbeiterklasse> 1945/46», *Vierteljahshefte für Zeitgeschichte*, 36(88), pp. 218-318.

[41] Cité par Norman Naimark, *op. cit.*, p. 281.

[42] Cité par Klaus-Jörg Ruhl (dir.): *Neubeginn und Restauration. Dokumente zur Vorgeschichte der Bundesrepublik Deutschland 1945-1949*, DTV, Munich, 1984 (2e éd.), p.214.

[43] Argelès, *op. cit.*, p. 116.

[44] Naimark, *op. cit.*, pp. 277-279.

[45] Gniffke, *op. cit.*, p. 365.

[46] Naimark, *op. cit.*, p. 278.

[47] SAPMO, ZK SED, I/2/053, d.13, Général Ivan Smirnov, Berlin, 30 octobre 1945.

[48] Siegfried Suckut: *Blockpolitik in der SBZ/DDR 1945-1949*, Verlag Wissenschaft und Politik, Cologne, 1986, 640 p.

[49] J.B. Gradl: *Anfang unter dem Sowjetstern. Die CDU 1945-1948 in der SBZ*, Verlag Wissenschaft und Politik, Cologne, 1981, 208 p. Michael Richter: *Die Ost-CDU 1948-1952. Zwischen Widerstand und Gleichschaltung*, Droste, Düsseldorf,

1991, 488 p. Horstwalter Heitzer: *Die CDU in der britischen Zone*, Droste, Düsseldorf, 1988, 814 p.

[50] Werner Conze, *Jakob Kaiser. Politiker zwischen Ost und West 1945-1949.* W. Kohlhammer Verlag, Stuttgart, 1969, 295 p. Ernst Lemmer, *Manches war doch anders. Erinnerungen eines deutschen Demokrates.* Verlag Heinrich Scheffler, Francfort/M., 1968, 400 p.

[51] Hans-Joachim Krusch & Andreas Malycha: *Einheitsdrang oder Zwangsvereinigung? Die Sechziger-Konferenzen von KPD und SPD 1945 und 1946*, Dietz Verlag, Berlin, 1990, 276 p.

[52] *Zur Sozialpolitik..., op. cit.*, pp. 94-96.

[53] Discours de Grotewohl cité par Hermann Weber (dir.): *DDR. Dokumente zur Geschichte der Deutschen Demokratischen Republik 1945-1949*, DTV, Munich, 1987 (3e éd.), pp. 55-57. Gniffke, *op. cit.*, pp. 85-87.

[54] Otto Grotewohl, *Im Kampf um die einige deutsche demokratische Republik. Reden und Aufsätze.* Vol. I: 1945-1949. Dietz-Verlag, Berlin-Est, 1954, 568 p.

[55] SAPMO, ZPA, I 2/4/39, b.4.

[56] Gniffke, *op. cit.*, p. 139. Autre exemple: à Duisbourg, le KPD obtient seulement près du tiers des suffrages du SPD, alors qu'en 1933 c'était exactement l'inverse. En septembre 1946, le KPD-Ouest compte 272 000 membres.

[57] Schumacher est lui-même originaire de Dantzig. Au premier Bundestag de 1949, la moitié des députés du SPD n'est pas née sur le territoire de la RFA, alors que la proportion est de 10 % pour la CDU.

[58] Carola Stern: *Ulbricht, eine politische Biographie*, Kiepenheuer & Witsch, Berlin-Ouest, 1964, 357 p.

[59] *Einheit*, n°4, avril 1947, pp. 407-408. Erich Honecker: *Zur Jugendpolitik der SED. Reden und Aufsätze von 1945 bis zur Gegenwart*, Verlag Neues Leben, Berlin-Est, 1980, 532 p. Erich Honecker: *Aus meinem Leben*, Dietz Verlag, Berlin-Est, 1982 (11e éd.), 650 p.

[60] Gniffke, *op. cit.*, pp. 57-58.

[61] *Entscheidung in Berlin. Der Freiheitskampf der Sozialdemokratie. Eine Dokumentation des Jahres 1946.* Landesverband Berlin der SPD, Berlin-Ouest, 1966, 98 p.

[62] Charles F. Pennacchio, « The East German communists and the origins of the Berlin blockade crisis », *East European Quaterly*, XXIV, n°3, septembre 1995, pp. 293-314.

[63] Gert Gruner & Manfred Wilke (dir.): *Sozialdemokraten im Kampf um die Freiheit. Die Auseinandersetzung zwischen SPD und KPD in Berlin 1945/46*, Piper, Munich, 1981, 223 p. Klaus-Peter Schulz: *Auftakt zum Kalten Krieg. Der Freiheitskampf der SPD in Berlin 1945/46*, Colloquium Verlag, Berlin-Ouest, 1965, 384 p.

[64] Fondé le 22 mars, *Telegraf* accueille les opposants à la fusion, également soutenus par le quotidien indépendant *Der Tagesspiegel*; en face se trouvent *Die Deutsche Volkszeitung*, organe du KPD, *Das Volk* (SPD) et *Vorwärts*, journal du comité commun des deux partis ouvriers créé le 9 avril; de son côté, la presse de la CDU (*Neue Zeit*) et libérale (*Der Morgen*), sous licence soviétique, est souvent censurée par la SMAD en raison des informations publiées sur les mouvements d'opposition à la fusion.

[65] SAPMO, SED, NL 90/260, d.21, lettre du général R.W. Barker à Otto Grotewohl et Max Fechner, Berlin, 29 mars 1946.

[66] Kurt Schumacher: *Reden und Schriften*, Arani, Berlin-Ouest, 1962, 549 p.

[67] MAE, Série Z Europe 1944-1949, vol. 41, URSS-Allemagne, Seydoux à Bidault, Berlin, 18/11/47, n°598. Selon ce conseiller politique adjoint du com-

mandant français, Pieck fait figure de «*personnage assez vain que l'on appelle familièrement le deuxième Hindenburg*».

[68] Le SPD-Ouest totalise en 1946 environ 700 000 adhérents.

[69] SAPMO, ZPA, IV 2/5/1293, pp. 95-114. «Bericht über die witschaftliche und soziale Struktur und die politische Entwicklung im Kreis Altenburg von 1918 bis Oktober 1947».

[70] *Bericht über die Verhandlungen der KPD 19. und 20. April 1946 in Berlin.* SED Verlag, Berlin, 1946, p. 71.

[71] Argelès, *op. cit.*, p. 127.

[72] *Ibid.*, pp. 125-126.

[73] Theodor Eschenburg, *Geschichte der Bundesrepublik Deutschland.* Tome 1: *Jahre der Besatzung 1945-1949.* Deutsche Verlagsanstalt, Stuttgart, 1983, p.181.

[74] *Sondages*, n°20, 16/12/47, p. 267.

[75] En mai 1947, selon les services d'occupation français, la représentativité des partis allemands s'établit de la façon suivante: sur un total de 28,1 millions de voix exprimées, la CDU arrive largement en tête avec 32,4%, suivie du SPD 23,5%, du SED/KPD 23,4% et du LDP 14,3%. MAE, Série Z Europe 1944-1949, vol. 36, Affaires politiques: juin-juillet 1947, Seydoux à Bidault, Berlin, 24/9/47, n°490/EU.

[76] SAPMO, ZPA, IV 2/5/1367-1370.

[77] Günter Braun: «Die SED-Kreisleitung Altenburg und die <Genossen in Uniform>. Eine lokalhistorische Skizze in einem traditionellen Zentrum der deutschen Arbeiterbewegung», *in* Klaus Schönhoven, Dietrich Staritz (dir.): *Sozialismus und Kommunismus im Wandel.* Bund-Verlag, Cologne, 1993, pp. 352-377.

[78] Ruth-Kristin Rössler (dir.): *Entnazifizierungspolitik der KPD/SED 1945-1948.* Keip, Goldbach, 1994.

[79] Sur les sociaux-démocrates au sein du SED, se reporter à la récente étude de Beatrix Bouvier: *Ausgeschaltet! Sozialdemokraten in der Sowjetischen Besatzungszone und in der DDR 1945-1953.* Verlag J.H.W. Dietz, Bonn, 1996.

[80] Cité par Andreas Herbst, Winfried Ranke et Jürgen Winkler: *So fonktionierte die DDR.* Reinbeck/Hambourg, 1994, vol.2, p. 887.

[81] SAPMO, ZPA, IV 2/5/4990, p. 25. De juillet 1947 à mars 1948, le nombre des exclusions atteint 4238 et celui des départs 31 024.

[82] SAPMO, IV 2/5/35, pp. 448-452.

[83] SAPMO, SED, NL 90/260, d.3, compte-rendu de la réunion du comité central du SED, 17/5/46.

[84] Argelès, *op. cit.*, pp. 137-145.

[85] MAE, Série Y 55. vol. 175-3, Charmasse à Bidault, Berlin, 12/6/46, n°2516/F.

[86] MAE, Série Y, vol. 55-1c, Rapport sur la situation à Berlin à la fin du mois d'août 1946, très secret.

[87] Staritz, *op. cit.*, pp. 142-143. *Notes et Etudes Documentaires*, «La politique soviétique en Allemagne (1945-1947)», n° 598, 14/4/47, p. 15.

[88] G. Braun, *op. cit.*

[89] Weber, *op. cit.*, pp. 138-140.

[90] Friedensburg, *op. cit.*, p. 92.

[91] Eschenburg, *op. cit.*, pp. 547-557. En zone américaine, le KPD est en décembre 1946 le parti préféré de 2% des sondés, contre 33% au SPD et 32% à la CDU. *Sondages*, n°20, 16/12/47, p. 267.

[92] Walter Ulbricht, «Offene Antwort am sozial-demokratische Genosse», *Deutsche Volkszeitung*, 16/1/46.

[93] Harold Hurwitz: *Demokratie und Antikommunismus in Berlin nach 1945*, Verlag Wissenschaft und Politik, Cologne, 5 vol., 1983-1990.

[94] Le record précédent datait de mars 1933 et il était inférieur de plus de 16 points. C'est d'ailleurs le taux de participation le plus élevé enregistré jusqu'alors en Allemagne occupée.

[95] *Berlin. Kampf um Freiheit und Selbstverwaltung*, *op. cit.*, pp. 558-559.

[96] Weber, *op. cit.*, p. 143.

[97] SAPMO, ZK SED, IV 2/13/520, d.1, dossier sur les élections d'octobre 1946 à l'Est.

[98] Gniffke, *op. cit.*, p. 218.

[99] Staritz, *op. cit.*, pp. 143-144.

[100] Weber, *op. cit.*, p. 142.

[101] SAPMO, ZPA, IV 2/1/5, b. 41.

[102] Horst Nauber: *Das Berliner Parlament. Struktur und Arbeitsweise des Abgeordnetenhauses von Berlin.* Colloquium Verlag, Berlin-Ouest, 1970, pp. 298-299.

[103] *Neues Deutschland*, 24/9/48.

[104] *Einheit*, n°10, octobre 1948, p. 896.

[105] *Süddeutsche Zeitung*, Nr.39, 16/2/96, Albrecht Hinze: «Historie im Holzschnittmuster» p. 4.

Lothar HÖBELT

LA GUERRE FROIDE ET L'AUTRICHE EN 1946 : UNE OPPORTUNITÉ DANS L'ADVERSITÉ

Les notions de chance et de malchance suscitent la méfiance justifiée de l'historien quand elles sont utilisées pour expliquer des phénomènes historiques. Pourtant, ces termes me semblent adéquats pour rendre compte du destin de l'Autriche en l'an 0 + 1, car ils font bien sentir à quel point il était déterminé par autrui, non seulement du fait que le pays était occupé, mais aussi dans la perspective des grands mouvements ondulatoires de l'histoire. La chance, le hasard ou quelque autre terme désignant l'aspect aléatoire de l'histoire, se manifestent tout d'abord dans le choix du moment (timing) : nous avons tendance à attribuer à des forces profondes le fait qu'une évolution historique vienne occuper le premier plan, qu'elle se révèle être pleine de potentialités. Mais on ne peut guère établir de règles quant au moment précis où elles entrent en scène, avec un certain retard ou pas du tout, ceci étant déterminé par des impondérables. Mais avec le temps, les prémices se déplacent, certaines possibilités sont abandonnées, d'autres opportunités apparaissent.

Une telle opportunité apparaît lorsque l'Autriche reconquiert la souveraineté nationale avec la signature du deuxième accord de contrôle du 28 juin 1946 [1]. Les détails de ces négociations – sur lesquelles le dépouillement systématique des sources russes nous renseigneront peut-être davantage – sont moins importants que l'imbrication de cet accord dans les configurations des années d'après-guerre. Le deuxième accord de contrôle réglementait dans ses passages essentiels, notamment le § 16, les droits des forces d'occupation qui, désormais, ne pouvaient plus contester les lois autrichiennes séparément mais seulement en un commun accord. Si une telle contestation ne se manifestait pas dans un délai d'un mois, les lois autrichiennes entraient automatiquement en vigueur. A l'exception des décrets constitutionnels, aucune orientation n'avait encore été prise en ce qui concernait les conséquences qu'on tirerait de ce principe au niveau des régions fédérales, où – à l'exception de Vienne et de la Haute-Autriche – il ne s'agissait que d'une seule puissance d'occupation. Il faut mentionner également dans ce contexte que la voie hiérarchique plus longue jusqu'à la centrale de Vienne, en lieu et place de la saisie des autorités d'occupation locales, pouvaient présenter des désavantages pour les habitants des régions de l'ouest.

Les partis autrichiens s'inspirant surtout des modèles occidentaux – même si pour un certain laps de temps un ministre communiste a encore fait partie du cabinet – l'abandon du droit de veto par la puissance soviétique devait avoir sans aucun doute des conséquences négatives pour elle. La charmante spécialiste de cette époque, Audrey K. Cronin, a qualifié de « faute majeure » la signature de l'accord de contrôle par Moscou[2]. Comme compensation pour ces désavantages potentiels et en échange de la signature soviétique de l'accord de contrôle, les Soviétiques obtinrent l'entière puissance de décision sur la « possession allemande » dans leur zone et mirent ainsi la main sur un conglomérat industriel, l'« USIA », qui dans la décennie suivante allait constituer « un Etat dans l'Etat »[3]. Malgré cette compensation, c'était une erreur que l'Union soviétique n'aurait plus commise lorsque la guerre froide se mit à dominer entièrement la politique internationale, ou du moins ne l'aurait-elle plus fait si facilement.

Le facteur le plus important dans la conjoncture internationale de l'année 1946 fut en effet le début de la guerre froide ou plus précisément le passage de l'adversaire de la partie soviétique du statut de nouveau-venu dans l'alliance anglo-saxonne à celui de leader, ce qui impliquait une révision radicale du projet américain de se retirer au plus vite de l'Europe.

Les effets de ce changement des paradigmes sur l'Autriche furent ambivalents. L'usage s'est installé de considérer cette polarisation du système international avec toutes ses conséquences – allant de la constitution du rideau de fer à la fort dispendieuse course aux armements pendant plusieurs décennies – comme exclusivement négative. Ceci pour des raisons bien précises, en Autriche comme ailleurs, le conflit des Soviétiques avec leurs anciens alliés étant de nature à bloquer des évolutions positives comme par exemple le deuxième accord de contrôle. Ce fut le cas pour l'étape suivante sur le chemin de l'émancipation de l'Autriche de la tutelle des puissances alliées, le Traité d'Etat[4]. Le spectre d'un gel des frontières de zone planait sur cette époque et pouvait conduire à une partition de l'Autriche avec l'incorporation de la « zone russe » dans le bloc de l'est – même si cette solution n'était pas très séduisante pour les Soviétiques, comme l'année 1955 allait le montrer.

L'antagonisme des grandes puissances en tant que constante prévisible de la politique internationale comportait aussi des avantages incontestables pour beaucoup de pays hors-bloc ou de pays du tiers-monde. Le gain de souveraineté inclus dans le deuxième accord de contrôle a résulté de la discorde prévisible des quatre puissances du conseil de contrôle. Dans cette mesure, l'accroissement de la marge de manœuvre des Autrichiens fut une résultante de cette guerre froide encore dans sa forme atténuée, une guerre froide à vitesse réduite, alors qu'une escalade comportait toutes sortes de risques. Allant de pair avec la rivalité des forces occupantes, la course à l'amitié des pays occupés débuta, dépassant largement la recherche d'un déroulement paisible de l'occupation. Le danger (ou l'opportunité, selon les points de vue) d'une nouvelle « révolution par le haut », qui eût été une révolution de l'extérieur, n'existait plus, malgré l'indignation des intellectuels face à la « rééducation » dont l'ampleur fut largement surestimée. Les partisans de la restauration se montrèrent les plus forts, et ce bien plus vite qu'en Allemagne de l'Ouest.

Les ennemis d'hier devinrent les alliés de demain. Les Autrichiens étaient manifestement bien considérés comme des ennemis d'hier malgré toutes les déclarations et les conventions de langage concernant le statut du pays comme « première victime de Hitler » (au Foreign Office, l'Autriche fut même classée pendant un certain temps parmi les « pays belligérants »[5]) et de plus les Autrichiens se voyaient eux-mêmes comme de futurs alliés. L'idée de neutralité ne se répandit que dans les années 50. Un des aspects les plus controversés de la recherche historique sur l'Autriche est la question de savoir dans quelle mesure la pratique politique de l'Autriche, pays neutre, correspondait à cette aspiration à la neutralité. Quoi qu'il en soit, toute une série d'indices montrent que l'Autriche, même après 1955, émit des signaux plus ou moins discrets montrant son alliance avec l'ouest, au grand scandale des partisans d'une stricte observation de sa neutralité.

La mutation des relations avec les Alliés est aussi le fil conducteur qui relie le deuxième accord de contrôle à l'autre grande date de l'année 1946 dans la politique étrangère autrichienne, l'accord Grueber-De Gasperi entre l'Autriche et l'Italie qui fixait le statut du Tyrol au sud du Brenner[6]. Le point essentiel de cet accord, signé le 5 septembre 1946 à Paris, était la création d'une région autonome du Tyrol, avec l'inconvénient majeur que les Tyroliens du Sud allemands y constituaient une minorité, car la région autonome incluait aussi le Tyrol de l'Ouest (Welschtyrol), c'est-à-dire le Trentin italien jusqu'au Lac de Garde. L'avantage majeur fut – le ministre des Affaires étrangères autrichien, Karl Grueber, l'a souligné a maintes reprises dans des conversations privées[7] – que la nationalité italienne des Autrichiens du Sud qui s'étaient décidés à une émigration vers le Reich allemand en 1940, fuyant ainsi les pressions visant à leur italianisation, fut préservée ou implicitement octroyée. A un moment où les minorités allemandes étaient partout en Europe chassées de leur pays d'origine, on préserva dans ce cas leur droit à une patrie, il y eut même un retour de fait au pays d'origine.

L'effet de cet accord sur l'opinion publique fut de tout autre nature. Les attentes exacerbées concernant une redéfinition de la frontière avaient été nourries par les forces d'occupation française au Tyrol et la France elle-même défendit ce point de vue le plus longtemps dans le concert des quatre puissances, sans toutefois y mettre beaucoup de conviction. Lorsque la conférence des ministres des Affaires étrangères refusa le 11 mai 1946 la restitution du Tyrol, les réactions prirent la forme de grèves et de mouvements de masse : l'option du Pustertal, c'est-à-dire une partition du territoire concerné qui concédait à l'Italie les centres urbains de Bolzano et Meran à forte densité de population, fut maintenue un certain temps par les Tyroliens du Sud. Grueber, personnalité exceptionnelle avec une prédilection très peu autrichienne pour les procédés non bureaucratiques et une fine aptitude à négocier avec les américains, lui-même tyrolien et président de la région (Landeshauptmann) fut dans sa patrie la cible d'une polémique qui n'a pas cessé depuis et qui provoqua encore à une époque récente des affrontements passionnés d'historiens devant des tribunaux[8].

Cette tendance vers la normalisation des relations entre les vainqueurs et les vaincus de la guerre fut d'une certaine manière favorable à l'Autriche mais devait aussi décevoir ses espoirs dans l'affaire du Tyrol du Sud. Un « gouvernement mondial » allié décidant en toute indépendance de la répartition du patrimoine territorial des vaincus, aurait sans doute éprouvé une certaine sympathie pour le droit à l'autodétermination des Tyroliens du Sud, c'est dans cet état d'esprit qu'on avait concédé à l'Autriche la Hongrie de l'Ouest (Burgenland)[9] au lendemain de la Première

Guerre mondiale. En 1945, malgré la reconnaissance du gouvernement Renner, nombreux étaient ceux qui considéraient le Tyrol comme un territoire disponible, particulièrement en ce qui concernait la possible inclusion de l'Autriche dans une fédération de l'Allemagne du Sud et/ou une confédération danubienne.

Les deux adversaires dans la question du Tyrol du Sud, l'Autriche comme l'Italie, occupaient une position ambivalente dans la dialectique des relations ami-ennemi des années 1939-1945. Le ministre des Affaires étrangères soviétique suppléant affirma que l'Autriche n'avait pas été un pays ennemi, mais n'avait pas été non plus l'ennemi de l'ennemi des Alliés. Ajoutons que l'Italie avait été aussi bien l'un que l'autre [10]. Mais quelle que soit la valeur accordée à la position juridique de l'Autriche et à celle de l'Italie ainsi qu'aux fictions et légendes fondatrices sur lesquelles elles se basaient, Washington et Londres, qui voulaient avant tout réintégrer ces pays au plus vite et les immuniser contre le communisme, ne pouvaient pas heurter un partenaire potentiel aussi important que l'Italie (surtout dans la mesure où on avait déjà mis l'Italie à rude épreuve en ce qui concernait l'Istrie et Trieste). Certains historiens posent la question de savoir si le deuxième accord de contrôle n'était pas en lui-même un dédommagement pour la déception dans l'affaire du Tyrol du Sud et, sans vouloir trancher, on peut constater que les deux accords obéissent à la même logique.

Une opportunité dans l'adversité : l'Autriche avait franchi en 1946 l'étape la plus difficile sur le chemin de la reconstruction, non seulement sur le plan économique. Elle avait franchi un pas important dans sa réhabilitation politique. Le Tyrol du Sud avait été « prématurément pris dans les mécanismes de la guerre froide » (Rolf Steininger) [11], mais l'Autriche y avait été prise au bon moment. Elle fut favorisée par la conjoncture de la guerre froide, au moment où on lui avait donné les moyens d'y participer. Le dualisme global des deux superpuissances en tant que phénomène unique dans l'histoire mondiale, fonctionna en Autriche comme catalyseur de la normalisation.

Pour un pays qui s'apprêtait à s'installer dans une niche confortable au milieu d'une zone névralgique du conflit est-ouest, le dosage d'intensité de la guerre froide allait jouer un rôle déterminant. A l'heure actuelle, après la fin de ce conflit ou plutôt son déplacement vers l'est, d'autres paramètres sont décisifs, comme celui de la dynamique d'intégration produite par la peur de l'inflation et le désir de reflation. On verra.

Notes

[1] A comparer avec Manfred Rauschensteiner. *Die Zwei. Die große Koalition in Österreich 1945-1946* (Wien 1987), p. 75-87 ; Klaus Eisterer, « Frankreich und das zweite Kontrollabkommen vom 28 Juni 1946 » *in* : *Die bevormundete Nation ; Österreich und die Alliierten 1945-1949* (Innsbruck 1988).

[2] Audrey Kurth Cronin, *Great Power Politics and the Struggle over Austria*, 1945-1955 (Ithaca/London), p. 37.

[3] Le Conseil national autrichien réagit à cela en votant un programme d'étatisation assez vaste malgré la majorité conservatrice de la ÖVP (Parti du Peuple Autrichien), qui avait pour objectif de protéger les droits de propriété de l'Autriche sur l'USIA.

[4] Voir Gerald Stourzh, *Geschichte des Staatsvertrages 1945-1955* (Wien 1985).

[5] Rolf Steininger, « Los von Rom ». *Die Südtirolfrage 1945/46 und das Grueber-De Gasperi Abkommen* (Innsbruck 1987), p. 62.

[6] *Loc. cit.*

[7] Vf. mena régulièrement des entretiens approfondis avec Karl Grueber, qui mourut brusquement en janvier 1995 à l'âge de 86 ans. Michael Gehler (Innsbruck) qui a édité en 1994 un volume de discours de Grueber est en train de rédiger sa biographie.

[8] Voir Rolf Steininger, Karl Grueber und die Südtirolfrage 1945/46 in : Für *Österreichs Freiheit.Karl Grueber-Landeshauptmann und Außenminister 1945-1953*, Lothar Höbelt und Othmar Huber (Innsbruck 1991), p. 71-100.

[9] Pour un court laps de temps, cette question fut à nouveau soulevée et on revendiqua la réunion d'Ödenbourg au Burgenland). Voir *Diplomatie zwischen Parteiproporz und Weltkonflikt.* Aus dem Nachlaß Walter Wodaks 1945-1950, p. p. Reinhold Wagnleitner (Salzburg 1980), p. 150 et 176.

[10] Cronin, *Great Power Politics*, p. 41.

[11] Steininger, *Los von Rom.*

(traduit de l'allemand par l'ATSADAT)

Romain H. RAINERO

L'ACCORD DE GASPERI-GRUEBER SUR LE HAUT-ADIGE DANS LE CADRE DES NOUVELLES RELATIONS ENTRE L'ITALIE ET L'AUTRICHE

Dans le cadre général de la refonte de la carte géopolitique de l'Europe occidentale de l'immédiat après-guerre, l'Italie occupe, pour plusieurs raisons, une place de choix, soit dans le contexte politique général, soit dans celui spécifique de son avenir quant à ses dimensions géographiques. En effet, si la perte des colonies semble s'inscrire dans une réalité désormais presque acquise, le problème des frontières de l'Italie métropolitaine suscite des négociations aiguës auprès des Alliés tiraillés entre des solutions généreuses et des décisions revendicatives. Il est clair que l'Italie officielle assiste, sans y participer directement, à ces négociations que la France semble dominer en face des Anglo-Américains et des Soviétiques. Il est inévitable pour l'Italie d'accepter le *Diktat* des vainqueurs qui semblaient avoir totalement oublié la «cobelligérante» de l'Italie et les indications-conséquences que les accords de Malte du 29 septembre 1943 prévoyaient. Carlo Sforza, le nouveau ministre des Affaires étrangères, tout comme son prédécesseur, le socialiste Pietro Nenni, n'a aucun doute à cet égard. Sur cet état d'esprit des «Alliés» qui ne tenaient guère compte de la coopération de la «nouvelle Italie démocratique» dans l'effort de guerre contre le bastion allemand, le nouveau secrétaire général du ministère des Affaires étrangères de Rome, Renato Prunas, ne nourrissait aucune illusion: le futur immédiat de l'Italie devait être une série de renonciations douloureuses. Et il écrivait, dès le

26 janvier 1945, au Président du Conseil, Alcide De Gasperi, des paroles amères, mais d'un réalisme frappant quant aux futurs développements des relations entre l'Italie et les Alliés : « *...Il est parfaitement logique de s'attendre à ce que les nœuds créés par l'agression de juin 1940 contre la France et par la défaite, doivent inévitablement se manifester. Il est certainement douloureux mais il serait soit inutile, soit provocateur de tenter de se soustraire à la reddition de compte...* »[1]. Ces comptes n'étaient pas seulement ceux relatifs au monde colonial, mais ils investissaient les dimensions géographiques mêmes de l'Italie métropolitaine avec de maintes frontières mises en discussion par les uns ou par les autres. Sur la frontière des Alpes il s'agissait des revendications de la France, ayant pour objet, soit la vallée d'Aoste, soit les communes de Briga et de Tenda dans les Alpes maritimes. A la frontière orientale, avec la Yougoslavie, la question était plus vaste avec de larges zones qui devaient passer sous souveraineté slave et avec la question internationale de Trieste. Enfin, il y avait vers le Nord, la question du Haut-Adige que les Autrichiens revendiquaient sous le nom de Tyrol du Sud. Dans toute ces questions la position officielle du gouvernement italien était la défense tenace des 'vieilles' frontières, mais c'était une bataille qui n'avait guère d'atouts en sa faveur. Contre les thèses italiennes, il y avait la voix des vainqueurs, et surtout celle de la France et de la Yougoslavie. Quant à la France, l'opposition des Etats-Unis modéra ses revendications le long des Alpes et seulement Briga et Tenda furent la proie des ambitions de Paris. La question yougoslave, au contraire, était plus complexe car elle rentrait dans un contentieux plus vaste, avec des reflets sur les relations entre l'Est et l'Ouest, et ainsi les thèses de Belgrade soutenues par Moscou, et à la fin acceptées par Washington, suscitèrent une certaine bienveillance, sauf pour Trieste dont le statut fut international.

Quant à l'Autriche, elle avait une position bien différente, ni parmi les vainqueurs, ni parmi les vaincus : elle apparaissait comme un Etat, victime de Hitler, que les Grands voulaient reconstruire après l'aventure de l'*Anschluss*, et donc ce fut dans cet esprit que la question du Haut-Adige s'inscrivait dans la question italienne avec une nette sympathie des Alliés pour les thèses de Vienne et une prévention contre les opinions italiennes. Le gouvernement de Rome se dut toutefois de rappeler que la question était bien différente des apparences que Vienne insistait à vouloir faire voir même si, à propos de la frontière du Brenner, il y avait un précédent qui était en faveur des thèses autrichiennes qui voulaient l'annexion de cette région italienne à la « nouvelle Autriche ». Le neuvième des Quatorze Points de Wilson évoquait le problème des frontières de l'Italie, frontières à établir, vers l'Est «*along clearly recognizable lines of nationality*». Mais les propos du Président américain ne furent pas appliqués par les vainqueurs de la Première Guerre mondiale dans le cas de l'Italie qui était alliée de l'Entente et envers laquelle la reconnaissance était due[2]. Ainsi le traité de Saint Germain du 10 septembre 1919 reconnaissait à l'Italie, dans son article 27, la frontière du Brenner, et le Parlement de Rome ratifia cette décision le 7 août 1920. La question semblait réglée, mais les revendications des habitants de langue allemande de la région ne se turent pas malgré une évidente politique de dénationalisation de la part de l'Italie du premier après-guerre qui désirait ignorer le problème en brimant toute manifestation culturelle de la population de langue allemande. Et cette politique s'accentua surtout après la montée du fascisme au pouvoir. Le décret du 29 mars 1923 qui changea les noms des villes pour les «italianiser» (ainsi Brixen devint: Bressanone; Sterzing: Vipiteno; Franzensfeste: Fortezza, etc.) fut le début d'une politique de lutte contre la présence allemande, et cette politique de faveur envers une colonisation accélérée d'italiens porta rapidement la région à avoir une population de langue italienne beaucoup plus importante qu'avant la Première Guerre mondiale, et cela dans le but d'insérer toujours plus le Haut-Adige dans l'unité italienne. Ainsi la population italienne passa des 7000 habitants de 1910 aux 81000 de 1939. Cette politique eut plusieurs phases mais, en général, l'Italie tint toujours à réprimer les manifestations les plus violentes de la part des habitants de langue allemande qui étaient plus de 250000. Elle dut toutefois les ménager à la lumière des bonnes relations établies par le fascisme avec le gouvernement autrichien. Cette situation naturellement cessa avec l'annexion de l'Autriche par le Reich allemand, le 10 avril 1938; alors le discours de sympathie envers Vienne se trouva confondu avec les rapports extrêmement cordiaux de l'Italie fasciste avec l'Allemagne nazie, avec une Allemagne qui ne voulait certes pas mettre en discussion sa solidarité avec le gouvernement de Rome mais qui, d'autre part, ne pouvait pas oublier la germanicité des habitants du Haut-Adige. L'impasse fut évitée grâce à un accord entre les deux ministres des Affaires étrangères, Ciano et von Ribbentrop, qui reconnaissait la frontière existante et qui prévoyait un transfert des populations de langue allemande vers le Reich, avec l'assistance des autorités italiennes, et seulement dans le cas où chaque habitant en faisait clairement et librement option. Cet accord de principe fut complété, le 21 octobre 1939, par l'accord Ciano-von Mackensen, l'ambassadeur allemand à Rome, qui fixait les modalités de cette option et en fixait la date limite au 31 décembre 1939. Cette solution, qui alors paraissait aux yeux des Allemands et des Italiens comme la meilleure, fut saluée, par les uns et les autres, avec chaleur. Le 10 janvier 1940 les résultats des opérations d'option furent connus : sur les 266 985 habitants de langue allemande, 185 085 affirmèrent leur volonté d'aller en Allemagne, et les opérations de transfert eurent immédiatement lieu. Mais elles prirent plus de temps que prévu car le déroulement de la guerre fit passer au deuxième plan le problème des optants du Haut-Adige. A la fin de la première phase de la guerre italienne, le 1er septembre 1943, seulement 77 772 personnes étaient parties pour l'Allemagne. Les phases successives de la guerre bloquèrent toute décision car le Haut-Adige se trouva à avoir une nouvelle structure politique : le 27 septembre 1943, pour répondre à la « trahison » de l'Italie, Hitler décida, en effet, d'administrer directement trois provinces italiennes : celle de Bolzano, celle de Trento et celle de Belluno en les réunissant sous l'autorité d'un *Gauleiter* dans une zone homogène appelée *Operationszone Alpenvorland.* Il s'agissait d'un revirement complet de sa politique précédente car le transfert de population impliquait une reconnaissance définitive d'une prééminence italienne dans la région et, au contraire, la naissance d'une région administrée directement par les autorités allemandes ne pouvait qu'avoir qu'une seule valeur : celle de vouloir annexer le Tyrol du Sud à la souveraineté allemande.

La fin de la guerre changea totalement les données de la question avec un Comité antifasciste de Libération (italien) qui réclamait le retour total de la souveraineté italienne sur ces trois provinces et avec un Comité allemand, dans la région du Haut-Adige, la « Andreas Hofer Bund » qui insistait pour la libre expression de la population à propos de son propre futur et qui jouissait d'un appui évident de la part des autorités françaises d'occupation de la partie méridionale de l'Autriche. De son côté, le chancelier autrichien Renner lançait le projet d'un référendum pour connaître les désirs de la population (12 septembre 1945) et insistait auprès de la Conférence des Ministres réunie à Londres à partir du 11 septembre pour cette thèse qui aurait porté sans aucun doute à l'annexion de la région à l'Autriche. Quant à l'Italie, le président du Conseil Alcide De Gasperi avait fait un cadre de la position italienne dans un Mémorandum du 20 août qui mettait en garde les ministres alliés contre les manœuvres du gouvernement de Vienne auprès des Alliés et contre ses propos d'annexion du Haut-Adige en indiquant que la population de langue allemande ne pouvait pas être l'objet de mesures de faveur car il s'agissait d'individus qui avaient préféré à l'Italie l'Allemagne de Hitler pour patrie.

Pour De Gasperi il s'agissait de respecter les données historiques du problème qui consistaient à respecter les décisions du traité de Saint Germain et de bien situer la valeur des options que les habitants de langue allemande avaient fait à propos de leur «retour» en Allemagne. La diplomatie et les autorités françaises d'occupation de l'Autriche ne se montrèrent guère d'accord avec les thèses de Rome dans l'espoir de pouvoir ainsi faire approuver une solution semblable, c'est-à-dire de détachement de l'Italie, pour la vallée d'Aoste qui, selon Paris, présentait certaines analogies avec le cas du Haut-Adige. Il est clair désormais, d'après les sources à notre disposition, que les objectifs de la politique française étaient de ce genre, avec des propos de soutien occulte envers le mouvement de la sécession de l'élément allemand[3]. Le gén. Béthouart qui était le responsable militaire français de la zone d'occupation de l'Autriche était au centre d'une certaine activité favorable aux thèses des mouvements politiques pro-autrichiens, et dans plusieurs épisodes la *longa manus* des autorités militaires françaises dans différentes crises des annexionnistes du Haut-Adige était évidente. Fort heureusement pour les thèses italiennes et pour l'Italie, la sagesse du ministre des Affaires étrangères français, Georges Bidault, évita de confirmer au niveau gouvernemental central cette position et la France officielle se rangea aux idées que De Gasperi avait, en plusieurs occasions, évoquées: une autonomie dans un cadre constitutionnel rénové de l'Italie. Il est vrai, d'autre part que la question se compliquait ultérieurement avec le désir exprimé par le biais des autorités autrichiennes de la part des optants du rapatriement en Allemagne des accords de 1939, de pouvoir retourner en Haut-Adige qu'ils considéraient comme leur vraie patrie. La position politique de ces optants renversait la question car selon les déclarations de plusieurs d'entre eux que le ministre des Affaires étrangères de Vienne, Karl Grueber illustra au Conseil Allié le 24 janvier 1946, ces options ne furent pas le fruit d'une décision spontanée mais le résultat d'une propagande nazie en faveur du rapatriement car le gouvernement de Berlin qui avait signé les accords ne voulait en aucun cas voir se mettre en discussion la «libre volonté de tous les Allemands» a se réunir dans la mère patrie. La propagande et les chantages furent, selon cette thèse, à l'origine des options favorables au «retour» en Allemagne. Selon la thèse de Grueber d'abord il y eut les promesses selon lesquelles «chaque fils jusqu'au quatrième des familles de paysans émigrées dans le Reich recevra une ferme à son nom » ; plus tard il y eut les menaces : « Celui qui n'optera pas pour l'Allemagne sera transféré dans l'Italie du Sud, en Sicile, en Albanie ou en Libye ». Selon cette thèse ce fut seulement grâce à ces pressions que les options pour l'Allemagne furent si élevées, de l'ordre de 71,3 %, et certes pas pour des motifs d'ordre idéologique d'adhésion à la doctrine nazie[4].

Les revendications de l'Autriche s'étoffaient aussi de deux autres arguments qui devaient renforcer la thèse de l'annexion « nécessaire » : la question des usines hydroélectriques et la question des communications par voie ferrée. Pour le problème des barrages et des centrales hydroélectriques, la position de Vienne insistait sur la modestie du rendement de ces usines ; quant à l'Italie, sa position était exactement le contraire avec une insistance sur l'importance de ces ressources électriques pour l'économie générale de l'Italie du Nord (*Voir la carte n.1*). Pour la question du chemin de fer, on soulignait à Vienne que les détours qu'impliquait une présence italienne, dans le nord du Haut-Adige, auraient pour conséquence un net désavantage pour les voies à emprunter pour mettre en relation le Tyrol de l'Est avec le Tyrol du Nord (*Voir la carte n.2*). Et ces deux conditions étaient évoquées comme indispensables pour réaliser ce que les propos des Alliés avaient déjà évoqué, c'est à dire le développement d'une nouvelle Autriche sur le plan politique comme sur ceux sociaux et économiques, après les affres de la violence nazie.

Evidemment il s'agissait d'arguments plutôt minces, mais en plusieurs occasions les autorités françaises en Autriche se rangèrent à ces thèses et cette solidarité durcissait la position, soit des autrichiens, soit des habitants de langue allemande du Haut-Adige. Toutefois, le Conseil Allié, avec sa décision du 24 juin, décida de trancher le problème et de ne pas prendre en considération ces arguments autrichiens sinon pour les exclure comme éléments valables pour résoudre la question. Le Conseil insista surtout sur la nécessité d'un accord bilatéral entre Rome et Vienne et les ministres paraissaient se mettre d'accord avec un appel aux deux parties, en vue d'une modération du côté autrichien et d'une certaine compréhension de la part italienne. Plus qu'une revendication territoriale on voulait situer le problème dans le sens de la tutelle, même avec un « regard » international, des Italo-Allemands du Haut-Adige, et le fait que souvent on gommait l'étiquette de Haut-Adige est significatif, et démontrait que l'on se refusait à faire de ce futur statut une question de souveraineté à céder ou à récupérer. Naturellement le chemin était difficile à parcourir car, d'un côté comme de l'autre, les intransigeances insistaient pour des solutions que l'on prônait radicales et définitives. Les deux gouvernements intéressés se montraient toutefois assez moins virulents dans leurs propos concrets, et ces positions ne pouvaient ne pas porter à une solution raisonnée de la crise. Les deux responsables des deux gouvernements à propos de la négociation, le ministre des Affaires étrangères de Vienne, Karl Grueber, et le Président du Conseil de Rome, Alcide De Gasperi se révélèrent être la prémisse d'un accord entre les parties qui devait comporter toute une série de solutions aux problèmes majeurs dans la question, à savoir : le problème de la souveraineté, le problème du retour en Haut-Adige des habitants qui avaient opté, en toute liberté ou sous la contrainte nazie, pour l'Allemagne à la veille de la guerre, et enfin, un statut d'autonomie que, le cas échéant, l'Italie devait garantir à cette même région, et cela dans un cadre de surveillance de la part de l'Autriche et dans le cadre général des responsabilités de l'Organisation des Nations Unies.

L'accord signé le 5 septembre 1946 fut salué par les deux gouvernements comme la preuve que toutes les crises internationales pouvaient trouver une solution négociée avec l'accord des parties en cause. Dans le cas du Haut-Adige, la solution donna aux représentants « du peuple du Tyrol du Sud », Friedl Volgger et Otto von Guggenberg, l'occasion pour réaffirmer les droits des habitants de langue allemande « chassés par Hitler et par Mussolini... de leur patrie » de retourner dans leur région d'origine avec les garanties de respect de langue, de tradition et de droit que l'accord entre Rome et Vienne leur promettait. Le souhait des partis italiens était dans le même sens, en défense, cette fois-ci des droits des italiens, minorité de langue et d'origine, mais reliés directement au sort de l'Italie. Cette double position locale donna beaucoup de problèmes à la réalisation pratique de l'accord qui restait théorique dans l'attente de la définition de l'autonomie promise. Le recours à une tutelle internationale voulue par la partie autrichienne fut accepté par les Alliés qui étaient en voie d'élaborer le traité de paix avec l'Italie et ainsi, l'accord du 5 septembre fut inséré, comme Annexe IV dans le traité signé à Paris le 10 février 1947 que le Parlement italien approuva le 31 juillet 1947 avec 262 voix contre 68. Un autre atout pour la paix fut la structure constitutionnelle que l'Italie, devenue république avec le référendum du 2 juin 1946, se donna : l'administration centrale céda sa structure centralisatrice en faveur des régions, à statut ordinaire dans tous les cas sauf pour le statut spécial pour certaines régions telles la Vallée d'Aoste, la Sardaigne, la Sicile, la Vénétie et le Haut-Adige. Ainsi l'accord du 5 septembre devenait une réalité constitutionnelle et l'Italie acceptait de donner aux habitants de langue allemande de la région un statut spécial avec toutes les garanties que l'accord précédent avait évoqué. Cet itinéraire constitutionnel eut, quelques mois plus tard, une confirmation juridique encore plus importante, c'est-à-dire le statut d'autonomie qui fut voté le 2 février 1948 par l'Assemblée constituante de Rome et qui dota la région, sous le nom de « Région autonome du Trentin et du Haut-Adige » de structures représentatives avec des compétences spécifiques élargies aux plus différents domaines.

Cette phase qui contribua à enlever à la question le caractère explosif qu'elle possédait à ses débuts ne peut être considérée comme une phase définitive dans le problème des rapports entre Italiens de langue italienne et Italiens de langue allemande : le fait que la vie politique se concentra dans les années suivantes sur l'application plus ou moins valable des décisions précédentes est la preuve qu'il y avait encore à faire pour donner à la question une solution définitive. Le 4 et le 5 décembre 1969 un nouvel accord donna un nouvel essor à l'accord, et ce « pacchetto » ou ensemble de nouvelles dispositions en faveur de l'autonomie des Tyroliens du Sud, démontra la volonté italienne d'aller vers un accord à cet égard.

Naturellement les polémiques n'ont pas cessé d'un côté comme de l'autre : les Italiens du Haut-Adige se plaignent d'être peu considérés par le gouvernement central ; quant aux Allemands, leurs polémiques parlent du contraire. Très probablement il s'agit d'aspects politiques qui ne pourront cesser d'exister ; mais ce qu'il y a à noter dans cette Europe d'après-guerre c'est le fait que l'accord, fragile ou durable, s'est réalisé et ce pour le bien de la paix et pour un apport concret de détente et de liquidation de séquelles d'un passé lourd de polémiques et de crises même graves.

Notes

[1] Lettre de R. Prunas à De Gasperi, 26 janvier 1945, *in Documenti Diplomatici Italiani*, série X, vol. 2, Rome, Min. Aff. Etrang., 1993, p. 55.

[2] A. Fenet, *La question du Tyrol du Sud, un problème de droit international*, Paris, Librairie Gén. Droit et Jurisprudence, 1968, p. 28

[3] P. Guillen, « La France et la question du Haut-Adige (Tyrol du Sud) », *in Revue d'histoire diplomatique* 1986, n. 3-4, p. 295 et suiv.

[4] Sul problema delle opzioni, Vienne, 24 janvier 1946, *in L'accordo De Gasperi-Grueber nei documenti diplomatici italiani ed austriaci,* Trento, Regione Autonoma Trentino-Alto Adige, 1990, p. 164.

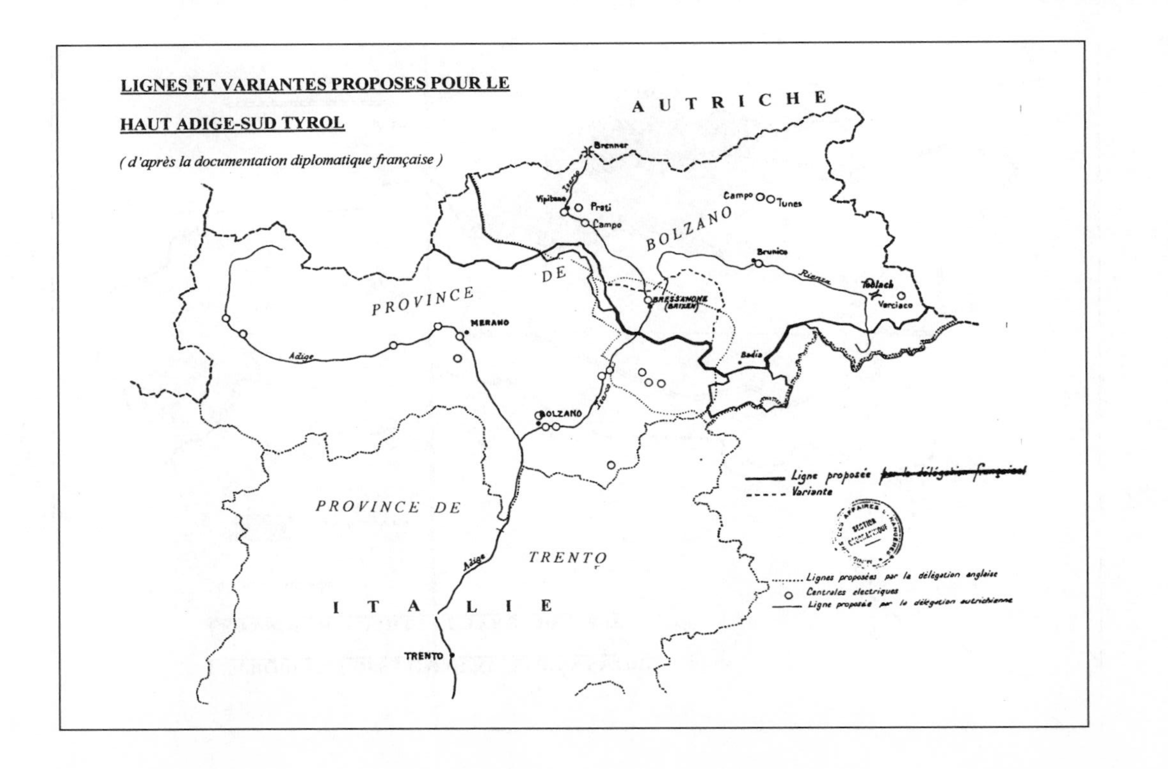

LIGNES ET VARIANTES PROPOSES POUR LE HAUT ADIGE-SUD TYROL

(d'après la documentation diplomatique française)

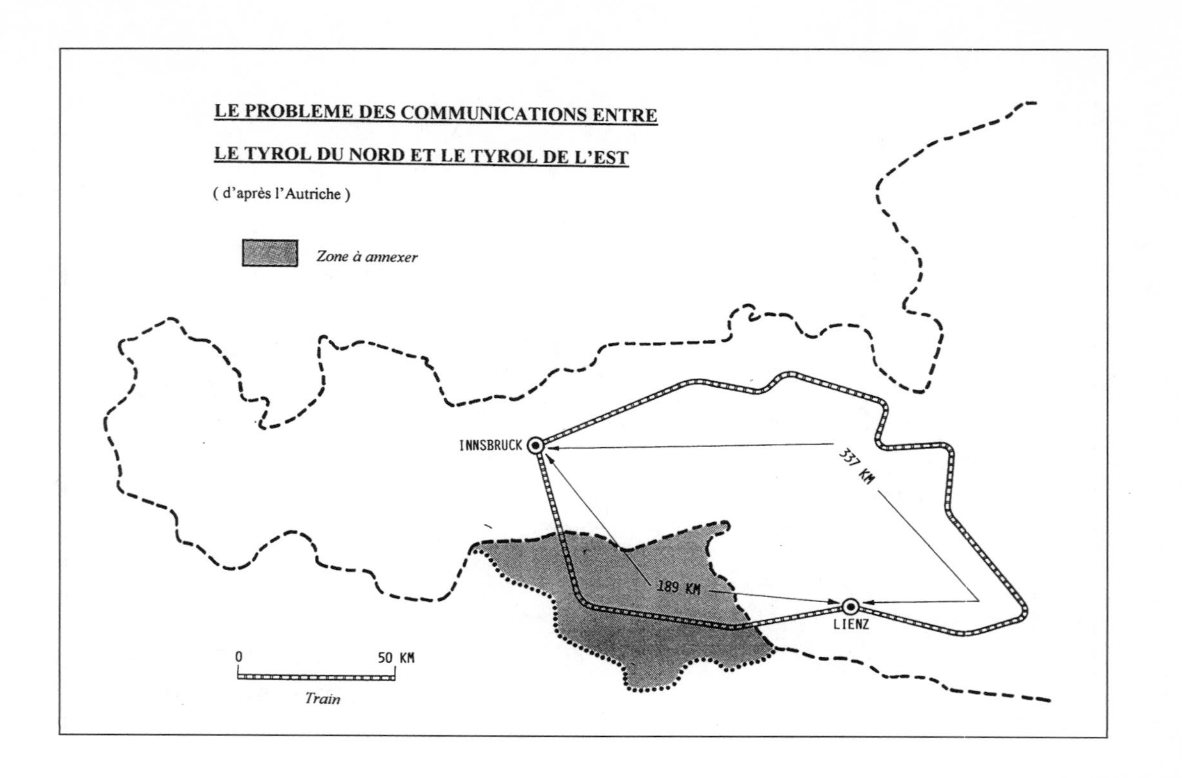
LE PROBLEME DES COMMUNICATIONS ENTRE
LE TYROL DU NORD ET LE TYROL DE L'EST
(d'après l'Autriche)
Zone à annexer
INNSBRUCK
337 KM
189 KM
LIENZ
0
50 KM
Train

Barbara PORPACZY

L'ACTION CULTURELLE DE LA FRANCE DANS LA ZONE D'OCCUPATION FRANÇAISE EN AUTRICHE EN 1946

Le titre du colloque de Caen 1996 « L'Année 1946 : entre le deuil et l'espoir » m'a offert l'occasion, dans le cadre de mon travail de thèse sur la politique culturelle de la France en Autriche entre 1945 et 1955, de m'intéresser à un moment spécifique de l'occupation française.

Je me placerai dans cet exposé exclusivement du point de vue français et après quelques remarques générales concernant la politique de la France en tant qu'occupant, je parlerai de la politique culturelle dans la zone d'occupation française. Au centre de cet exposé je mettrai Innsbruck, capitale de cette zone, et le travail de l'Institut français d'Innsbruck pendant l'année 1946. Cet institut, inauguré en juillet 1946, peut être considéré comme l'épicentre de l'action culturelle dans l'ouest de l'Autriche durant les dix années de l'Occupation.

Le terme d'action culturelle comprend des domaines différents comme la presse et la radio, la politique scolaire, universitaire et en direction de la jeunesse. A ce jour, il n'existe aucune analyse détaillée de la politique française dans les domaines des médias et de la jeunesse. Seule la politique scolaire a fait l'objet d'un travail approfondi [1]. Les activités culturelles initiées par l'Institut français d'Innsbruck représentent un important objet d'analyse dans ma thèse, ce qui m'amène à en faire le sujet de cet exposé.

Il faut tout d'abord répondre à la question : « Que veut la France en Autriche ? Quel intérêt a-t-elle à se faire 'Quatrième Force d'Occupation' dans ce pays ? » On ne peut répondre sans prendre en considération la politique que mène la France en Allemagne, où l'occupation est surtout liée à une politique de sécurité ; une décentralisation totale du pays par les Alliés, favorisée par la France, doit empêcher l'Allemagne de redevenir un danger pour l'Europe. Il est indispensable de faire de l'Autriche un pays libre et surtout indépendant en la « désannexant » de l'Allemagne. La déclaration de Moscou de 1943, dans laquelle les Alliés (en l'absence de la France) décident que l'Anschluß de 1938 est « nul et non avenu », a permis en 1945 de considérer l'Autriche comme « pays ami ». Il ne faut pourtant pas oublier que dans la même déclaration, les Alliés exhortent l'Autriche à ne pas oublier sa responsabilité dans les crimes de guerre. L'ambiguïté de la déclaration de Moscou permet à la fois aux Autrichiens de se déculpabiliser en soulignant le rôle de l'Autriche comme première victime de Hitler, et aux Alliés de légitimer leurs exigences en matière de réparations par rapport à l'Autriche.

La France obtient au début de l'année 1945 une Zone d'occupation en Autriche composée des deux Länder du Tyrol et du Vorarlberg. Bien qu'elle soit contrainte de se contenter de la zone la plus petite, la France parvient ainsi à démontrer que « le sort de l'Europe ne peut se régler sans elle » (je cite un article du commandement en chef français en Autriche)[2]. Entre le 5 et le 10 juillet 1945 les troupes françaises remplacent les troupes américaines et s'installent dans la zone. Le général Marie-Emile Béthouart, Chef des troupes françaises, est nommé Haut Commissaire de la République française en Autriche.

Dans ce contexte, intéressons-nous plus précisément à la politique culturelle. En Allemagne, cet aspect de l'occupation est beaucoup plus étudié par les historiens qu'en Autriche. Les questions que se posent les chercheurs à ce sujet se situent dans le contexte d'une contradiction entre la politique de sécurité et d'exploitation d'un côté et les efforts de démocratisation et de reconstruction de l'autre côté, contradiction qui caractérise la politique française en Allemagne. L'action culturelle est-elle conçue comme un « camouflage » de l'exploitation économique du pays ou comme moyen de rééduquer la population[3] ?

En Autriche, l'action culturelle est, grâce au fait que le pays soit « pays ami », moins liée aux questions de sécurité mais principalement à deux visées politiques : celle d'une « désintoxication » et celle d'une « démocratisation ». Il convient de voir dans quelle mesure l'action culturelle a contribué à la réalisation de ces intentions. Tous les travaux qui portent sur l'action culturelle française en zones occupées démontrent l'existence d'un chaos et d'un trop-plein de compétences parmi les responsables à Paris et dans les zones occupées. Le ministère de l'Education nationale, le ministère des Affaires étrangères et le Commissariat aux Affaires allemandes et autrichiennes en France, la Direction de l'Information (soumise au régime militaire) et la Direction de l'Education et des Beaux-Arts (dirigée par le ministère des Affaires étrangères) en Autriche accumulent les directives. Il s'ensuit que celles-ci sont souvent contradictoires ou font même parfois défaut. Jérôme Vaillant explique :

« Ce n'est qu'après la Libération que fut mise en place, en 1944, au ministère des Affaires étrangères une Direction des Affaires culturelles. [...] Mais, ne serait-ce que pour cette raison, on ne pouvait guère s'attendre à ce que la France soit dès 1944/45 en mesure d'arrêter dans ses moindres détails un vaste projet d'action culturelle à l'étranger ou en Allemagne. D'autant plus que la politique culturelle qu'elle était appelée à mener en Allemagne avec ses alliés était bien plus qu'une simple politique d'expansion linguistique, comme elle l'avait principalement fait jusqu'alors ; il s'agissait cette fois d'œuvrer à la démocratisation et à la rééducation du peuple allemand. » [4]

Rainer Hudemann fait observer qu'on ne peut pas parler d'une « non-existence » de directives de Paris concernant l'action culturelle mais que les directives ne parviennent que rarement au niveau des responsables locaux dans la zone. En outre, toujours selon Hudemann, les contradictions citées entre une politique de sécurité et une politique de démocratisation ont déterminé non seulement les actions concrètes dans les zones mais aussi les directives conçues aux niveaux les plus hauts à Paris [5].

En ce qui concerne Innsbruck, centre de la ZOF, le manque de directives de Paris ou l'arrivée d'ordres souvent contradictoires va se révéler en fin de compte avantageux pour l'action culturelle française : les trois responsables principaux, MM. Susini, Directeur de l'Education et des Beaux-Arts, Decombis, premier directeur de l'Institut français et Besset, collaborateur de ce dernier et son successeur dès 1948, travaillent de manière quasiment indépendante et s'en tiennent à leurs conceptions individuelles en matière de politique culturelle. Tous les trois sont d'ailleurs vivement soutenus par le général Béthouart qui leur fait d'autant plus confiance qu'il attribue un rôle très important à la culture dans le cadre de sa politique d'occupation.

En juillet 1945, à l'arrivée des troupes françaises, environ 670 000 personnes dont 180 000 étrangers et réfugiés se trouvent dans la zone du Tyrol et du Vorarlberg. Le principal problème de l'occupant est le ravitaillement de la population et des 32 000 soldats français[6]. Le second problème majeur après la destruction d'une grande partie de la ville est le manque de logements. Au vu de cette situation de détresse matérielle quasi totale, on peut se demander pourquoi l'occupant français accentue tant sa politique culturelle.

Dès septembre 1945, le général Béthouart fait un rapport au ministère des Affaires étrangères à Paris sur deux concerts du Quatuor Calvet à Innsbruck, qui ont eu un succès énorme. Il parle dans sa lettre de « la première manifestation de propagande française véritablement réussie et efficace » et ajoute « qu'il croit qu'il y aurait lieu de persévérer dans cette voie »[7]. La date précoce (trois mois seulement après l'arrivée des troupes françaises), et le qualificatif « manifestation de propagande » soulignent l'importance politique de la culture dans le cadre de l'occupation.

Une des rares directives précises de Paris sur l'action culturelle est celle de l'implantation *durable* d'institutions culturelles françaises. Dès 1946 en effet, les responsables politiques croient que l'occupation de l'Autriche va bientôt se terminer[8]. Il importe alors d'acquérir de l'influence dans un domaine qui ne dépend pas des changements politiques. On pense surtout à l'installation d'écoles et d'instituts culturels qui pourraient « survivre » à l'occupation.

Le 17 novembre 1945, la Direction de l'Education et des Beaux-Arts donne des directives pour le futur Institut culturel d'Innsbruck : « Etre un foyer de *rayonnement* de la littérature et de l'art français et un centre d'*attraction* pour les esprits cultivés, tel est le double rôle qui lui incombe »[9].

« Rayonner » et « attirer » sont les verbes qui définissent les intentions des responsables. A mon sens, on peut associer ces verbes avec l'image classique du soleil représentant la splendeur de la culture française. Une discussion sur ce qu'Albert Salon appelle, dans son étude « L'Action culturelle de la France dans le monde », le « messianisme » français, semblerait très intéressante dans ce contexte. Est-ce qu'il existe une conscience collective française de la tradition culturelle de la France et peut-on en déduire un « messianisme » culturel propre à tous les Français ? Le cadre de cet exposé ne permet pas de développer cette question plus avant, elle m'intéressera par contre particulièrement dans ma thèse.

Revenons à la situation d'Innsbruck :

Entre l'automne 1945 et le mois de juillet 1946, les responsables français à Innsbruck parviennent à trouver Karl Kapfererstraße une villa convenable pour héberger un institut, la font restaurer et installent des bureaux, des salles de cours etc. Selon son projet de fonctionnement, l'Institut est investi d'un double rôle: « centre de hautes études universitaires », il proposera des cours de langue de tous les niveaux, des cours de littérature, de géographie, d'histoire et d'histoire de l'art; « foyer de rayonnement de la Culture française », il organisera concerts, lectures, pièces de théâtre, présentations de films.

L'inauguration officielle de l'Institut français d'Innsbruck a lieu le 8 juillet 1946. Il est intéressant de constater que dans les discours tenus à cette occasion, le général Béthouart, l'Administrateur général Voizard, et MM. Susini et Décombis (futur directeur de l'institut) insistent sur le désintéressement complet de l'action culturelle de la France en Autriche. La France n'aurait, d'après Susini, pas les moindres « ambitions secrètes de propagande » ni de « désir non avoué de répandre une doctrine et d'imposer un credo » [10], contrairement à ce que semblait dire quelques mois avant le général Béthouart.

Il est clair que par cette mise en valeur de l'altruisme français on espère convaincre une population désillusionnée par sept ans de régime doctrinaire. Mais ce n'est pas tout: souligner que les méthodes françaises d'action culturelle n'ont rien à voir avec les méthodes de propagande – sous entendu du régime nazi – veut faire oublier aux Autrichiens qu'ils se retrouvent, bien que libérés d'une puissance étrangère, occupés par une autre. De plus, l'inauguration de l'Institut d'Innsbruck doit être replacée dans son contexte politique qui fait mieux comprendre l'importance de la culture: le 28 juin 1946, quelques jours avant l'inauguration, les Alliés ont signé le Second Accord de contrôle qui diminue considérablement les compétences du régime militaire auquel s'ajoute une réduction des troupes de 32 000 à 7 000 soldats. Ces circonstances, renforcées par la conviction des responsables militaires et civils que l'occupation n'allait pas durer, éclairent l'importance accordée à l'action culturelle, seule garantie d'une influence durable de la France en Autriche. Cette influence aiderait la France à redevenir une nation respectée en Europe. Raison de plus pour les responsables de souligner leur désintéressement...

Examinons maintenant le travail réalisé à l'Institut d'Innsbruck, par M. Décombis, son premier directeur, et M. Besset qui fut son collaborateur avant de lui succéder en 1948.

La rentrée 1946 est un immense succès, 260 inscriptions obligent le directeur à doubler le nombre de cours. 17 heures par semaine, la langue, la littérature et la civilisation françaises sont enseignées au premier semestre. En tant que « Centre de recherche », l'Institut participe à des projets scientifiques divers et contribue à la création des Semaines universitaires internationales d'Alpbach au Tyrol.

A l'été 1946, à l'occasion de l'inauguration de l'Institut, est présentée une exposition intitulée « Chefs d'œuvres du Musée d'Art moderne de Paris ». Le public innsbruckois peut admirer 37 toiles de peintres tels Utrillo, Guérin ou Matisse. L'exposition est un succès total, car on n'avait jamais vu avant au Tyrol des toiles d'un Léger, Bonnard ou Dufy [11]. A part cela, concerts (Jacques Thibault, le Trio Pasquier, le Quatuor Calvet etc.) et conférences (Comtesse de Pange, Raymond Aron) attirent un public enthousiaste. Finalement, il convient de mentionner les rencontres universitaires de Saint Christoph en Arlberg initiées par l'Institut, qui sont l'occasion pour de nombreux professeurs et étudiants français et autrichiens de combiner travail intellectuel et activité sportive. André Gide est présent à cet événement en 1946 et son discours a le plus grand succès.

En ce qui concerne le public des manifestations culturelles, il faut souligner qu'il s'agit d'une élite. La ville universitaire d'Innsbruck disposait et dispose toujours d'un potentiel important d'étudiants et c'est à ce public-là que s'adressait avant tout l'Institut. « Tous ces contacts constituent une propagande efficace dans les milieux universitaires et leur rayonnement atteint, au delà des participants (environ 1 000 personnes dont 500 Autrichiens), tous ceux auprès desquels ils sont amenés à exercer une influence par suite de leur situation professionnelle et sociale. » [12]

Le succès des manifestations culturelles françaises parmi le public innsbruckois est dû également au fait qu'en 1946 elles sont sans concurrence. Le vacuum culturel est total et la population, depuis sept ans privée d'offres culturelles internationales se précipite dans les salles de concert et d'exposition.

Le succès de l'action culturelle en Autriche est due, à mon sens, à la coïncidence de plusieurs facteurs favorables : l'importance stratégique de l'action culturelle pour les responsables politiques ; la qualité de l'engagement des responsables locaux, hautement qualifiés en matière culturelle et, du fait du manque de directives officielles, très indépendants ; le public tyrolien, composé surtout d'étudiants et de personnes instruites, était « culturellement affamé » et prêt à s'imprégner de culture française. Finalement, l'infrastructure de l'occupation facilitait la réalisation de projets culturels : transports d'expositions, logements d'artistes etc.

Pour terminer, il semble important de souligner que les résultats présentés dans cet exposé sont le fruit d'un travail d'historiens autrichiens commencé il y a dix ans, au moment de l'ouverture des archives en France[13]. Jusqu'à maintenant, la politique culturelle de la France est analysée du point de vue français. Il faudrait voir l'ensemble des événements, leur importance du point de vue autrichien et notamment à propos de la politique de dénazification.

Je tenterai dans un chapitre de ma thèse une analyse de la politique culturelle française à travers son financement pour éclairer les contradictions au niveau des directives.

Ce qui manque jusqu'à maintenant, c'est une analyse dans un cadre plus vaste : une comparaison avec les événements en Allemagne me parait indispensable.

Une véritable évaluation et explication de l'action culturelle de la France en Autriche n'est possible que dans le cadre d'une histoire culturelle européenne.

Notes

[1] Michaela Feurstein, *Französische Schul-und Bildungspolitik in Österreich 1945-1950,* Diplomarbeit, Wien : 1995.

[2] Commandement en chef français en Autriche. Secrétariat général. Section d'études, Le problème autrichien actuel. Pourquoi la France est-elle en Autriche ?, Wien : Imprimerie Nationale de France en Autriche o.J. [1945], S. 22. Cit. in : Lydia Braumann-Lettner, Die französische Österreichplanung und Österreichpolitik von 1943 bis zur Anerkennung der Regierung Figl, in : *Jahrbuch für Zeitgeschichte 1982/83,* Geyer-Edition 1983, pp. 81-131, ici p. 108.

[3] Voir à ce sujet : Rainer Hudemann : Kuturpolitik in der französischen Besatzungszone – Sicherheitspolitik oder Völkerverständigung ? Notizen zur wissenschaftlichen Diskussion, in : Clemens (Ed.) *Kulturpolitik im besetzten Deutschland 1945-1949,* Historische Mitteilungen, Beiheft 10, Stuttgart : Franz Steiner Verlag 1994, pp. 185-199.

[4] Jerôme Vaillant, Aspects de la politique culturelle de la France en Allemagne 1945-1949, in : Ménudier (Ed.), *L'Allemagne occupée 1945-1949,* Publications de l'Institut d'Allemagne d'Asnières : Paris 1989, pp. 201-220, ici p. 205.

[5] Rainer Hudemann, *op. cit.*, p. 191.

[6] Voir à ce sujet l'analyse détaillé de Klaus Eisterer, *Französische Besatzungspolitik. Tirol und Vorarlberg 1945/46,* Innsbrucker Studien zur Zeitgeschichte, Bd. 9, Innsbruck : Haymon 1991.

[7] MAE/RC 185/0.212.5 : Béthouart à Laugier le 16.06.1945.

[8] En novembre 1946, quatre mois après l'inauguration de l'Institut, existe déjà un « Projet d'organisation de l'Institut français d'Innsbruck après le retrait des forces françaises d'occupation ».

MAE/RC 46/ 0.86.1 du 07.11.1946.

[9] MAE/RC 47/ 0.87.2 : Mémoire à l'intention de Monsieur le Gouverneur sur

l'organisation de l'Institut français à Innsbruck du 17.11.1945, p.1. (c'est moi qui souligne)

[10] Inauguration de l'Institut français d'Innsbruck: Discours de l'Administrateur Général, de MM. Susini et Monicault et du général Béthouart, in: Gouvernement Militaire de la Zone d'Occupation Française en Autriche (Ed.), *Bulletin d'Information et de Documentation,* Nr. 14, Août – Septembre 1946, pp. 47-63, ici p. 56.

[11] Silvie Falschlunger, Kommentierte Chronologie der Ausstellungen Bildender Kunst des Institut français in Innsbruck von 1946 bis 1960, in: Tiroler Landesmuseum (Ed.), *Tirol-Frankreich.*

1946-1960 Spurensicherung einer Begegnung, Ausstellungskatalog, Innsbruck 1991, pp. 142-148.

[12] Bilan, in: Haut commissariat de la République française en Autriche (Ed.), *Bulletin d'Information et de Documentation,* Nr. 18, Janvier – Février 1947, pp. 13-39, ici p. 27.

[13] Voir notamment: Klaus Eisterer, *op. cit.* et: Elisabeth Starlinger: *Aspekte französischer Kulturpolitik in Österreich nach dem Zweiten Weltkrieg (1945-1948),* Diplomarbeit, Wien: 1993.

Arnold SUPPAN

ÉVICTION ET DÉPORTATION DE MASSE DES ALLEMANDS HORS DE TCHÉCOSLOVAQUIE, DE HONGRIE ET DE YOUGOSLAVIE 1945-1948

Après l'accord de Munich en 1938 et surtout après le début de l'agression allemande sur la Pologne, ce fut le commencement en Europe de l'Est et du Sud-Est de l'une des plus grandes actions de transfert forcé, d'exode, d'éviction et de déportation de l'histoire européenne qui concerna environ 24 millions d'individus et dura environ 10 ans. 12,7 millions d'Allemands, 5,2 millions de Polonais, 1 million d'Ukrainiens, 2 millions de Russes, 1,9 million de Tchèques et de Slovaques, 400 000 Slaves du Sud, 20 000 Magyars, 130 000 Italiens, 150 000 Lituaniens ainsi que 10 000 Finlandais, Estoniens, Lettoniens, Bulgares, Grecs, Roumains, Albanais et autres. A elles seules, la fuite, l'éviction et le transfert des Allemands hors d'Europe centrale firent plus de 600 000 victimes. Dans ces chiffres ne sont pas inclus les 5,5 millions de Juifs européens qui furent déportés et exterminés dans le cadre de la « solution finale de la question juive » des nationaux-socialistes [1].

Les mesures politiques concernant les populations en Europe de l'Est et du Sud-Est comprenaient des déportations de Tchèques, de Polonais, de Juifs, de Slovènes et de Serbes, des « retours au pays d'origine » des Allemands « de souche », l'exploitation de la main-d'œuvre dans tous les territoires occupés et la germanisation d'anciennes provinces polonaises, tchécoslovaques et yougoslaves. Encore pendant la guerre et particulièrement après Stalingrad, lors des conférences de guerre alliées de Téhéran et de Yalta, on évoqua l'éviction des Allemands hors de l'Europe centrale afin de régler une fois pour toutes le problème des minorités et de garantir la paix à l'intérieur des nouvelles frontières. W. Churchill déclarait en décembre 1944 à la Chambre des Communes: «*Car, selon toute probabilité, l'éviction est le moyen le plus satisfaisant et le plus durable. Il n'y aura pas de mélange de populations, d'où résultent d'interminables difficultés, comme dans le cas de l'Alsace-Lorraine. On fera table rase.*»[2]

Les exactions national-socialistes pendant cinq années de guerre avaient préparé psychologiquement les Polonais, les Tchèques, les Slovaques, les Magyars, les Slovènes et les Serbes à cette idée de table rase, les hommes politiques en exil et les résistants dans le pays avaient exigé des «purifications ethniques» de manière de plus en plus pressante, enfin, en 1945, les Alliés vainqueurs acquirent la conviction à Potsdam de pouvoir organiser ces transferts de populations d'une manière relativement humaine, bien que des millions de réfugiés fussent déjà sur les routes. Le devoir de l'historien est de présenter les événements de l'automne 1944 jusqu'au printemps 1948 de manière nuancée et de montrer clairement l'enchaînement des causes et des effets. On peut distinguer deux phases de «purification ethnique»: la fuite devant l'avancée de l'Armée rouge, les évictions sauvages par des organes civils et militaires polonais, tchèques, slovaques, magyars, serbes et slovènes et l'éviction violente organisée systématiquement à partir de l'été 1945. En parallèle, il convient d'analyser aussi les mesures politiques et juridiques des Etats rétablis comme la Pologne, la Tchécoslovaquie, la Hongrie et la Yougoslavie:

1. L'octroi d'une responsabilité collective à tous les Allemands pour les crimes commis par le régime national-socialiste et la privation de tous les droits civiques.
2. L'expropriation collective de tous les Allemands par divers décrets d'Etat.
3. L'éviction collective prenant la forme de marches forcées, d'exodes en attelage ou dans des wagons de marchandises, faisant bien souvent suite à une concentration dans des camps.
4. L'éviction forcée collective sur la base de l'accord de Potsdam, qui n'était cependant pas valable pour la Yougoslavie[3].

Les phases 3 et 4 se déroulaient la plupart du temps dans un très grand climat de violence avec des exécutions de masse, des tortures et des viols, des cambriolages et des pillages. D'après un rapport des archives fédérales, 400 000 Allemands moururent de mort violente dans les territoires à l'est de l'Oder et de la Neiße, sur le territoire de la Tchécoslovaquie plus de 130 000, sur celui de la Yougoslavie plus de 80 000, et sur le territoire de la Hongrie environ 6 000, sans oublier la plupart des prisonniers de guerre et déportés civils en Union soviétique[4].

Éviction et transfert forcé des Allemands hors de Tchécoslovaquie

Les accords de Munich et la création du Protectorat de Bohème-Moravie provoqua un important traumatisme dans la société et la vie politique tchèques. Le rétablissement de la République dans les frontières d'avant Munich, auquel aspiraient les Tchèques en exil et les résistants, avait pour objet d'abolir la contradiction entre idéal et réalité de l'Etat national proclamé en 1918, en intégrant davantage les Slovaques, en chassant les Allemands et en échangeant les Magyars contre les Slovaques. La politique d'occupation national-socialiste mais aussi la guerre à outrance entre l'Allemagne et l'Union soviétique – avec son cortège de déportations – et pour finir le martyr de la ville de Lidice, tous ces facteurs suscitèrent la revendication tchèque d'une « purification ethnique du territoire ». Comme argument on avança une responsabilité collective des Allemands des Sudètes et des Carpates qui devait entraîner un châtiment collectif. Ils furent déclarés collectivement responsables de la dissolution de la première république tchécoslovaque, coupables d'avoir soutenu le pouvoir national-socialiste, et devaient donc être châtiés collectivement par la perte de leur patrie[5].

Lorsque le gouvernement tchécoslovaque parvint début avril 1945 à Košice, il décida de chasser tous les Allemands – à quelques rares exceptions près – hors du territoire de la république. A partir de mai 1945, le président Beneš et des ministres rédigèrent toute une série de décrets et d'ordonnances qui privaient les Allemands de leurs moyens d'existence économique et de leurs droits politiques, les livrant à une justice de revanche qui s'attaqua non seulement au groupe des coupables mais majoritairement à des innocents. La plupart des partis politiques et leurs organes, ainsi que les comités nationaux successifs, encouragèrent les unités armées, les administrations subalternes et aussi la population à mener des actions coercitives contre les Allemands, afin de provoquer des expropriations, des internements et finalement des évictions hors du territoire de l'Etat. L'armée tchécoslovaque, qui était en train de se reconstituer, les organes de sécurité à forte tendance communiste, une myriade de corps de volontaires, furent les instruments essentiels de ces exactions en mai, juin et juillet 1945. A cause des compétences encore mal réparties entre le gouvernement et les comités nationaux, de la lutte pour le pouvoir politique au moyen de slogans nationalistes ainsi que de diverses interventions de commandants soviétiques, il est assez difficile de distinguer entre l'incitation à ces actions et leur direction par l'Etat et les actions spontanées de la base en ce qui concerne ces mesures, d'autant plus que les ordres étaient transmis oralement. Mais des événements tels que les exactions lors du soulèvement de Prague, la « marche à la mort » des Allemands de Brünn, le pogrome contre les ouvriers de l'usine Schicht à Aussig (Ústi nad Labem), l'exécution d'environ 250 Allemands des Carpates à proximité de la gare de Prerau (Přerov) en Moravie et les 100 000 victimes des plus de 2 000 camps d'internement, de travail et de travaux forcés, ainsi que de plus de 200 prisons, sont indéniables[6].

Après l'éviction de plus de 750 000 Allemands hors de Tchécoslovaquie, les USA et la Grande-Bretagne finirent par accepter les projets d'éviction tchécoslovaques et formulèrent de concert avec l'URSS l'article XIII de l'accord de Potsdam qui stipulait « *le transfert vers l'Allemagne des populations allemandes de Pologne, de Tchécoslovaquie et de Hongrie ou de parties de ces populations* ». C'est sur cette base que le conseil de contrôle allié décida le 20 novembre 1945 l'accueil de 3,5 millions d'Allemands provenant des anciens territoires de l'est dans la zone soviétique (2 millions) et britannique (1, 5 million) ainsi que de 2, 5 millions d'Allemands de Tchécoslovaquie, de 500 000 Allemands de Hongrie et de 150 000 Allemands d'Autriche vers la zone américaine (2,25 millions) la zone soviétique (750 000) et la zone française (150 000). En effet, entre janvier et octobre 1946, on transféra dans des wagons de marchandise plus de 1,8 millions de Sudètes vers la zone américaine, et près de 800 000 d'entre eux vers la zone d'occupation soviétique. A partir d'octobre, les deux autorités militaires n'acceptèrent plus que l'accueil de petits groupes de réfugiés, par exemple dans le cadre de réunions de familles. Les ministères tchécoslovaques de l'Intérieur et du Travail, ne voulant pas laisser d'Allemands dans les zones frontalières pour des raisons de sûreté de l'Etat, et des raisons d'ordre national et économique, organisèrent au printemps 1947 un transfert de cette population dans l'intérieur du pays pour la faire travailler dans l'agriculture et les mines. C'est seulement après la prise de pouvoir par les communistes en février 1948 et l'intégration des communistes est-allemands dans le bloc soviétique que le parti communiste tchécoslovaque s'érigea en garant des droits de tous les prolétaires et stigmatisa les actions anti-allemandes des années d'après-guerre comme une manifestation de chauvinisme bourgeois[7].

Éviction des Allemands hors de Hongrie

La situation des Allemands de Hongrie se distinguait radicalement de celle des autres populations allemandes en Europe centrale, du fait que la Hongrie – tout comme la Roumanie – avait été jusqu'en 1944 alliée du Reich allemand. Pourtant, la population allemande à forte majorité « souabe » s'était scindée elle-même en deux groupes : le Volksbund (Fédération du Peuple), proche des national-socialistes, et un mouvement favorable à l'assimilation, le « mouvement de fidélité » dans la Baranya. Parallèlement à l'avancée de l'Armée rouge dans la plaine hongroise en octobre 1944, le parti communiste hongrois revendiqua l'éradication de tous les restes de mouvements fascistes, indépendamment de leur nationalité, tandis que l'assemblée nationale provisoire sous influence communiste et le gouvernement national provisoire – cédant aux pressions de leur propre population privée de terre – commencèrent à procéder à des actions punitives contre les « infidèles ». Donnant suite à la proposition du parti national paysan, le décret de réforme agraire du 15 mars 1945 ordonnait la confiscation et l'expropriation de tous les biens des traîtres à la patrie, des criminels de guerre et ennemis du peuple, des « Pfeilkreuzler », des national-socialistes et des membres du Volksbund. Simultanément, on mit en œuvre la vérification de la fidélité à la patrie des Allemands de Hongrie étant bien entendu que les ressortissants hongrois ayant défendu les intérêts politiques, économiques et militaires du fascisme allemand, qui avaient rejoint une formation militaire ou policière national-socialiste ou qui avaient donné des informations à ces formations afin de nuire aux intérêts hongrois, furent considérés comme infidèles. Cela signifiait que, par décret gouvernemental du 30 juin 1945, les membres d'unités SS et les membres d'une organisation national-socialiste, furent destinés à l'internement et à l'éviction. Dans un rapport à la commission de contrôle alliée pour la Hongrie, on évoquait un nombre de 200 000 personnes. On évoqua aussi la confiscation de la fortune de 103 000 Allemands de Hongrie. Les personnes « appartenant au peuple allemand » ne pouvaient prétendre à un certificat de bonne conduite et donc à leur réhabilitation que « *si elles avaient fait la preuve de leur fidélité nationale et de leurs convictions démocratiques malgré la terreur nazie* » c'est-à-dire si elles avaient pris, en 1940, leurs distances avec la politique de regroupement des peuples[8].

Alors que le ministre de l'Intérieur hongrois donna un chiffre de 300 000 personnes pour désigner le nombre de membres du Volksbund à expulser, ayant sans doute à l'esprit la Hongrie de 1941, ce qui, transposé dans la Hongrie d'après-Trianon, représentait un chiffre de 200 000, le maréchal Vorošilov, en tant que président de la Commission de contrôle alliée, aurait exigé l'éviction de 450 000 Allemands de Hongrie, c'est-à-dire de la quasi-totalité des Allemands restant (470 000 personnes). Cette revendication d'éviction totale était surtout le fait du parti national paysan et du groupe Rakosi au sein du parti communiste, alors que le parti des petits paysans et les sociaux-démocrates étaient plus réservés. Plusieurs membres du gouvernement Tildy, craignant des actions similaires contre les Magyars en Slovaquie et en Batschka yougoslave, demeurèrent prudents. Le ministre de l'Intérieur communiste Imre Nagy, qui avait déjà décrété l'expropriation des biens fonciers des Allemands de Hongrie lorsqu'il était ministre de l'Agriculture, prépara un décret ordonnant le transfert de la population allemande de Hongrie en Allemagne, qui fut adopté le 22 décembre 1945 par le Conseil des ministres et publié le 29 décembre. « *Tout ressortissant hongrois est tenu de rejoindre le territoire allemand s'il a reconnu faire partie de la population allemande lors du dernier recensement, ou s'il a déclaré être de langue maternelle allemande, ou s'il a fait à nouveau germaniser son nom précédemment magyarisé, ou encore s'il était membre du Volksbund et d'une unité allemande SS.* »

Seuls les membres actifs d'un parti démocratique, les membres d'un syndicat et les personnes ayant été persécutées « du fait de leur fidélité à la Hongrie » étaient exceptés. Ainsi on ne prévoyait pas seulement l'éviction d'anciens membres de la SS, de membres du Volksbund et leur famille, mais aussi celle de toutes les personnes s'étant déclarées allemandes lors du recensement de 1941 (308 000 personnes), de celles qui s'étaient déclarées de langue allemande (482 000 personnes). Donc le décret Nr. 12 330/1945, loin de concerner uniquement d'anciens collaborateurs des nazis, était une mesure coercitive basée sur des critères ethniques, et allait même constituer un acte de « purification ethnique » [9].

Sur la base d'un décret d'exécution du 4 janvier 1946, chaque commune devait établir une liste des personnes devant quitter la Hongrie, dresser la liste de leurs biens mobiliers et immobiliers et prendre ces biens en charge. Il n'y avait donc rien de surprenant à ce qu'on se retrouve sur la liste non pas pour « infidélité envers la Hongrie » mais à cause de l'importance de son patrimoine. Quoi qu'il en soit, les premiers transferts eurent lieu en janvier 1946 de la région de Budapest vers la zone d'occupation américaine (au moins 130 000 personnes), en outre, 20 000 personnes se sont sans doute réfugiées dans les zones occidentales allemandes et 15 000 en Autriche. A la fin de l'année 1946, les USA mirent fin à cet accueil, car la Hongrie voulait inscrire la fortune des Allemands ainsi expulsés sur la liste des demandes de réparation des alliés. Ce n'est qu'en août 1947 qu'un nouveau transfert vers la zone soviétique eut lieu, transportant 50 000 Allemands de Hongrie dans des camps d'accueil provisoires en Saxe. L'état d'esprit anti-allemand, s'exprimant dans le slogan « *qu'ils s'en aillent* » se résorba peu à peu. En octobre 1949, le nouveau pouvoir communiste promulgua une amnistie générale pour les Allemands de Hongrie ; en mars 1950, on ordonna l'arrêt des évictions. Jusque-là, presque la moitié des groupes de population allemands avaient dû quitter leur ancienne patrie [10].

Éviction et transfert forcé des Allemands hors de Yougoslavie

Parmi tous les groupes de population en Europe de l'Est, ce furent les Allemands de Yougoslavie dont les victimes furent les plus nombreuses en pourcentage, surtout dans la Voïvodine. Les exactions débutèrent en octobre 1944 par des exécutions massives et des viols perpétrés par l'Armée rouge, se poursuivirent par des exécutions massives en octobre et novembre 1944 dans le Banat, La Batschka, en Syrmie et en Baranja organisées par des groupes de partisans serbes et atteignirent leur point culminant dans l'ouverture des camps de concentration de Knićanin (Rudolfsgnad), Gakovo, Bački Jarek et Kruševlje, dans lesquels 28 000 personnes sur 79 000 moururent, des personnes âgées, des malades et des enfants pour la plupart. La déportation de 27 000 Allemands capables de travailler en Union soviétique, des exécutions de masse en Slovénie en mai 1945 et des exactions dans de nombreux villages de la Voïvodine, de Slavonie et de Slovénie, firent presque 80 000 victimes, c'est-à-dire un cinquième de toute la population allemande [11].

Les mesures coercitives contre les Allemands de Yougoslavie se basaient essentiellement sur les deux ordonnances AVNOJ du 21 novembre 1944 qui privaient tous les Allemands de leurs droits civiques en tant qu' « ennemis du peuple » et stipulaient par ailleurs la confiscation de leurs biens par l'Etat. Seuls les Allemands de Slovénie (de la Basse-Styrie et de la Gottschee) et une partie des Allemands de Slavonie furent chassés, tandis que les « souabes du Danube » furent internés pour la plupart et – s'ils étaient capables de travailler – astreints à des travaux forcés.

Mais lorsque le gouvernement yougoslave demanda le 19 janvier 1946 par le truchement de l'ambassade américaine à Belgrade une décision du Conseil de contrôle allié à Berlin quant au « transfert de la minorité allemande restante de Yougoslavie en Autriche », les autorités américaines firent la sourde oreille, d'autant plus que les Yougoslaves fondaient à tort leur demande sur l'accord de Potsdam. De ce fait, les administrations des camps proches de la frontière hongroise favorisèrent discrètement les évasions de détenus vers la Hongrie et les camps de la Voïvodine furent finalement dissous début 1948 [12].

Comme les autres, le régime communiste en Yougoslavie établit la thèse selon laquelle les Allemands auraient participé au démantèlement du pays au printemps 1941 comme « cinquième colonne » de Hitler, et que par ailleurs ils auraient soutenu l'occupant pendant les quatre années de guerre de libération, se rendant ainsi coupables de haute trahison. Dans cette logique, l'éviction, l'internement et le refoulement à la frontière n'étaient que de justes châtiments. Bien entendu, les exactions des partisans yougoslaves avaient aussi d'autres raisons : par exemple, la pression démographique venant des régions du sud du pays, l'aspiration pan-serbe à une nationalisation de la Voïvodine – où il n'y eut pas de majorité absolue de Serbes jusqu'en 1945, l'anéantissement de la prédominance économique des « Souabes », la confiscation des biens fonciers des « ennemis du peuple » pour préparer le terrain de la collectivisation, la création d'une image de l'Allemand comme ennemi, la recherche d'un bouc émissaire s'ajoutant à cela. Tout ceci fut le fait moins des Serbes de Voïvodine, des « prečani », que des officiers et sous-officiers, des fonctionnaires subalternes, des «drobovoljci» de la Première Guerre mondiale et d'ouvriers agricoles sans terre[13].

Notes

[1] Paul Robert Magocsi, *Historical Atlas of East Central Europe* (Seattle & London 1993) p.164 et suivantes; Michel Foucher, *Fragments d'Europe. Atlas de l'Europe médiane et orientale* (Paris 1993), p. 66.

[2] *Die Vertreibung der Deutschen aus dem Osten, Ursachen, Ereignisse, Folgen*, Wolfgang Benz (Frankfurt/Main 1985) page 7 et suivantes. Voir aussi l'introduction de: *Dokumentation zur Vertreibung der Deutschen aus Ostmitteleuropa*, Werner Conze, Adolf Diestelkamp, Rudolf Laun, Peter Rassow, Hans Rothfels und Theodor Schieder, 5 volumes (Düsseldorf 1955-1961).

[3] Richard G. Plaschka-Arnold Suppan, «Zur historischen Perspektive der Vertreibung der Deutschen aus der Tschechoslowakei» in: Emilia Hrabovec, *Vertreibung und Abschub. Deutsche in Mähren 1945-1947* (Frankfurt/Main 1995), p. 5-19.

[4] *Vertreibung und Vetreibungsverbrechen* 1945-1948. Bericht des Bundesarchivs vom 28 Mai 1974. Archivalien und ausgewählte Erlebnisberichte.

[5] Hrabovec, Vertreibung und Abschub, page 421 et suivantes, Voir aussi Jan Křen, «Odsun Němců ve světle nových pramenů», in: *Češi-Němci-Odsun* (Praha 1990).

[6] Voir František Staněk, «*Odsun Němců z Ceskoslovenska 1945-1947* «(Praha 1991); Jaroslav Kučera, *Odsunové ztráty sudetoněmeckého obyvatelstva* (Praha 1992); Fredinand Seibt, *Deutschland und die Tschechen* (München, 1993), p. 350-358.

[7] Hrabovec, *Vertreibung und Abschub*, p. 423-426; voir Odsun. *Die Vertreibung der Sudetendeutschen, ed.* Sudetendeutsches Archiv (München 1995).

[8] Loránt Tilkovszky, *Zeitgeschichte der Ungarndeutschen seit 1919* (Budapest 1991) p. 168-180.

[9] Sándor Balogh, «Das neue Ungarn und die Ungarndeutschen», in *3OO Jahre Zusammenleben-Aus der Geschichte der Ungarndeutschen.* Internationale Historikerkonferenz in Budapest (5.-6. März 1987), Budapest 1988, p. 138-146.

[10] *Dokumentation der Vertreibung der Deutschen aus Ostmitteleuropa*, BD. II: *Das Schicksal der Deutschen in Ungarn* (Düsseldorf 1956) 62E-66E.

[11] Vertreibung und Vertreibungsverbrechen 1945-1948, p. 48-52, voir Vladimir Geiger-Ivan Jurković,*Što se dogodilo s folksdojčerima? Sudbina Nijemaca u bivšoj Jugoslaviji* (Zagreb 1993); *Nijemci u Hrvatskoj jucer i danas, Njemačka narodnosa zajednica* (Zagreb 1994).

[12] *Dokumentation der Vertreibung der Deutschen aus Ost-Mitteleuropa*, Vol. 5: *Das* Schicksal *der Deutschen in Jugoslawien* (Düsseldorf 1961) 9OE-118E.

[13] *Weißbuch der Deutschen aus Jugoslawien. Ortsberichte 1944-1948*, Donauschwäbische Kulturstiftung (München 1992), p. 875-933.

(traduit de l'allemand par l'ATSADAT)

Stefan KARNER

GUPVI – L'ADMINISTRATION CENTRALE SOVIÉTIQUE POUR PRISONNIERS DE GUERRE ET INTERNÉS – ET SES FONCTIONS EN 1946

En 1946, un système très développé de camps pour prisonniers de guerre et internés se répand à travers l'Union soviétique. C'est au cours de cette première année d'après-guerre que le système atteint sa dimension la plus importante. Or, pendant plus de quatre décennies, on a presque tout ignoré de cet archipel de camps. Ceci s'explique par le fait que, sous le ministère soviétique des Forces armées, l'existence de réseaux de camps contrôlés par l'Etat, de bataillons de travail et de camps spéciaux destinés à la persécution systématique de citoyens soviétiques aussi bien que d'étrangers est enveloppée d'un voile de silence jusqu'aux années 50. Avant que Khrouchtchev ne dénonce Staline, « les archipels du GULAG » (également nommés « camps de concentration » dans le langage soviétique) n'existent pas officiellement. Jusqu'à une époque récente, l'information était également rigoureusement supprimée en ce qui concerne les camps dans lesquels les étrangers et prisonniers de guerre étaient détenus : « Conservés pour l'éternité » (« khranit' vetchno ») et « top secret », telles étaient les références de classement notées sur les boîtes d'archives en carton de plus de trois millions de dossiers concernant des individus, des camps de prisonniers de guerre et l'administration des camps d'internement. Il était ainsi signalé que leur contenu, souvent douloureusement conservé, devait rester éternellement secret.

Ce n'est qu'avec l'arrivée de la *glasnost*, parallèlement à la désintégration de l'empire soviétique que l'accès progressif aux archives soviétiques a permis une tentative d'estimation de l'am-

LES CAMPS DE L'ARCHIPEL GUPVI

1er avril 1946

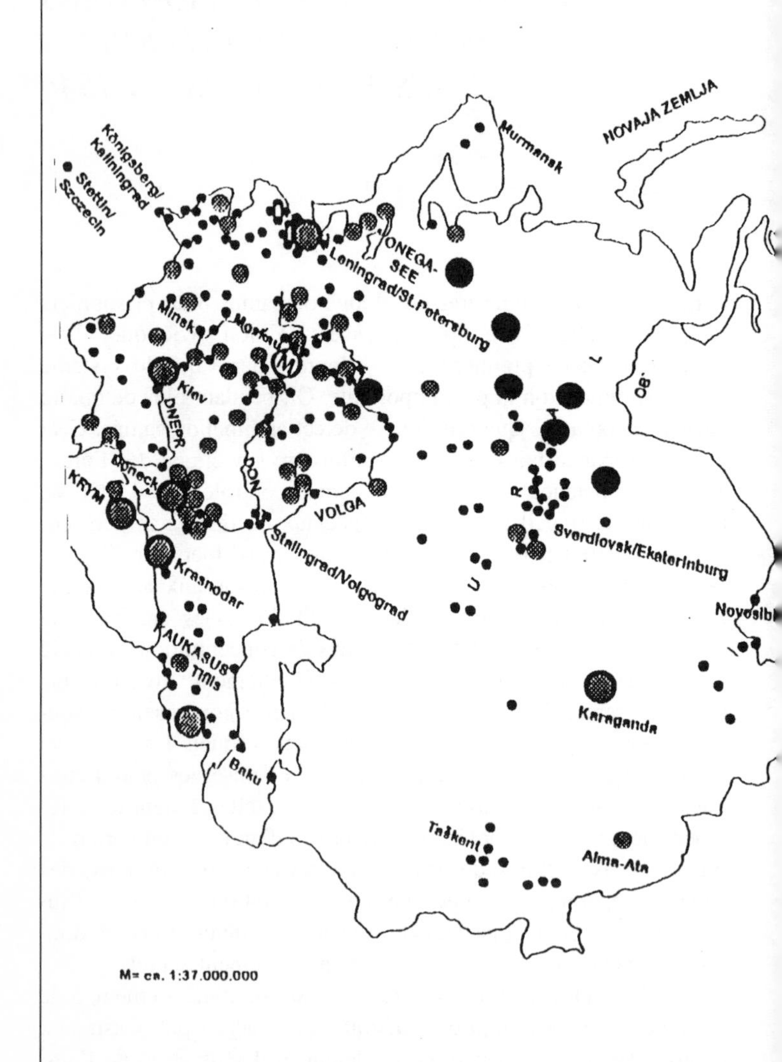

- 1 - 9 camps d'avant-poste
- 10-19 camps d'avant-poste
- 20-30 camps d'avant-poste
- Ⓜ Camp Moscou, plus de 50 camps d'avant-poste
- Camps GUPVI au sein du GULAG

pleur de l'archipel des camps de prisonniers de guerre et d'internés.

En règle générale, le ministère de l'Intérieur soviétique et les organes de sécurité de l'Etat contrôlaient le GULAG (Administration centrale des camps – essentiellement des instruments de répression contre la population soviétique puis contre des internés civils et des prisonniers de guerre purgeant des peines de prison entre 1919 et les dernières années du régime) ; ils contrôlaient en plus un autre système de camps principaux, à savoir, le GUPVI [1] (Administration centrale pour les prisonniers de guerre et internés – principalement responsable des prisonniers de guerre étrangers pris entre 1939 et 1953 et à partir de 1949, des prisonniers de guerre condamnés par les tribunaux soviétiques) [2].

Sous le régime du GUPVI du NKVD, des millions d'êtres humains, généralement en pleine violation des droits de l'homme, ont été incarcérés, sont morts de faim, ont été soumis à des températures glaciales jusqu'à ce que mort s'en suive ou tués par balle au cours de marches forcées ou au cours de transits vers les camps [3].

Tandis que, grâce à de nombreuses publications [4], on prenait connaissance du GULAG, les informations relatives à l'existence de l'Administration de camps GUPVI restait très largement dans l'ombre. A la fin, il existait plus de 4 000 camps, hôpitaux spéciaux ou bataillons de travaux forcés. La carte ci-contre montre la grande quantité de camps disséminés dans toute l'Union soviétique en avril 1946.

Jusqu'en 1953-55, le GUPVI constituait le « GULAG des prisonniers de guerre et civils » pour plus de quatre millions d'ex-soldats et civils enregistrés, maintenus en détention essentiellement par l'Armée rouge mais aussi par d'autres organes de l'Etat soviétique dans le cadre des opérations de guerre, ceci en Europe et en Extrême-Orient durant la période allant de 1939 jusqu'à environ 1949-50. En 1946, la première année après la guerre, on comptait approximativement deux millions de prisonniers de guerre dans les camps du GUPVI.

La mise en place du GUPVI comme centre pour l'administration de tous les prisonniers de guerre et camps d'internement remonte à la période suivant immédiatement le déclenchement de la Seconde Guerre mondiale et l'invasion de la Pologne de l'Est par les troupes soviétiques. Fort de l'ordre n° 308 en date du 19 septembre 1939, L. Beria, alors commissaire de l'Intérieur pour les peuples, débuta l'organisation des camps de prisonniers de guerre [5] et publia les directives générales régissant l'administration

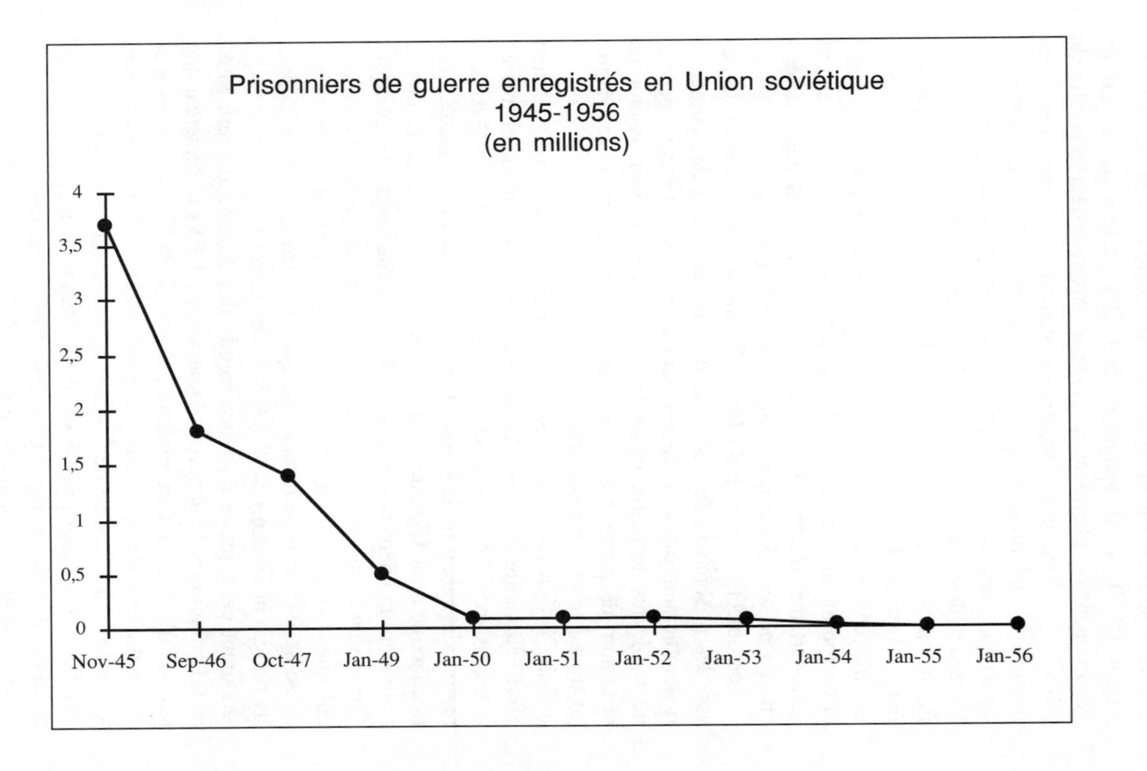
Prisonniers de guerre enregistrés en Union soviétique
1945-1956
(en millions)
4
3,5
3
2,5
2
1,5
1
0,5
0
Nov-45
Sep-46
Oct-47
Jan-49
Jan-50
Jan-51
Jan-52
Jan-53
Jan-54
Jan-55
Jan-56

des prisonniers de guerre et internés (UPVI) : l'organisation était subordonnée au ministère de l'Intérieur ; un département spécial fut créé à l'intérieur du NKVD et de ses organes locaux pour exercer des contrôles opérationnels et de contre-espionnage dans les camps UPVI ; le financement de l'UPVI releva du ressort du département de planification centrale aux quartiers généraux du NKVD ; la logistique (approvisionnement en nourriture, soins médicaux, sanitaires) et la sécurité furent confiées aux assistants de Beria, Chernichev et Maslennikov. Les chefs de district, dans les zones desquels les huit premiers camps UPVI furent établis, furent enjoints de coopérer – dans le cadre du plan de mobilisation – avec le département des « Colonies de correction » (pour les citoyens soviétiques) afin d'assurer la mise en place de camps et de fournir du personnel. Afin d'aider à l'installation des camps dans certaines régions, des ordres furent donnés pour que soit détaché du personnel « expérimenté » du GULAG.

Les objectifs de base du GUPVI consistaient à prendre livraison des prisonniers de guerre et des internés dans des points de rassemblement avancés, de les transférer dans des camps permanents, de les accueillir et de les enregistrer, de leur assurer un minimum de moyens de subsistance à l'arrivée et de les mettre au travail le plus tôt possible.

Suite à l'invasion de l'Union soviétique par Hitler le 22 juin 1941, 30 camps de rassemblement furent immédiatement mis en place en accord avec le plan de mobilisation du GULAG dans la région s'étendant de la Russie Centrale au front de l'ouest – particulièrement en Ukraine et en Carélie. Cependant, ces camps se trouvèrent rapidement envahis par l'armée allemande qui avançait. Dans le mois qui suivit le déclenchement de la guerre, il n'en restait que dix-neuf. Il en advint de même des camps permanents : en août 1941, il n'en restait plus que trois sur les huit de départ. Ils pouvaient contenir de 8 à 9 000 personnes [6].

Durant cette phase d'avance rapide des Allemands vers Moscou, Leningrad et la région du Donbass, les UPVI traversèrent une période d'existence fantomatique : le travail de la police secrète et du contre-espionnage parmi les prisonniers de guerre était entre les mains du deuxième département (contre-espionnage) du NKVD. Il n'existait pas de section politique exécutant un travail politique dans les camps. Tous les aspects logistiques des camps avaient été pris en main par le GULAG. Le personnel de l'UPVI se résumait à 39 personnes [7]. Une nouvelle tentative de développement du réseau des camps UPVI échoua durant l'hiver de 1941 en raison de la nouvelle progression de l'armée allemande.

Ce n'est qu'avec le passage de la résolution n°1069 du Comité de défense soviétique (GOKO), le 27 décembre 1941 [8] que survint un changement décisif dans l'organisation de l'UPVI. Cette résolution stipulait l'intégration dans l'UPVI de vingt-six camps de « signification spéciale » (camps spéciaux). En raison du piétinement de l'avance allemande à l'ouest de Moscou, l'Armée rouge était à même de mettre la main sur des milliers de ses propres membres ayant déserté au profit des Allemands ou ayant été faits prisonniers par ces derniers. Le passage au crible et le tri de ces gens par le contre-espionnage ainsi que leurs peines ultérieures (généralement de 5 à 10 ans de prison en isolement total) – sous le chef d'accusation de désertion, espionnage et traîtrise à la mère patrie en vertu de l'article 58/1b du Code pénal du RSFSR – fut effectué jusqu'en juillet 1944 dans les camps spéciaux de l'UPVI [9].

En raison des changements décisifs du destin de la guerre après Stalingrad et des replis successifs des armées allemandes et des alliés de l'Allemagne en 1943, le nombre de prisonniers de guerre augmenta rapidement dans les dossiers soviétiques en dépit du fait qu'environ la moitié des hommes capturés ne purent pas être enregistrés dans les camps permanents [10]. Entre le moment de la capture et l'enregistrement dans les camps permanents, ils moururent de faim, de froid, d'épuisement ou des suites de leurs blessures, ou bien ils furent simplement exécutés par des unités de l'Armée rouge qui ne faisaient pas de prisonniers. « Le nombre insuffisant de camps de prisonniers de guerre, les conditions de détention inadaptées, l'état d'affaiblissement et de total épuisement des prisonniers qui furent amenés dans les camps en provenance des armées ennemies de Voronesh et Stalingrad » [11] furent cités comme motifs internes pour la restructuration de l'UPVI. Le but était de fournir dans les plus brefs délais une main d'œuvre disponible en nombre illimité pour la restructuration du pays. Ceci ne fut pas dit explicitement mais était facile à discerner à partir des mesures prises. Ainsi, le recours en masse aux prisonniers de guerre dans l'économie nationale soviétique commença en 1945. Une résolution du Comité d'Etat à la défense GOKO fraîchement établie en juin 1945 en constitua la base juridique. Elle régissait la distribution des prisonniers de guerre pour que ceux-ci entreprennent de travailler dans des usines et sur les chantiers de construction des commissariats et conseils nationaux [12]. En 1946, après la première vague de rapatriements et de libérations de l'été 1945, une moyenne de 1 833 865 prisonniers originaires de l'ouest et de l'est était utilisée dans l'économie nationale de l'Union soviétique. Ils étaient employés dans les domaines suivants :

Nombre de prisonniers de guerre employés dans l'économie soviétique en 1946

Secteurs de travail	Nombre de prisonniers de guerre	%
Industrie du bâtiment	645 532	35,2
Industrie de l'énergie et du chauffage	410 793	22,4
Industrie de l'armement	319 098	17,4
Industrie des matériaux de construction	247 576	13,5
Industrie de la construction métallurgique	143 044	7,8
Autres secteurs industriels et agriculture	67 822	3,7
Total	1 833 865	100

En plus du système des camps, un réseau d'hôpitaux spéciaux (« Spezgospitali ») fut établi pour les soins des prisonniers de guerre blessés et malades [13]. Une série d'instructions adaptées fut édictée pour eux, en particulier dès que les hôpitaux spéciaux furent subordonnés aux ministères de la Défense, de la Santé publique et de l'Intérieur, ce qui provoqua des problèmes continuels pour reconstituer la véritable chaîne de commandement et de responsabilité.

En raison du déplacement régulier des lignes de front vers l'ouest, le déménagement des camps en plus de l'établissement de nouveaux camps devint de plus en plus important. En théorie, des camps UPVI individuels administraient des camps d'avant-poste. Des camps simples pouvaient à l'occasion être situés à plus de 100 km de leurs camps d'avant-poste. Par exemple, le futur hôtel « Peking », le long du Cercle des Jardins de Moscou était un camp d'avant-poste du Camp 27 de Krasnoyarsk, tout comme le Dynamo Stadion de Moscou sur Leningradsky Prospekt.

En 1943, huit camps de prisonniers de guerre existants furent déplacés et 540 complexes d'accueil furent réinstallés. Selon de nombreux rapports d'anciens prisonniers de guerre, les prisonniers furent forcés dans beaucoup de cas de construire eux-mêmes leur camp. Avant que les premiers baraquements soient prêts à être occupés, les prisonniers de guerre devaient survivre dans des trous creusés par eux-mêmes dans la terre. Les rapports internes des UPVI corroborent en partie de tels témoignages. Le nombre de camps sous contrôle UPVI dépassait déjà 52 à la fin de 1943. A cela s'ajoutaient le réseau de camps le long des lignes de front et les camps spéciaux.

Au cours de l'année 1943 fut adoptée la politique constituant à séparer les prisonniers de guerre selon qu'ils étaient officiers, officiers généraux ou personnel engagé et selon leur nationalité. Par conséquent, les Italiens furent transférés de préférence des froides régions du nord vers le Kazakhstan au sud (Camp Pachta-Aral's-kiy), l'Ouzbékistan (Camp Andizhan) ou Mordovie (Camp Pot'ma). Les prisonniers de guerre français furent emmenés à Tambov. Les officiers allemands furent de préférence envoyés à Yelabuga dans la République des Tatars, les officiers roumains à Oransk dans la région de Gorkiy, les officiers italiens à Suzdal', à l'est de Moscou[14]. En opérant ces regroupements, les Soviétiques espéraient être beaucoup plus à l'aise pour remplir leurs objectifs politiques et d'espionnage vis-à-vis des prisonniers de guerre. Comme le montre le tableau suivant, plus d'un million d'Allemands, environ 217 000 Hongrois, 67 000 Autrichiens, 48 000 Roumains et des milliers d'autres nationalités étaient encore détenus dans l'archipel GUPVI en septembre 1946.

Il faut insister sur le fait qu'en matière de traitement des prisonniers de guerre, l'Union soviétique ne respectait les clauses de la Convention de Genève de 1923 qu'en cas exceptionnel. Ceci vient à l'encontre des déclarations faites dans un rapport « strictement confidentiel » sur les activités de l'UPVI pendant la période allant de 1941 à 1944 selon lequel l'Union soviétique respectait les critères minimums pour la détention des prisonniers de guerre tels qu'ils furent stipulés dans la Convention de Genève et ceci en dépit de la non-ratification par les Soviétiques[15].

A cet égard, cependant, il faut mettre un accent tout particulier sur la dureté des traitements également infligés aux prisonniers soviétiques du GULAG, aux détenus des prisons et aux segments de la population soviétique victimes de répressions. Comme le rapportent à de multiples reprises d'anciens prisonniers de guerre, ces malheureux ne recevaient généralement même pas les rations minimales et ne bénéficiaient pas du traitement de base accordé aux prisonniers de guerre. Au cours des dernières années de la guerre et des années suivantes, ceci était également vrai pour la majorité de la population civile de l'Union soviétique.

En 1944, le retrait des forces armées allemandes et de leurs alliés du territoire soviétique marqua le début de la marche de centaines de milliers de soldats vers la captivité en Union soviétique : sept fois plus qu'en 1942 et 1943, si l'on en croit les déclarations soviétiques[16]. L'UPVI, tout juste réorganisé, n'était en aucune façon préparé à affronter cet arrivage massif de prisonniers de guerre. Il était sous-approvisionné dans presque tous les domaines : facilités d'hébergement, nourriture et médicaments, moyens de transport et vêtements[17]. Vinrent s'ajouter à cela des complications dues au fait que presqu'un tiers des prisonniers de guerre capturés avaient besoin d'être hospitalisés. Quatre cinquième des

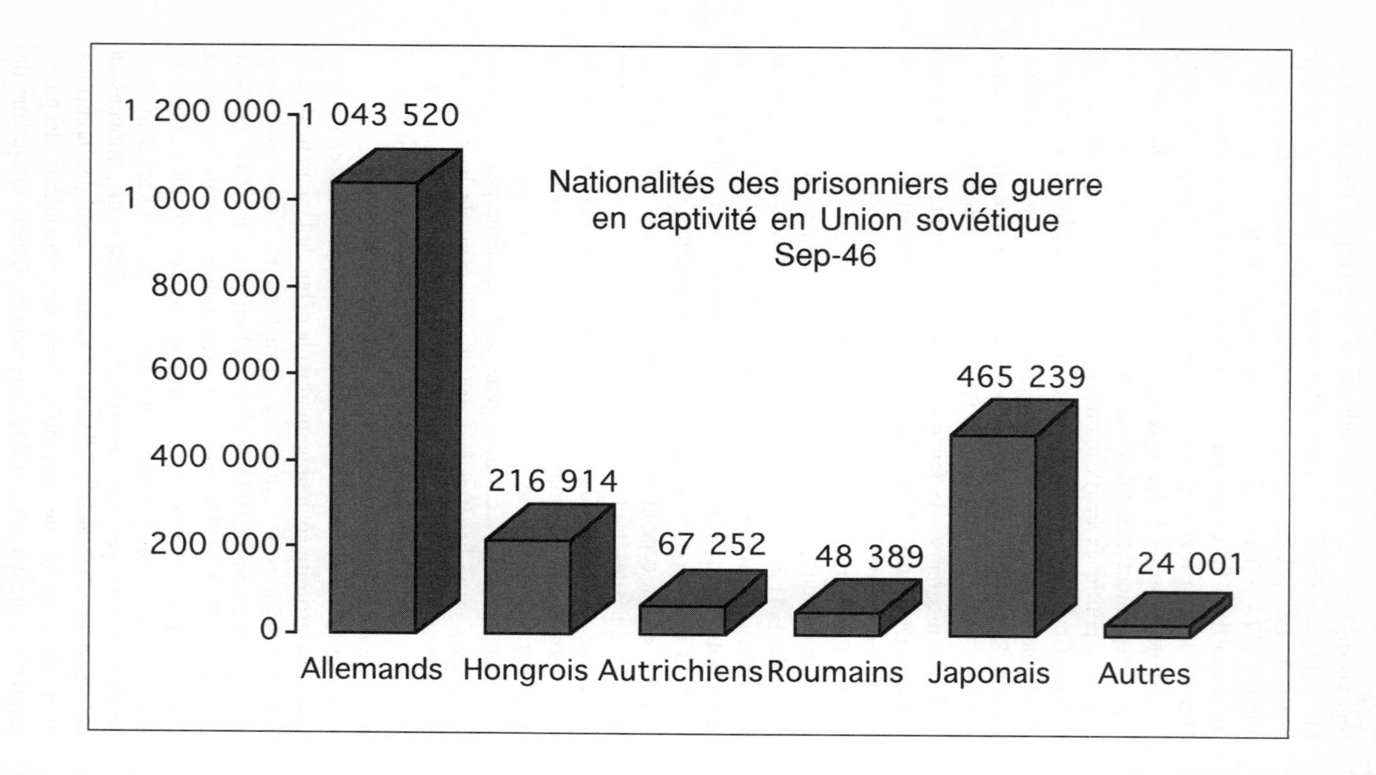

Nationalités des prisonniers de guerre
en captivité en Union soviétique
Sep-46
1 200 000
1 000 000
800 000
600 000
400 000
200 000
0
1 043 520
216 914
67 252
48 389
465 239
24 001
Allemands
Hongrois
Autrichiens
Roumains
Japonais
Autres

décès au cours des rudes mois d'hiver de janvier à février 1944 furent dus à des troubles de dystrophie (faim) et à la tuberculose. Juste derrière dans l'ordre des causes de décès : arrêts cardiaques et fièvre typhoïde [18].

Par mesure immédiate, le nombre des camps augmenta de manière significative, au moins sur le papier : de 52 à la fin de 1943 à 267 au début de 1946. Le nombre de camps sur les lignes de front et de points d'accueil augmenta également [19]. L'objectif était d'accroître la capacité totale des camps pour atteindre environ 905 000 personnes. A ce moment là, l'UPVI avait pour la première fois établi des camps à l'extérieur du territoire soviétique – particulièrement en Pologne, Roumanie et dans les Etats baltes. Dans le même temps, un ordre du Commissaire de la Défense [20] demandait de mettre fin au dépouillement arbitraire des effets personnels de base des prisonniers de guerre tels les vêtements et les chaussures, mais aussi de leurs objets de valeur.

Le système de camp de l'Archipel GUPVI entre 1943 et 1946

Types de camp	**Dates**			
	1.1.43	1.1.44	1.1.45	1.1.46
1. Camps de prisonniers de guerre	31	52	156	267
a) pour officiers	4	6	6	11
b) pour soldats et NCO	18	34	138	199
c) pour prisonniers de guerre japonais	–	–	–	49
d) mixtes	–	–	–	8
e) FPPL	9	12	12	12
2. PPV	44	66	72	–
3. SPV	–	20	43	–
4. « Objets opérationnels »	4	4	6	
5. Camps spéciaux	9	14	–	–

CChIDK, F. 1p,op. 23a, d. 1, p. 12, 20, 32.

Finalement, au début de 1945 [21], parallèlement à la redésignation de l'UPVI sous le nom de GUPVI, la structure organisationnelle de l'Administration centrale des prisonniers de guerre et des internés du NKVD de l'URSS fut élargie. Des « branches » (OPVI) furent établies dans toutes les républiques et régions ; le Centre – qui existait à côté des deux administrations centrales – fut, pendant une brève période, subdivisé en 10 départements : général, gestion et sécurité, détachement au travail, médical, hébergement et utilitaires, équipement matériel-technique, ligne de front, questions relatives aux internés, services secrets opérationnels (pour le filtrage des prisonniers de guerre mis dans la catégorie des criminels de guerre) et statistiques.

Un mois après seulement, en février 1945, le GUPVI subissait de nouveau une réorganisation. Il était maintenant composé de trois administrations et sept départements indépendants. Son centre à Moscou, qui connaissait pendant ce temps son troisième chef, M. S. Krivenko, employait près de 300 personnes[22].

1 – Administration des questions relatives aux prisonniers de guerre

2 – Administration des questions relatives aux détenus et Allemands mobilisés

3 – Administration des services secrets opérationnels (anciennement un département)

– Sept départements indépendants

Gestion et sécurité

Médical

Approvisionnements

Hébergement et utilitaires

Personnel

Affaires politiques

Services vétérinaires

Au cours des derniers mois de la guerre, l'Armée rouge captura le plus grand nombre de prisonniers de guerre. Suite à la reddition des forces armées allemandes, les camps soviétiques de la ligne de front furent requis pour recevoir 1,3 millions de prisonniers de guerre. Pendant de courtes périodes, il y eut au total 1,5 millions de prisonniers de guerre sur les lignes de front à elles seules. Pour accueillir ces prisonniers de guerre, il existait 102 camps dans la zone avancée. Parmi eux, 12 FPPL, 43 SPU (points de rassemblement) et 72 PPV (points d'accueil)[23]. L'envoi d'un tel nombre de prisonniers de guerre vers les camps permanents du GUPVI prit plusieurs mois. Selon les récits soviétiques, ce ne fut terminé que le 1er novembre 1945. Pendant ce temps, des milliers de personnes étaient mortes de faim, de fatigue ou de diverses maladies.

Le 4 juillet 1945, le ministère soviétique de la Défense et de l'Intérieur décréta le rapatriement des premiers prisonniers de guerre ainsi que l'expansion du réseau des camps sur la ligne de front. Le rapatriement eut lieu grâce aux points de rassemblement en Allemagne à Frankfurt/Oder, Fürstenwalde, Nordt et Pirna; Sopron et Szeget en Hongrie. Les rapatriés étaient des personnes engagées (y compris des sous-officiers) de diverses nationalités. Etaient exclus les prisonniers de guerre allemands qui avaient été

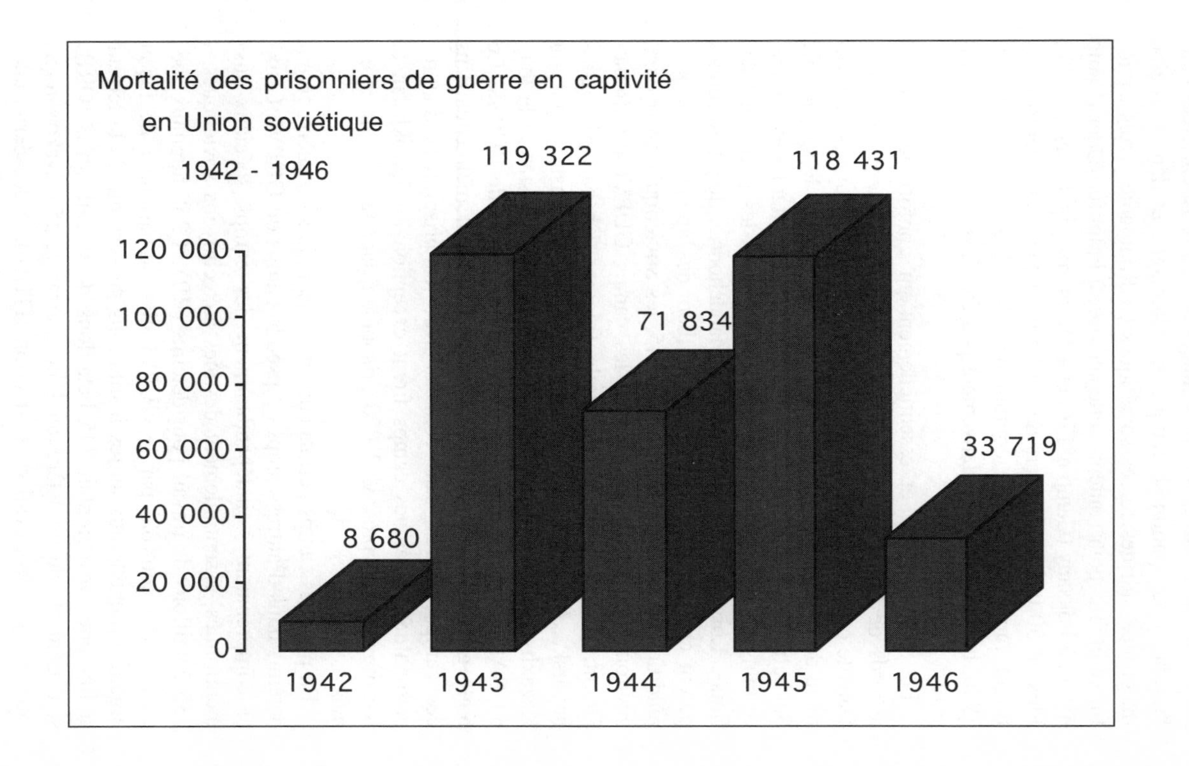
Mortalité des prisonniers de guerre en captivité
en Union soviétique
1942 - 1946
120 000
100 000
80 000
60 000
40 000
20 000
0
8 680
119 322
71 834
118 431
33 719
1942
1943
1944
1945
1946

mis dans la catégorie apte au travail en Groupes 1 et 2. En prévision de rapatriements ultérieurs, deux départements NKVD pour les questions relatives aux prisonniers de guerre furent créés dans la zone d'occupation soviétique en Allemagne et dans la région du groupe sud des forces soviétiques en Roumanie. Trois camps furent établis pour soutenir cette activité : à Frankfurt/Oder (Camp n°69), à Foksany (Camp n°176) et à Marmarossziget (Camp n°36). Plus de 50 000 prisonniers de guerre autrichiens et détenus civils furent rapatriés dans le courant de 1945. L'année suivante, en 1946, leur nombre fut relativement peu élevé, surtout si l'on compare à 1947.

Le 8 août 1945, et essentiellement en conformité avec les accords de Yalta, l'Union soviétique déclara la guerre au Japon. Dans le cadre d'un accord secret et sous réserve d'une issue favorable de la guerre, on avait promis aux Soviétiques le sud de l'Ile Sakhalin, les Iles Kurile, le status quo sur la Mongolie extérieure, certains droits en Mongolie intérieure et dans les ports du Pacifique. Lors de leur invasion en Mandchourie, les Soviétiques purent capturer des centaines de milliers de Japonais. Suite à la reddition du Japon à la fin août 1945, les Soviétiques envoyèrent environ 520 000 Japonais dans les camps GUPVI d'Extrême-Orient, Sibérie et d'Asie centrale (régions Khabarovsk, Krasnoyarsk, Altaï, Chita, Irkoutsk, Est du Kazakhstan, sud du Kazakhstan, Dzhambul, Buryat-Mongolie, Ouzbékistan et le long du BAM) et dans certaines régions européennes de l'URSS. En règle générale, les prisonniers de guerre étaient maintenus dans des camps séparés, sans contacts avec les prisonniers d'autres nationalités. Quelques camps firent exception au Kazakhstan et Krasnoyarsk où près de 3 000 prisonniers japonais furent enfermés[24].

En plus des camps permanents, les prisonniers de guerre furent détenus dans d'autres camps ou pseudo-camps du GUPVI. Ceux-ci comprenaient – indépendamment des camps spéciaux susmentionnés, essentiellement destinés aux citoyens soviétiques – 235 bataillons de travail pour détenus (RB) et 258 hôpitaux spéciaux. Non contrôlé par le GUPVI mais appartenant de façon organisationnelle aux autres institutions du système de la terreur stalinienne, on comptait 245 bataillons de travail isolés (ORB) sous contrôle du ministère des Forces armées, 25 « evako »-hôpitaux, camps de travail de correction (ITL ; dans les écrits allemands, il est fait mention de ces camps en tant que camps de travail punitif), colonies de travail correctif (ITK), isolement politique et prisons. Ces dernières étaient en partie subordonnées au

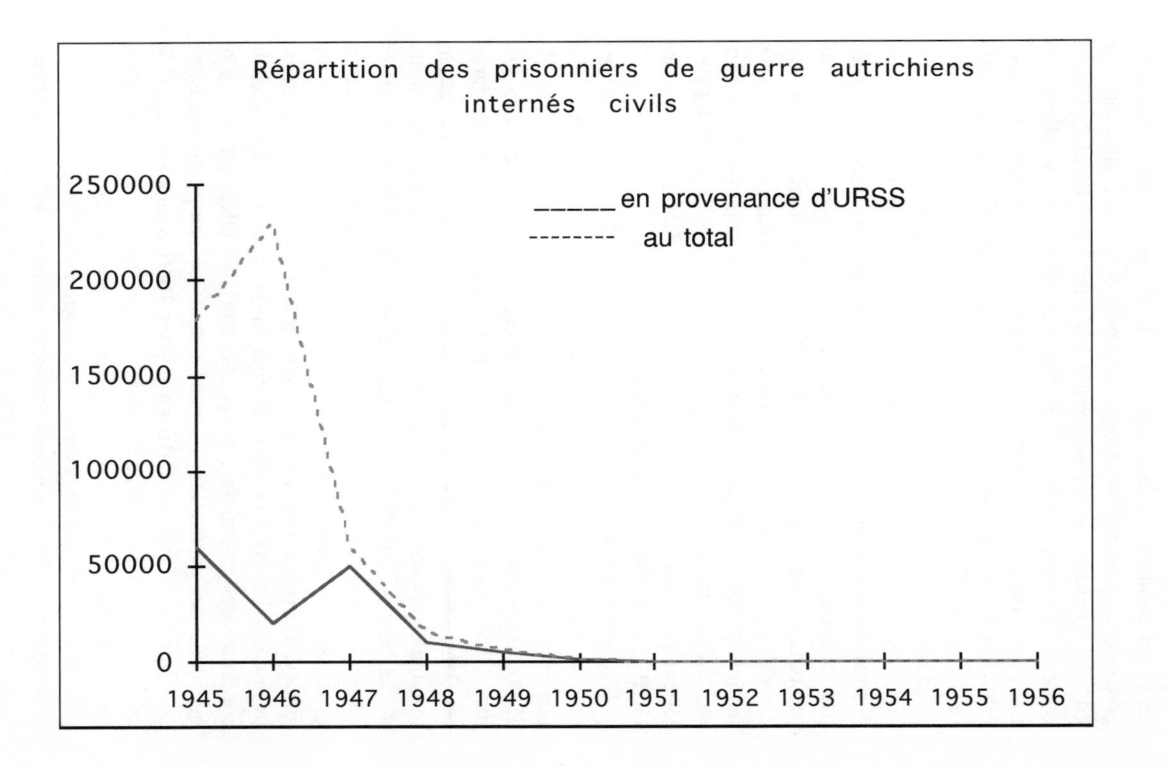
Répartition des prisonniers de guerre autrichiens internés civils
en provenance d'URSS
au total
250000
200000
150000
100000
50000
0
1945
1946
1947
1948
1949
1950
1951
1952
1953
1954
1955
1956

GULAG, au ministère de la Justice et autres institutions du système de répression soviétique comme le KGB. Les prisonniers de guerre étaient détenus dans ces camps seulement après jugement ou pendant les investigations. Les détenus civils, en règle générale, étaient exclusivement enfermés dans ces institutions. Le GUPVI en avait une responsabilité partielle. Cependant, des lieux comme Vorkuta, Kolyma, Karaganda, Pot'ma, Vladimir ou Lubyanka (la « prison interne » du KGB à Moscou) étaient généralement reconnus comme des bataillons du KGB et du GULAG sur le terrain[25].

Chaque bataillon isolé de travail (ORB) comptait de 500 à 1 000 hommes. Il était divisé en trois compagnies avec trois sections, chaque section ayant quatre pelotons. Selon une directive signée par le maréchal Vasilyevskiy, le personnel était composé de 59 personnes dont 15 devait être des officiers. Un hôpital de dix lits devait être rattaché. Seuls les officiers opérationnels (« Oper ») et les interprètes d'opérations d'un ORB faisaient partie du personnel NKVD. Le « travail » d'espionnage politique du NKVD à l'intérieur des bataillons isolés de travail était effectué à travers les GUPVI et ses organes périphériques.

Une première inspection des « bataillons isolés de travail » en octobre 1945 révéla de très sérieuses insuffisances de gestion. En quelques mois, le nombre de prisonniers de guerre diminua de 18 000, pour cause de décès. Une sévère admonestation de la part du GUPVI eut peu de résultat : les ordres et directives furent ignorés. Une journée de travail durait de 10 à 14 heures avec rations minimales souvent servies à l'extérieur à des intervalles de l'ordre de 12 heures. Les distances entre les lieux d'hébergement et les lieux de travail atteignaient 17 km qui devaient être parcourus à pieds. Sur les lieux de travail, les prisonniers de guerre étaient mal gardés. Dans ces conditions, le rendement au travail était catastrophique. Le NKVD déclara plus tard : « En conséquence, la condition des prisonniers de guerre dans les ORB est bien pire que celle des prisonniers de guerre dans les camps du ministère de l'Intérieur. Dans les ORB en janvier 1946, seulement 23-32 % des internés pouvaient être utilisés pour le travail. Le décès dans les ORB étaient multipliés par 5, le nombre des évadés sept fois plus élevé que dans les camps du ministère de l'Intérieur »[26].

Au début de 1945, pendant l'avancée militaire de l'Union soviétique en Europe Centrale – particulièrement les Balkans, la Haute-Silésie, la Prusse Orientale, la Hongrie, l'Allemagne et l'Autriche – l'Armée rouge, le SMERSH[27] et le NKVD rassemblèrent un grand nombre de représentants des « ethnies » allemandes dont

208 239 furent déportés en Union soviétique, internés et exploités dans ces bataillons de travail, principalement pour des travaux dans des mines, dans les pires conditions. Environ 25 % (51 138) étaient des femmes. Des milliers de personnes enlevées par les Soviétiques dans les territoires occupés étaient également utilisées de temps en temps dans les bataillons de travail soviétiques [28].

Au début de 1949, des prisonniers de guerre condamnés à des peines de prison (généralement 25 ans) par les tribunaux soviétiques (sous le coup du code pénal de l'URSS) furent retenus par le GUPVI, alors qu'ils auraient dû être conduits en prison ou ITL. Ces verdicts, prononcés vers la fin de 1949, n'étaient pas, dans la plupart des cas, basés sur des preuves de culpabilité personnelle mais sur des faits d'appartenance à des organisations déclarées criminelles par les Soviétiques. Il y avait parmi elles des douzaines de divisions et de régiments mais essentiellement des SS, Waffen SS, la police militaire, des unités de correction et d'espionnage. Ces condamnations en masse faisaient suite à la vague de procès individuels qui avaient eu lieu précédemment à l'encontre des prisonniers de guerre, des détenus et des personnes enlevées. Après 1943, l'année des premiers procès rendus publics contre des prisonniers de guerre allemands à Mariupol et Khakov, 126 accusés (dont 11 citoyens soviétiques) furent jugés par 12 tribunaux connus. 45 furent condamnés à de longues peines de prison ; 81 furent condamnés à mort, la plupart furent pendus en public (par exemple à Kharkov devant 50 000 spectateurs). Ces procès, dans la mesure où ils eurent lieu en public, avaient pour objectif de prouver que les accusés étaient coupables de crimes de guerre. Dans quelques cas seulement, il fut possible d'apporter une preuve certaine. Dans les autres cas, tel Katyn, des confessions furent obtenues sous la torture [29].

En 1951, le terme de GUPVI fut transformé à nouveau en UPVI du ministère de la Sûreté de l'Etat de l'URSS [30] et le premier chef adjoint du GULAG, le lieutenant-général A. S. Kobulov [31] fut nommé chef de l'UPVI. Cette fois encore, ceci signifiait dans les faits la subordination au GULAG de l'Administration des prisonniers de guerre et internés. Celle-ci s'explique en partie par le fait que, selon la répartition des prisonniers de guerre, seuls les prisonniers de guerre ayant reçu des peines en jugement restaient dans les camps du GUPVI. Les détenus civils ayant été jugés n'étaient gardés que dans de rares cas.

Quand le MVD (ministère de l'Intérieur) et le MGB (ministère de la Sûreté de l'Etat) furent réunis sous un seul ministère (MVD), il ne fut pas prévu de département pour les questions relatives aux prisonniers de guerre et internés dans la nouvelle structure ministérielle. Par résolution du Conseil des ministres de l'URSS[32], le GULAG lui-même fut absorbé par le ministère de la Justice de l'URSS. Seule la gestion de camps contenant des prisonniers de guerre condamnés resta subordonnée au MVD, et pour cela, une petite section fut créée au sein du Département pour l'administration des prisons du MVD pour les prisonniers de guerre et internés. Après la réorganisation du Département pour l'administration des prisons du MVD en 1954, cette section devint le Second (pour les anciens prisonniers de guerre et internés) et ensuite le Troisième Département[33].

Au cours de l'année 1956 et suite à la libération des prisonniers de guerre et internés civils qui avaient été condamnés souvent sans preuve de leur culpabilité individuelle (en 1955-56), les derniers camps de prisonniers de guerre de l'ancien GUPVI (n°48 près de Ivanovo, à l'est de Moscou et le n°476 à Asbest, à l'est des montagnes de l'Oural) et l'hôpital Spécial n°1893 à Chor près de Khabarovsk (tous en charge du Département prison du MVD) furent désactivés. Seul le camp n°16 dans la région de Khabarovsk et le camp avancé de Pot'ma (Mordovie)[34] furent absorbés par les colonies de travail de correction du MVD de l'URSS (ITK).

Finalement, en 1960, l'Objet Spécial n°16, un hébergement temporaire pour étrangers et apatrides ayant été libérés de prisons ou d'établissements similaires, fut repris par l'Administration centrale des installations pénales (GMZ) du MVD de l'URSS[35].

Pour résumer, on peut dire la chose suivante au sujet du développement de la structure du GUPVI :

– L'Administration (centrale) pour les prisonniers de guerre et internés était le deuxième système de camp en URSS après le GULAG et comme ce dernier, il était sous le contrôle du ministère de l'Intérieur soviétique. En 1946, un réseau complet de camps de prisonniers et détenus civils couvrait l'Union soviétique.

– Fondé en 1939 comme un dérivatif du GULAG, dans le but de garder et exploiter le potentiel de main-d'œuvre des prisonniers de guerre étrangers et plus tard également des détenus étrangers, le GUPVI exista jusqu'à peu de temps après la mort de Staline en 1953.

– Le système de camps GUPVI était composé de près de 4 000 camps permanents, camps de première ligne de diverses formes en plus des bataillons de travail, hôpitaux spéciaux et hôpitaux d'évacués. Des cimetières étaient attachés à beaucoup de ces camps permanents et aux hôpitaux. Pour de nombreux prisonniers de guerre et détenus enregistrés, les emplacements des morts sont listés dans les archives des camps.

– Environ quatre millions de prisonniers de guerre et détenus de plus de 30 nationalités étaient détenus dans les camps. En 1946, on compte parmi eux plus d'un million d'Allemands, 217 000 Hongrois, 465 000 Japonais, et 67 000 Autrichiens mais aussi des milliers de Hollandais, Français, Américains et Luxembourgeois.

– Les contacts entre le GUPVI et les détenus civils étaient rares.

En règle générale, il est possible d'affirmer que :

– Le GUPVI a fait partie du système de la terreur de Staline à partir de 1939.

– Les camps GUPVI étaient également utilisés pour préparer des exécutions en masse (cf. Katyn).

– Le GUPVI était organisé de la même manière que le GULAG, en matière de salaires du personnel également.

– Dans les camps du GUPVI, de nombreux prisonniers, principalement des Allemands et Autrichiens, furent détenus bien plus longtemps que nécessaire.

NOTES

[1] Voir : Stefan Karner, « Die sowjetische Hauptverwaltung für Kriegsgefangene und Internierte – Ein Zwischenbericht », in : *Vierteljahreshefte für Zeitgeschichte* 3/1994, Munich 1994, Stefan Karner (Ed.), « Gefangen in Rußland ». Die Beiträge des Symposions auf der Schallaburg, Graz-Vienne 1995, Stefan Karner. *Im Archipel GUPVI. Kriegsgefangenschaft und Internierung in der Sowjetunion 1941-1956*, Vienne-Munich 1995. Cette communication est essentiellement basée sur : Stefan Karner, « GUPVI – the Soviet Main Administration for Prisoners of War and Internees during World War II », in : *1945 : Consequences and Sequels of the Second World War*, Montréal 1995. Je remercie Mag. Barbara Stelzl, Graz, pour son aide à la préparation de cette communication.

[2] GULAG = Glavnoe upravlenie NKVD SSSR lagerey, GUPVI = Glavnoe upravlenie NKVD SSSR po delam voennoplennyich i internirovannych.

[3] Il n'existe toujours pas de recherche finalisée quant au nombre de personnes détenues dans le GULAG. Dugin et Semskov établissent le nombre de prisonniers politiques à 3,6 – 3,7 millions sous Staline ; les sources de ces estimations ont à l'évidence été manipulées. Selon Shatunovskaya et sur la base d'autres documents du KGB, le nombre des victimes des mesures repressives de Staline entre le 1er janvier 1935 et juillet 1940 atteint 19,8 millions – dont sept millions tués par balle. Selon les mémoires de Khrouchtchev, il y a dix millions de prisonniers dans les camps en 1953. Voir davantage de détails sur ce thème in : « Rene Ahlberg, Stalinistische Vergangenheitsbewältigung. Auseinandersetzung über die Zahl der GULAG-Opfer », in : *Osteuropa-Archiv* 11/1992, p. 921-937 ; A.N. Dugin, Neiz-

vestnye dokumenty o repressiyach 30-50 godov (po fondam CGAOR), in: *Administrativno-komandnaya sistema upravleniya.* Problemy i fakty, publié par le Rossiyskiy gosudarstvennyj gumanitarnyj universitet. Moscou 1992, p. 69-87.

[4] Voir en particulier Alexander Solzhenizyn, *Der Archipel GULAG*, volume 1, Bern 1974 (= Solzhenizyn GULAG I); Zhak Rossi, Spravochnik po GULAGu, 2 volumes. Moscou 1991. Sur la violence pendant le règne de Staline, voir entre autres Hermann Weber, *Stalinismus.* Sur les problèmes de violence durant l'ère stalinienne, in: R. Medvedev, R. Havemann, J. Steffen, entre autres, *De-Stalinization. The XX Congress of the CPUSSR and its consquences.* Francfort/Main 1977, p. 263-284; Anne Herbst-Oltmanns, « De-Stalinization. Der Einzelne zählt wieder in der Sowjetunion », in: R. Medvedev, p. 50-64; Isaac Deutscher, *Stalin. Eine politische Biographie.* Reinbek 1992, esp. p. 454ff.; Alexandr Orlov, *Tayanya istoriya stalinskich prestupleniy. Kniga komissara NKVD, b 1938 g. vmeste s sem'ey tayno ostavshegosya v SSCHA.* Moscou 1991; Karl-Heinz Ruffmann, *Sowjetrußland 1917-1977.* Munich 1992; Yu. S. Kukushkin (Ed.), *Rezhim lichnoy vlasti Stalina. K istorii formirovaniya.* Moscow 1989, esp. p. 54ff. (Auteur: Yu. A. Shtshetinov).

[5] Les volumes de la série d'Erich Maschke sur l'Union soviétique sont toujours importants « Zur Geschichte der deutschen Kriegsgefangenen des 2. Weltkrieges ». Il faut cependant garder à l'esprit que son traitement du sujet est presqu'exclusivement basé sur des sources « allemandes », car les archives soviétiques n'étaient pas accessibles à l'époque. Pour la préparation de cette communication, il est fait principalement référence aux volumes édités par Maschke avec les contributions de: Kurt Böhme, « Die deutschen Kriegsgefangenen in sowjetischer Hand. Eine Bilanz », *Ibid.* volume VII. Munich 1966 (=Böhme); Kurt Bährens, « Deutsche in Straflagern und Gefängnissen der Sowjetunion », *Ibid.* volumes V/1 et V/3. Munich 1965 (=Bährens). Plus récemment, entre autres: Wolfgang Benz, Introduction, in: W. Benz – A. Schardt (Ed.), *Kriegsgefangenschaf. Biographic sources on German history after 1945*, volume 10. Munich 1991, p. 715; Smith, Heimkehr, esp. p. 151-169; des comparaisons statistiques entre les pouvoirs retenant en détention: *Die deutschen Kriegsgefangenen des Zweiten Weltkrieges.* Un résumé historique des faits, édité par la Vereinigung der Heimkehrer (VdH). Bonn-Bad Godesberg 1989; Une conception de recherche importante: Peter Steinbach, « Zur Sozialgeschichte der deutschen Kriegsgefangenschaft in der Sowjetunion im Zweiten Weltkrieg und in der Frühgeschichte der BRD ». On trouve une contribution sur ce thème de la continuité historique, in: *Zeitgeschichte* 1/1989, p. 1-18. L'organisation « ANTIFA » dans les camps soviétiques de prisonniers de guerre est devenu l'objet de quelques sujets de recherche sur la résistance. Essentiellement sur ce thème: Bodo Scheurig, *Freies Deutschland.* Munich 1960, et plus en profondeur: Alexander Fischer, « Die Bewegung « Freies Deutschland » in der Sowjetunion: Widerstand hinter Stacheldraht? », in: J. Schmädeke – P. Steinbach (Ed.), *Der Widerstand gegen den Nationalsozialismus*, Munich 1985.

[6] CChIDK (Centre pour la Conservation de la Documentation Historique, Moscou), F. 1p, op. 23a, d.1. Questions historiques. Top Secret. – Il s'agit là des camps de Gryazovec, Suzdal`et Starobel'sk. – Au sujet de l'attaque de l'Union soviétique par Hitler, voir également la documentation (peu convainquante) relative au plan de Staline pour une grève préventive. Sur ce thème, récemment du côté soviétique: Yu. A. Gor`kov, « Gotovil li Stalin uprezhdayutshisgiy udar protiv Gitlera w 1941 g. », in: *Novaya i noveyshaya istoriya* 3/1993, pp. 29-45, qui discrédite une grève préventive de Staline contre l'Allemagne.

[7] *Ibid.*

[8] *Ibid.*

[9] Voir également Solzhenizyn, *Gulag* I, p. 230ff. et les camps du CChIDK. – par ordre du NKVD, en date du 9 juillet 1944, ces Camps spéciaux furent repris par le système GULAG.

[10] Les chiffres effrayants pour Stalingrad seulement, par ex., sont donnés par W. P. Galickiy, « Tam, v Beketovke, pod Stalingradom... », in : *Voennoistoricheskiy zhurnal* 2/1993, p. 20, an. Sur un total estimé à 200 000 – 250 000 prisonniers de guerre autrichiens capturés par l'Armée rouge seulement environ 130 000 furent enregistrés dans les camps. Voir mes conclusions sur les prisonniers de guerre autrichiens et internés en Union soviétique après 1941. – Sur les camps de prisonniers de guerre de Stalingrad voir également la publication de : A.E. Epifanov, Shtsh za Stalingrad. Volgograd 1993.

[11] CChIDK, F. 1/p, op. 23a, d. 1.

[12] CChIDK, op. 10i, d. 1. Résolution du GOKO n°, 8921dd, du 4 juin 1945 et rapport sur l'utilisation des prisonniers de guerre dans l'économie nationale du pays 1941-1949, en date du 17 janvier 1950, signée par Tcherbov.

[13] CChIDK, F. 1/p, op. 23a, d. 1. – Ordre N° 00438 du NKVD d'URSS en date du 6 mars 1943.

[14] *Ibid.*

[15] CChIDK, F.1/p, op. 23a, d.2. – Sur les crimes de guerre de l'Armée rouge envers les prisonniers des forces armées allemandes, voir : Anatoliy Jakushevski, « Rasstrel v klevernom pole », in : *Novoe vremya* 25/1993, pp. 40-42.

[16] CChIDK, F. 1p, op. 23a, d.1.

[17] Ceci apparait dans presque tous les rapports des camps individuels.

[18] CChIDK, F.1p, op. 23a, d.2.

[19] CChIDK, F.1p, op. 23a, d.1. – En août 1944, les Camps spéciaux furent de nouveau intégrés dans l'organigramme des Camps de filtrage (FPPL) du NKVD de l'URSS.

[20] Ordre N°. 098 en date du 23 avril 1944, *ibid.*

[21] CChIDK, F.1p, op. 23a, d.1.

[22] Au sujet de ceci et de ce qui suit : *Ibid.* – Ordre du NKVD N° 00100 en date du 20 février 1945. Krivenko resta en charge du GUPVI jusqu'au 3 mars 1947.

[23] Rapport, CChIDK, F. 1p, op. 23a, d. 1, p. 20.

[24] *Ibid.* – Directive GOKO 989ss en date du 23 août 1945. – Sur les aspects militaires de la courte guerre de l'Union soviétique contre le Japon, voir en complément la documentation complète sur l'histoire de la Seconde Guerre mondiale « The Great Patriotic War » entre autres SSSR i Japoniya. Moscou 1987.

[25] CChIDK, enquêtes personnelles dans le secteur de l'administration des camps. Voir Bährens, V/1, p. 61ff., qui à ce sujet parle de « camps punitifs. »

[26] *Ibid.* – Instruction N°. 41/604.

[27] Du 14 avril 1943 jusqu'à ce qu'il soit formellement désactivé et transformé en départements spéciaux au sein du ministère pour la Sécurité de l'Etat (MGB) en mai 1946, le « SMERSH » (un sigle pour l'Administration centrale du contre espionnage du Commissariat des peuples pour la Défense de l'URSS) était l'agence spéciale du contre-espionnage de l'Union soviétique. Le sigle se traduit par « mort aux espions. » L'organisation fut détachée du NKVD et directement subordonnée à Staline. Son chef était V. Abakumov, ministre de la sécurité de l'Etat jusqu'à sa condamnation à mort et son exécution sous Khrouchtchev. Bien que la première fonction du SMERSH fut la détection des espions étrangers, il était en réalité utilisé – surtout après la guerre – pour la « surveillance » des prisonniers de guerre soviétiques ayant été rapatriés, par la force pour la plupart, en Union soviétique en provenance des pays occupés et autres territoires. La plupart d'entre eux étaient suspectés d'être des déserteurs et ne furent pas rendus à leurs familles ; à la place,

ils furent conduits dans des camps spéciaux pour y effectuer de longues peines de prison. En 1946 c'est essentiellement le 3e Directoire du MGB qui absorbe les activités du SMERSH. – Voir également Solzhenizyn, *Archipelago Gulag* I, pp. 88ff et 584 et: Christopher Andrew-Oleg Gordievsky, *KGB. An account of its foreign operations from Lenin to Gorbachev*. Munich 1990, p. 438ff; Spravotchnik po GULAGu, p. 364. Sur les véritables activités de contre-espionnage soviétique, en particulier sur l'enlèvement d'un fonctionnaire de haut rang du gouvernement autrichien, voir: Stefan Karner (Ed.), *Secret Files of the KGB*. « Margarita Ottillinger. » Graz – Vienne 1992 (=Karner, Dossiers secrets du KGB), esp. p. 34ff.

[28] CChIDK, F.1p, op.23a, d.1. – Conscriptions et enlèvements furent menés sur l'ordre de directives du GOKO (Comité de Défense de l'Etat) et des décrets N° 7161ss en date du 16 décembre 1944, N° 747ss en date du 3 février 1945, et N° 00315-1945 du NKVD de l'URSS.

[29] Sur les prisonniers de guerre condamnés et sur les procédures ayant conduit à leur arrestation se reporter tout particulièrement à: Martin Lang, *Stalin's criminal justice against German POWs. The mass trials against German POWs between 1949 and 1950, a historical view.* Herford 1981 ; également l'édition en cours de publication du colloque « Stalin's arbitrary justice against German POWs, » publié par G. Wagenlehner. Bonn-Bad Godesberg 1993 ; Bährens, V/1-3 et Reinhart Maurach, *The POW Trials against German POWs in the Soviet Union.* Hambourg 1959 ; R. A. Brockhaus, « German POWs in the Soviet Union, victims of political criminal justice », in: *DRK-Suchdienst Munich, 1st installment ; essays and other :* Reinhard Olt, « Arbitrary accusations, farcical trials and normative punishment », in: FAZ du 22 août 1992; article tout inventé in: *Der Spiegel*, 45/1992, pp. 226-233. Résultant des procès et des condamnations envers les prisonniers de guerre en Union soviétique, de nombreuses procédures d'appel et de litige ont actuellement lieu en vue de réhabilitations. Sur les données juridiques en Russie dans ce domaine, voir: *Sbornik zakonodatel `nych aktov o reabilitacii, prinyatych v gosudarstvach – byvshich soyuzynch republikach SSSR*. Moscou 1992 et le « Communique by Chancellor Dr. Helmut Kohl and President Boris N. Yeltsin on « the rehabilitation of innocent persecutees. » Service de Presse et d'Information du Gouvernement Fédéral...

[30] CChIDK, F. 1p, op. 23a, d. 1. – Ordre MVD N° 00375 du 20 juin 1951.

[31] Avant 1941, Amyak Sakharovich Kobulov était un membre du NKVD résidant à Berlin. A partir de 1951 – 1953 il était membre de l'UPVI. Voir également Gordievsky – Andrew, KGB, p. 324.

[32] CChIDK, F.1p, op.23a, d.1. – Résolution du Conseil des Ministres N° 943/400ss du 28 mars 1953.

[33] *Ibid.* – Directives appropriées du MVD de l'URSS en 1954 et 1955.

[34] Voir Karner, *Secret Files of the KGB*, esp. pp. 84f et 228f.

[35] CChIDK, F.1p, op. 23a, d.1. – Ordre MVD N° 050 du 3 mars 1960.

(traduit de l'anglais par Nathalie Lavieille)

Alija BARKOVETS

LES VALEURS CULTURELLES TRANSFÉRÉES EN RUSSIE HISTOIRE ET PERSPECTIVES D'AVENIR

Faillites et souffrances frappèrent de tous les temps les nations impliquées dans des guerres ; celles-ci furent aussi la cause de pertes matérielles et spirituelles, de la destruction ou disparition d'une partie du patrimoine national des belligérants. La Seconde Guerre mondiale détient à ce sujet un triste record.

Le sort des objets d'art transférés à l'Est fait régulièrement la Une des quotidiens ; il est indispensable d'expliquer les raisons pour lesquelles les valeurs culturelles confisquées en Allemagne furent délocalisées sur le territoire de la Fédération russe. L'Union soviétique reçut la majorité de ces trésors à la suite des négociations entre les Alliés sur la « dénazification », la démilitarisation et la démocratisation de l'Allemagne. Une partie de ces objets, au fait un lot immense et éclectique, quitta dès 1945 les territoires occupés pour l'URSS. Après leur identification et classement, ceux-ci ne furent cependant pas restitués à leur propriétaires légaux.

Suite aux changements politiques qui se sont produits dans les pays de l'Europe centrale et orientale, le problème de la restitution des biens culturels confisqués après la Seconde Guerre mondiale est devenue une des questions les plus compliquées et les moins solubles des décennies d'après-guerre. Elle fut l'objet de multiples tables rondes internationales, fut discutée par les chefs d'Etat, et figura même dans les articles de certains accords signés par l'URSS avec différentes nations, mais dans la pratique, aucune solution valable ne fut trouvée. L'évocation de la restitution de valeurs culturelles paraît conjoncturelle surtout, elle fut dans tous les cas de figure soumise à des objectifs politiques de courte durée.

L'approche du problème changea dans les années 1990. Cette réorientation fut causée par la désintégration de l'URSS et l'émergence d'Etats indépendants. Elle relève surtout de la modification de la politique intérieure et extérieure de ces pays après les événements d'août 1991, voire de l'application de normes démocratiques comme la transparence (glasnost) et l'ouverture dans la vie publique russe.

Un des premiers pas en vue de la reconnaissance et de la solution du problème concernant les objets d'art délocalisés pendant la Seconde Guerre mondiale fut la création de la *Commission d'Etat pour la Restitution de Valeurs Culturelles*. Le but principal de cet organisme formé en juin 1992 par le Gouvernement de la Fédération russe était d'établir des données mutuelles concernant la restitution de « trophées » de la part de la Russie tout comme de la part des autres pays impliqués dans le conflit. Evgenij Sidorov, ministre de la Culture de la Fédération russe, en assurait la présidence ; des juristes russes célèbres, les directeurs des plus grandes bibliothèques, des experts d'art et des représentants du Service des Archives d'Etat de la Fédération russe se réunirent dans cette Commission.

Le premier objectif de la Commission était de faire l'inventaire des pertes d'objets culturels russes dits « mobiles », c'est-à-dire des valeurs dérobées dans des musées, des bibliothèques ou des archives. Signalons dans ce contexte la contribution majeure des employés des Archives d'Etat de la Fédération russe ; celles-ci hébergent les documents de la Commission d'Etat extraordinaire chargée d'inventorier les crimes de l'Allemagne fasciste. Cette équipe est arrivée au bilan suivant concernant les pertes subies par l'URSS :

– A partir de l'été de 1943, le « Einsatzstab » de Rosenberg et l'organisation SS « Ahnenerbe » ont été chargés de transférer systématiquement tout objet de valeur artistique vers l'Allemagne.

– 427 musées ont été pillés sur le territoire occupé de l'URSS, 173 entre eux se trouvent en Russie ; 237 églises catholiques, 532 synagogues ou autres édifices religieux subirent le même sort.

– 600 000 objets d'exposition hébergés dans 73 musées soviétiques (dont quinze musées russes) ont été illégalement enlevés ou détruits.

– Trois musées russes à eux seuls enregistrent la disparition ou la destruction de plus de 39 000 objets d'exposition.

Les objets culturels en provenance de l'URSS, comme d'ailleurs les objets confisqués dans d'autres pays, furent généralement cachés dans le sud de l'Allemagne. Plus de mille dépôts furent trouvés par les troupes américaines et livrés à l'administration militaire de « MFA & A » (Monuments, Fine-Arts and Archives). Durant l'hiver de 1945-1946 ces dépôts furent liquidés et leurs valeurs inventoriées puis regroupées en quatre points de rassemblement soit à Munich, Wiesbaden, Marbach et Offenbach. Dans ces centres, les représentants des forces alliées, URSS incluse, préparèrent le transport de ces objets vers leurs pays d'origine. Entre 1945 et 1948 treize convois, c'est-à-dire plus de 20 wagons de train contenant plusieurs centaines de milliers d'objets (par exemple plus de 1100 icônes en provenance de Pskov et de Novgorod) furent expédiés vers l'URSS.

Jusqu'au 1er janvier 1948, l'URSS fit 1620 plaintes afin de mettre un terme à la restitution de ses biens culturels. Poursuivant les recherches, on parvint à envoyer encore 29 wagons vers l'URSS ; ils contenaient des peintures, icônes, sculptures, bibliothèques et notamment 157 347 livres. Le SVAG (l'administration militaire soviétique) organisa la sortie des objets artistiques de l'Allemagne occupée, mais elle omit de les identifier, de les classer selon leur provenance, qu'elle soit germanique ou soviétique. Le 23 novembre 1945, les militaires découvrirent plusieurs cachettes dans la zone d'occupation soviétique. On y trouva 46 dépôts d'archives contenant des papiers militaires ou des documents secrets de valeur inégale. Parmi les documents du service secret allemand, mentionnons les papiers contenant la description « militaro-géographique » d'objectifs stratégiques en Europe et en Asie tels qu'ils se présentaient en 1941-1942. Elles concernent par exemple la Grande-Bretagne, la France, la Suède, l'Irak. On trouva, confisqua et expédia en URSS plus de 200 000 tonnes de documents concernant l'ancienne marine allemande. Entre 1945-1946, plus de 7 millions de livres furent sortis des bibliothèques saxonnes. Après la guerre, le gouvernement soviétique décida leur restitution. La RDA fut le premier pays du camp communiste à bénéficier d'une telle faveur ; dans les années 1952-1965 plus de 3 millions de documents d'archives y furent renvoyés. En 1955 on restitua à la RDA la galerie de Dresde. En 1958-1960, conformément à dix-neuf accords bilatéraux, 1 571 995 objets d'art et 121 caisses contenant des ouvrages et des partitions furent restitués à ce pays. Cela ne répond guère à la totalité des objets confisqués en Allemagne. Le Centre de conservation des collections historiques et documentaires (auparavant Archives spéciales), héberge le dépôt principal des archives confisquées ; l'on y compte plus de 159 600 dossiers d'origine allemande. Evgenij Sidorov, ministre de la Culture, déclara il y a peu de temps : « Dans les dépôts spéciaux des bibliothèques et archives russes, il y a encore plus de 200 000 objets en provenance de musées allemands, s'y ajoutent plus de 2 millions de livres et plus de 3 kilomètres de rayons d'archives ».

Reste à évoquer le destin des archives françaises passées en URSS après la Seconde Guerre mondiale. En mai 1945, le commandement militaire soviétique en Tchécoslovaquie informa Lavrentij Bérija, ministre des Affaires étrangères, qu'il avait trouvé près d'une petite ville tchèque des archives françaises évacuées en ce lieu par les nazis. Un groupe de spécialistes du Principal Service des Archives du NKVD avec à leur tête le général Kouzmine fut envoyé sur place. Ils y trouvèrent des documents appartenant à la Sécurité nationale et au Second bureau du Chef d'état-major français ; ils concernaient l'espionnage et le contre-espionnage français. En 1940, les nazis avaient chargé ce matériel sur des camions et l'avaient sorti de Paris ; en 1942 ils en avaient caché les restes en Tchécoslovaquie. A la suite de leur enquête, les membres de la Commission du Principal Service d'Archives expédièrent vingt et un wagons de chemin de fer contenant des documents français en URSS.

En février 1946, les archives du chef d'état major français de la Première Guerre mondiale furent trouvées dans le bâtiment de l'aviation allemande qui se situait dans la zone d'occupation soviétique. Les documents relataient surtout l'histoire des forces aériennes (500 éléments). Ces archives furent à leur tour triées par le colonel Kouzmine et ses experts. Ils décrivirent dans les actes de la commission l'état désastreux de ces archives. De nombreux document avaient été détériorés ; le local où ils furent conservés avait été inondé d'eau. Les archives du ministère de la Guerre, empaquetées dans des caisses de bois, furent immédiatement évacuées. Ajoutons que le bâtiment en question n'était plus gardé depuis le début de la bataille de Berlin, et qu'il demeura abandonné jusqu'à la fin de janvier 1946.

Une partie des archives françaises des XVIIe et XIXe siècles, soit des documents concernant des loges maçonniques, les archives de la deuxième Internationale, les documents privés de nombreux responsables socialistes européens, voire les papiers d'organisations juives, furent réunis en lots et déposées par les nazis dans un château de Silésie appartenant au baron von Altmann.

Dans les années 1960, l'URSS cherchait à développer les relations franco-soviétiques ; le Kremlin décida ainsi d'organiser le retour de ces archives. Le 24 juin 1965, le Comité central du Parti communiste soviétique chargea son ambassade à Paris de remettre les archives françaises « sauvées par l'Armée soviétique » (tel fut le terme employé) au général de Gaulle ; elles concernaient l'histoire de la Résistance et celle de la France libre sous le général de Gaulle.

Le 4 mars 1966, au Palais de l'Elysée, des représentants de l'URSS remirent 193 dossiers au Président de la République (soit 165 kg au total) ; le 11 mars, dans le bâtiments du ministère des Affaires étrangères, André Maurois, Julien Cain, Bernard Lavernue récupérèrent leurs archives personnelles. Monsieur Susany, directeur de l'Institut d'Etudes allemandes reçut les archives du célèbre historien Edmond Verney.

En avril 1969, suivant des accords entre le ministère des Affaires étrangères soviétiques et l'ambassade de l'URSS en France, les archives des anciennes missions et agences françaises en Russie (20 438 dossiers) retournèrent en leur pays. A cette date les deux Etats se mirent d'accord que le gouvernement français poursuivrait ses recherches sur des papiers d'Etat russes et qu'il remettrait ce matériel au gouvernement soviétique. Jusqu'en 1982, la France remit 182 dossiers de provenance russe aux autorités soviétiques. Selon le ministère des Affaires étrangères soviétiques, « le déséquilibre numérique des échanges fut la cause de l'arrêt du procédé de restitution de documents d'archives ». Les négociations ne reprirent qu'une dizaine d'années plus tard.

En mai et septembre 1991, l'ambassade de France à Moscou, se référant à une suite d'accords internationaux (y inclus l'accord franco-soviétique du 4 juillet 1989), envoya une note au ministère des Affaires étrangères de l'URSS ; elle y signalait l'existence de documents français dans les archives soviétiques. Cette initiative donna lieu à de nouvelles négociations.

Le 12 novembre 1992, les deux pays signèrent des accords de coopération réservés aux archives d'Etat ; ils concernaient la « révélation et restitution » de documents d'archives, et ceci sur le mode réciproque. Suivant ces accords, la France recevait en décembre 1993 cinq camions remplis de documents issus des anciennes Archives spéciales (aujourd'hui le Centre de préservation de collections historiques et documentaires). Au fil des cinq mois suivants, la France reçut 945 000 cartons issus des susdites archives, constituant 1 100 000 dossiers. 90 % de ces documents concernent la sûreté nationale et provenaient du second bureau du chef d'état-major. Une bonne moitié des papiers du ministère de la Guerre furent restitués à la même occasion. S'y trouvaient aussi quatorze fonds d'origines variées, comme par exemple les papiers de Marc Bloch, de Léon Blum et de la famille de Rothschild. Bientôt, et ceci à la suite d'une avalanche d'accusations formulées par la presse de droite russe, le passage de documents d'archives en France fut suspendu.

Afin de comprendre cet incident, il faut revenir aux activités du Centre de préservation de collections historiques et documentaires. En 1994, cette commission émit un certain nombre de recommandations pour la restitution des restes de la bibliothèque de Gotha, et pour l'exceptionnelle collection de gravures de la Kunsthalle de Brême retrouvée par l'officier soviétique Victor Baldin. Se déclencha par la suite un nouveau débat (demeuré insoluble depuis plus de cinquante ans) autour de la base légale de la procédure de restitution, autour des mécanismes de décision et autour des droits de la Russie de posséder les valeurs culturelles transférées pendant la Seconde Guerre mondiale.

En mars 1995, le Comité de Science, de Culture et d'Education du Conseil de la Fédération (la chambre haute du Parlement russe) prépara une loi fédérale intitulée « Sur le droit de la Fédération russe de posséder des valeurs culturelles transférées sur son territoire à la suite de la Seconde Guerre mondiale ». Cette loi fut le premier essai pour créer une base juridique censée protéger les intérêts de la Fédération russe devenue propriétaire de ces objets transférés après la Seconde Guerre mondiale. Elle créa aussi une réglementation destinée aux négociations entre la Russie et d'autres Etats, ceci en tenant compte des divergences possibles.

Un groupe d'experts du ministère de la Culture, des Services des archives russes, du ministère des Affaires étrangères et du gouvernement en critiqua plusieurs aspects. Cette loi se révélait trop unilatérale, et biaisait le problème du déplacement des objets d'art d'origine étrangère, en premier lieu de ceux en provenance d'Allemagne. Elle se basait sur les règlements émis entre 1945 et 1947 ; or, ceux-ci avaient été abolis à la suite d'un certain nombre de conventions ratifiées par l'Union soviétique. Les auteurs n'avaient pas tenu compte des décisions de la conférence de La Haye de 1954 concernant la protection de valeurs culturelles en temps de guerre, la prévention de leur transfert et les problèmes de restitution. Ils ignoraient la Convention de Londres de 1943 déclarant non valables les ventes et commerces effectués sur les territoires occupés par les nazis. Cette loi ne prenait pas en considération les normes internationales ; elle ne faisait aucune différence entre la propriété des Allemands, la propriété de leurs pays satellites, la propriété des Alliés et la propriété des pays neutres. L'Article 7 de cette loi établit la revendication suivante : « tous les biens culturels transportés sur le territoire de la Fédération Russe répondent au droit de celle-ci à des restitutions compensatoires... et ils sont désormais considérés comme propriété de la Fédération russe ». Pourtant les biens culturels des pays alliés et des pays neutres transférés sur le territoire russe à la suite de la guerre ne peuvent guère être considérés comme objets de restitution compensatoires. Les pays alliés, les pays neutres, tout comme les pays partiellement ou entièrement occupés par l'Allemagne et ses satellites ne doivent pas subir les suites de l'agression allemande contre l'URSS.

Cette loi évoque aussi « les valeurs culturelles appartenant à des Etats qui auraient perdu leur droit de propriété parce qu'ils n'ont pas revendiqué leurs biens dans les délais convenus et selon des termes conformes à la législation ». Cette tournure avait été définie le 1er février 1950 par l'Instruction du Conseil des Ministres de l'URSS. Or cet organisme ignorait simplement un paragraphe essentiel de la déclaration de Londres ; celui-ci demandait à l'administration militaire soviétique des zones occupées de rendre tout objet artistique à son pays d'origine. Aussi n'y fut-il jamais donné suite. L'argument selon lequel les exigences de restitution n'avaient pas été formulées à temps ne justifie pas les confiscations ; suivant les lois internationales ces revendications ne sont pas soumises à des contraintes chronologiques.

Le sort des archives transférées sur le territoire de la Fédération russe à la suite de la Seconde Guerre mondiale doit être régi par les normes des lois internationales ; toutes archives d'Etat, indépendamment de leur provenance, ont un caractère « inaliénable ». Un pays possédant des documents historiques d'une autre nation n'a pas le droit d'en revendiquer la possession. Les archives délocalisées des Alliés sont les premières concernées par cette législation. Elles ne peuvent et ne doivent pas devenir propriété russe, ou être intégrées dans les archives d'Etat ; il est indispensable de les restituer à leurs propriétaires légaux. Il s'agit là bien sûr d'une obligation mutuelle et les Alliés s'engageraient de leur côté à rendre les biens culturels confisqués, archives y inclus, aux ayants droit. Récupérés dans les territoires ennemis à la Russie alors, ils reviendraient tôt ou tard à leur pays d'origine. Une exception s'impose néanmoins ; elle concerne les archives des organisations nazies, dans la mesure où elles risquent de promouvoir la renaissance d'une certain esprit extrémiste en Allemagne.

La toute première version du projet de loi fut soumis au Comité responsable de la Douma (le Parlement de la Fédération russe) ;

après de rudes débats, son vote fut ajourné. Il fut réexaminé en juillet 1995 et à nouveau présenté aux parlementaires. Les amendements proposés ne tenaient pas compte des réflexions des experts ; ce que l'on pourrait appeler l'idéologie du projet de loi demeura inchangé : la Russie sans restriction demeurait le propriétaire des valeurs transférées d'Europe centrale après 1945.

En été 1995, quatre députés de la Douma, V. Voronzov, A. Gerber, A. Nuikin et M. Seslavinsky, préparèrent un projet alternatif. Il fut expliqué au Comité responsable du Parlement russe. Le nouveau projet tenait compte des réflexions des différents ministères, instituts scientifiques et experts tout comme des remarques faites au fil des discussions à la Douma. Son principe de base se résume à la notion de restitution compensatoire. Les Etats ennemis, l'Allemagne avant tout, sont les seuls responsables de l'agression et des pertes subies par la Russie. Ces pays compenseraient les dommages infligés à l'héritage culturel russe par une garantie de restitution. Si une partie du patrimoine russe se révélait définitivement perdu, le dédommagement consisterait en biens équivalents à ceux qui furent détruits, pillés ou évacués du territoire soviétique. Cette loi préliminaire tient donc à assurer les droits de la Fédération russe à la compensation ; dans l'attente, tout objet de valeur culturelle transféré jadis en son territoire doit être considéré comme la propriété d'Etat de la Russie (à quelques exceptions près). Ce nouveau projet fixe de même les règles susceptibles de distinguer les objets en provenance d'Allemagne, des pays alliés ou des pays neutres ; il distingue aussi les objets arrivés en URSS selon leur réelle catégorie de valeur. Enfin cette loi prévoit des règlements de base concernant des objets issus de collections particulières.

En dépit de l'approbation générale accordée à ce projet de loi, celui-ci suscita certaines réflexions et réserves concernant sa base juridique. Toutes ces remarques ont été faites avant les dernières élections à la Douma en décembre 1995.

Depuis le début de 1996, la nouvelle Douma a confié la question au Comité de Culture. Il est présidé par le célèbre producteur de films, Stanislav Govorukhin. Le 13 février, les députés reconsidérèrent ces deux projets de loi ; après de vifs débats, ils rejetèrent le projet sur « le droit de la Fédération russe de posséder des valeurs culturelles transférées dans le territoire de la Fédération russe en tant que résultat de la Seconde Guerre mondiale » ; son alternative ultérieure n'eut guère plus de succès.

Le 21 février 1995, la Douma adopta une résolution déclarant le moratoire sur ces restitutions tant qu'une loi fédérale appropriée n'est pas unanimement adoptée.

Impossible de dire ce qui se passera dans les temps à venir. Espérons que ces problèmes extrêmement délicats et compliqués seront clarifiés selon les intérêts de tous les pays impliqués dans la tragédie de la Seconde Guerre mondiale.

(traduit du russe par Francine-Dominique Liechtenhan)

Vie quotidienne et société

Serge Barcellini

LA GESTION DU DEUIL PAR L'ÉTAT FRANÇAIS AU LENDEMAIN DE LA SECONDE GUERRE MONDIALE

Le gouvernement provisoire de la République et les premiers gouvernements de la IVe République doivent faire face à une double obligation. D'une part, ils doivent gérer les «*survivants*» de la Seconde Guerre mondiale. Les politiques de ravitaillement, de reconstruction, de reconnaissance (création du statut de combattant volontaire de la Résistance, attribution du statut de combattant aux prisonniers de guerre; création du statut de déportés et d'internés), d'épuration (les procès, les révocations de fonctionnaires...) voire de «réconciliation» (les amnisties) traduisent cette première obligation. D'autre part, ils doivent gérer les «*disparus*» de cette Seconde Guerre mondiale.

Si la gestion des survivants a été amplement étudiée par les historiens, tel n'est pas le cas de la gestion des disparus. C'est donc à cette politique du deuil, cette gestion des disparus que je m'intéresserai dans ma communication.

Dans les premières années de l'après-guerre, cette politique du deuil doit prendre en compte trois données fondamentales:

* une donnée quantitative: la France a eu des centaines de milliers de morts durant la Seconde Guerre mondiale;

* une donnée historique: une importante législation du «deuil» a été élaborée au lendemain de la Première Guerre mondiale. Cette législation va servir de socle à la politique du deuil de la Seconde Guerre mondiale;

* une donnée qualitative: les centaines de milliers de morts de la France présentent une extraordinaire diversité: géographique (certains sont morts en France, d'autres en Erythrée, d'autres en

Pologne, d'autres en Russie...), – statutaire (certains étaient résistants, d'autres fusillés, d'autres travailleurs, d'autres déportés), et nationale (certains étaient français, d'autres coloniaux, d'autres étrangers).

La politique du deuil mis en place à partir de 1944 combinera ces trois éléments fondamentaux dans le cadre d'un triptyque : compter, rendre hommage, héroïser.

Compter

Toute gestion du deuil repose sur un socle comptable et statistique. La politique mise en place en 1945 n'échappe pas à cette obligation. Combien de français sont-ils décédés durant la Seconde Guerre mondiale ?

En 1945 la connaissance des administrations de l'Etat est fort limitée.

Une note du ministère des Anciens Combattants du 10 novembre 1945[1] définit quelques ordres de grandeur.

Prisonniers de Guerre	50 000 décédés et disparus probables
Travailleurs	50 000 décédés et disparus probables
Déportés politiques raciaux, droit commun et otages	160 000 décédés et disparus probables
Déportés militaires (Alsaciens, Mosellans, Malgré nous)	50 000 décédés
Population transplantée	10 000 décédés et disparus probables

Le 16 juin 1946 François Mitterrand, ministre des Anciens Combattants publie une première statistique officielle.

– Combattants 1939-1940 :	92 223
– Combattants des Armées de la Libération 1940-1945 :	57 221
– Combattants des FFI :	24 400
– Incorporés de force dans la Wehrmacht :	27 000
– Disparus des catégories précédentes :	10 000
– Prisonniers de guerre :	30 000
– Déportés :	150 000
– Victimes civiles pour causes diverses :	97 000
– Victimes civiles par bombardement :	55 000
– Victimes civiles (dossiers à ouvrir) :	36 000
– Fusillés :	30 000
Total :	620 000

Ces chiffres sont obtenus de manières très diverses. Pour un certain nombre d'entre eux, en particulier les Combattants et les Prisonniers de Guerre, ils correspondent aux dossiers ouverts au ministère des Anciens Combattants, bureau de l'état civil et des recherches pour régularisation d'état civil et attribution de la mention « Mort pour la France ». Pour les victimes civiles dites « passives » tuées par bombardements ou explosions d'engin de guerre ..., ils résultent d'un recensement effectué auprès des mairies et des demandes formulées par les familles.

L'établissement des actes de décès et la recherche des non rentrés vont permettre d'affiner ces statistiques.

Dans le cadre de la loi du 11 juillet 1938 sur l'organisation générale de la Nation pour le temps de guerre, le ministère des Anciens Combattants et Victimes de Guerre a été chargé de la direction des services de l'état civil militaire en temps de guerre. Les actes de décès sont dressés par les officiers d'état civil des Armées et expédiés pour transcription au ministère des Anciens Combattants. Par suite de la rapidité du repli des armées françaises le service de l'état civil aux armées n'a pu fonctionner que dans des conditions très défectueuses en mai et juin 1940. Un nombre important de décès a été porté de ce fait à la connaissance du service d'état civil par la Croix-Rouge et par des camarades des militaires décédés. Le service central de l'état civil du ministère des Anciens Combattants a donc été autorisé à se substituer aux officiers de l'état civil aux armées. Une loi officialise cette autorisation le 24 avril 1941. Au 3 mars 1945, 26 317 actes de décès avaient été établis dans le cadre de cette loi de circonstance.

Afin de sortir de cette imprécision, une ordonnance est publiée le 30 octobre 1945, dans le but de redéfinir les responsabilités de chaque ministère en matière d'état civil : [2]

« Article 87. – Lorsqu'il n'aura pu être dressé d'acte de décès d'un Français ou d'un étranger mort sur un territoire relevant de l'autorité de la France, ou d'un Français mort à l'étranger, le ministre compétent prendra, après enquête administrative et sans formes spéciales, une décision déclarant la présomption de décès ».

« Le ministre compétent pour déclarer la disparition et la présomption de décès, sera :

« 1° A l'égard des militaires des armées de terre et de l'air et des civils disparus à la suite de faits de guerre, le ministre chargé des services relatifs aux anciens combattants ;

« 2° A l'égard des marins de l'Etat, le ministre chargé de la marine ;

« 3° A l'égard des marins de commerce et des passagers disparus en cours de navigation, le ministre chargé de la marine marchande ;

« 4° A l'égard des personnes disparues à bord d'un aéronef, autrement que par faits de guerre, le ministre chargé de l'aéronautique ;

« 5° A l'égard de tous les autres disparus, le ministre de l'Intérieur si la disparition ou le décès sont survenus en France ; le ministre des colonies, s'ils sont survenus sur un territoire relevant de son département, et le ministre des Affaires étrangères s'ils sont survenus au Maroc ou en Tunisie, dans un autre territoire relevant de l'autorité de la France ou à l'étranger. »

Ce texte introduit une importante novation. Jusqu'en 1945 en effet seul le ministère de l'Intérieur était compétent en matière d'état civil des civils disparus à la suite de fait de guerre. En 1945, le ministère des Anciens Combattants se substitue au ministère de l'Intérieur en particulier dans le cas des déportés et des STO. Le 2 mai 1946, la compétence dudit ministère est élargie à l'état civil des Français morts en Espagne dans les rangs de l'armée républicaine espagnole.

Dans le cadre de l'application de ces textes législatifs, le bureau de l'état civil mit dès lors en place une chaîne de traitement des dossiers.

Les clés d'ouverture des dossiers furent redéfinies. Les dossiers sont ouverts pour effectuer des opérations de régularisation d'état civil, soit au vu de l'expédition d'un acte de décès envoyé par un officier d'état civil militaire ; soit à la réception d'états nominatifs de pertes ou documents assimilés ; soit à la demande des familles ou de toute personne intéressée.

Les décédés furent « catégorisés ». Les pertes qui donnent lieu à ouverture de dossiers sont celles qui se sont produites à partir du 2 septembre 1939, soit lors d'opérations de guerre en 1939-1949 (y compris les pertes en captivité de guerre), soit lors d'opérations de libération du territoire (FFL, FFI, Armée de libération, y compris les pertes de ces formations en captivité de guerre), soit en déportation (Résistants et Politiques), soit à l'occasion d'activité salariale non volontaire en Allemagne, soit dans le cadre de l'incorporation de force dans l'armée allemande (Alsaciens – Mosellans), soit enfin lors des opérations d'Indochine. Dans l'état civil géré par le ministère des Anciens Combattants, la guerre d'Indochine n'est, en effet, considérée que comme le prolongement de la Seconde Guerre mondiale.

Des dossiers peuvent être ouverts pour les internés résistants ou politiques, lorsque l'acte d'état civil n'a pas été dressé au moment du décès, si la famille n'a pas fait procéder, par la suite, à une déclaration judiciaire de décès. La régularisation de l'état civil des « victimes civiles de faits de guerre » est toujours du ressort de la procédure de déclaration judiciaire de décès, et relève de ce fait, des Tribunaux judiciaires.

Cette chaîne de traitement exige des délais longs que les familles de disparus (cas de nombreux déportés) refusent. Le 30 avril 1946, les délais de présomption de décès des personnes disparues pendant la guerre sont réduits [3].

« Lorsqu'un Français mobilisé, prisonnier de guerre, réfugié, déporté ou interné politique, membre des forces françaises libres ou des forces françaises de l'intérieur, requis du service du travail obligatoire ou réfractaire, aura, en France ou hors de France, dans la période comprise entre le 3 septembre 1939 et le 1er juillet 1946, cessé de paraître au lieu de son domicile ou de sa résidence sans qu'on ait eu de ses nouvelles à la date précitée du 1er juillet 1946, toutes personnes intéressées pourront se pourvoir devant le tribunal de son domicile ou de sa dernière résidence afin de faire prononcer judiciairement son décès, suivant les formes et conformément aux dispositions du présent article, sans qu'il soit nécessaire de recourir à la procédure de présomption de décès prévue aux articles 87 et 89. Le conjoint du disparu dont le décès aura été ainsi déclaré judiciairement ne pourra contracter un nouveau mariage avant l'expiration du délai d'un an à partir du jugement déclaratif de décès.

Le dernier paragraphe de cette loi conforte l'article 92 de l'ordonnance du 30 octobre 1945 qui prévoit le cas du retour des décédés déclarés par erreur.

« Article 92. – Si celui dont le décès a été judiciairement déclaré reparaît postérieurement au jugement déclaratif, il sera admis à rapporter la preuve de son existence et à poursuivre l'annulation dudit jugement. Il recouvrera ses biens dans l'état où ils se trouveront, ainsi que le prix de ceux qui auront été aliénés et les biens acquis en emploi des capitaux ou des revenus échus à son profit. Le régime matrimonial auquel le jugement déclaratif avait mis fin reprendra son cours. S'il avait été procédé à une liquidation des droits des époux devenue définitive, le rétablissement du régime matrimonial ne portera pas atteinte aux droits acquis, sur le fondement de la situation apparente, par des personnes autres que le conjoint, les héritiers, légataires ou titulaires quelconques de droits dont l'acquisition était subordonnée au décès du disparu.

Mention de l'annulation du jugement déclaratif sera faite en marge de sa transcription».

Le lieu et la forme de la transcription sont également précisés dans le détail. L'acte transcrit est adressé avec motif de l'envoi, au maire de la commune du dernier domicile du défunt, détenteur des registres sur lesquels doit être effectuée la transcription. Si le lieu du dernier domicile du défunt est inconnu ou situé à l'étranger, la transcription est faite à la mairie du premier arrondissement de Paris (article 94 nouveau du Code civil).

«Un avis de mention de décès est, d'autre part, adressé à la mairie du lieu de naissance, aux fins d'apposition de la mention de décès en marge de l'acte de naissance, conformément aux dispositions de l'article 79 du Code Civil, complété par l'ordonnance n° 45-509 du 29 mars 1945.»

Les circonstances de la mort ne doivent, en aucun cas, être relatées dans l'acte de décès. Néanmoins, chaque fois que le décès est survenu dans des conditions ouvrant droit à la mention «Mort pour la France», cette mention doit figurer soit dans le texte même, soit dans la marge de l'acte de décès. Enfin, s'il appartient au maire de notifier le décès à la famille, la date de celui-ci est fixée en tenant compte des présomptions et, à défaut, au jour de la disparition, c'est-à-dire au jour des dernières nouvelles.

L'organisation de cet état civil induit de fortes différences dans la précision obtenue. Pour les soldats morts au combat la précision est totale car c'est l'armée qui gère l'état civil, pour les victimes civiles la précision est faible voire très faible pour le cas des déportés juifs dont la famille a souvent totalement disparu. Personne ne fait la démarche d'inscription. Pour les victimes «volontaires» (exemple: les travailleurs volontaires) les démarches administratives sont laissées à la seule appréciation des familles. Pour les déportés juifs enfin, le raccourcissement des délais (la mort définitive est déclarée le 1er juillet 1946) favorise une solution de facilité. La date du décès devient celle du départ du convoi, le lieu du décès celui du camp d'internement. En 1946, le nom de plusieurs dizaines de milliers de déportés non rentrés est inscrit sur les registres d'état civil de Drancy.

L'activité d'établissement des actes de décès se fait conjointement avec la recherche des non-rentrés. En 1945, cette activité est essentiellement centrée sur la question des enrôlés de force Alsaciens-Mosellans «disparus» en territoire soviétique. Le 29 juin 1945, un accord bilatéral est signé à Moscou entre les autorités françaises et soviétiques. Une Mission française de rapatriement est créée. En 1948 la Délégation du ministère des Anciens Combattants installée en Allemagne (et qui travaille essentiellement sur le regroupement des archives) prend la suite de cette Mission. A la date du 30 novembre 1948 un document précise que 18 259 Alsaciens-Mosellans sont considérés comme disparus en URSS. Ce nombre est ramené à 18 221 après le retour de 38 rapatriés en 1955, retour qui rouvre le dossier. Une commission de coordination est mise en place. Une liste de 296 noms d'Alsaciens-Mosellans non rentrés est fournie aux autorités soviétiques en mars 1960 sans résultat. Le dossier des Alsaciens-Mosellans disparus a donné naissance à une abondante littérature[4].

La recherche des non rentrés et l'ouverture des dossiers permettent d'affiner les statistiques.

Trois catégories de chiffres sont déterminées :

Des chiffres très fiables :	
– les militaires morts en 1940 :	85 310
– les militaires et résistants FFL morts entre 1940 et 1945 :	54 928
– les Alsaciens-Mosellans incorporés de force dans la Wehrmacht * décès constatés :	16 912
* disparus dont l'état civil a été régularisé judiciairement :	13 463
* disparus dont le décès n'a pas été régularisé en l'absence d'accord des familles :	604
Total :	30 979

Ce sont tous des victimes militaires dont l'état civil était connu et qui tous vont bénéficier de la mention « Mort pour la France ».

Des chiffres moyennement fiables :	
– Les prisonniers de guerre morts en camp :	entre 45 000 et 51 000
– les victimes civiles de bombardement :	117 473
– les résistants FFI et FFL :	entre 19 681 et 25 000

Pour la première statistique la raison de la faible fiabilité réside dans le problème des PG qui se « sont mal conduits » et dont l'état civil n'a pas été pris en compte par le ministère des Anciens Combattants. Pour les victimes civiles de bombardement et pour les résistants, ces chiffres correspondent aux dossiers traités sans que l'on sache avec précision si toutes les familles de victimes ont effectué une démarche.

L'absence de démarches familiales fait disparaître une catégorie. Tel est le cas des résistants d'origine étrangère.

Des chiffres peu fiables:
- les victimes étrangères en France (civils et résistants) — 6 663 dossiers de civils
- les STO non rentrés évalués à 40000
- les déportés

Pour ces derniers, jusqu'à la publication du Mémorial de Serge Klarsfeld, le ministère des Anciens Combattants affichait les statistiques suivantes:
- déportés résistants et «politiques»: 65 000
- déportés raciaux: 117 000

Le Mémorial a fortement fait diminuer ce dernier chiffre[5].

En 1996, on peut estimer à 550 000 les victimes de la Seconde Guerre mondiale en France. La marge d'incertitude reste particulièrement importante. Cette marge permet depuis 1946 diverses exploitations politiques. Les 40 000 décès de travailleurs STO permettent à l'association des «déportés du travail» de revendiquer le titre de déportés. D'après ces chiffres, les STO ont eu plus de morts que les déportés résistants! Le nombre de fusillés est depuis 50 ans une référence permanente. En 1945, le parti communiste revendiquait 75 000 fusillés. En 1995, l'association «fils et filles de déportés juifs de France» rectifie l'image de la participation des juifs à la Résistance à partir de la statistique des fusillés juifs au Mont Valérien[6]. Les décès des 30 000 Alsaciens-Mosellans sous uniforme allemand permettent de surdimensionner les morts dans les camps russes et par là même d'atténuer la responsabilité allemande[7]. L'absence de chiffres fiables pour les morts étrangers en France enfin ouvre la voie à toutes les utilisations. Dans la décennie 1970, les Soviétiques ont revendiqué 20 000 morts en France c'est-à-dire plus que les morts américains. Pour arriver à ce chiffre, ils comptabilisèrent tous les combattants russes des armées allemandes, morts en France dans les rangs supposés de la Résistance. Dans la décennie 1990, une seconde utilisation qui tend à surdimensionner le nombre des résistants étrangers est apparue[8].

Rendre hommage

L'hommage est le second élément du triptyque fondamental de la politique de gestion du deuil. En 1945, l'Etat hérite de deux outils: la mention «Mort pour la France» et la sépulture perpétuelle.

La mention « Mort pour la France » a sa propre histoire. Le 22 décembre 1914, le député Joseph THIERRY dépose une proposition de loi afin que « l'état civil enregistre à l'honneur du nom de celui qui a donné sa vie pour le pays un titre clair et impérissable à la gratitude et au respect de tous les Français ». A cette fin, le mot « décédé » serait remplacé par la mention « Mort pour la Patrie » pour les militaires tués sur le champ de bataille ou morts des suites de blessures. Le débat parlementaire permet de corriger le texte. On substitue la mention « Mort pour la France » à celle de Mort pour la Patrie et on étend le statut aux « civils tués à l'ennemi ou morts dans les circonstances se rapportant à la guerre, aux indigènes d'Algérie, des colonies ou pays du protectorat et aux engagés au titre d'étranger ou morts dans les mêmes circonstances ». Le texte est voté le 2 juillet 1915. Le 28 février 1922 l'hommage est étendu aux prisonniers de guerre, militaires ou civils morts en pays ennemi ou neutre.

Parallèlement à cette création, des droits sont définis et lui sont rattachés.

Les premiers droits sont « honorifiques ». L'inscription de la mention « Mort pour la France » est rendue obligatoire, non seulement dans l'acte de décès de la personne mais encore dans tous les actes de l'état civil où cette personne est dénommée, postérieurement à l'attribution de la mention, en particulier dans les actes de mariage de ses enfants. Un diplôme d'honneur destiné aux familles est créé. Le droit le plus essentiel par sa visibilité est cependant celui qui consiste à inscrire le nom du Mort pour la France sur le monument aux Morts de la commune d'habitation du décédé. La loi du 25 octobre 1919 prévoit, dans son article 1er que *« les noms des combattants des armées de terre et de mer ayant servi sous les plis du drapeau français et morts pour la France, au cours de la guerre de 1914-1918, seront inscrits sur des registres déposés au Panthéon »*. L'article 2 de la même loi étend cette mesure aux *« non combattants qui auront succombé à la suite d'actes de violence commis par l'ennemi, soit dans l'exercice de fonctions publiques, soit dans l'accomplissement de leur devoir de citoyen.* L'Etat devait remettre à chaque commune un « Livre d'or » sur lequel seraient inscrits les noms des combattants des armées de terre et de mer « Morts pour la France », nés ou résidant dans la commune. Les monuments élevés ultérieurement dans les communes françaises se sont substitués d'une façon plus apparente à ces « Livres d'or ». Dans cette opération d'inscription, une distinction est faite entre les soldats et les victimes civiles. Si les noms de toutes les victimes de la guerre doivent figurer sur les registres déposés au Panthéon, seuls ceux des combattants sont inscrits sur les « Livres d'or » communaux. Bien que sur le fond aucun texte ne cite expressément les obligations qu'il convenait de suivre en matière d'inscription, deux lignes de force servirent de base à la politique d'inscription durant l'entre-deux-guerres : l'inscription du nom concerne les seuls combattants (victimes militaires) dont le décès est survenu au cours de la guerre.

La seconde catégorie de droits concerne l'adoption par la Nation des orphelins dont le père ou le soutien de famille, de nationalité française, est mort pour la France ; les avantages réservés à certains ayants-cause des « Morts pour la France » dans les bénéfices de la Régie des Tabacs et la bonification accordée par certaines caisses mutualistes.

Parallèlement à cet héritage de la Première Guerre mondiale, le Gouvernement de la Libération doit prendre en compte l'héritage de Vichy. Ce dernier Gouvernement a, en effet, attribué de 1940 à 1944 des mentions à des soldats tués sur le champ de bataille en Syrie, à Diégo Suarez, au Maroc, etc. mais également à l'amiral Darlan, assassiné en 1942 à Alger et aux policiers et aux miliciens tués par les résistants de 1941 à 1944.

A partir de 1945 des modifications sont apportées à ce double héritage.

L'héritage de Vichy est faiblement modifié. Aucune mention « Mort pour la France » n'est retirée aux combattants tués sur les champs de bataille. Les mentions attribuées à des personnes tuées par les résistants posent plus de problèmes et certaines associations d'anciens résistants demandent dès la Libération que toutes les mentions attribuées entre 1940 et 1944 soient réétudiées. Après de longues tergiversations une commission consultative est mise en place en 1954. Elle est composée de quatre personnes : le directeur du cabinet du ministre, le directeur des Statuts, le directeur des Pensions et un déporté ou interné résistant, membre de la Commission Nationale des déportés, internés et résistants. Entre 1954 et 1972, cette commission se réunit 18 fois (11 fois de 1954 à 1959, et 7 fois de 1960 à 1972). Elle étudie **232** dossiers et décide 83 maintiens de la mention et 139 retraits. Aucun de ces dossiers ne concerne la police parisienne. C'est pourquoi en 1996, sur la plaque des policiers morts pour la France apposée dans la cours de la Préfecture de police de Paris, cohabitent les noms des policiers morts en 1940, ceux tués de 1941 à 1944 par les résistants, et ceux morts en 1944 dans les combats de la libération. Les faibles retouches de l'héritage sont cependant masquées par une forte décision d'affichage. En 1944, la mention Mort pour la France est retirée à l'Amiral Darlan[9].

Les modifications apportées aux textes originaux sont par contre importantes. Une ordonnance du 2 novembre 1945 adapte la législation de 1915. Cette législation prévoyait d'accorder le bénéfice de la mention « Mort pour la France » en ce qui concerne les civils, aux seuls civils ayant succombé à la suite d'actes de violence commis par l'ennemi. Appliqué à la lettre, ce texte excluait pour la Seconde Guerre mondiale les personnes civiles ou militaires victimes de bombardements aériens postérieurs au 25 juin 1940 du fait d'avions alliés ; les personnes membres de la résistance qui ont été tuées non par l'ennemi, mais par d'autres Français, les personnes condamnées à la peine capitale par des juridictions d'exception agréées par le Gouvernement dit de l'Etat français ; enfin, les travailleurs requis et les déportés.

L'ordonnance élargit le cadre des bénéficiaires de la mention « Mort pour la France » aux personnes décédées en combattant pour la libération de la France ou en accomplissant des actes de résistance ; aux déportés et internés de la Résistance, aux déportés et internés politiques, aux prisonniers de guerre, et aux personnes requises par l'ennemi, qui ont été exécutées par l'ennemi ou décédées en pays ennemi ou occupé par l'ennemi des suites, soit de blessures ou mauvais traitements, soit de maladies contractées ou aggravées du fait de leur déportation, de leur captivité ou de la contrainte subie, soit d'accidents du travail survenus dans les mêmes circonstances, à condition que le décès n'ait pas eu lieu au cours d'un travail volontaire à l'étranger pour le compte de l'ennemi. De nouveaux bénéficiaires sont également définis : les réfractaires décédés des suites d'accidents, maladies ou blessures, consécutifs à leur position hors-la-loi et pour le service du pays ; les personnes décédées à la suite d'actes de violence constituant une suite directe de faits de guerre, à condition que le décès ne soit pas en relation avec une activité volontaire au service de l'ennemi ou avec une lutte contre les forces françaises de libération ; les Alsaciens et Mosellans incorporés de force dans l'armée allemande, qui sont décédés au cours de la guerre 1939-1945.

Parallèlement à ces modifications, de nouveaux droits honorifiques sont créés parmi lesquels un insigne spécial pour les mères, veuves et veufs des « Morts pour la France » (loi du 30 avril 1946) qu'il est prévu de remettre le jour de la fête des mères dans les mairies[10].

Dans le domaine de l'inscription sur les monuments aux morts une évolution beaucoup plus visuelle apparaît. Une circulaire signée conjointement par le ministre de l'Intérieur et par le ministre des Anciens Combattants (F. Mitterrand) à destination des préfets stipule, en effet, de façon explicite que *« l'inscription d'un nom ne peut, en règle générale, être refusée sur un monument commémoratif si la mention « Mort pour la France » figure sur l'acte de décès du dénommé ».*

Les conséquences de ce texte sont importantes. En effet, dès lors que la mention « Mort pour la France » peut être attribuée aux personnes qui décèdent en 1996 lorsque le décès est reconnu comme étant directement consécutif d'un fait de guerre le nom de ces décédés peut donc être légalement inscrit sur le monument aux morts de sa commune [11].

Au-delà de cette forte évolution l'élargissement des catégories de bénéficiaires rend nécessaire une modification des modalités d'attribution de la mention. Les intervenants sont redéfinis. Seule l'autorité militaire, l'autorité administrative (le bureau de l'état civil du ministère des Anciens Combattants) et la famille lorsqu'il s'agit d'un ancien militaire décédé après son renvoi dans ses foyers, ou d'une victime civile dont le décès serait survenu à la suite d'acte de violence constituant une suite directe de fait de guerre peuvent demander l'attribution de la mention. Dans le cas des déportés décédés de maladie, il appartient à la Commission consultative médicale d'examiner les relations de cause à effet entre la maladie et la mort et donc de se prononcer sur la mention.

Cette redéfinition a un effet pervers. Comme pour l'état civil, en effet, l'absence de démarches des familles en particulier pour les déportés et les fusillés entraîne une très forte sous-estimation du nombre de « Morts pour la France » dans la catégorie des résistants juifs et des déportés juifs. Une partie importante des juifs fusillés au Mont Valérien ne sont pas déclarés comme « Morts pour la France ». Pour les déportés juifs cette minoration se combine avec la décision d'inscrire sur les actes de décès un lieu et une date approximative.

La correction de ces effets pervers a été tentée quarante ans plus tard dans un contexte de mémoire obsessionnelle [12]. Elaborée par le cabinet du Garde des Sceaux, ministre de la Justice, Robert Badinter, une loi est publiée le 15 mai 1985, dans le cadre du 40e anniversaire de la libération des camps. Elle porte création de la mention, « Mort en déportation ». Cette mention doit être portée sur l'acte de décès de toute personne de nationalité française, ou résidant en France ou sur un territoire antérieurement placé sous la souveraineté, le protectorat ou la tutelle de la France, qui ayant fait l'objet d'un transfert dans une prison ou un camp de concentration y est décédée. Cette loi se présente comme une réponse aux négationistes. Elle doit permettre d'inscrire avec précision dans les registres de l'état civil, la trace du génocide[13].

La sépulture perpétuelle est le second outil dont dispose l'Etat pour rendre hommage aux victimes des guerres.

En 1945, en matière de sépulture perpétuelle, l'héritage est très important. Il est d'abord d'ordre législatif. Des textes successifs ont défini «la voie française» à la sépulture perpétuelle. Elle présente trois caractéristiques: seuls les «Morts pour la France» ont droit à la sépulture perpétuelle; la restitution des corps est possible et les familles peuvent la demander; un droit au pèlerinage est ouvert en faveur des familles qui ont un des leurs inhumé dans une sépulture perpétuelle. Il est ensuite organisationnel. Le réseau des nécropoles est le résultat d'une politique de regroupement de tombes. En 1945 il existe en France 248 nécropoles nationales et 3 200 carrés communaux de 14-18[14].

A partir de 1945, ce cadre va subir une série de modifications.

Elles portent d'abord sur les bénéficiaires du droit. En 1918, tous les «Morts pour la France» ont droit à la sépulture perpétuelle. Ces morts sont tous des militaires. En 1945, la diversité des statuts des victimes civiles introduit une forte turbulence. Un texte législatif du 27 août 1948 tente d'y répondre: *«Les dispositions concernant les sépultures perpétuelles militaires sont applicables aux tombes des personnes civiles décédées en France ou hors de France entre le 2 septembre 1939 et la date légale de cessation des hostilités lorsque la mort est la conséquence directe d'un acte accompli volontairement pour lutter contre l'ennemi et que la mention 'Mort pour la France' a été inscrite sur l'acte de décès.»*[15] Quatre années plus tard, le 20 février 1952, un décret portant règlement d'administration publique pour l'application de la loi de 1948 fixe avec plus de précisions les bénéficiaires civils de la sépulture perpétuelle en liant reconnaissance statutaire et décès. Trois groupes de bénéficiaires sont individualisés: les déportés ou internés de la Résistance «Morts pour la France» et qui ont obtenu une carte de déporté ou d'interné à titre posthume; les résistants Morts pour la France qui ont obtenu à titre posthume une carte de combattant volontaire de la Résistance; les résistants «Morts pour la France» ayant bénéficié d'une pension militaire fondée sur le décès ou l'invalidité.

Ces modifications introduisent une double rupture entre le droit à la mention «Mort pour la France» et le droit à la sépulture perpétuelle; un déporté et interné politique, un travailleur requis, un

« Malgré Nous » peuvent bénéficier de la mention « Mort pour la France » mais ne peuvent pas bénéficier de la sépulture perpétuelle ; et entre le droit à la sépulture perpétuelle et le droit à l'inscription sur les monuments aux morts ; le nom d'un Mort pour la France est nécessairement inscrit sur un monument au mort même s'il n'a pas droit à la sépulture perpétuelle.

Les modifications portent en deuxième lieu sur le droit à restitution.

En 1920, la création du droit à restitution des corps aux familles suscita un important débat dans le monde combattant. De nombreuses associations et de nombreuses personnalités dont les fils étaient morts pour la France (maréchal Foch, général de Castelnau, ...) se firent les protagonistes du maintien dans les nécropoles nationales de tous les combattants « Morts pour la France ». Ce débat freina le nombre de restitutions. Seuls 30 % des corps furent restitués. La situation est bien différente en 1946 du fait de la rupture intervenue entre l'attribution de la mention « Mort pour la France » et la sépulture perpétuelle. L'Etat favorise les restitutions. Une loi du 16 octobre 1946 en fixe avec précision le cadre [16]. Huit catégories de victimes dont le corps peut être restitué sont définies : combattant, prisonniers de guerre, déportés et internés politiques et raciaux, victimes de bombardement, civils décédés à la suite d'une mesure d'expulsion ou d'éloignement prise par les autorités françaises ou par l'ennemi, civils ayant rallié ou tenté de rallier des forces françaises de résistance en dehors du territoire métropolitain, Français incorporés de force dans l'armée allemande, travailleurs requis. Le résultat est concluant. Entre octobre 1946 et le 31 décembre 1948, 144 724 corps sont restitués aux familles contre seulement 240 000 pour la Première Guerre mondiale.

Les modifications portent, en troisième lieu, sur la politique de regroupement. Le 31 décembre 1948, le droit à restitution est considéré comme forclos, le ministère des Anciens Combattants peut dès lors mettre en œuvre une politique de regroupement des tombes et de création de nécropoles. En France, entre 1950 et 1970, 60 000 tombes sont regroupées dans 24 nécropoles nationales créées à cet effet : Cambronne-les-Ribécourt (Oise) ; Chasseneuil (Charente) ; Colmar (Haut-Rhin) ; Condé-Folie (Somme) ; Fleury-les-Aubrais (Loiret) ; Floing (Ardennes) ; Haubourdin (Nord) ; Le Cerdon (Ain) ; Leffrinckoucke (Nord) ; Lyon-la-Doua (Rhône) ; Montauville (Meurthe-et-Moselle) ; (nécropoles des prisonniers de guerre) ; Mulhouse-Tiefengraben (Haut-Rhin) ; Retaud (Charente-Maritime) ; Rougemont (Doubs) ; Sainte-Anne-d'Auray

(Morbihan) ; Saint-Nizier-du-Vercors (Drôme) ; Ferme de Suippes (Marne) ; Vassieux-en-Vercors (Drôme) ; Villy-la-Ferté (Ardennes) ; Boulouris (Var) ; Sigolsheim (Haut-Rhin) ; Struthof (Bas-Rhin) et dans 35 cimetières nationaux de la guerre de 14-18.

Parallèlement une vaste politique de regroupement de tombes des deux guerres fut entreprise dans la région du sud et du sud-ouest. Ainsi la nécropole de Luynes (Bouches-du-Rhône) est le lieu de regroupement des corps des combattants des deux guerres mondiales en provenance de dix départements des Alpes-de-Haute-Provence, Alpes-Maritimes, Bouches-du-Rhône, Var (sauf opérations du débarquement), Vaucluse, Aude, Gard, Hérault, Lozère, Pyrénées-Orientales. La même politique de regroupement fut conduite à l'étranger avec la création de vastes nécropoles : Carthage (Tunisie) Petit-Lac près d'Oran (Algérie) ; Alep et Dmeir (Syrie) ; El Alamein (Egypte) ; Tobrouk (Lybie) ; Brockwood (Grande-Bretagne) ; Narvik (Norvège) ; Kapelle (Pays-Bas) ; Rome, Naples et Venafro (Italie) ; Gdansk (Pologne) ; Casablanca (Maroc) ; Beyrouth (Liban).

Cette active politique de restitution et de regroupement a brouillé la relation entre l'histoire et la mémoire. Les morts inhumés dans une nécropole n'ont souvent plus rien à voir avec les combats qui se sont déroulés dans la région d'inhumation et l'importance de certaines catégories de tombes n'a aucune valeur indicative. En France et en Italie par exemple la place des tombes musulmanes est surdimensionnée car les restitutions aux familles musulmanes furent peu nombreuses.

Enfin, les différentes catégories de victimes ne sont pas représentées de manière similaire dans les sépultures perpétuelles. Alors que les combattants de 1940 comme ceux de 14-18 sont à plus de 70 % inhumés dans ce type de sépultures, moins de 1 500 résistants sur les 30 000 « Morts pour la France » sont inhumés en sépulture perpétuelle.

Une quatrième série de modifications a été apportée dans le domaine des pèlerinages. Le droit au pèlerinage est un sous-produit du droit à la sépulture perpétuelle. Ce droit est ouvert aux familles qui se rendent sur la tombe d'un parent inhumé dans une sépulture perpétuelle. Au lendemain de la Seconde Guerre mondiale ce droit est confirmé. Cependant il ne prend pas en compte la question de la disparition des corps dans les fours crématoires des camps de concentration. Cette question sera abordée quelques années plus tard à l'occasion du vote des deux statuts de déportés résistants (loi du 6 août 1948) et de déportés politiques (loi du 9 septembre 1948). Dans les deux cas, un droit au pèlerinage sur le camp dans lequel a disparu le déporté est ouvert pour les familles[17]. Dans le cas des déportés politiques ce droit est d'ailleurs en parfaite contradiction avec la loi du 27 août 1948, votée 13 jours avant, qui ne prévoit pas l'ouverture d'un droit à la sépulture perpétuelle pour les déportés politiques !

Les initiatives d'hommage mises en œuvre à partir de 1945 apparaissent de ce fait complexes et très souvent incohérentes. Les actions d'héroïsation peuvent donc apparaître comme des moyens imaginés pour répondre à ces incohérences.

Héroïser

A la libération, la politique d'héroïsation doit prendre en compte l'héritage et la diversité des catégories de victimes.

L'héritage c'est le Soldat Inconnu. C'est sur son tombeau que depuis le 25 août 1944 ont lieu les principales cérémonies qui tendent à légitimer le nouveau pouvoir. L'idée d'héroïser un Soldat Inconnu fut émise le 20 novembre 1916 par François SIMON, président de la section locale du Souvenir français de Rennes qui proposa d'inhumer au Panthéon un « combattant ignoré, mort bravement pour la Patrie » avec deux mots seulement pour inscription sur sa tombe – « Un Soldat » et deux dates « 1914-19.. ». En 1918 l'idée fut reprise par le député de l'Eure-et-Loir, Maurice MAUNOURY et par la presse française. Le 12 novembre 1919, la Chambre des Députés avalisait le projet alors même qu'une contestation commençait à s'élever quant au choix du Panthéon. Cédant aux pressions associatives, le président du Conseil Georges LEYGUES faisait voter le 8 novembre 1920, une nouvelle loi proposant l'Arc de Triomphe comme lieu ultime d'inhumation. Le 11 novembre 1920, un Soldat Inconnu choisi la veille à Verdun y est solennellement inhumé. Il devient dès lors le lieu central d'une symbolique nationale ; mise au tombeau le 28 janvier 1920, allumage d'une flamme du souvenir le 11 novembre 1923, création d'une cérémonie quotidienne de ravivage en 1924[18].

Instrument de légitimation du pouvoir en 1944, le Soldat Inconnu de la Grande Guerre ne pouvait cependant être à terme le « héros » du second conflit. En octobre 1945, Henri FRENAY, ministre des Prisonniers, Déportés et Réfugiés propose d'inhumer au Mont Valérien 15 corps de combattants identifiés. Présidée par le général de Gaulle, cette cérémonie d'héroïsation a lieu le 11 novembre 1945. Les 15 corps sont représentatifs de la diversité de la France combattante entre 1940 et 1945. Tous les espaces géographiques, toutes les diversités statutaires, toutes les périodes chronologiques sont prises en compte. Onze des quinze combattants ont été « tués à l'ennemi ». Quatre représentent la France martyre ; celle des prisonniers de guerre rebelles (le choix se porte sur un Prisonnier de Guerre fusillé pour faits de résistance) ; celle des résistants déportés fusillés et assassinés.

La crypte du Mont Valérien est la réponse novatrice apportée par l'Etat à l'héroïsation des victimes de la Seconde Guerre mondiale [19].

L'ambiguïté qui entoure cependant cette opération, dans un contexte de lutte politique et symbolique entre le PC et le général de Gaulle va rapidement en limiter la portée. Le Mont Valérien tient sa force du général de Gaulle. Son départ du pouvoir va entraîner une parcellisation du souvenir.

Les premiers acteurs de cette parcellisation sont les « exclus » du Mont-Valérien. Deux grandes catégories de victimes n'ont en effet pas eu l'honneur de voir l'un des leurs inhumé parmi les 15 « héros » nationaux. Ces exclus sécrètent dès lors leur propre héroïsation. Le 22 juin 1947, la Fédération nationale des Déportés du Travail qui fédère les requis du STO procède à l'inhumation solennelle d'un déporté du travail inconnu au cimetière du Père Lachaise en présence de membres du Gouvernement. Dix années plus tard la seconde catégorie d'exclus, les incorporés de force dans l'armée allemande, inaugure à son tour son Mémorial à Obernai (Bas-Rhin) [20].

La seconde catégorie d'acteurs sont les associations d'Anciens Combattants de la « France profonde ». Alors que le Soldat Inconnu de l'Arc de Triomphe unifie tous les morts français, les 15 corps du Mont Valérien ne représentent qu'eux-mêmes [21]. Face au Mont Valérien se développe dans toutes les provinces une dynamique régionale qui utilise le même instrument d'héroïsation. Des combattants inconnus sont inhumés à Notre-Dame-de-Lorette en 1950 (un soldat inconnu tué en 1940), au Cerdon en 1954 (un maquisard inconnu) aux Glières à Chasseneuil (Haute-Vienne) et dans d'autres sites français. Parallèlement à cette banalisation du « Héros Inconnu » se développe une héroïsation hiérarchique. La force symbolique du Soldat Inconnu de 1914-1918 a freiné l'héroïsation des « héros supérieurs » que sont les chefs militaires victorieux. Bien qu'admirés, les maréchaux Joffre, Foch, Pétain ne donnèrent pas naissance à un véritable culte ni de leur vivant ni après leur décès. A partir de 1946 la situation est fort différente.

Le culte des généraux « maréchalisables » et plus particulièrement le culte de de Lattre et de Leclerc ainsi que celui de Jean Moulin et de manière plus diversifié celui du général de Gaulle s'est fortement développé. Dans de nombreuses communes, les « Héros supérieurs » se sont imposés comme les seuls héros unificateurs[22].

Enfin, c'est peut-être dans le domaine du souvenir de la déportation que l'échec du Mont Valérien est le plus significatif. Deux cercueils de déportés furent inhumés à l'origine dans la crypte. L'un contenait la dépouille de Renée Levy, professeur de lettres, résistante, décapitée à Cologne, l'autre la dépouille de Robert Bigoste. Dès 1946, l'attitude de ce dernier dans son camp de déportation fut mise en cause. Il fut donc décidé de retirer sa dépouille et dans cette attente de ne plus donner les noms des 15 victimes inhumées. L'attente fut longue. Le règlement de la question n'intervient que lors de la création du Mémorial de la France combattante en 1960. Sous-représentée au Mont Valérien, la déportation s'imposa sur d'autres sites et par d'autres moyens. Les urnes de cendre devinrent l'outil majeur du souvenir[23]. Par leur nombre, par leur diffusion géographique et par leur charge émotionnelle, elles se sont imposées comme l'instrument central de l'héroïsation de la Seconde Guerre mondiale en France et ont par là même très fortement corrigé la politique du deuil imaginée au lendemain de la libération.

En conclusion

La politique de gestion du deuil mise en œuvre dans les premières années de l'après-guerre apparaît en définitive comme une politique classique, structurée autour d'un triptyque fondamental, compter, rendre hommage et héroïser. Comme toutes les politiques nationales de gestion du deuil des guerres, elle est de type « entonnoir ». Dans la partie la plus évasée sont rassemblées les victimes que l'on compte, dans la partie centrale, déjà rétrécie, ceux à qui l'on rend hommage et dans le tuyau terminal enfin le ou les héros appelés à symboliser l'ensemble des victimes.

Au lendemain de la Première Guerre mondiale, cette politique fut bien maîtrisée. Au sommet les « Morts pour la France », au centre les sépultures perpétuelles, au point terminal le Soldat Inconnu. Au soir de la Libération, elle fut mal maîtrisée. Au sommet des victimes diverses en nombre mal établi, au centre des hommages inégaux et incohérents, au point terminal 15 héros non reconnus.

L'absence de maîtrise de cette politique du deuil a donné naissance depuis 50 ans à toutes les politiques de mémoire partisane et sectorielle et à toutes les obsessions. Résultat plus étonnant encore, elle a engendré une véritable inversion héroïque. Les urnes de cendre des déportés ont relégué dans l'ombre du souvenir les 15 héros de la France combattante.

Mais cette absence de maîtrise ne traduit-elle pas tout simplement une impossibilité ? Face à cette guerre de division et d'éclatement que fut la Seconde Guerre mondiale en France, une politique de gestion du deuil pouvait-elle être maîtrisée ?

NOTES

[1] Sur l'inhumation du Mont Valérien des 15 corps de combattants « héroïques » le 11 novembre 1945 voir Serge Barcellini *Le Mont Valérien* – colloque de Caen 1995.

[2] Ordonnance n° 45-2561 du 30 octobre 1945 (J.O. du 31 octobre) modifiant les dispositions du code civil relatives à la présomption de décès et autorisant l'établissement de certains actes de décès.

[3] Loi n° 46-855 du 30 avril 1946 tendant à réduire les délais de présomption de décès des personnes disparues pendant la guerre.

[4] Voir sur ce thème les ouvrages de Pierre ROUGOULOT
– *Des Français au Goulag*, Fayart 1984
– *La tragédie des Malgré-Nous*, Horvath 1987
– *Les paupières lourdes*, Editions Universitaires 1992.

[5] La publication du *Mémorial* de Serge Klarsfeld prend en défaut le ministère des Anciens Combattants. Ce dernier doit réviser ses statistiques. Cette « révision » est mal vécue par les fonctionnaires qui vont développer une politique de fermeture face aux historiens et chercheurs. L'affaire du (faux) fichier juif est l'une des conséquences lointaines de la publication du *Mémorial* de Serge Klarsfeld.

[6] *Les 1007 fusillés du Mont-Valérien parmi lesquels 174 juifs* par Serge Klarsfeld et Léon Tsévery édité par l'association « les fils et filles de déportés juifs de France » en mars 1995.

[7] Deux associations entretiennent le souvenir du camp de Tambow. Leur rivalité est source d'émulation. En isolant le camp de Tambow, ces associations et plus particulièrement l'une d'entre d'elles (le Comité d'action régionale des anciens de Tambow) tend à développer un langage beaucoup plus critique contre les soviétiques (qui ont interné) que contre les allemands (qui ont enrôlé de force).

[8] Cette dérive a été clairement illustrée lors d'un colloque médiatique organisé à Lyon en octobre 1992. La lutte clandestine a été présentée comme ayant été principalement le fait des étrangers ou des « juifs » qui auraient ainsi affronté une « France éternelle » supposée intrinsèquement pétainiste (cf. la publication des

actes : *Résistance et Mémoire d'Auschwitz à Sarajevo* – Lyon. Passages/Hachette 1993).

[9] La mention « Mort pour la France » a été retirée sur l'acte d'état civil de l'Amiral Darlan par décision du ministre de la Marine le 8 septembre 1947.

[10] Des mesures de soutien en faveur des ayants-cause sont également mises en œuvre, exonération d'impôts, prolongation de la limite d'âge de la retraite d'un an par enfant « Mort pour la France » pour les agents dispensés du service national et pour les jeunes gens dont deux frères, sœurs, ou ascendants du 1er degré sont Morts pour la France (loi du 18 avril 1952).

[11] De nombreux élus municipaux refusent d'appliquer (dans un premier temps) cette directive, en soulignant que l'inscription sur le monument aux morts communal du nom de personnes décédées dans « leur lit » cinquante ans après la guerre est très difficilement acceptée par l'opinion publique.

[12] Sur le concept de mémoire obsessionnelle voir Henri Rousso *Le syndrome de Vichy* (1944-198.) Seuil 1987.

[13] La mention Mort en Déportation a été créée par la loi n° 85-528 du 15 mai 1985 (J.O. du 18 mai, page 5543) sur « les actes et jugements déclaratifs des décès des personnes mortes en déportation ».

[14] Sur l'histoire des sépultures de guerre, voir Marie-Sophie Bloquert-Lefevre, *Les sépultures militaires sur le territoire national 1914-1918*, Mémoire de maîtrise inédit 1992, ainsi que les diverses publications de la Délégation à la Mémoire et à l'information historique.

[15] Loi n° 48-1332 du 27 août 1948 relative aux sépultures perpétuelles des victimes civiles de guerre (J.O. du 28 août 1948, p. 8466) et le décret n° 56.357 du 21 mars 1950 portant règlement d'administration publique pour l'application des dispositions de la loi du 27 août 1948 (J.O. du 24 mars p. 3273).

[16] Loi du 16 octobre 1946 relative au transfert à titre gratuit et à la restitution aux familles des corps des Anciens Combattants et victimes de guerre (J.O. du 17 octobre 1946).

[17] Concernant le statut des déportés, loi n° 48.1404 du 9 septembre 1948 définissant le statut et les droits des déportés, internés politiques (J.O. du 10 septembre 1948 – p. 8946), loi n° 48-1251 du 6 août 1948 établissant le statut définitif des déportés, internés, résistants (J.O. du 8 août 1948 p. 7810).

[18] Marcel Dupont – *L'Arc de Triomphe de l'Etoile et le Soldat Inconnu.* Les éditions françaises – Paris 1958.

[19] Sur le Mont Valérien, communication de Serge Barcellini au colloque de Caen (cité) et Annette Wieviorka – Serge Barcellini *Passant Souviens-toi* (Plon 1995) (les lieux du souvenir de la Seconde Guerre mondiale en France) (le Mont Valérien et la Croix de Lorraine) p. 166 et suivantes.

[20] Sur la mémoire des STO et des incorporés de force voir *Passant Souviens-toi* p. 147 et suivantes et p. 437 et suivantes.

[21] Sur l'inhumation de « victimes inconnus » voir *Passant, Souviens-toi* p. 20.

[22] Sur l'héroïsation du général de Gaulle et de Jean Moulin, voir *Passant souviens-toi* p. 163 et suivantes et p. 203 et suivantes.

[23] Sur les urnes de cendre, voir *Passant souviens-toi*, p. 381 et suivantes.

Dietmar HÜSER

VENTRES CREUX, MENTALITÉS COLLECTIVES ET RELATIONS INTERNATIONALES – LA FAIM DANS LES RAPPORTS FRANCO-ALLEMANDS D'APRÈS-GUERRE

« Si nous avions la possibilité de fournir trois mille calories par jour au peuple que nous occupons, alors que nous n'en accordons que la moitié à notre propre peuple, il n'y aurait pas de problème. Je ne pense pas qu'en matière d'occupation nous nous conduisons mal. Nous faisons ce que nous pouvons et certes, la perfection n'est pas de ce monde. » [1]

Depuis longtemps la recherche historique essaie d'éclairer la dialectique entre sous-alimentation et comportements protestataires, entre crises alimentaires et crises politiques, notamment dans les XVIIe, XVIIIe et XIXe siècles. A cette époque, la conjoncture des famines rythme, dans une large mesure, la vie économique et sociale des pays ainsi que les relations entre les classes populaires et les autorités centrales ou régionales [2].

Mais dès le milieu du XIXe siècle les crises de subsistance traditionnelles semblent disparaître, en Grande-Bretagne aussi bien qu'en France ou en Allemagne. La croissance de la productivité agricole, la naissance d'un marché national à même d'équilibrer les disparités régionales de récolte, l'expansion des offres d'emplois industriels, l'augmentation des salaires nets, la présence de plus en plus pesante de groupes d'intérêt et l'émergence des états-providence en sont quelques-unes des causes principales. En

Europe occidentale, l'approvisionnement de la population en denrées alimentaires disparaît alors de la hiérarchie des tout premiers soucis gouvernementaux.

En conséquence, les origines des crises alimentaires du XXe siècle ne sont plus une sorte de fatalité régulière, mais des événements d'exception. Elles sont surtout liées aux grands conflits internationaux que représentent les deux guerres mondiales et les années respectives d'après-guerre. La misère reprend alors ses droits, la pénurie redevient inévitablement un enjeu primordial, et pour les gouvernants, et pour les gouvernés.

D'une part ventres creux et casseroles vides agissent sur les mentalités collectives des gens, elles bouleversent les comportements et les normes habituels, elles imposent la loi du quotidien : le « vouloir vivre » tourne au « devoir survivre ». D'autre part ces restrictions agissent sur la vie politique, elles se transforment, potentiellement, en pressions populaires pour les dirigeants en place, contraints d'en tenir compte dans leurs actes comme dans leurs discours.

Entre 1944 et 1948 c'est bel et bien le cas. Pour une fois encore, la faim se retrouve à la jonction même de tous les malaises du moment, psychologiques, économiques, sociaux, politiques et diplomatiques. Elle représente, en dernière analyse, une clé majeure pour comprendre la politique allemande de la France ainsi que sa perception par les Allemands[3].

Par la suite, il faudrait dans un premier temps brosser les tableaux alimentaires et matériels d'après-guerre pour les deux pays en question. Puis il s'agit d'étudier les contextes psychologiques respectifs dans le temps et dans l'espace. Enfin, devraient être mis en évidence les rapports complexes entre la disette et la politique. La thèse serait que ces rapports sont, du moins partiellement, responsables d'une entente franco-allemande tardive au niveau des populations par rapport aux approches pragmatiques et précoces des dirigeants.

Ventres creux et casseroles vides

Le 8 mai 1946 le Figaro publie sur sa page deux un bilan économique et social assez complet pour montrer ce que l'année de paix a matériellement apporté à la France et aux Français. Sont juxtaposés des progrès pour les transports, les textiles, le cuir, le charbon, l'électricité, et des dégradations pour le ravitaillement, le coût de la vie, la valeur du Franc et le bilan commercial. « Pour le reste », conclut le quotidien peu enthousiaste, « c'est la persistance, à peine atténuée, de bien des contraintes et de bien des désordres. »[4]

Les Français ont faim, ...

Effectivement, en 1946, la France continue à avoir faim, à des degrés différents, bien sûr, selon les lieux, les âges, les catégories, l'accès au marché noir ou le nombre des personnes en charge[5]. Se creuse en particulier le fossé entre une France rurale et une France citadine où les grandes villes sont les plus touchées, Paris, Lyon, Marseille, puis celles des régions sinistrées où se superposent la faim, le froid, le manque d'abri, etc.[6]

1946 – sixième année consécutive d'immenses restrictions de toutes sortes pour les Français, et presque rien n'y échappe, ni les vêtements ou les chaussures, ni le chauffage ou la nourriture. Côté alimentaire, le rationnement se généralise dès l'été 1940 : le pain, les pâtes, le sucre en août 1940, le beurre, le fromage, la viande, le café, la charcuterie, les oeufs, les fruits en octobre 1940, le chocolat et le poisson frais en juillet 1941, les triperies, les légumes frais, le lait, le vin et les pommes de terre en octobre 1941[7].

Avant la guerre la consommation moyenne en France équivaut à plus de 3 000 calories par jour. Mais dès septembre 1940 le taux des rations officielles pour la catégorie A, donc pour les adultes de 12 à 70 ans, n'atteint même plus la moitié de ce niveau. Pendant la plus grande partie de l'Occupation le taux moyen de calories pour un consommateur adulte des villes s'élève à environ 1 200. Pour se permettre de frôler les 1 800 à 2 000 calories par jour, mieux vaut avoir un revenu suffisant ou de bonnes relations rurales[8].

La Libération ne change pas fondamentalement la situation : 1 000 calories pour la seconde moitié de 1944 à Paris en moyenne, puis 1 200 à partir de janvier 1945 avec quelques suppléments pour certains. Après une hausse respectable durant l'été et l'automne 1945 les taux officiels chutent à nouveau pour s'établir vers 1 300 calories en avril 1946. Ce n'est qu'après que les chiffres commencent à remonter[9].

Mais la faim ne se limite pas à une question de calories par jour. Il s'agit tout autant d'une question de qualité, une question d'habitudes et de symboles. Prenons les queues tenaces devant les magasins, symboles culturels par excellence de la pénurie, créatrices de toute une sociabilité féminine [10]. Prenons des produits alimentaires de base comme le lait qui manque cruellement jusqu'en 1948, surtout pour les nouveau-nés en hausse depuis 1942/43 ou encore le pain, de plus en plus noir que blanc. Oscillant entre 275 et 350 grammes par jour sous Vichy, les dirigeants parisiens se voient contraints, après une légère augmentation en octobre 1944, de réduire des rations à 300 grammes en janvier 1946, à 250 grammes en mai 1947, et à 200 grammes en août 1947 [11].

Les raisons des difficultés quotidiennes bien au-delà des libérations successives sont conjoncturelles et structurelles à la fois: la crise agricole des années 30 et l'échec du «retour à la terre» sous l'oeil de l'occupant, la perte d'environ trois millions d'hectares de zones cultivées et le cloisonnement du marché national suite aux combats de libération, le manque d'engrais et de bras ainsi qu'une très faible mécanisation de l'agriculture française, enfin des paysans – somme toute – peu enclins, dans le climat monétaire et économique ambiant, à livrer leurs produits, bien moins encore aux prix fixés par l'Etat.

L'hiver 1944/45, non seulement un des plus durs de la guerre, mais aussi l'amorce d'un cycle météorologique infernal, amplifie tous ces problèmes. Aux pluies diluviennes d'octobre et de novembre suivent deux périodes de gel et de froid glacial, décembre/février et avril/mai, enfin une sécheresse extrême pendant l'été. Les récoltes de 1945 sont parmi les plus basses du siècle. La production agricole totale diminue d'un tiers, la production céréalière presque de la moitié par rapport à 1935. Et les Etats-Unis, harcelés de demandes d'aide de partout en raison de la crise alimentaire mondiale, ne sont pas en mesure d'y remédier à brève échéance. Finalement, les premiers beaux jours, sont – matériellement – à peine aussi beaux que prévu.

Et les conditions ne s'améliorent qu'à tout petits pas. Elles se rétablissent bien plus tard. Il faut attendre juin 1948 pour que la ration du pain augmente de 50 à 250 grammes par jour. Les cartes de pain sont définitivement supprimées en janvier 1949 et, quelques mois plus tard, les derniers rationnements, ceux des matières grasses, du lait ou du chocolat par exemple.

..., mais les Allemands aussi

Evidemment la situation générale en Allemagne ne se présente point sous de meilleurs auspices à la fin de la guerre. Sans entrer dans le détail quelques similitudes et quelques différences par rapport à la crise alimentaire française sont à prendre en considération.

D'abord il y a un décalage important dans le temps. En mai 1945 les ceintures françaises sont déjà serrées depuis presque cinq ans tandis qu'en Allemagne les restrictions massives viennent de commencer. Pendant la guerre la consommation moyenne des Allemands par jour équivaut à environ 2300 calories, donc 700 calories de moins comparé aux années 1935 à 1938. Au fil du temps les rations de guerre se dégradent plutôt qualitativement tandis que quantitativement, elles restent relativement élevées, même à la fin de 1944 entre 1800 et 2000 calories par jour pour ce qu'on appelle un « Normalverbraucher » [12].

Grâce à cette détérioration graduelle du ravitaillement les Allemands sont, physiologiquement, assez bien préparés pour affronter la disette d'après-guerre. Psychologiquement, par contre, la faim est une expérience nouvelle, étroitement liée à la défaite, à la capitulation sans conditions, et à l'occupation du pays par les quatre puissances alliées, soviétique, américaine, britannique et française.

Ce n'est que quelques mois après l'écroulement du Troisième Reich que toute la dimension de la misère se dévoile [13], et bien plus tard que ses premiers effets sur l'état de la santé publique, perceptible en France dès la Libération [14], se font douloureusement sentir. Partout en Allemagne, les rations réellement attribuées par les Alliés sont en-dessous des niveaux prévus et annoncés.

Pendant trois ans les taux vont varier, en gros, entre 1000 et 1500 calories par jour. Mais, par endroits et par moments, même les 1000 calories ne sont guère atteintes [15]. Comme en France, il faut bien différencier selon les villes, les régions, les âges, les catégories professionnelles ou sociales, l'accès aux marchés parallèles, et le calendrier annuel. Car chaque fois – avec l'amenuisement des stocks hivernaux – les printemps s'avèrent les périodes les plus difficiles, en 1946 et 1947 comme en 1948.

Les causes principales de la pénurie renvoient directement ou indirectement à la guerre hitlérienne. En premier lieu faut-il souligner les effets pervers – et a posteriori – des modes de financement national-socialistes sur la situation économique et sociale en Allemagne occupée, d'ailleurs peu visibles pour les contemporains [16]. Puis, le détachement des provinces de l'Est fait perdre au pays un quart de ses terres cultivées. Au même moment, la densité de la population – surtout en zone américaine et anglaise – augmente d'un quart, par l'afflux massif de millions de réfugiés.

Ensuite, le secteur agraire n'est pas épargné par les destructions à la fin de la guerre, notamment dans des espaces frontaliers militairement sensibles comme la « zone rouge » qui représente 21.5 % de l'ensemble des terres cultivées en Rhénanie-Palatinat. Enfin, un manque de graines et d'engrais artificiels dont les capacités de production se retrouvent nettement diminuées pour des années.

En ce qui concerne les territoires occupés par les Français au sud-ouest de l'Allemagne, les problèmes se posent de la même manière, et les rythmes alimentaires suivent ceux du reste du pays. En Rhénanie-Palatinat, on a calculé pour un « consommateur normal » adulte à peu près 1 200 calories en moyenne par jour en 1946, 1 300 en 1947, et 1 700 en 1948 [17], avec des rations les plus basses vers les débuts de l'été de chaque année. La situation se détend durablement à partir du mois de juillet 1948 grâce à une très bonne récolte, à une convalescence de la situation alimentaire mondiale et aux envois de blé dans le cadre du plan Marshall, première année.

Malgré une infériorité des rations officielles de 100 à 200 calories par rapport aux autres zones d'occupation, il semble peu probable que la population de la zone française, dans son ensemble, ait vécu beaucoup plus mal que ses compatriotes. Le caractère plutôt rural que citadin de ces régions [18], avec des réseaux sociaux bien intacts, a sans doute contribué à compenser les déficits. Les paysans en Rhénanie-Palatinat, un bon tiers de la population, ne sont que très marginalement touchés par la crise. Comparée à l'hexagone, l'ampleur des restrictions en zone française nous semble assez analogue jusqu'en automne 1946 [19].

Ce n'est qu'après que l'écart se creuse. L'amélioration de l'approvisionnement alimentaire en France progresse plus vite qu'au sud-ouest allemand, pour se rapprocher, de nouveau, vers la fin 1948/début 1949. Pourtant, au sud-ouest allemand, on n'a guère tendance à comparer son sort à celui des Français, mais à la situation présumée, voire imaginée, des compatriotes en zone américaine...

Ventre creux et mentalités collectives

Donc, ventres creux et casseroles vides – avec des variantes régionales, sociales, etc. – en France comme en Allemagne, mais dans des contextes psychologiques bien différents.

Mentalement les Français,
à la recherche de soupapes, en sont atteints, ...

Pour les Français, le cauchemar de la vie quotidienne dure depuis longtemps. Pendant les années noires déjà, les difficultés d'approvisionnement sont l'obsession principale. Chaque jour elle requiert l'énergie et l'imagination entières des gens, s'agissant de trouver de quoi se nourrir, se chauffer, se vêtir, ou de tourner, d'une manière ou d'une autre, la réglementation en cours pour adoucir son sort[20]. A leurs yeux, ces désagréments n'ont à voir qu'avec la guerre, l'occupation et l'exploitation allemandes. Même si, au cours des mois, la co-responsabilité de Vichy ne fait plus aucun doute[21], ce régime sous la botte nazie fait entretenir l'espoir d'un retour à la normale imminent avec des tables bien garnies, une fois l'occupant chassé du territoire national. Il n'en sera rien.

Certes, à la libération de Paris les traumatismes des années passées se transforment spontanément en une joie immense. Mais derrière la liesse populaire de ces jours se profilent déjà les contraintes de demain. La Libération ne sera ni la fin de la guerre ni la fin des soucis matériels, et à une confiance excessive en l'avenir succède rapidement « l'étonnement, puis un certain désenchantement, enfin beaucoup de désillusion, et une certaine rancœur »[22].

Le ravitaillement reste l'obsession première pour la plupart des Français. Les sondages américains comme ceux de l'IFOP sont peu ambigus sur ce point[23]. Peu surprenant d'ailleurs qu'en septembre 1945 le ministre qui – aux yeux des Français – a le plus mal réussi depuis la Libération s'appelle Paul Ramadier, ministre socialiste du Ravitaillement, et surnommé plus tard « Ramadan » ou « Ramadiète ». Il est désigné en premier par 47 % des interrogés et devance largement ses collègues dont aucun ne dépasse les 4 %[24] !

Les rapports des préfets des années 1945 à 1948 ne peuvent que confirmer ces indications quantitatives. Très tôt déjà, les opinions départementales jugent sévèrement les conditions matérielles et alimentaires[25], et plus celles-ci persistent, plus on déplore – pour citer le préfet de la Moselle en juin 1947 – que « les rations ne soient guère plus fortes qu'elles n'étaient sous l'Occupation, à l'époque où la France ne recevait pas d'importations de l'étranger, et où sévissaient les réquisitions massives des Allemands ».[26]

A en croire les préfets, la morale des Français s'en retrouve vivement atteinte[27]. Selon eux, les valeurs individuelles comme nationales ne comptent plus, l'indiscipline et l'égoïsme règnent en maître, l'argent facile par tous les moyens et les revendications de toutes sortes sont à la hausse [28]. Les déceptions d'après-guerre correspondent à la hauteur des attentes à la Libération, et risquent de gagner, peu à peu, la sphère politique.

Le gouvernement provisoire en est bien conscient. A Alger, dès 1943/44, de vives discussions sont engagées entre ses protagonistes [29]. Persuadés, pour la plupart, de la nécessité de quelques mesures symboliques et immédiates pour maintenir la paix sociale à la Libération du pays, ni de Gaulle ni ses ministres se voient pourtant en mesure de promettre la lune aux Français [30]. L'économie exsangue ne fournira pas, à court terme, la nourriture, les vêtements, le chauffage dont ils rêvent tant. Bien sûr, la radio d'Alger fait naître beaucoup d'illusions sur les lendemains alimentaires en gonflant exagérément la part des prélèvements allemands dans les restrictions du moment, mais pouvait-elle vraiment faire autrement ?

De toute façon, pendant l'hiver 1944/45, l'écart s'approfondit entre un gouvernement soucieux de moderniser la France et des consommateurs dont la frustration prédispose littéralement à des manifestations de colère [31], souvent orchestrées par les communistes, notamment dans le Midi et dans le Nord. La capitulation allemande consommée, les rages populaires visent de plus en plus directement le gouvernement provisoire, et même de Gaulle [32]. Le rétablissement de la carte de pain – symbole par excellence d'une nation au « régime forcé » – au 1er janvier 1946, abolie précédemment par décision du Conseil des ministres en vue des échéances électorales du 21 octobre [33], fait enfler les mouvements de protestation, à caractère de plus en plus politique [34].

Durant toute l'année 1946 les préfets notent un climat contestataire exceptionnel qui risque de dégénérer en troubles sociaux « si la situation présente devait se prolonger » [35]. Des conflits centre-périphérie et des attitudes antiétatiques traditionnels se joignent aux plaintes amères sur les provisoires sans fin, sur les querelles de politique politicienne, le coût de la vie en hausse constante et les précarités alimentaires [36]. En 1947 encore, suite aux réductions successives des rations de pain, on assiste à deux vagues spontanées de protestation un peu partout en France. Des marches de la faim se mettent en route pour rejoindre les chefs-lieux départementaux. Elles entraînent des grèves de solidarité parmi les ouvriers, vite encadrées par la CGT et l'Union des Syndicats [37].

D'énormes problèmes et très peu de moyens de les résoudre :

telle est la situation peu commode des gouvernements successifs durant plusieurs années. Une « drôle de paix » succède à la Libération[38], où les marges de manœuvre sont extrêmement étroits dans tous les domaines, y compris, bien sûr, dans la politique allemande. Car non seulement les Français ont faim, ils sont également farouchement germanophobes après ces quatre années d'occupation, d'exploitation et d'humiliation. Et chaque propos plus ou moins nuancé envers l'Allemagne[39], chaque indice que les Allemands mangent mieux que les Français[40], soulève dès la fin des opérations militaires, l'indignation unanime d'une nation en quête de soupapes. Mais qui a gagné cette guerre finalement ?

Confrontées en permanence à une opinion publique anti-allemande, à une dégradation du climat social et à une hégémonie communiste, susceptible à mettre en cause, en tout temps, modernisation nationale et régime provisoire, les autorités parisiennes ont à tenir largement compte de cette situation en préparant et en présentant leurs projets allemands au public.

..., mais les Allemands, en quête de boucs émissaires, aussi

En Allemagne aussi, la disette de vivres exaspère les tensions sociales et met en évidence leur dimension politique. Dans le bassin de la Ruhr, de premières grèves éphémères éclatent fin février/début mars 1947. Deux mois plus tard, tous les centres de la zone britannique sont concernés. Des manifestations s'étendent de la Ruhr à d'autres centres régionaux, en Rhénanie et Westphalie d'abord, puis en Basse-Saxe et au nord. Elles culminent en grève générale de 300 000 mineurs le 3 avril, pour s'enliser, ensuite, dans des actions plus ponctuelles.

Au début de l'année 1948 la mobilisation se généralise et se nationalise. En zone britannique et américaine, entre le 2 février et le 3 mars, environ quatre à cinq millions d'Allemands sont dans les rues. Partant encore de la Ruhr, les arrêts de travail gagnent toute la bizone, y compris la Bavière où plus d'un million de personnes suivent l'ordre de grève générale le 23 janvier. Les dernières vagues, déclenchées principalement en raison de la situation alimentaire, sont à noter vers avril et mai 1948[41]. Au cours des mois suivants, ce sont d'autres motivations qui se profilent davantage, comme le montre parfaitement la grève générale en bizone qui mobilise quelques sept millions de « bizoniens » le 12 novembre[42].

En zone française, quantitativement, rien de comparable. Certes, des manifestations de la faim ne se font pas attendre non plus. Eclatant vers la fin de l'année 1946 en Rhénanie-Palatinat, se généralisant entre juillet et septembre 1947, elles restent pourtant très sporadiques dans toute la zone jusqu'au printemps 1948. La dispersion importante des petites et moyennes entreprises, spécifique à la structure industrielle du sud-ouest allemand, ainsi que des contacts assez fréquents et une sorte de « gentleman's agreement » entre le Gouvernement militaire et les syndicats ouvriers y sont probablement pour quelque chose[43].

Ce sont les mois de mai et de juin 1948 qui marquent l'apogée des mouvements de grève en zone française motivés, directement ou indirectement, par la situation alimentaire. A Ludwigshafen p.e., il ne s'agit plus seulement des rations en tant que telles, mais également de la répartition de celles-ci selon les catégories différentes d'ouvriers et d'entreprises. En août et en septembre les prix montant par rapport aux salaires bloqués ainsi que la perspective d'une nouvelle vague de démontages supplantent dés lors les ventres creux en tant qu'objet primordial de mécontentement populaire[44]. La grève générale en Württemberg-Hohenzollern le 9 août 1948[45], trois jours après la démission-choc du gouvernement du Land, illustre bien ce déplacement de motivations protestataires.

Comme en France, entre 1940 et 1947, la question du ravitaillement devient la véritable hantise du quotidien allemand d'après-guerre. Comme en France, elle bouleverse les comportements et les normes habituels de toute la population concernée. Comme les Français dès la fin de l'année 1944, les Allemands commencent – deux ans après – à donner libre cours à leur mécontentement profond moyennant des grèves, de plus en plus politisées au fil du temps. Mais plus encore que les Français, les Allemands raisonnent si mal quand ils ont faim.

En Allemagne, rares sont ceux qui assument que leur propre sort fait suite à d'autres sorts plus malheureux et plus insupportables encore. Rares sont ceux qui reconnaissent les rapports évidents entre la guerre hitlérienne, la défaite militaire et l'occupation alliée, et à en tenir compte. Et rares sont ceux qui appréhendent que les différences alimentaires entre l'Allemagne et ses voisins se mesurent en nuances, non pas en écarts flagrants, et que la crise alimentaire européenne est, en premier lieu, l'héritage directe de la politique et de la guerre national-socialistes.

Très vite, une grande majorité de gens se trouve pour attribuer la responsabilité de la misère actuelle aux alliés, et à la démocratie qu'ils promeuvent. Car s'il n'y a rien à manger, c'est « die

Schuld der anderen, denn unter der Herrschaft des Dritten Reiches hatten wir genug »[46]. Les reproches vont de l'incapacité présumée de ne pas savoir organiser un approvisionnement juste et convenable[47], jusqu'au goût de revanche des vainqueurs vis-à-vis des vaincus, désireux de les affamer pour continuer la guerre par d'autres moyens[48]. Même les Anglais et, surtout, les Américains, vers lesquels les espoirs allemands convergent à la fin de la guerre, subissent une perte de confiance constante[49].

Les Français en tant qu'occupants ont, dès le départ, une position nettement plus délicate par rapport à la population autochtone au sud-ouest de l'Allemagne, et cela pour des raisons multiples : les images figées de la première occupation après 1918 dans la mémoire collective, la propagande national-socialiste des derniers mois de la guerre évoquant des soldats français qui ne font que piller et violer, la connaissance des horreurs nazies commis dans l'hexagone durant ces dernières années, l'attisement des craintes allemandes par les troupes américaines sur place préparant l'arrivée française par une propagande francophobe, la pauvreté des équipements militaires et civils entamant gravement le prestige de la France, puissance alliée de second ordre, la constatation précoce que cet occupant, venant sans cigarettes, sans chewing-gum et sans chocolat, n'aura pas grand-chose à offrir à l'avenir.[50]

Bien avant que le Gouvernement militaire de Baden-Baden prenne ses premières mesures, la perception d'une politique de revanche d'un occupant qui affame, se trouve profondément enracinée dans les esprits[51], et amplifiée à une époque où les bruits qui courent ont tendance à remplacer les faits. S'y ajoutent des réquisitions arbitraires de vivres pour le compte des mess, des exactions commises, d'ailleurs sévèrement réprimées par toute la hiérarchie militaire, en pénétrant le territoire ennemi, et des démontages sauvages des premières semaines, dont personne ne peut savoir que Paris les conçoit comme durs, mais brefs[52]. S'ensuit un amalgame mental laissant peu de chance aux Français de bien réussir leur mission. Les dirigeants parisiens se rendent d'ailleurs parfaitement compte du manque de confiance supplémentaire auquel la France en Allemagne doit faire face[53].

En septembre 1946, lorsque les rations françaises commencent à peine de monter après un sixième printemps catastrophique, une enquête faite par l'Institut social-psychologique de Baden-Baden indique que 40 % des interrogés badois – dont plus d'un tiers s'abstient d'ailleurs – rendent la présence des troupes d'occupation responsable de la misère alimentaire[54]. Et tandis qu'en France les rations de pain sont réduites de nouveau début mai 1947 débouchant sur des vagues de protestation et des marches de la faim, le ministre-président sud-badois Leo Wohleb joue la carte de la démission gouvernementale, avançant des raisons alimentaires, pour tester sa force potentielle et faire pression au délégué supérieur[55]. Mais « ventre creux n'a point d'oreilles », disait déjà La Fontaine.

Ventres creux et relations internationales

A la demande du général Koenig, commandant en chef de la zone française d'Occupation, dès août 1945 la crise alimentaire au sud-ouest allemand est mise à l'ordre du jour du gouvernement provisoire. S'en occupe en particulier un Comité interministériel, organe décisionnel des questions allemandes en 1945/46, tenant ses premières réunions sous la présidence du général de Gaulle[56]. A Paris tout le monde reconnaît bien le dilemme : d'une part, la perception de l'occupant français, et le succès à long terme d'une politique de contrôle, d'attachement et de démocratisation, dépend largement de la situation alimentaire sur place ; d'autre part, les goulots hexagonaux ne permettent guère une aide substantielle, sans ranimer, encore plus, le mécontentement, et sans mettre en danger une stabilité intérieure provisoire et fragile.

La France, puissance occupante, fait des efforts, ...

Toutefois, le Comité prend des décisions : prise en compte des ressources de l'Allemagne entière[57] ; en août, réduction du personnel d'occupation, et arrêt d'envoi des familles du personnel en zone française[58] ; en novembre, prolongement des importations d'outre-atlantique pour que « la zone française ne soit pas moins favorisée que les zones anglaise et américaine »[59], et sollicitation de Koenig « de soumettre au Gouvernement des propositions concernant : 1. la réduction éventuelle de l'effectif des troupes d'occupation, 2. la quantité de vivres ... qui pourraient être importés de France pour contribuer à l'alimentation des effectifs restants »[60] ; en mars 1946, vérification « quelles catégories et quelles quantités de denrées peuvent être fournies par nous, sans préjudice grave pour le ravitaillement national »[61].

Durant toute l'année 1946 et 1947, Baden-Baden demande avec insistance une aide métropolitaine immédiate même si – pour citer Koenig – « les Français sont choqués à la pensée d'aider les Allemands » [62]. On ne mène pas une « politique d'attirance préconisée à juste titre par le Gouvernement français... sans assurer à notre zone un minimum décent quant au ravitaillement des êtres humains » [63], et on ne mène pas « une politique de démocratisation dans un pays sous-alimenté » [64]. Entre Koenig, Jacques Tarbé de Saint-Hardouin, son conseiller politique [65], et Emile Laffon, administrateur général en zone française [66], il n'y a pas, à cet égard, de différence de vues.

Que la France essaie de faire de son mieux pour importer ou pour faire importer, via les Etats-Unis, des denrées supplémentaires, que l'administration d'occupation se soucie énormément de la crise alimentaire, importe peu face à une population allemande qui ne voit que son propre sort, certes difficile. Dans ce contexte, les prélèvements alimentaires opérés par les Français pour entretenir l'armée et l'administration prennent valeur de symbole. Couvertes par le droit international, ces revendications sont, aux yeux de la plupart des Allemands, responsables de la disette à subir, et souvent elles se sont gravées dans la mémoire collective jusqu'à nos jours.

Effectivement, les Français en Allemagne vivent, en général, beaucoup mieux que la population autochtone, beaucoup mieux aussi que leurs compatriotes de l'autre côté de la frontière. Sont réquisitionnés, de préférence, des vivres riches en protéines (beurre, oeufs, fromage, viande) ainsi que des produits de luxe (vin, tabac). Mais d'autre part, un renoncement complet aux prélèvements alimentaires ne serait pas allé de pair avec une amélioration sensible des circonstances générales : compte tenu du nombre des Français, toujours décroissant [67], force est de constater que leurs rations, réparties sur toutes les bouches allemandes de la zone, n'auraient pas rapporté grand chose au consommateur particulier [68].

Et en plus, ces prélèvements ne rapportent pas non plus grand-chose au budget national. Car peu importe si le personnel d'occupation ne vit pas ou s'il vit sur le pays, son approvisionnement crée, de toute façon, une charge supplémentaire en dollars qui font tellement défaut : dans le premier cas, par l'attribution directe et massive des produits importés en France, dans le second cas, par des importations accrues en direction d'une zone, pas à même de les équilibrer par des exportations. Le ministère des Finances ne se fatigue pas, dès l'annonce de la décision du Conseil de Contrôle berlinois sur les importations et les exportations allemandes le

20 septembre 1945[69], à promouvoir cette vérité primaire au sein du gouvernement provisoire[70].

Sans aucun doute, les avantages physiologiques et financiers, côté français, ne compensent en rien, côté allemand, les dégâts psychologiques qui s'ensuivent des pratiques alimentaires des forces d'occupation. Evidemment il ne s'agit point de peindre en rose, ni les pratiques des uns, ni les souffrances des autres, mais de les rendre intelligibles. Pas question pour Paris d'affamer les gens[71]. Au contraire, les aides importatrices hexagonales, de l'ordre de 125 millions de dollars pour les seuls vivres entre août 1945 et décembre 1947[72], soulagent sensiblement une situation alimentaire qui, sans elles, aurait pu tourner à la tragédie[73].

Malgré une perception contemporaine en opposition flagrante, les efforts en matière de ravitaillement sont à mettre à l'actif de la politique française vis-à-vis de l'Allemagne vaincue. Ils vont tout à fait dans le sens des recherches récentes, ayant modifié, suite à l'ouverture des archives au milieu des années 80, l'image traditionnelle d'une France qui délibérément opte pour une approche purement revancharde. La réalité historique s'avère finalement bien plus complexe.

Une réalité historique plus complexe, d'abord, au niveau de la politique française dans le sud-ouest de l'Allemagne. Diverses études ont révélé – sans pour autant nier les incohérences et les duretés évidentes de l'Occupation – des tentatives constructives de réorientation dans différents domaines[74]. Une réalité historique plus complexe, ensuite, quant à l'échelon central de décision[75]. Car à Paris, les revendications officielles d'une séparation des territoires rhénans ou d'un démembrement allemand, bien que constamment placées sur le devant de la scène, perdent très tôt l'appui au sein du gouvernement provisoire. Elles semblent de moins en moins appropriées à l'ordre international d'après-guerre d'une part, et peu à même de se faire accepter par les alliés de l'autre[76].

Une « double politique allemande » se dessine depuis fin 1945/début 1946. Une « double politique » qui s'exprime, d'un côté, dans des objectifs internes plus réalistes et concrets, que l'on pense pouvoir atteindre effectivement. Il s'agit en particulier de l'internationalisation de la Ruhr avec des droits de regard, de disposition et de distribution pour le charbon, le dessein principal étant d'inverser durablement les rapports de forces économiques et industriels en Europe occidentale en faveur de la France[77]. Outre une suprématie économique, la conception de sécurité, élaborée depuis la mi-1945, mise sur des structures politiques allemandes aussi décentralisées que possible, et sur des mécanismes de coopération à long terme instaurés par des mesures culturelles et démocratisatrices conformes aux idéaux français [78].

Une « double politique allemande » qui s'exprime, d'un autre côté, dans le maintien des positions maximalistes, auxquelles plus personne ne veut vraiment croire. D'abord, elles demeurent potentiellement profitables vis-à-vis de l'extérieur. Compte tenu des précarités hexagonales, un mécanisme de négociation franco-américain s'amorce dès août 1945 laissant entrevoir la possibilité de se faire monnayer, par des gages financiers ou de sécurité, chaque étape de l'alignement occidental en matière allemande [79]. Ensuite, les positions maximalistes demeurent littéralement incontournables vis-à-vis de l'intérieur, où le gouvernement affronte toujours une opinion publique française aussi profondément germanophobe que matériellement frustrée. Pas de raison alors de modifier les conceptions officielles qu'il a constamment défendues [80].

..., mais elle n'essuie que des déboires des deux côtés

Face aux situations alimentaires en zone française comme en métropole le gouvernement provisoire se trouve devant un dilemme évident. Il essaie d'endiguer la crise, mais n'essuie que des déboires des deux côtés : des déboires du côté allemand, parce qu'elle n'importe pas autant que les Etats-Unis, les Allemands en zone française ne comparant leurs rations qu'avec les rations présumées en zone américaine ; des déboires du côté français, parce qu'elle y importe déjà trop, les Français ne comparant leurs rations qu'avec les rations présumées de l'autre côté de la frontière.

Autrement dit, en France la permanence des ventres creux risque, aux yeux des dirigeants parisiens, d'être instrumentalisée par le parti communiste et ses organisations satellites à des fins électorales, voire subversives. Les références à une opinion publique réticente, synonyme d'une masse silencieuse prête à basculer, à un moment ou à un autre, dans une opposition destructrice sous le drapeau rouge, sont légion dans les documentations des ministères concernés [81]. Il semble assez évident que « la démagogie anti-allemande du néo-patriotisme communiste et le souvenir vivace des souffrances de l'Occupation ont concouru depuis la libération à entretenir dans l'opinion et à inspirer au Gouvernement une volonté d'intransigeance dans nos revendications à l'égard de l'Allemagne » [82]. D'où entre autres, ce décalage formidable, et croissant, entre une politique allemande officielle et une politique allemande officieuse.

En Allemagne occupée par contre, les ventres creux risquent de compromettre les aspects constructifs des activités françaises, les tentatives de réorientation politique, les mesures de reconstruction industrielle, les dispositions de démocratisation, etc.[83] Bien plus encore, ils risquent de ne laisser, dès le début, aucune chance à la politique allemande de la France d'être perçue d'une manière rationnelle et équitable de la part des contemporains de la zone. D'où un décalage formidable entre une réalité historique assez complexe à tous les égards, avec du noir, du gris et du blanc, et une image noire, peu ambiguë, de la politique allemande qui continue de tenir sa place, et dans les mémoires de gens et dans une bonne partie de l'historiographie contemporaine.

Les problèmes centraux de la France en Allemagne, ce sont finalement les interactions délicates entre politique intérieure et politique extérieure, ce sont ses pauvres moyens matériels, malgré son statut de puissance victorieuse. Seuls des bases politiques plus stables, des conjonctures économiques et sociales plus satisfaisantes, et un climat mental plus réconciliateur en France même, auraient peut-être permis d'exporter davantage de vivres en direction de la zone française, sans contrecarrer la stabilisation et la modernisation nationales. Mais ces conditions, en 1946/47, ne sont point remplies, et l'occupation allemande en France en est, au moins partiellement, responsable.

Conclusion : rapports franco-allemands d'après-guerre – le haut et le bas

Quelques mots pour conclure. On voit bien que les ventres creux et les casseroles vides – symboles des difficultés matérielles du moment – se trouvent au centre de tous les débats de l'immédiat après-guerre entre la France et l'Allemagne. Pour la dernière fois en ce siècle, la misère reprend ses droits dans les deux pays, avec des discordances de temps, d'acuité et d'appréciation. Elle reprend ses droits au quotidien comme en politique, elle agit sur les mentalités collectives des gouvernés comme sur les processus décisionnels des gouvernants.

Sur le plan historiographique s'enchevêtrent alors une histoire des mentalités, et une histoire des relations internationales dont les résultats sont largement tributaires de ceux de la première. Sur le plan historique – proprement dit – s'enchevêtrent politique extérieure et politique intérieure, problèmes socio-économiques et psychologiques. Malgré des efforts constants du gouvernement provisoire la faim entre 1944 et 1948 crée inéluctablement de nouvelles rancunes franco-allemandes à la base qui se rajoutent à celles des années précédentes. Elles compromettent à court terme ce que les dirigeants parisiens pensent indispensables, au moins à la longue.

Ce sont ces dirigeants qui ont un sens aigu d'un rapprochement nécessaire entre la France et l'Allemagne sur des bases nouvelles et qui, d'une manière très pragmatique et dans l'intérêt bien compris de la nation, posent les premiers jalons. Ce rapprochement doit donc venir d'en haut plutôt que d'en bas à une période où les fournitures de charbon intéressent les Français toujours – pour parler avec Jean Chauvel, secrétaire général du Quai d'Orsay, en février 1947 – « exactement autant que le bifteck »[84].

Bien sûr, il y a des personnalités de la société civile qui travaillent dès 1945 avec acharnement, souvent avec idéalisme, pour une réconciliation franco-allemande. Bien sûr, il y a des institutions qui se créent des deux côtés, et dont l'importance à long terme n'est point négligeable. Mais pour l'opinion publique française au sens large du terme, une opinion qui soigne ses plaies des deux guerres, mondiale et franco-française, des approches créatives envers l'ancien occupant restent hors de question jusqu'à la fin des années 40. L'idée même d'une entente possible entre la France et l'Allemagne, par pragmatisme ou par idéalisme, paraît encore choquante[85].

C'est qu'« il fallut du temps, au lendemain de la guerre, pour laisser s'éloigner les mauvais souvenirs »[86]. Et tout d'abord, ne fallait-il pas que les premiers beaux jours fassent – matériellement – leur apparition, que les conditions de vie s'améliorent, et les ventres creux se remplissent ?

Pour revenir en 1946 entre le deuil et l'espoir, le climat général ressenti par la grande majorité des Français et des Allemands se caractérise, en tout état de cause, par plus de deuil que d'espoir, et l'incompréhension mutuelle est encore de règle entre les deux populations. Déjà en 1953, dans la première édition de son « Allemagne de l'occident », Alfred Grosser fait bien ressortir cet aspect sensible des relations franco-allemandes d'après-guerre, en disant : « S'il fallait dire en un mot quel a été l'aspect le plus tragique de cette sombre période, il nous semble que ce fut l'incompréhension. Les visiteurs de l'Allemagne ne comprirent pas la misère des Allemands, tandis que les Allemands ne pouvaient ou ne voulaient pas comprendre à quelles horreurs leurs souffrances faisaient suite. Ne voulant considérer que le côté 'plan Morgenthau' de la politique d'occupation, nombre d'Allemands allaient croire que le prodigieux redressement économique de leur pays s'était fait entièrement contre les vainqueurs... »[87]

NOTES

[1] Déclaration de Georges Bidault, ministre des Affaires étrangères, devant la Commission des Affaires étrangères de l'Assemblée nationale constituante, Service des Archives de l'Assemblée nationale (SAAN) Comm. Aff. Etr. 12.12.45.

[2] Cf. la mise au point de la recherche internationale par Manfred Gailus / Heinrich Volkmann (Dir.), *Der Kampf um das tägliche Brot. Nahrungsmangel, Versorgungspolitik und Protest 1770-1990*, Opladen (Westdeutscher Verlag) 1994 ; pour la France, cf. Fernand Braudel, *L'identité de la France*, t. 2 : *Les hommes et les choses*, Paris (Arthaud / Flammarion) 1986, p. 166-182.

[3] Cf. Dietmar Hüser, *Frankreichs « doppelte Deutschlandpolitik ». Dynamik aus der Defensive – Planen, Entscheiden, Umsetzen in gesellschaftlichen und wirtschaftlichen, innen- und außenpolitischen Krisenzeiten 1944 – 1950*, Berlin (Duncker & Humblot) 1996, p. 79-80.

[4] Cf. Yves Dartois e.a., « Un an de paix », dans : *Le Figaro*, 8. 5. 46.

[5] Cf. Jean-Pierre Rioux, « La France a faim », dans : *L'Histoire* n° 179 (1994) p. 38-42, et notamment Dominique Veillon, *Vivre et survivre en France 1939-1947*, Paris (Payot) 1995.

[6] Cf. *Reconstructions et modernisation. La France après les ruines 1918 ... 1945*, Exposition aux Archives nationales, Hôtel de Rohan, Janvier-Mai 1991, Paris 1991 ; Dominique Labarrière, *Survivre. La vie des Français de l'ouest en 1944*, Rennes (Editions Ouest-France/Mémorial) 1994, p. 221-225.

[7] Cf. Yves Durand, *La France dans la 2e guerre mondiale 1939-1945*, Paris (Armand Colin) 1989, p. 76-82.

[8] Cf. Michel Cépède, « Agriculture et ravitaillement », dans : *La France sous l'occupation*, Paris (P.U.F.) 1959, p. 81-87 (84) ; Jean-Pierre Azéma, *De Munich à la Libération 1938-1944*, Paris (Seuil) 1979, p. 164.

[9] Chiffres avancés par Veillon, *Vivre et survivre*, p. 293 et 298-299.

[10] Cf. Claire Duchen, *Women's Rights And Women's Lives in France 1944-1968*, Londres/New York (Routledge) 1994, p. 17-21.

[11] Cf. *L'Année politique 1947*, Paris (Editions du Grand Siècle) 1948, p. 162.

[12] Cf. Karl-Heinz Rothenberger, *Die Hungerjahre nach dem Zweiten Weltkrieg. Ernährungs- und Landwirtschaft in Rheinland-Pfalz 1945-1950*, Boppard (Boldt) 1980, p. 34 ainsi que Paul Erker, *Ernährungskrise und Nachkriegsgesellschaft. Bauern und Arbeiterschaft in Bayern 1943-1953*, Stuttgart (Klett-Cotta) 1990, p. 23-24.

[13] A Munich p. e. ce n'est qu'en mars/avril 1946 que les rations de pain se réduisent, que les queues apparaissent devant les boulangeries, et ce n'est qu'au

printemps 1947 que commence le temps de restrictions extrêmes; cf. Rainer Gries, *Die Rationen-Gesellschaft. Versorgungskampf und Vergleichsmentalität: Leipzig, München und Köln nach dem Kriege*, Münster (Westfälisches Dampfboot) 1991, p. 150-154.

[14] En particulier la dénutrition, les déficits en poids et en taille chez les jeunes et les adolescents. En 1944/45 les 14/15 ans à Paris ont – par rapport à 1939 – 8.7 kilos et 7 cemtimètres de moins pour les garçons, 7 kilos et 11 centimètres de moins pour les filles; cf. Michel Cépède, *Agriculture et alimentation en France durant la Deuxième Guerre mondiale*, Paris (Génin) 1961, p. 403-418.

[15] Pour la Ruhr, région la plus désavantagée en Allemagne occidentale, cf. Günter J. Trittel, *Hunger und Politik. Ernährungskrise in der Bizone 1945-1949*, Frankfurt/New York (Campus) 1990, p. 216-220.

[16] Cf. Rainer Hudemann, « L'occupation française en Allemagne », dans: Henri Ménudier (Dir.), *L'Allemagne occupée 1945-1949*, Bruxelles (Complexe) 1990, p. 221-242 (240-242).

[17] Cf. Rothenberger, *Die Hungerjahre nach dem Zweiten Weltkrieg*, p. 242-244.

[18] Cf. *Wirtschaftsprobleme der Besatzungszonen*, éd. par Deutsches Institut für Wirtschaftsforschung, Berlin (Duncker & Humblot) 1948, en particulier les articles de Wilhelm Bauer et de Klaus Holtermann.

[19] Point de vue partagé par la Commission parlementaire chargée d'enquêter dans les zones françaises d'occupation au début de l'année 1946; cf. Exposés de M. André Bas, rapporteur des questions agricoles, sur les travaux de la mission parlementaire en zone occupée, SAAN Com.ZFO 28.02.46 et SAAN Com.Agr.Rav. 03.04.46.

[20] Cf. Antoine Lefébure, *Les conversations secrètes des Français sous l'occupation*, Paris (Plon) 1993, p. 80-103.

[21] Les restrictions de plus en plus insupportables sont effectivement un des facteurs primordiaux du « vent mauvais » senti par Pétain dès l'été 1941, et de l'éloignement progressif de l'opinion par rapport à Vichy. Cf. Pierre Laborie, *L'opinion publique sous Vichy*, Paris (Seuil) 1990, p. 248-253.

[22] Cf. Rapport de préfet (RP) Haute-Savoie 15.04.45, Archives Nationales (AN) F1 cIII 1226. Dans ce sens AN RP Belfort 09.01.45, F1 cIII 1210 ou RP Haute-Vienne Juillet 1945, AN F1cIII 1233.

[23] Cf. George H. Gallup (Dir.), *The Gallup poll. Public Opinion 1935-1971*, t.I, New York (Random House) 1975, p. 521; l'évolution des réponses à la question « Quel est le problème le plus important auquel vous et votre famille avez à faire face actuellement? » posée mensuellement entre janvier 1946 et janvier 1948 par l'IFOP se trouve résumée dans: Sondages, 01.03.48, p. 55-56.

[24] Cf. Bulletin d'information de l'IFOP, 01.09.45, p. 169.

[25] Cf. p.e. RP Bouches-du-Rhône Décembre 1944 ou 15.08.45, AN F1cIII 1210.

[26] Cf. RP Moselle 03.06.47, AN F1cIII 1302. Pour d'autres exemples d'« anxiétés ménagères et pécunières » après le « jour V », cf. p.e. RP Haute-Savoie 15.09.45, AN F1cIII 1226; RP Haut-Rhin 05.04.46 et 10.05.46, AN F1cIII 1224; RP Dordogne 08.08.46, AN F1cIII 1217; RP Corrèze 01.10.46, AN F1cIII 1214; Meurthe-et-Moselle 09.12.46, AN F1cIII 1222; RP Côtes-du-Nord 07.08.47, AN F1cIII 1261; RP Haut-Rhin Août 1948 à Mars 1949, AN F1cIII 1314.

[27] Cf. RP Savoie 16.03.45, AN F1cIII 1226; RP Bouches-du-Rhône 16.04.45, AN F1cIII 1210; RP Bas-Rhin Mai 1945, AN F1cIII 1224.

[28] Cf. Alpes-Maritimes 15.02.45, AN F1cIII 1208; RP Rhône 16.03.45, AN F1 cIII 1225; RP Alpes-Maritimes 15.06.45, AN F1 cIII 1208; RP Creuse 16.08.45, AN F1 cIII 1216; RP Seine-et-Oise 29.12.45, AN F1 cIII 1228; RP Lot-et-Garonne Janvier/Février 1946, AN F1 cIII 1222.

[29] Cf. p.e. Procès-verbal de la séance du 24 septembre du Comité de reconstruction, 27.09.43, Service des Archives du ministère de l'Economie et des Finances (SAEF) B 30001. Sont présents entre autres Hervé Alphand, Maurice Couve de Murville, Robert Marjolin, René Mayer, François de Menthon, Jean Monnet, René Pleven et André Philip.

[30] Pour de Gaulle cf. son discours au palais de Chaillot, 12.09.44, dans : Charles de Gaulle, *Discours et Messages* (DM), t.I : *Pendant la guerre 1940-1946*, Paris (Plon) 1970, p. 443-451 (449-450) ainsi que ses discours en province, dans : Charles de Gaulle, *Lettres, Notes et Carnets* (LNC), t.V : *Juin 1943-Mai 1945*, Paris (Plon) 1983, p. 315-317 (Orléans), p. 319-320 (Nancy), p.321-325 (Lille), p. 328-334 (Louviers, Evreux, Neubourg, Caen) et p. 345-346 (Dijon).

[31] Cf. Alexander Werth, *La France depuis la guerre 1944-1947*, Paris 1957, p. 84-86 ; Raymond Ruffin, *La vie des Français au jour le jour de la Libération à la victoire 1944-1945*, Paris (Presses de la Cité) 1986, p. 120-127.

[32] Cf. p.e. RP Haute-Vienne Novembre 1945, AN F1cIII 1233 ; RP Moselle 01.08.45, AN F1cIII 1222.

[33] Cf. Audition de M. le ministre de l'Agriculture et du Ravitaillement [Tanguy-Prigent], SAAN Com.Agr.Rav. 13.12.45.

[34] Cf. p.e. RP Savoie 15.12.45, AN F1cIII 1226 ; RP Charente-Maritime 10.01.46, AN F1cIII 1214 ; RP Moselle 15.01.46, AN F1cIII 1222.

[35] Cf. RP Meurthe-et-Moselle 09.12.46, AN F1cIII 1222. Dans ce sens RP Bas-Rhin Août 1946, AN F1cIII 1224.

[36] Cf. RP Dordogne 10.07.46 et 10.09.46, AN F1cIII 1217 ; RP Moselle 10.01.47, AN F1cIII 1222.

[37] Cf. *L'Année politique 1947*, p. 73-74, 103-104, 176-177 et 183-184.

[38] Cf. Dietmar Hüser, « Deutschland und die französische Öffentlichkeit 1944-1950. Innenpolitische Aspekte deutschlandpolitischer Maximalpositionen », dans : *Stefan Martens (Dir.), Vom « Erbfeind » zum « Erneuerer », Aspekte und Motive der französischen Deutschlandpolitik nach dem Zweiten Weltkrieg*, Sigmaringen (Thorbecke) 1993, p.19-64 (26-30).

[39] Cf. p.e. le voyage du général de Gaulle en zone française d'occupation début octobre 1945 et les discours qu'il y a tenus, dont les réactions hexagonales se trouvent analysées dans Hüser, *Frankreichs « doppelte Deutschlandpolitik »,* p. 440-444.

[40] Cf. p.e. les statistiques publiées par France Soir, 13.06.45, selon lesquelles les Berlinois ont plus de sucre, de viande et de pommes de terre à leur disposition que les Parisiens.

[41] Cf. Günter J. Trittel, « Hungerkrise und kollektiver Protest in Westdeutschland 1945-1949 », in : Gailus / Volkmann (Dir.), *Der Kampf um das tägliche Brot*, p. 377-391 (378-379).

[42] Depuis des mois déjà, le ravitaillement s'améliore et se trouve assuré à moyen terme. La situation alimentaire ne figure même pas parmi les 13 objectifs énoncés dans le catalogue des leaders syndicaux. Est mise en cause la politique de Ludwig Erhard et du Conseil économique de Francfort, notamment la libération des prix et le maintien du blocage des salaires, puis les décisions structurelles à prévoir. Cf. Heinrich Volkmann / Rainer Hudemann / Dietmar Hüser, « Streiks und kollektive Arbeitsniederlegungen in den Westzonen und Berlin 1945-1948 », dans : Hasso Spoode e.a., *Statistik der Arbeitskämpfe in Deutschland, Deutsches Reich 1936/37, Westzonen und Berlin 1945-1948, Bundesrepublik Deutschland 1949-1980*, St.Katharinen (Scripta Mercaturae) 1992, p. 93-298 (123-125).

[43] Cf. Alain Lattard, *Gewerkschaften und Arbeitgeber in Rheinland-Pfalz unter*

französischer Besatzung 1945-1949, Mayence (v. Hase & Koehler) 1988, p. 234-235.

[44] Cf. Volkmann / Hudemann / Hüser, « Streiks und kollektive Arbeitsniederlegungen », art. cit. p. 250, 256-257 et 260.

[45] Le déroulement de la grève se fait en coordination avec les autorités occupantes ; cf. Wolfgang Hecker, *Der Gewerkschaftsbund Süd-Württemberg-Hohenzollern. Zur Gewerkschaftsbewegung in der französischen Besatzungszone 1945-1949*, Marburg (Verlag Arbeiterbewegung und Gesellschaftswissenschaft) 1989, p. 57, 247-252 et 261.

[46] Témoignage allemand, dans : *Anthologie der deutschen Meinung. Deutsche Antworten auf eine französische Umfrage*, Constance (Johannes Asmus Verlag) 1948, p. 149.

[47] Cf. Barbara Marshall, « German attitudes to British military government 1945-1947 », dans : *Journal of Contemporary History* 15 (1980) p. 655-684 (668).

[48] Cf. Josef Foschepoth, « Zur deutschen Reaktion auf Niederlage und Besatzung », dans : Ludolf Herbst (Dir.), *Westdeutschland 1945-1955. Unterwerfung, Kontrolle, Integration*, Munich (Oldenbourg) 1986, p. 151-165. Pour la zone française cf. Rainer Hudemann, « L'occupant français et la population allemande après les deux guerres mondiales », dans : *Relations Internationales* n°80 (1994) p. 471-489.

[49] Cf. Anna J. Merrit / Richard L. Merrit (Dir.), *Public Opinion in Occupied Germany. The OMGUS surveys 1945-1949*, Urbana (University of Illinois Press) 1970, p. 211.

[50] En détail, cf. Hüser, *Frankreichs « doppelte Deutschlandpolitik »*, p. 560-567 et 573-576 ainsi que Edgar Wolfrum, Die Besatzungsherrschaft der Franzosen 1945 bis 1949 in der Erinnerung der Deutschen, dans : *Geschichte in Wissenschaft und Unterricht* 46 (1995) p. 567-582.

[51] Cf. les témoignages dans Hansmartin Schwarzmaier (Dir.), *Landesgeschichte und Zeitgeschichte. Kriegsende 1945 und demokratischer Neubeginn am Oberrhein*, Karlsruhe 1980, p.99-100 ou 102-103.

[52] Dès Alger, cf. Robert Marjolin, Note préliminaire sur le problème des réparations, 26.03.43, Archives du ministère des Affaires étrangères (AMAE) GU (1939/45) 1487 ou Hervé Alphand, Note pour M. Massigli a.s. Restitutions & réparations des dommages de guerre, 24.11.43, SAEF B 8786. Après la Libération, cf. Compte rendu de la séance du Comité économique interministériel (CEI), 31.05.45, AN F60 900 ou Lettre Juin à de Lattre, Prélèvements effectués par la 1ère Armée française en Allemagne, 10.06.45, Service Historique de l'Armée de Terre (SHAT) 8 P 25.

[53] Cf. Jean de Lattre de Tassigny, « Mise au point relative de l'affaire de Constance, Mai 1945 », dans : Jean de Lattre de Tassigny, *Réconquérir, Ecrits 1944-1945*, Paris (Plon) 1985, p. 324-326 ; Jean Béliard, Aspects actuels de l'Allemagne, 02.07.45, AMAE Z Europe (1944/49) Allemagne 30 ; Pierre Giacobbi, Rapport d'un officier de liaison français auprès de la 5e division d'infanterie de l'armée américaine, 05.05.45, AMAE Y (1944/49) 281.

[54] Cf. Sozialpsychologisches Institut Baden-Baden, *L'opinion publique en Allemagne. Enquête en septembre 1946 dans le Bade*, p. 6. Pour ce qui est des détails de ces enquêtes, cf. Marlies G. Steinert, « Zwischen gestern und morgen. Volksmeinung und öffentliche Meinung in der französischen Besatzungszone 1945-1947 im Spiegel französischer Quellen », dans : Klaus Manfrass / Jean-Pierre Rioux (Dir.), *France – Allemagne 1944-1947*, Paris (I.H.T.P.) 1990, p. 47-81.

[55] Cf. la lettre de démission de Wohlleb à Pène, 10.05.47, AMAE PAAP 338/11 ;

voir aussi d'autres documents signalant les réactions de Pène, de Laffon et de Paris dans le même dossier.

[56] Décret n°45-1634 portant création d'un Comité interministériel des affaires allemandes et autrichiennes (CIAAA), 07.07.1945, Journal officiel de la République française (JORF), Lois et décrets, 25.07.45, p. 4610.

[57] Cf. Décisions prises par le CIAAA, 13.08.45, Archives de l'Occupation française en Allemagne et en Autriche (AOFAA) Cons.pol. B I 4.

[58] Cf. Document n°36 du CIAAA, 30.10.45, AOFAA Cons.pol. B I 4.

[59] SGCIAAA, Ravitaillement de la population civile dans les zones d'occupation, 01.11.45, AN F60 3034/2.

[60] Décisions prises par le CIAAA, 27.11.45, AMAE Y (1944/49) 651.

[61] CGAAA, Note sur la situation alimentaire des zones françaises d'occupation en Allemagne et en Autriche (Document n°2 der CIAAA-Sitzung vom 09.03.46), 07.03.46, AOFAA Cab.Koenig Pol. I B 3.

[62] Cf. Note personnelle rédigée par le Général Koenig à la suite de la réunion de 6 novembre 1945 [en vérité 1946, D.H.] à Paris, AMAE Z Europe (1944/49) Sarre 17 ainsi que Lettre Koenig à Schneiter, 26.11.46, AMAE Y (1944/49) 438, où il se déclare conscient que « l'opinion publique française n'est pas favorable aux envois que je vous demande à assurer », mais en même temps persuadé « qu'une politique française en Allemagne ne pourra être poursuivie qu'à ce prix. »

[63] Lettre Koenig à Bidault, Situation économique de la zone française d'occupation, 06.12.46, AMAE PAAP 338/9.

[64] Lettre Koenig à Schneiter, rédigée par Laffon, Crise survenue au sein du Cabinet badois, 17.05.47, AMAE PAAP 338/11.

[65] Cf. Télégramme Saint-Hardouin à Paris, 11.10.47, AMAE PAAP 217/101.

[66] Cf. Lettre Laffon à Koenig, Alimentation des Français en zone, 10.10.46, AMAE PAAP 338/14 avec la requête d'un « effort sérieux » de la part de la métropole ».

[67] D'après Pierre de Leusse, Note sur la situation à Baden-Baden, 10.09.45, AMAE PAAP 338/15, l'armée d'occupation compte environ 300 000 personnes en septembre 1945 ; elle se réduit successivement à 120 000 en janvier 1946 (Audition de M. Michelet, ministre des Armées, SAAN Com.Déf.Nat. 30.01.46), à 75 000 en décembre 1946 (André Lebelle, Note sur l'occupation militaire de l'Allemagne, 21.12.46, AN F60 941) et à 54 000 en février 1947 (Général Sevez, Note d'orientation, Organisation des troupes d'occupation en Allemagne, 19.02.47, SHAT 3 U 55).

[68] Selon Rothenberger, *Hungerjahre nach dem Zweiten Weltkrieg*, p.202, les prélèvements français ont coûté aux autochtones entre 10 et 15 % de leurs rations de calories par jour, ce qui, à l'époque, semble physiologiquement assez négligeable.

[69] Cf. Christoph Buchheim, *Die Wiedereingliederung Westdeutschlands in die Weltwirtschaft 1945-1958*, München 1990, p. 1-9.

[70] Cf. ministère de l'Economie nationale (MEN), Conseil de l'économie nationale, Compte rendu de la réunion plenière, 11.09.45, SAEF 5 A 15 ; MAE, Réunions de la Sous-commission économique pour les affaires allemandes et autrichiennes, 13.09. et 19.10.45, AMAE Y (1944/49) 363 ; Procès-verbal de la réunion des Secrétaires généraux pour les affaires allemandes, 26.10.45, SAEF 5 A 15 ; Lettre de Pierre-Paul-Schweitzer à Marcel Berthelot, Installation en Allemagne des familles des militaires des troupes d'occupation, 16.10.45, SAEF B 8833.

[71] Cf. aussi les déclarations de Tanguy-Prigent devant la Commission parlementaire qui lui valent d'ailleurs de vives critiques de la part de ses membres, SAAN Com.Agr.Rav. 13.12.45.

[72] Cf. Frank Roy Willis, *The French in Germany 1945-1949*, Stanford (Stanford

U.P.) 1962, p. 132. Le total des importations en zone française est de l'ordre de 182 millions de dollars.

[73] Cf. John E. Farquharson, « Landwirtschaft und Ernährung in der Politik der Alliierten 1945-1948 », dans : Josef Foschepoth (Dir.), *Kalter Krieg und Deutsche Frage, Deutschland im Widerstreit der Mächte 1945-1952*, Göttingen / Zürich (Vandenhoeck & Ruprecht) 1985, p. 147-174 (166-167) ; Rothenberger, *Hungerjahre nach dem Zweiten Weltkrieg*, p.202 et 235-236.

[74] Cf. notamment Rainer Hudemann, *Sozialpolitik im deutschen Südwesten zwischen Tradition und Neuordnung 1945-1953. Sozialversicherung und Kriegsopferversorgung im Rahmen französischer Besatzungspolitik*, Mayence (v. Hase & Köhler) 1988 ; Edgar Wolfrum, *Französische Besatzungspolitik und deutsche Sozialdemokratie. Politische Neuansätze in der « vergessenen Zone » bis zur Bildung des Südweststaates 1945-1952*, Düsseldorf (Droste) 1991. Pour une dernière mise au point de l'état de la recherche cf. Rainer Hudemann, « Revanche ou partenariat ? A propos des nouvelles orientations de la recherche sur la politique française à l'égard de l'Allemagne après 1945 », dans : Gilbert Krebs / Gérard Schneilin (Dir.), *L'Allemagne 1945-1955, De la capitulation à la division*, Asnières 1996, p. 127-152.

[75] Cf. notamment – à part la thèse d'Etat de Rainer Hudemann – Martina Kessel, *Westeuropa und die deutsche Teilung. Englische und französische Deutschlandpolitik auf den Außenministerkonferenzen 1945-1947*, München (Oldenbourg) 1989 ainsi que Hüser, *Frankreichs « doppelte Deutschlandpolitik »*, p. 714-726.

[76] Cf. Dietmar Hüser, « Das Rheinland in der französischen Deutschlandpolitik. Realität und Rhetorik der Abtrennungsforderung 1943-1948 », dans : Tilman Koops / Martin Vogt (Dir.), *Das Rheinland in zwei Nachkriegszeiten 1919-1930 und 1945-1949*, Coblence (Verlag Bundesarchiv) 1995, p. 103-128 (107-118).

[77] Cf. p.e. Pierre Mendès France, Les réformes de structure (manuscrit), p.57-71, Février 1945, Institut Pierre Mendès France (IPMF) DPMF 44-3 ; Conversation Bidault-Bevin, 15.09.45, AN 457 AP 78 ; Télégrammes Bidault à de Gaulle, 27.09. et 29.09.45, AN 457 AP 6 ; Lettre René Mayer à Félix Gouin, 01.02.46, AN 363 AP 6 ; André Philip devant le Comité économique interministériel, 18.02.46, SAEF 5 A 13.

[78] Cf. déjà SGCIAAA, Directives pour notre action en Allemagne, 19.07.45, AN F60 3034/2.

[79] Cf. Maurice Dejean, Note, 17.08.45, AMAE Y (1944/49) 19 ; Compte rendu des conversations de Gaulle-Truman, 22.08.45, AMAE Y (1944/49) 19 ; Conversation Bidault-Byrnes, 23.08.45, AMAE Y (1944/49) 19 ; Note de l'audience donnée par M. Byrnes à M. Bidault, 24.08.45, AMAE PAAP 217/59 ; Hervé Alphand, Conversations à Washington et à New York, 31.08.45, AMAE PAAP 217/59 ; Résumé des conversations de M. Alphand à Washington, 26.08.45, AN 457 AP 80.

[80] Cf. Hervé Alphand, Télégramme, 30.03.46, AMAE Y (1944/49) 370, Note pour le Ministre, 16.05.46, AMAE Y (1944/49) 356, et Note a.s. Problèmes allemands, 18.07.46, AN 457 AP 60.

[81] Plus en détail, cf. Hüser, *Frankreichs « doppelte Deutschlandpolitik »*, p.614-616 et 620-626.

[82] MAE, SDir.Eur.Centr., Robert Fabre, Note sur les aspects économiques du problème allemand, 01.04.48, AMAE Y (1944/49) 372.

[83] Le thème du conflit entre un agenda culturel bien rempli, côté français, et des ventres bien creux, côté allemand, devient vite monnaie courante en zone française ; cf. Lettre Laffon à Koenig, Mesures en faveur des intellectuels de la zone

française d'occupation, 26.11.46, AMAE Rel.Cult. (1945/47) 184; Georges Deshusses, directeur de l'Institut français de Fribourg, Rapport sur l'activité de l'Institut français de Fribourg et des Centres d'études de Tubingen, Mayence et Trèves pendant le mois de mars, Avril 1947, AMAE Rel.Cult. (1945/47) 46; Jean Arnaud, directeur de l'information du GMZFO, Tournant de l'occupation, Février 1947, AMAE PAAP 338/9. A voir aussi *Anthologie der deutschen Meinung*, p. 150-151.

[84] Cf. Lettre Chauvel à Massigli, 25.02.47, AMAE PAAP 217/55.

[85] Cf. Hüser, *Deutschland und die französische Öffentlichkeit*, art. cit. p. 39-41.

[86] Cf. Georges Bidault, *D'une résistance à l'autre*, Paris (Les Presses du Siècle) 1965, p. 150.

[87] Cf. Alfred Grosser, *L'Allemagne de l'occident 1945-1952*, Paris (Gallimard), 1953, p. 122.

Gaby Zipfel

LES FEMMES ALLEMANDES EN 1946 SOUVENIRS REFOULÉS, HÉRITAGES CACHÉS

Avant-propos

On a coutume de ne voir les femmes allemandes de l'année 1946 que comme des « déblayeuses de ruines » (« Trümmerfrauen »), comme symboles d'un nouveau départ sans taches. Les conséquences sont encore perceptibles aujourd'hui, dans leur vision du monde et dans leur comportement quotidien : refoulements divers et résidus cachés de l'idéologie national-socialiste. Les démasquer est absolument indispensable, si l'on veut se faire une idée plus précise de la situation de cette société en 1946 et considérer les femmes comme des membres à part entière, responsables de leurs actes.

Présentation des coupables

Une des photos les plus marquantes, faite par Lee Miller en 1946, montre en premier-plan une jeune femme en costume traditionnel, qu'un soldat d'occupation noir conduit, en compagnie d'autres Allemands, à travers le camp de concentration de Buchenwald. L'expression du visage de cette femme, eu égard à la situation qu'elle est en train de traverser, reflète une absence totale de conscience du tort causé et une conviction fondamentalement raciste inébranlée.

«Où que l'on situe la limite de la participation active, la machine d'extermination vous livre toujours un étonnant diagramme de la population allemande. Toutes les professions, tous les niveaux d'instruction et toutes les catégories sociales y étaient représentés»[1]. On peut supposer que si on posait la question à Raul Hilberg, il répondrait que son scénario inclut bien entendu aussi les femmes. Et pourtant, consciemment ou non, cette limite de la participation active passe entre les sexes.

Et j'aimerais insister sur un point: les deux sexes étaient représentés dans tous les secteurs de la machine d'extermination et sur tous les fronts de cette guerre d'extermination. Je me propose d'examiner de plus près quelques-uns de ces fronts.

Sur celui de la guerre, la femme a joué, en tant qu'auxiliaire de la Wehrmacht, un rôle pratiquement passé inaperçu jusqu'à présent, prenant même les armes vers la fin. 500000 femmes, membres de la Wehrmacht (sans compter le personnel sanitaire), ont ainsi accumulé dans la conduite de la guerre active une somme d'expériences, dont on cherche encore aujourd'hui en vain des traces dans les récits de la vie de tous les jours[2].

De la même façon, la SS n'a nullement été une organisation exclusivement réservée aux hommes. C'est à l'ordre SS, communauté hyper-ségrégationniste (Sippengemeinschaft) d'hommes et de femmes, qu'incombait la tâche de construire l'élite aryenne et de supprimer la «vie indigne d'être»[3].

En 1945, 10 000 femmes constituaient le corps des auxiliaires femmes de la SS et en 1939, 115 650 épouses de SS avaient satisfait aux critères de sélection racistes très stricts de cette communauté.

Ces femmes de la SS n'ont pas passé leur temps assises dans les antichambres de leurs criminels de maris à enregistrer les détails des opérations exterminatrices. Elles ont bel et bien vécu avec leurs enfants et leurs maris, là où ces derniers étaient envoyés, dans les cités SS des camps de concentration. A deux pas de l'horreur, elles s'attachaient à créer des havres de confort et d'hospitalité. On peut voir à Yad Vashem le livre d'or de la famille Höss, commandant d'Auschwitz, où l'on peut lire comme il faisait bon y vivre. Grâce, entre autres, à des domestiques prisonniers du camp et aux objets personnels volés aux morts...

On estime à 10% le nombre de femmes dans le personnel du camp, un chiffre assez considérable, puisque les femmes n'étaient ni sur les miradors, ni dans l'administration, mais qu'elles étaient surveillantes[4]. On ignore encore combien de femmes-médecins et d'infirmières de la SS ont participé aux expériences. Quelques cas isolés (le Dr Hertha Oberhauser, la seule femme inculpée à Nuremberg, en est un sinistre exemple) montrent cependant qu'elles en ont fait partie[5].

De la même façon, la Gestapo n'était ni réservée aux hommes, ni symbole de la domination masculine national-socialiste. Sans le soutien de ses employées et de ses auxiliaires femmes, en particulier pendant la guerre, son travail n'aurait pas été possible. Parmi leurs tâches exécutives: la fouille de femmes juives destinées à être déportées.

Dans les années 20, le mouvement des femmes avait conquis l'accès à la police judiciaire pour pouvoir contrecarrer une police des moeurs par trop misogyne[6]. Plus tard elles montrèrent qu'elles étaient tout à fait en mesure de faire face à leurs nouvelles tâches de «police judiciaire»:

«La Gestapo nous avait exactement défini ce que nous avions à faire. Les femmes de Juifs devaient se déshabiller entièrement. Ensuite, c'était à nous de fouiller leurs vêtements: bijoux, argent, médicaments, stylos-plumes, armes et autres objets de valeur, qu'on remettait à un fonctionnaire de la Gestapo; ce qu'ils en faisaient, je n'en sais rien...[7] «Elles dirigeaient des camps dits «de protection de la jeunesse», comme celui d'Uckermark, près de Ravensbrück, pour jeunes filles. De là, elles envoyaient les jeunes dans des camps de concentration et dans les anciens hôpitaux psychiatriques transformés en maisons de la mort. Les femmes participèrent également à l'«extermination administrative» (Hannah Arendt): entre 1925 et 1939, leur présence dans les services publics augmenta de 68 %, et encore plus pendant la guerre»[8].

Dans les secteurs de la santé et du social, des assistantes se chargèrent d'effectuer un «relevé génétique» optimal de la population, dans le but d'éliminer toute «vie indigne d'être». Cette extermination-là fut l'œuvre de femmes-médecins et d'infirmières[9].

Epouses, mères, maîtresses, sœurs, voisines étaient également au courant des crimes national-socialistes (quand elles n'y ont pas participé) et dissimulèrent ce qu'elles savaient dans l'intimité de leur vie privée, afin de protéger les hommes, rendant impossible une discussion publique et dans la société: à l'abri de toute révélation, cette dernière n'avait aucune raison de douter d'elle-même.

Le regard de l'homme sur la coupable...

... est bien traduit par une phrase de Michelle Perrot : « Mythes et images étendent sur l'Histoire un épais linceul tissé par les désirs et les peurs des hommes »[10].

Autant la présence des femmes dans la machine exterminatrice, citée plus haut, est ignorée, autant elle se retrouve dans les clichés et les fantasmes des hommes. Ces derniers se distinguent par une volonté permanente de neutraliser, diaboliser ou minimiser le sexe féminin. Des fantasmes masculins décrivent la participation des femmes comme une exception, comme une exception à la règle : eh bien, non, la superbe gaillarde n'a pas été la camarade asexuée du vaillant soldat. La fanatique, que l'homme imagine autrement plus fanatique qu'aucun homme ne pourrait jamais l'être, symbolise la peur qu'il a de ce qui pourrait arriver, si une idée venait à engendrer chez une femme plus d'enthousiasme que la vie à laquelle la destine son sexe. Ainsi, la partisane russe est l'agression personnifiée contre la virilité du soldat. Une autre variante attribue l'activité criminelle de la femme à des défauts prétendument caractéristiques de son sexe : la délatrice bavarde et indisciplinée aurait été la « fournisseuse » de la Gestapo[11], et l'électrice apolitique et sentimentale aurait conduit Hitler au pouvoir.

Ruth Seifert propose une interprétation du silence « ... sur la position (réelle, n.d.A) de la femme en temps de guerre » : le silence « a d'autant plus de sens que la mise en évidence de la participation des femmes à la guerre, mais aussi de leur sort pendant la guerre, aurait un double effet : d'une part, et malgré une participation bien moindre, le rôle des femmes dans le contexte guerrier deviendrait un fait public, ce qui ébranlerait quelque peu le mythe de la guerre virile ; d'autre part, leur sort comme victimes et butin de guerre pour les vainqueurs éroderait sensiblement le mythe de la légitimation d'une fonction protectrice de l'homme »[12].

Ceci dit, la mise en évidence de cette participation ne toucherait pas uniquement le « contexte guerrier ». Rompre le silence sur l'action réelle des femmes obligerait à reconnaître toute l'étendue de la participation quotidienne de l'ensemble de la société et ce, à tous les niveaux. Cela reviendrait à éliminer jusqu'au dernier recoin d'innocence. Il ne resterait plus alors que quelques rares résistants, ainsi que les victimes, bien sûr, autrement dit les « autres ».

Tout un édifice de déculpabilisation, dans lequel hommes et femmes se sont confortablement installés, s'écroule si la fiction de l'exception féminine est remplacée par un regard franc porté sur celle qui, en règle générale, a agi partout et sans états d'âme. Et elle ne serait pas seule à devoir affronter le vent froid de la responsabilité.

Le chant de la cloche de Schiller…

… est aujourd'hui encore un rempart efficace contre de telles désillusions : « L'homme doit sortir et affronter la vie hostile... A la maison règne la vertueuse ménagère, la mère... » Déjà moqué par les contemporaines de Schiller (Caroline von Schlegel), ce positionnement de l'homme et de la femme est pourtant une conception parfaitement maintenue par le national-socialisme (peut-être même jusqu'à aujourd'hui) et qu'illustre fort bien cet extrait de l'« Histoire des femmes au XIXe siècle » : « Le XIXe siècle a littéralement entretenu un perpétuel raisonnement (d'une popularité constante malgré ses redondances) sur la nature et les conditions de vie du sexe féminin, offrant ainsi un argument souvent bienvenu à tous ceux qui avaient besoin de se rassurer collectivement et individuellement sur l'état incertain des rapports entre les sexes. L'inquiétude et la déstabilisation générales causées par des mutations de l'édifice social jusque dans la « cellule germinative » familiale trouvait ici un terrain d'expression propice... Manifestement, cette réflexion sur la nature et les conditions de vie de la femme s'avéra également être un plan de projection permettant de parler (tout au moins indirectement, donc avec moins de risques pour une identité masculine conçue comme héroïque) de manques d'assurance et de peurs provoquées chez le sexe dit fort par l'obligation d'être un vrai »[13].

L'homme se garde une voie d'accès à ce dont il doit se défaire pour devenir ce « vrai homme » par l'intermédiaire de la femme définie et « arrangée » par lui. Elle lui garde ainsi un espace d'innocence en dehors de l'histoire, un havre de paix, de soulagement et de déculpabilisation. Cet édifice, la famille bourgeoise, « creuset de l'homme civilisé », fit aussi de la femme un « subtil instrument de contrôle », une « surveillante » de l'homme, lui permettant d'éviter les « vanités des pulsions temporelles » et lui apprenant que la « vraie sagesse est de se contenter de la place que lui indique la Providence divine »[14], à moins qu'elle ne l'encourage ardemment à accomplir ses devoirs en son nom, sans scrupules et égards d'aucune sorte. Elle se voit ici attribuer une fonction-clé de mise au pas et d'intégration dans la société[15]. Bien sûr, les femmes ne sont pas restées enfermées dans cette construction (la plupart des bourgeoises non plus), mais l'édifice n'en a nullement souffert : elle est purement et simplement transposée dans tous les domaines de la vie sociale. Où qu'elle évolue, la femme reste fidèle à sa logique et aux côtés de l'homme. C'est elle qui permet à l'homme d'agir, en amortissant ses risques à lui, par exemple en s'engageant à « assumer sa vie tant qu'il est au combat, le libérant ainsi pour qu'il puisse accomplir son travail de mort » (Birke Meersmann)[16]. Le soldat au front, lit-on dans des lettres, peut lui raconter ce qu'il fait, lui confier des horreurs sans craindre de rencontrer critiques et résistance. Son rôle à elle, dans ce modèle de délégation, est de lui permettre de « se décharger de l'horreur, au nom du serment : Nous resterons toujours ensemble ! » « L'homme confie en dépôt à la femme son vécu affectif et ses sentiments ; autrement dit sa vie intérieure. »

Pendant la durée de la guerre, « elle vit sa vie à lui »[17], et ce, sur l'ensemble du théâtre des opérations : à Minsk, Auschwitz, Hadamar. Pourtant, le modèle reste hasardeux et fragile pour les deux parties : elle ne peut être jamais sûre que la promesse qu'il lui a faite tiendra, ni qu'après s'être si fortement livré à elle, il honorera cette promesse. Le potentiel destructeur susceptible de se libérer, si le contrat impliqué par le modèle de délégation n'est pas respecté, n'est pas seulement un sujet de prédilection de la littérature.

La conscience publique connaît bien les dangers de résiliation du modèle et sa fragilité. Ce n'est pas un arbitraire obtus et patriarcal qui relègue la femme dans un intérieur fictif et envoie l'homme vers la vie hostile. Le regard distinct porté sur une division complémentaire du travail entre les deux sexes, qui ne considère l'action concrète de l'un des deux qu'en ignorant celle de l'autre, empêche de concevoir la société comme un ensemble d'acteurs masculins et féminins. Ces acteurs restent des exceptions positives (le héros) ou négatives (la fanatique), des groupes d'individus, et ne représentent pas la société comme un tout, ni comme clairement composée de sujets agissants. Le fait que les sexes agissent de façon complémentaire et selon une répartition des tâches passe pour être une loi naturelle. Mais ce qu'ils font concrètement et les conséquences de leur coopération restent cachés dans l'espace social.

Ceci, et c'est ma thèse, se manifeste tout particulièrement pendant et juste après l'époque national-socialiste. La communauté ethnique national-socialiste n'est pas un ensemble d'individus agissants et capables de décision, chargé en tant que tel de responsabilité. Les « concitoyens et concitoyennes » d'alors et la société d'après-guerre ne sentent pas qu'on leur demande d'assumer la responsabilité de leur histoire récente.

La construction de la première heure...

... correspond pour moi à une interprétation des événements de la part des femmes. Ce qu'elles avaient déjà appris à la perfection sous le régime national-socialiste (satisfaire aux exigences du système sans pour autant prendre une identité d'acteur, donc de responsable) leur profita à merveille lorsqu'il leur fallut rendre des comptes. Voici deux exemples de la logique d'argumentation féminine en matière d'autojustification : la fonctionnaire de police judiciaire citée plus haut poursuit ainsi le récit de ses activités : « Dans l'ensemble, je peux dire que les Juifs qui sont passés en ma présence entre les mains de la Gestapo ont été traités très humainement et correctement. Je ne connais aucun Juif, homme ou femme, qui ait été maltraité où que ce soit. Je n'avais absolument rien à voir avec les transports, et la « police judiciaire féminine » non plus. Notre seul rôle était de mener les fouilles qu'on nous ordonnait de faire. Nos instructions de service pour les fonctionnaires de police nous amenaient à répondre aux demandes de tous les postes de police pour la fouille de personnes de sexe féminin »[18].

Elle fait preuve de sa conscience du devoir dans la normalité administrative quotidienne et il y a toutes les chances pour qu'elle garde cette conception et donc sa conviction d'être innocente. Pour se déculpabiliser, la femme-médecin également déjà citée (Oberheuser) invoque sa condition de femme défavorisée : « Je me suis toujours intéressée à la chirurgie. Or, en Allemagne, c'était un secteur pratiquement inaccessible aux femmes. Je n'ai donc eu cette occasion qu'au camp de concentration de Ravensbrück. » Elle, qui a torturé à mort d'autres femmes, affirme être restée femme (comprenne qui pourra !) : « Je considérais que c'était mon devoir et que c'était pour elles une chance de sursis, et je croyais ainsi pouvoir les aider en ma qualité de femme. »[19]

Au Procès de Nuremberg contre les criminels de guerre, on décida de ne pas considérer sténographes et employées de bureau et de maison comme « membres d'une organisation criminelle », et donc de ne pas les inculper. La raison invoquée était qu'elles n'étaient pas « de ces criminels qui menacent la paix du monde »[20].

Les femmes qui avaient travaillé au succès de l'« extermination administrative » dans les antichambres de Himmler, Heydrich et Kaltenbrunner bénéficièrent de cette décision judiciaire et purent ainsi tourner à leur avantage l'interprétation disculpante du Procès de Nuremberg : une femme ne fait pas de politique et ne prend pas de décision, on ne peut donc pas lui demander des comptes.

« Faim, lutte pour la survie, blessure, viol, séquestration, déplacement de population, perte des droits ne furent perçus que lorsqu'ils s'appliquèrent aux responsables, aux initiateurs de la guerre et aux leurs »[21].

Néanmoins, les événements vécus n'eurent pas un effet de catharsis, pas décisif, en tout cas : « Il me semblait que chacun devait nous poser des questions, lire sur nos visages qui nous étions, écouter humblement nos récits. Mais personne ne nous regardait dans les yeux, personne ne relevait le défi : ils étaient sourds, aveugles et muets, enfermés dans leurs ruines comme dans une forteresse d'ignorance voulue, forts encore, capables encore de haïr et de mépriser, prisonniers encore des vieilles chaînes que sont la présomption et la faute »[22].

Les soucis matériels de la vie quotidienne de l'après-guerre ont certainement contribué à ne faire percevoir que des fragments de réalité, mais ils ne sont quand même pas suffisants pour expliquer cette automutation du coupable en victime. Pour l'observateur, les vraies victimes étaient « les autres », une « racaille » étrangère à l'espèce humaine. Quand, dans les gares allemandes, des wagons s'ouvraient, la population montrait un mélange de curiosité et de dégoût, rarement de la pitié[23]. Evitant l'aveu de la faute, l'expiation et le deuil, la femme de la première heure se lance corps et âme dans le déblayage des ruines : elle remonte ses manches et ne regarde surtout pas en arrière. Avec une vision de soi et du monde absolument intacte, elle ne déblaie pas seulement les débris des maisons : elle range les ruines et les remet en place, dans les têtes...

Fondée de pouvoirs de l'homme, encore absent ou « poursuivi » par les Alliés, donc dans tous les cas déclassé socialement, c'est elle qui maintient debout l'apparente autorité du père, afin d'épargner ce dernier. Elle assure continuité et normalité, elle est porteuse de la conscience de soi et du rang dans la société.

Quand les derniers prisonniers de guerre, victimes ayant survécu à la « terreur stalinienne », donc des héros, rentrent au milieu des années 50, la reconstruction est déjà bien lancée, tout est presque rentré dans l'ordre.

Dès que l'homme s'est régénéré, la femme rend de plein gré ses pouvoirs. Le mythe de l'émancipation au milieu des ruines est clairement réfuté par l'étude de Schelsky (« Transformation de la famille allemande de notre temps »), qui montre également que la complicité homme-femme, pratiquée sous le national-socialisme, perdure et entretient le silence éloquent pratiqué à l'intérieur comme à l'extérieur des familles.

« Il s'ensuivit un état de conscience que l'on ne peut qualifier que d'« amnésie collective » et qui est le prix que devait payer une démocratie imposée. La destruction toucha villes et villages, culture et traditions, contextes sociaux et familiaux, mais aussi, ce qui est plus grave, la conscience de la destruction elle-même fut détruite, les effets les plus persistants étant probablement ceux d'une reconstruction menée tambour battant à en perdre connaissance.

« L'Allemagne, écrit Jean Améry après la guerre, aurait bien besoin d'une autopsychanalyse politique collective. Elle se retrouve devant le désastre mondial qu'on lui reproche et doit battre sa coulpe. C'est ce que veulent les autres peuples et ce que lui demandent ses propres fils, ceux du moins qui se savent innocents des méfaits du Troisième Reich. La tâche est lourde. Et il ne faut pas s'attendre à ce que l'Allemagne décide elle-même de s'en acquitter »[24].

Notes

[1] Raul Hilberg, *Die Vernichtung der europäischen Juden*, Francfort/Main, 1990, p. 1080.

[2] Gaby Zipfel, « Wie führen Frauen Krieg ? » in : Klaus Naumann, Hannes Heer (dir.), *Vernichtungskrieg. Verbrechen der Wehrmacht 1943 bis 1945*, Hambourg, 1995.

[3] Gudrun Schwarz, « Verdrängte Täterinnen. Frauen im Apparat der SS (1939-1945) », in : Theresa Wobbe (dir.), Nach Osten. *Verdeckte Spuren nationalsozialistischer Verbrechen*, Francfort/Main, 1992.

[4] *Ibid.*

[5] cf. Angelika Ebbinghaus (dir.), *Opfer und Täterinnen. Frauenbiographien des*

Nationalsozialismus, Nördlingen, 1987 ; Ernst Klee, *Was sie taten, was sie wussten*, Francfort/Main, 1992.

[6] Ursula Nienhaus, *« Im Kern keine Abweichung » – Weibliche Polizei im Nationalsozialismus*, Redemanuskript, HIS, Hambourg, 1995.

[7] *Ibid.*

[8] Ursula Nienhaus, « Von der (Ohn-) Macht der Frauen. Postbeamtinnen 1933-1945 », in : Lerke Gravenhorst, Carmen Tatschmurat (dir.), *Töchter-Fragen, NS-Frauen-Geschichte*, Fribourg-en-Brisgau.

[9] cf. note Ebbinghaus, Klee.

[10] Michelle Perrot, « Rebellische Weiber », in : Claudia Honegger, Bettina Heintz (dir.), *Listen der Ohnmacht*, Francfort/Main, 1984, p. 73.

[11] Gerhard Paul, Michael Mallmann, *Die Gestapo. Mythos und Realität*, Stuttgart, 1995, p. 14.

[12] Ruth Seifert, *Individualisierungsprozesse, Geschlechterverhältnisse und die soziale Konstruktion des Soldaten*, Munich, 1993, p. 144.

[13] Karin Hausen, Postface, in : Geneviève Fraisse, Michelle Perrot (dir.), *Geschichte der Frauen. 19. Jahrhundert*, Francfort/Main, New York, 1994, p. 617.

[14] Claudia Honegger, Bettina Heintz, *op. cit.*, p. 27.

[15] cf. à ce sujet la description juste et précise de H. Schelsky, *Wandlungen der deutschen Familie in der Gegenwart*, Stuttgart, 1960.

[16] Birke Mersmann, *Was bleibt vom Heldentum ? Weiterleben nach dem Krieg*, Berlin, 1995, p. 26.

[17] *Ibid.*

[18] Nienhaus, 1995, *op. cit.*, id.

[19] Gudrun Schwarz, *op. cit.*, p. 211 et suiv.

[20] *Ibid.*, p. 208.

[21] Editorial : « Was heisst Verantwortung für uns ? » in : *Beiträge zur feministischen Theorie und Paraxis*, 41/1995, p. 5.

[22] Primo Levi.

[23] Rikola-Gunnar Lüttgenau, « Ist das möglich ? Wir sind wieder freie Menschen ! » Todesmärsche aus den KZ 11945. Der Bericht eines Überlebenden », in : *Sowi* (1995), H2, p. 96.

[24] Wolfgang Kraushaar.

Bernd GREINER

« GO WEST » – AMÉRICANISATION ET CIVILITÉ DANS L'ALLEMAGNE DE LA « PREMIÈRE HEURE »

« Notre position par rapport
à l'Amérique est un baromètre :
elle indique comment
nous allons nous-mêmes. »
(Hans A. Joachim)

La plupart d'entre vous connaissent cette scène célèbre, dans un film encore plus célèbre : Un bar américain, à Casablanca, bondé, enfumé, avec une atmosphère oscillant entre la dépression, l'euphorie, l'humour noir et l'attente fébrile du lendemain – et la possibilité, selon les circonstances, de fuir avec un visa la France occupée pour l'Amérique. Il y a aussi des généraux nazis parmi les clients, beuglant à cette heure avancée, la « Garde du Rhin ». Martiaux, atonaux, un affront pour les sens – c'est alors qu'un résistant intime au chef d'orchestre : « Jouez la Marseillaise ! Jouez ! ». Regard apeuré vers le patron du bar, inimitable regard de Bogart en retour, et l'hymne qui accompagna l'Europe sur la voie des temps modernes étouffe le vacarme des nazis. Mélo ? Peut-être. Mais aussi un exemple de ce qu'Ernest Hemingway avait en tête lorsqu'il dit qu'être courageux, c'est « bien se comporter sous la pression ».

Bien se comporter sous la pression : comment décrire à la fois plus brièvement et plus expressivement l'idéal classique du courage civique dans nos démocraties occidentales ? Depuis les temps de la Glorious Revolution anglaise, de la Prise de la Bastille française ou de la Boston Tea Party américaine, la résistance à l'autorité est conçue comme un droit fondamental et même, quand la politique porte atteinte aux Droits de l'Homme, comme un devoir. Quiconque a été élevé dans cette évidence, ne saurait oublier ses responsabilités ou tout au moins les rejeter entièrement sur le gouvernement. L'individu qui ne proteste ni ne conteste doit s'attendre à devoir répondre de ce manquement, peut-être pas d'un point de vue pénal, mais moral certainement.

Quand nous parlons d'« américanisation » et de « civilité », il est recommandé d'adopter cette perspective. La question est de savoir si et comment l'individu et la société à laquelle il appartient se sentent responsables de leur action ou inaction politique et quelles conséquences ils tirent de cette responsabilité. Evidemment, l'« américanisation » regroupe bien d'autres choses, de la formation de la volonté démocratique à la séparation des pouvoirs, en passant par une économie qui s'arme contre les débordements politiques. C'est à ce genre de processus institutionnels que pensent communément historiens et sociologues quand ils débattent d'« occidentalisation ». Mais c'est hélas souvent en oubliant ce qu'Hannah Arendt, avec de nombreux chroniqueurs de l'après-guerre, soulignait inlassablement : l'« américanisation » est avant tout une question de mentalité, ou plus exactement elle découle de la façon dont la politique est conçue et ressentie. Si l'histoire a montré que les institutions étaient importantes, elles n'en ont pas moins besoin d'un ciment intellectuel et affectif, si elles doivent durablement remplir leur tâche. En d'autres termes : les mentalités, les imaginaires politiques et les autodéfinitions culturelles ne sont certainement pas tout. Mais sans eux, tout le reste n'est rien[1].

Lorsque les troupes américaines entrèrent en Allemagne, elles avaient dans leurs bagages des directives d'occupation issues des traditions politiques de leur pays. Hormis les dirigeants nazis, quiconque avait participé à l'œuvre de guerre et d'extermination, en avait profité ou l'avait facilitée, devait répondre de ses actes. Ainsi, 1 500 banquiers et industriels figuraient sur les listes des enquêteurs. Au cours des seuls mois de mai et juin 1945, 120 d'entre eux furent arrêtés ; à l'automne, le gouvernement militaire avait licencié dans le secteur des finances et de la banque 25 000 personnes compromises. Dans le même temps, Robert H. Jackson présentait les directives du Procès de Nuremberg : personne ne devait pouvoir invoquer l'immunité, l'« ordre reçu d'en-haut » et autres excuses inscrites dans une législation féodale. « Une société dotée d'une organisation moderne, déclarait-il, ne saurait tolérer une telle quantité d'irresponsabilité officielle ! »[2]

On sait que la majorité des Allemands accueillirent avec indignation et stupéfaction l'idée que la guerre et le génocide pourraient avoir des conséquences pour leur société. Un industriel resté anonyme déclara : « Ce n'est pas encore le moment pour nous de discuter de cette question de la responsabilité dans la guerre. Quand nous aurons pris quelque distance, (...) le bilan final sera quelque peu différent de l'image qui prédomine aujourd'hui ! ». Un professeur de droit public et philosophe, interrogé sur le rôle des industriels ayant aidé Hitler à prendre le pouvoir et financé sa guerre : « En cas de conflit, l'individu est astreint à la fidélité et à l'obéissance envers son gouvernement national, auquel incombe (et non au dit individu) de décider du bien-fondé de cette guerre ». Notons que ce publiciste s'appelait Carl Schmitt. Des directeurs d'IG Farben, que l'on conduisait à leur interrogatoire : « Le peuple allemand a été victime d'une coalition mondiale, il a mené une guerre de défense et il est en fait le véritable défenseur de la civilisation occidentale contre les « hordes asiatiques ».

Dialogue entre un prisonnier allemand et un correspondant de presse américain : « Vous avez tué des gens dans le camp ? » – « Oui » – « Vous les avez empoisonnés au gaz ? » – « Oui » – « Vous les avez enterrés vivants ? » – « C'est arrivé ! » – ... – « Et vous, vous avez participé à ces meurtres ? » – « Absolument pas. Je n'étais que le trésorier du camp ! » – « Que pensiez-vous en voyant tout ça ? » – « Au début, c'était dur, mais on s'y est habitué » – « Savez-vous que les Russes vont vous pendre ? » – (éclatant en sanglots) « Mais pourquoi ? Qu'est-ce que j'ai fait ? ».

Erich Bagge, physicien allemand, interné en Angleterre : « Vous devez comprendre aussi que si on a mis des gens dans les camps de concentration pendant la guerre – moi, je ne l'ai pas fait, je n'étais pas au courant, et je l'ai condamné chaque fois que j'en ai entendu parler... ».

Un jeune homme de la Ruhr : « Les Français sont amicaux quand ils vous parlent, mais dès qu'on se retourne, ils seraient capables de vous planter un couteau dans le dos ! On ne risque pas de s'entendre, tant qu'il ne changeront pas complètement ! ».

Une serveuse de bar, sur le génocide perpétré par les nazis : « Mais ce n'était que les Juifs ! ». Une riche habitante de Cologne justifiant sa haine des officiers anglais : « Pour nous, ce ne sont que les représentants de ce système. Aujourd'hui, chaque Allemand est tenu pour personnellement responsable du national-socialisme ! »[3]

Les reporters étrangers et les quelques rares écrivains de langue allemande, qui suivirent de près cette époque, eurent toutes les peines du monde pour décrire les ressentiments anti-occidentaux qu'ils rencontrèrent partout en Allemagne et cette faculté sans précédent de jouer l'autruche devant ce qui s'était réellement passé, autrement dit un comportement dont la seule interprétation possible était qu'un collectif tentait de fuir son histoire et son présent. Les textes de Janet Flanner, Max Lerner, Lee Miller, Martha Gellhorn, Stig Dagerman, Rebecca West, Alfred Döblin, Stefan Heym, Hans Werner Richter, John Dos Passos, Alfred Andersch et Max Frisch traduisent un profond désarroi. Manifestement, la fameuse « communauté ethnique » prônée par les nazis était donc bien plus qu'un argument de propagande. En 1945 et 1946, elle se reforma dans les ruines, unie dans sa fuite de l'« esprit occidental ». « Il faudrait le mettre en musique, écrit Martha Gellhorn. Les Allemands chanteraient ce refrain, et il serait encore mieux ! »[4]

Dans les justifications des jugements prononcés en 1946 par lesdites « chambres de dénazification », on peut lire : « On n'a rien fait et rien su, mais pour les crimes qu'on n'a pas commis, il y a de bonnes excuses ! » Ou : « En fait, on nous a donné des ordres et on a obéi, mais on aurait très bien pu faire autrement ! ». « L'accusé doit être disculpé, peut-on lire dans certains dossiers, parce qu'il n'a pas agi pour de bas motifs, mais pour s'enrichir, cédant donc à une pulsion égoïste / Parce qu'il était sincèrement convaincu des idéaux nazis / Parce qu'il a obéi, non à des motifs idéologiques, mais à sa soif de vengeance / Parce que sa misère matérielle ne lui laissait pas le choix / Par naïveté intellectuelle /Parce que, normalement, il est tolérant / Parce que les camps de travail ne garantissent nullement une rééducation démocratique (ce commissaire de police était accusé d'avoir torturé des prisonniers) / Parce que c'est un bureaucrate de vieille roche (il était question d'un sous-préfet responsable de déportations) ». Fin 1946, plus de 80 % des personnes d'abord considérées comme « très compromises » et « compromises » avaient été disculpées. Et dans le langage commun, les « chambres de dénazification » avaient déjà un certain nombre d'équivalents peu flatteurs[5].

« Et pourtant, ce n'est même pas par insincérité consciente, écrivit Hannah Arendt, que le programme de dénazification a échoué ! Un nombre appréciable d'Allemands (...) n'est apparemment plus en mesure de dire la vérité, même s'il le désirait ! ». Bien sûr, les explications ne manquaient pas : on connaissait le poids de l'éducation wilhelmienne, axée sur l'obéissance absolue, l'autorité, le sacrifice et le devoir, et on savait fort bien que du temps de la

Prusse déjà, tous les milieux sociaux en étaient pénétrés. Dans ce sens, il était juste de parler d'un « parcours particulier » de l'Allemagne générateur d'une société à laquelle la question de la faute et de la responsabilité personnelles ne disait pas grand-chose, voire absolument rien. Sans parler des dévastations morales que laisse derrière lui tout régime totalitaire, et à plus forte raison le national-socialisme, qui a produit un grand nombre, voire une majorité de complices, tant passifs qu'actifs, de crimes indescriptibles, anéantissant ainsi le sens du droit et du tort, du vrai et du faux. Depuis le temps d'Hannah Arendt ou de Martha Gellhorn, beaucoup d'encre a coulé, beaucoup de recherches ont été faites sur le sujet. Et pourtant, c'était probablement trop peu, ou pas les bonnes questions, puisque nous devons encore trop souvent souffrir du même désarroi que les chroniqueurs, juste après la guerre. Quoi qu'il en soit, en 1946, les raisons de tourner le dos à l'Allemagne par résignation étaient nombreuses, à ce pays dont le besoin le plus urgent était une dénazification, laquelle devait malheureusement vite se réduire à une vaine et inutile tentative. « Mais, demandait Hannah Ahrendt, qu'attendre d'une occupation chargée de l'impossible mission de relever un peuple qui n'avait plus de sol sous pieds ! »[6]

La fuite des Allemands devant leurs responsabilités trouva un exutoire en 1946 aussi et surtout dans leur haine des Alliés. Même la censure de la presse eut du mal à freiner les attaques anti-occidentales. Journalistes et économistes, juristes et politiciens exigèrent un arrêt de la dénazification et s'insurgeaient contre toute réforme de la vie économique et culturelle en Allemagne. « Les Américains ont perdu la face !, disait-on. Autrefois c'était la guerre, aujourd'hui c'est la paix ! ». En allemand de la rue : les Alliés feraient bien de se mettre à reconstruire ce que leurs bombes ont détruit ! Difficile de dire ce qui irrite le plus : l'absence de conscience quant au véritable destructeur, ou le ton exigeant, voire menaçant ici et là. Comme si on sentait quelque part que la réaction des Occidentaux n'était plus qu'une question de temps[7].

Paradoxalement, c'est aussi en 1946 que l'Allemagne se tourne, tardivement, vers l'Ouest, de façon inattendue et peu prometteuse, il est vrai. Incapables ou peu désireux de se rendre maîtres des frictions permanentes avec les Russes, les Etats-Unis changent de cap dans leur politique vis-à-vis de l'Allemagne. Désormais, l'URSS et l'endiguement du communisme dans le monde monopolisent tout leur intérêt. Comme le montre le « long télégramme » de George F. Kennan de février 1946, il s'agissait d'une stratégie dépassant les ressources, pourtant considérables, des Etats-Unis, et qui ne pouvait fonctionner que si Washington mettait en place un système d'alliance occidental, avec des propositions attrayantes pour chacun de ses membres – Allemagne comprise.

Du fait de sa situation stratégique, et plus encore de son potentiel industriel, l'Allemagne jouait dans ce calcul un rôle-clé. Que cela plaise ou non à l'opinion, le vieil ennemi serait bientôt admis dans le cercle des vainqueurs. La question de savoir si les Allemands voulaient en payer le prix était bien sûr une autre affaire. Ils durent accepter que leur pays soit coupé le long de la ligne de démarcation est-ouest en plus d'être contrôlés politiquement et militairement de multiples façons. Pas question, pour un moment du moins, de redevenir une puissance mondiale. De son côté, Washington ne voulait pas être soupçonné d'avoir dicté ce nouveau cours – le souvenir du Traité de Versailles était suffisamment dissuasif. Il fallait donc être prêt à faire des concessions.

Dans ce sens, le ministre des Affaires étrangères, Jimmy Byrnes, tint le 6 septembre 1946 à l'Opéra de Stuttgart un discours resté célèbre. La réalité avait rattrapé la parole : « Autrefois c'était la guerre, aujourd'hui c'est la paix ». Byrnes fit comprendre à ses auditeurs que leurs péchés du passé allaient leur être pardonnés. Plus question de remaniement économique de l'Allemagne, autrement dit de démantèlement des grands cartels, et quant à la dénazification, il appuya ses mots : le gouvernement militaire faisait marche arrière et les Allemands allaient sans tarder pouvoir à nouveau décider selon quelles lois ils voulaient vivre. Personne, ou presque, n'aurait supposé que la langue anglaise comportait autant de synonymes pour « restauration » et « reconstruction ». Les Allemands devaient se mettre à l'œuvre, conscients de bientôt ne plus devoir jouer un rôle subalterne [8].

Désormais, « Go West » n'était plus un mot étranger. Au contraire : les Allemands découvraient tout d'un coup leur amour pour l'Amérique. En partie par fascination pour la force, la puissance et la victoire ; en partie parce que l'ancien ennemi, les Russes, était le nouvel ennemi et – qu'aux côtés de la puissance atomique occidentale, le dernier mot semblait ne pas encore avoir été dit ; en partie par reconnaissance pour l'aide matérielle généreuse ; en partie pour le soulagement apporté par une vie culturelle très variée, interdite pendant une dizaine d'années – toujours et partout, parce qu'enfin on pouvait respirer. Le « rideau de fer » traversant l'Europe était en effet aussi un mur, à l'ombre duquel les crimes allemands, dans le cadre de la guerre d'extermination avec ses centaines d'« Oradours », restaient invisibles. On s'en était donc tirés une fois de plus. Tout simplement et presque du jour au lendemain.

Tout cela n'avait bien entendu rien à voir avec une « occidentalisation » au sens strict du terme. Et à Washington, quelques responsables craignaient même que l'Allemagne ne soit encore moins à même de rejoindre le camp spirituel occidental. « Avec l'amélioration des conditions économiques en Allemagne, déclarait Lucius D. Clay en février 1948 devant le club anglo-américain de la presse à Paris, l'esprit de revanche des Allemands va probablement se ranimer, et il faudra les surveiller d'encore plus près ! ». Finalement, tout cela aboutit à une spéculation, ou pour être moins critique, à un vague espoir de voir à long terme l'Amérique garder un contrôle militaire et politique de l'évolution en Europe et créer ainsi un terrain suffisamment grand pour que se répandent les idéaux occidentaux [9].

En d'autres termes : la culture devait réussir, là où la politique avait échoué (et pour cause). Maisons des Etats-Unis, bibliothèques, échanges de jeunes et d'étudiants comme contrepoids des vieilles élites en passe de reformer à leur idée la vie économique et sociale. Si l'on en croit le futur haut-commissaire John McCloy, on prévoyait 50 ans. 50 ans de littérature, d'art, de mode de vie et bien sûr de cinéma américains pour influer durablement sur l'état d'esprit d'une nouvelle génération et l'arracher à la force d'attraction d'un passé allemand autoritariste [10].

En 1996, la république fédérale se présente effectivement comme une société ayant appris d'importantes leçons de civilité. Ainsi, à la différence de la République de Weimar, les forces armées n'ont pas connu de politisation portée vers la droite. Au contraire : les années 50 ont vu grandir une génération qui s'est visiblement distanciée de l'idéal militaire et qui, au lieu d'acheter des revues pour soldats, assura aux stations de radio américaines les plus forts taux d'écoute. Vivre « décontract », c'était soigner un art de vivre en tant que civil et jouir d'un espace de liberté dans lequel des traditions libérales longtemps enfouies de sa propre histoire pouvaient enfin se manifester. Bref, le milieu militariste et anti-libéral fut suffisamment endigué pour ne plus représenter de menace permanente pour la communauté démocratique [11].

La République fédérale peut être qualifiée d'« occidentale » depuis que la question de la responsabilité morale pour les crimes nazis n'est plus taboue. Dans les années 50, on aurait pu en douter sérieusement. Mais au cours de l'été chaud de 68, des étudiants en révolte donnèrent au pays un nouveau visage. Historiens, cinéastes, journalistes, écrivains sortirent enfin au grand jour et montrèrent que la majorité ne pouvait plus justifier par de mauvaises excuses son comportement au temps du nazisme. Ni les médecins, ni les diplomates, ni les journalistes, ni les savants, ni les juristes, et encore moins les membres de la Wehrmacht. Lorsqu'en 1978 le film à plusieurs épisodes « Holocauste » passa à la télévision, des millions de gens apprirent pour la première fois des détails sur l'extermination des Juifs européens. Le choc fut impressionnant. Hollywood avait démasqué à sa façon une illusion que se faisait la République. Dès lors, le « On ne savait rien et on a rien fait ! » ne tenait plus [12].

Il faut être bien malin ou escroc pour prédire l'avenir. L'Allemagne n'est certes pas libérée des scories d'une pensée traditionnelle, encore moins depuis la réunification. Depuis le grand tournant de 1989, les voix anti-occidentales recommencent à se faire plus criardes, vu le bruit causé par toute une littérature politique qui conteste avec véhémence la responsabilité des descendants dans l'histoire du pays. Le peuple allemand, entend-on, aurait plus payé pour ses méfaits que n'importe quel autre, il devrait donc faire preuve d'« un peu plus d'assurance ». Autrement dit quitter le « parcours particulier » suivi après 1945, celui de la docilité devant les Alliés. Il n'y a encore aucune raison de dramatiser ces « écrits pubertaires », comme les appelle Jürgen Habermas. Mais ils rappellent quand même les avertissements de certains historiens, affirmant que les états d'esprit sont plus durables que les systèmes politiques. Pour les changer, il faut le travail de plusieurs générations. Et en 50 ans, depuis 1946, en étant généreux, deux générations seulement ont grandi [13].

Vous connaissez sûrement aussi cet autre film : un industriel allemand, membre du Parti, joueur, qui s'intéresse surtout aux femmes, aux whisky et aux chevaux, ne supporte plus de voir disparaître les Juifs de son entreprise vers les camps de la mort. Il décide de résister, seul et avec des moyens relativement modestes, mais qui sauveront des milliers de gens. Quiconque apparaît sur la liste de Schindler comme « indispensable à l'économie de guerre » n'est pas envoyé à la chambre à gaz. Des millions d'Allemands ont vu le film et compris le message de Steven Spielberg : que contrairement aux excuses encore très répandues, il était possible, même sous les nazis, de faire preuve de courage et de bien se comporter sous la pression. Peut-être serons-nous un jour plus précis et au lieu de « Go West », nous dirons : « Go see the movies » [14].

NOTES

[1] Cf. Hannah Arendt, *Besuch in Deutschland*, Berlin: Rotbuch éd., 1993 (1986).

[2] Cf. Bernd Greiner, *Die Morgenthau-Legende. Zur Geschichte eines umstrittenen Plans*, Hambourg: Hamburger Edition, 1995, p. 226, 238, 344. Robert H. Jackson, cité d'après PM, 8.6.1945, p. 3.

[3] Cité d'après Greiner, *Morgenthau-Legende*, p. 288, 252; Hans Magnus Enzensberger, dir., *Europa in Trümmern. Augenzeugenberichte aus den Jahren 1944 – 1948*, Francfort/Main: Eichborn Ed., 1990, p. 109; PM, 12.11.1944; Dieter Hoffmann, Operation Epsilon. *Die Farm-Hall-Protokolle oder die Angst der Alliierten vor der deutschen Atombombe*, Berlin: Rowohlt Ed., 1993, p. 120; Tilo Höhler, Rainer Nitsche, dir., *Stunde 1 oder die Erfindung von Ost und West*, Berlin: Transit Ed., 1995, p. 124/125; Bernd Greiner, «Entflechtung der Kartelle. Erinnerungen an die Arbeit der amerikanischen Militärregierung in Deutschland, 1946-1947. Interview mit Peter Weiss», in: 1999. *Zeitschrift für Sozialgeschichte des 20. und 21. Jahrhunderts*, p. 89; Köhler, Nitsche, Stunde 1, p. 22.

[4] Martha Gellhorn, citée d'après Enzensberg, *Europa in Trümmern*, p. 87; cf. *Ibid.*, p. 221, 251; Janet Flanner, Paris, *Germany... Reportagen aus Europa 1931-1950*, Munich: Kunstmann Ed., 1992; Lee Miller, *Der Krieg ist aus. Deutschland 1945*, Berlin: Elefanten-Press Ed., 1995; Rebecca West, *Gewächshaus mit Alpenveilchen. Im Herzen des Weltfriedens: Nürnberg, Berlin, 1946*, Berlin: Edition Tiamat, 1995; John Dos Passos, Tour of Duty, Boston, 1946; Jürgen Schröder et.al., dir., *Die Stunde Null in der deutschen Literatur*. Ausgewählte Texte, Stuttgart: Reclam Ed., 1995; Wolfgang Schivelbusch, *Vor dem Vorhang. Das geistige Berlin*, 1945-1948, Munich: Hanser Ed., 1995.

[5] Greiner, *Morgenthau-Legende*, p. 347 et s.; Enzensberger, *Europa in Trümmern*, p. 220.

[6] Arendt, *Besuch in Deutschland*, p. 44, 64. Sur le débat contradictoire relatif au «parcours particulier» de l'Allemagne, cf. récemment: Hans-Ulrich Wehler, Deutsche Gesellschaftsgeschichte. Troisième tome: *Von der «Deutschen Doppelrevolution» bis zum Beginn des Ersten Weltkrieges, 1849-1914*, p. 449-493; Randall Collins, «*German Bashing and the Theory of Democratic Modernization*», in: Zeitschrift für Soziologie, 24, 1, 1995, p. 3-22.

[7] Cf. Greiner, *Morgenthau Legende*, p. 287 et suiv., 309 et suiv., 345; Enzensberger, *Europa in Trümmern*, p. 101 et suiv., 104, 108, 252; Karl-Heinz Janssen, *Die Zeit in der Zeit. 50 Jahre einer Wochenzeitung*, Hambourg: Zeit-Verlag Ed., 1995, p. 42-81.

[8] Cf. Greiner, *Morgenthau-Legende*, p. 299 et suiv.

[9] Lucius D. Clay, cité d'après Wolfgang Krieger, *General Lucius D. Clay und die amerikanische Deutschlandpolitik 1945-1949*, Stuttgart: Deutsche Verlagsanstalt Ed., 1987, p. 320.

[10] Sur John McCloy, cf. Kai Bird, *The Chairman. Lohn McCloy – The Making of the American Establishment*, New York: Simon & Schuster, 1992, p. 269-389.

[11] Cf. Kaspar Maase, *Bravo Amerika. Erkundungen zur Jugendkultur der Bundesrepublik in den fünfziger Jahren*, Hambourg: Junius Ed., 1992.

[12] Deux pièces de théâtre très remarquées en 1995 peuvent être considérées comme des illustrations très récentes de cette «rupture de tabou». *Stunde Null oder die Kunst des Servierens* (= L'Heure 0 et l'art de servir) de Christoph Marthaler et Stefanie Carp (au Deutsches Schauspielhaus de Hambourg) et *Operation Epsilon oder wie die Deutschen doch noch ihre Atombombe erfanden* (= Opération Epsilon ou comment les Allemands inventèrent finalement quand même leur

bombe atomique) d'Alfred Nordmann et Hartmut Wickert (Neues Schauspielhaus de Hanovre).

[13] Cf. Jürgen Habermas, « Aufgeklärte Ratlosigkeit. Warum die Politik ohne Perspektiven ist – Thesen zu einer Diskussion », in : *Frankfurter Rundschau, 30.12.1995, p. ZB 4 ;* ainsi que : *Die Normalität einer Berliner Republik*, Francfort/Main : Suhrkamp Ed., 1995, p. 65-88.

[14] A l'attention des critiques de gauche du film qui, avec leur tendance très allemande à toujours vouloir donner l'ultime interprétation de tous les mondes, passent une fois de plus à côté de l'évidence politique – ils ne peuvent d'ailleurs faire autrement, leur crainte de voir sérieusement ébranlée la stylisation négative de l'« Allemand en soi » étant bien trop grande. cf. Initiative Sozialistisches Forum, dir., *Schindlerdeutsche. Ein Kinotraum vom Dritten Reich*, Fribourg : Ça Ira Ed., 1994.

Renaissances

Pierre CHAUNU

LA RÉCONCILIATION

Je me suis interrogé. Introduction, certes, mais à quoi ? Que puis-je vous apprendre moi qui sais si peu, à vous qui savez tant, du moins je le suppose. « On prête aux riches ».

Introduction au fait que nous sommes, ici, sortis comme vous, amis allemands, de nos ruines en ce Mémorial pour la Paix, – la paix n'est pas une donnée naturelle, elle n'est nulle part dans la nature – nous avons à la construire. Elle est culturelle. Elle ne peut jaillir que de l'esprit, de l'intelligence. Nous y voilà. Comme je suis très vieux, né en 1923, comme je suis un homme de la frontière, né à Verdun, élevé à Metz, à cheval sur une ancienne frontière haïe, douloureuse, un lorrain [mon maître Fernand Braudel me disait, vous et moi, nous sommes des Lorrains Welches] né à Verdun (Verdun du Traité de 843, fondateur de nos nations, du siège de 1870, seul point de résistance sérieuse, « und die Schlacht um Verdun » il y a très exactement 80 ans) et qu'en raison de la solidité, dans les anciennes sociétés paysannes, des longues traditions orales, j'ai vécu à travers les récits de l'enfance, sur les genoux et la leçon des paysages blessés, lunaires de la zone rouge, l'Ossuaire de Douaumont, Fleury, Vaux, le Morthomme, ... mais aussi Gravelottes, Mars la Tour... et les ruines de l'Aqueduc d'Ars-sur-Moselle, preuve tangible de notre Romanité... et les immenses cimetières mémorial de l'éternelle jeunesse de ceux qui sont morts à 20 ans (345 000 d'un côté, 335 000 de l'autre... tous... français ou allemands), je suis le témoin, le contemporain encore vivant des principales étapes de notre brouille et de notre réconciliation fondatrice de l'Union européenne. Cela vient de loin, cela va vite de 1946 à 1950... Vous permettrez à un historien de la longue durée, de prendre un peu de recul.

On change souvent – c'est heureux – d'ennemis héréditaires. Comme à Byzance de *Basileis*, la haine dure moins longtemps que la fidélité des Français aux Capétiens. La causalité existe en histoire, à nous de la découvrir, mais le déterminisme fonctionne encore plus mal que dans la nature depuis la mise en place de la physique quantique. Allons-nous nier la liberté qui nous nargue dans le jeu des particules. Conscient de la complexité, qui rend insaisissable, j'ai titré récemment *Colomb ou la logique de l'imprévisible* [1], imprévisible parce que les possibles sont nombreux, presque infinis. C'est pourquoi les marxistes excellaient dans la prévision du passé... ce qui les obligeait à réviser tous les 4-5 ans l'histoire, afin de prévoir ce qui s'était passé.

Le concept d'ennemi héréditaire est lié à la cité forte, et plus près de nous, à l'Etat-nation. Entre Français et Allemands, on est à l'abri du risque de l'indifférence. On oscille normalement entre l'amour et la haine.

L'histoire se reconstruit perpétuellement. Le petit Lavisse de ma jeunesse portait la marque de l'après 1870. Et naturellement notre désamour passager s'enracinait curieusement très loin en arrière, dès les grandes, grandes invasions. Après avoir pleuré sur les malheurs des Gaulois, maudit le méchant César, à qui nous devons tout, nous versions des torrents de larmes sur ceux de Rome. Nous étions devenus des gallo-romains, et le Rhin gelé en 406 nous jouait un mauvais tour. Il faut beaucoup d'imagination (notre Camille Jullian gallo-national n'en manquait pas) pour placer la dépêche d'Ems dans le prolongement des défaillances du *limes* romain. Je rappelle que l'actuelle frontière linguistique en retrait vers l'Ouest et le Sud par rapport au *limes* est tracée avant la grande invasion de 406/408 par l'implantation des troupes auxiliaires germaniques implantées là par les autorités romaines pour la défense des limites de l'Empire. Les manuels d'histoire du XVIIIe (étudiés par Bernard Grosperrin) montrent que la vision négative de l'arrivée des « Barbares », synonymes des « Germains » n'est pas antérieure au XIXe siècle.

L'histoire de l'Europe (de l'Ancien continent) est faite de glissements de populations. Après les Celtes, les Germains. Le dialogue vif qui oppose germanistes et romanistes au XVIIIe siècle, ne déborde pas le cadre savant (Boulainvilliers, contre l'abbé Dubos) : les nobles, les parlementaires, les courants hostiles au renforcement de la monarchie administrative cherchent dans les forêts de la Germanie les racines, les fondements de la liberté et imaginent autour de Clovis, des assemblées de guerriers, qui ne ressemblaient guère, je suis prêt à parier, à la *Curia Regis* ou aux Etats-généraux (nés au XIVe siècle, avec l'impôt et le retour en force de la monnaie).

La France bénéficie de l'antériorité d'un état territorial puissant, elle est donc le pivot central de conflits pour l'équilibre... entre Etats anciens (l'Angleterre issue du duché de Normandie) et de puissants conglomérats dynastiques. Le conflit entre Valois, puis Bourbons et Habsbourgs est d'abord un conflit intradynastique franco-français (Charles Quint est un prince bourguignon de langue française au même titre que Clovis et Charlemagne sont des chefs germains d'expression, s'exprimant de préférence en francique), puis un conflit franco-espagnol sur lequel se greffent les guerres de religion de l'Empire, la longtemps petite Autriche étant à la remorque de l'Espagne, toute puissante, appuyée sur le métal précieux américain. Je suis frappé par la persistance d'une certaine mémoire certes brouillée du grand *Regnum Francorum* dont nos deux nations sont issues.

Nous avons mythifié Clovis[2], nous abandonnons volontiers Charlemagne, l'austrasien de l'Empire, à nos voisins. Le Roi de France, la France du traité de Verdun, *id est* la Neustrie se borne à se proclamer « empereur en son royaume », laissant aux autres leurs chimères. Je vous fais remarquer qu'occupée ailleurs, la France poids lourd pendant plusieurs siècles (sur les indices de la puissance disponible) ne cherche pas vraiment à récupérer les parties de la Lotharingie, ce couloir du milieu, en majorité, de langues romanes.

Il est amusant de constater que nous nous appelons du nom des Francs, ... revendiqués, du nom de cette tribu de Francs saliens autour de Tournai (en Belgique) avec qui les évêques, ces sénateurs gallo-romains avaient négocié leur protection vers 490/500, que nous vous appelons Allemands, comme les Italiens vous appellent *Tedeschi*, du nom de tribus germaniques, moins aimées, qui avaient donné aux *Romani* du fil à retordre. Les Anglais eux sont plus gentils avec vous puisqu'ils vous appellent par votre nom *Germans*. Serait-ce parce que... à travers le nom de *Franci* que Turcs et Arabes ont consacré en Terre sainte à l'heure des Croisades – les chrétiens d'occident sont dits *Franji* – nous entendons vous disputer un peu de cette germanité dont nous sommes fiers : Franc et Deutsch, sont respectivement des laudatifs. Nous sommes vous et nous parés de qualités. Qui en doute ? Ce qui prouverait que la belle parole biblique « tu aimeras ton prochain comme toi-même », vous et nous avons tiré la bonne conséquence qu'il ne faut pas oublier de « s'aimer soi-même ». Et nous nous aimons, comme nous sommes, beaux en diable, morbleu !

Et bien, l'histoire des images réciproques prouve qu'à l'intérieur de ce *Regnum Francorum* mythique, Francs d'expression romane (Welches) et de langue germanique (Deutsch) ont omis de se détester. Je pourrai fournir mille exemples d'une image plutôt favorable de nos voisins de l'Est jusqu'au XVIIIe siècle inclusivement. Pour Paris, que j'ai beaucoup étudiée, je pourrai vous fournir mille preuves d'une parfaite cohabitation avec les colonies allemandes des Faubourgs de l'est de la capitale où les Allemands émigrés sont nombreux dans l'industrie du meuble. On distingue mal Alsaciens et Allemands. Le Royal allemand est un régiment en grande partie alsacien. Le qualificatif allemand est plutôt flatteur. Pas de frottement systématiques, au vrai : une tradition d'alliance avec la Prusse lointaine qui compense un glissement de l'hostilité de la branche espagnole à la branche autrichienne de la Maison de Habsbourg quand l'Espagne passe dans le camp des Bourbons en 1700. L'impérialisme français au moment des « Réunions » (1680-1688) et le honteux « Dégât » du Palatinat ont pu laisser une marque durable dans les régions frontalières. On le comprend.

On peut détester Louis XIV – les huguenots somptueusement accueillis en Prusse ne pardonnent pas facilement – sans haïr les Français. En France, les clichés neutres ou favorables l'emportent : solides, un peu naïfs, travailleurs, valeureux (lansquenets et mercenaires suisses alémaniques), ils sont bien accueillis comme les Français le sont, auréolés de prestige jusque vers 1750 dans l'Empire. Le prestige de Frédéric II est énorme, modèle du despote éclairé, il est la mascotte des philosophes et c'est à Berlin que la messe refusée à d'Alembert, président de l'Académie française à Paris et à Versailles, est dite pour le repos de l'âme de Voltaire sur ordre de Frédéric II, coqueluche du parti philosophique.

Le vent tourne

Le climat change au XIXe sous l'influence de la charge psychologique et affective croissante de l'Etat-nation et de la folie agressive de la France révolutionnaire. Deux dates : 1792 et 1813.

Nous entrons dans la phase de la reconstruction mythique du

passé et de la falsification inconsciente. Les Français aiment la Marseillaise – elle a soutenu le courage devant la mort – mais il faut reconnaître que « les féroces soldats qui viennent jusque dans nos bras… » ne sont certainement pas, en 1792, ceux du duc de Brunswick. Peut-être ceux qui, venant de France, envahissent la Belgique et sont accueillis comme ils le méritent et reconduits à la frontière. Les Français ont seulement oublié qu'ils avaient déclaré la guerre à des gouvernements, dont 8 à 9 dixièmes des forces étaient disposées à l'Est, en vue d'un nouveau partage de la Pologne. Ce qui prouve clairement qu'ils ne s'apprêtaient pas à attaquer cette France occupée à se détruire.

Le rejet de l'impérialisme français est progressif. Au départ, des complicités idéologiques existent ici et là. Les forces militaires françaises ne provoquent pas un rejet immédiat, unanime, avant 1813. Mais le rejet alors est unanime. Les rancœurs et les rancunes sont vives et justifiées. Elles ne sont pas durables. Et l'on ne peut qu'admirer l'intelligence des vainqueurs, au Congrès de Vienne : un siècle de paix – avec le niveau de pertes planétaires imputables à la violence le plus bas jamais atteint (par l'équilibre européen... et le contrôle européen, colonial, des continents).

La nation allemande aspire à une unité renforcée, l'opinion réagit aux rodomontades françaises de 1840. La guerre est évitée de justesse grâce à la sagesse de Louis Philippe contre son ministre Thiers alors « va t'en guerre ». Un changement d'image intervient, en France, au détriment de la Prusse. En 1814-1815, c'est à l'Autriche de Metternich, à l'Angleterre servie outremer, sur mer, et sûre de son avance technologique et au tsar Alexandre qui pratique, avec élégance, l'alliance de revers que la France, doit de s'en tirer à si bon compte, contre la Prusse plus sévère et désormais implantée en Rhénanie pour contrecarrer l'impérialisme français. Cette situation nouvelle porte un risque et une obligation d'adaptation. Le mythe des frontières naturelles est tardif. Il apparaît en 1792, mélange de rêverie de collégiens et du désir de rapine (Barère, conventionnel annexionniste, membre des comités en 1793, cherche à gager l'assignat qui fond). Paradoxalement la résistance est plus forte en Belgique que dans les 3 électorats ecclésiastiques (Cologne, Trèves, Mayence).

La France révolutionnaire est trompée par la facile intégration de l'Alsace et par l'ignorance volontaire de ce que fut l'habileté et la patience du gouvernement royal qui sut ménager les transitions et respecter les différences.

La rive gauche du Rhin fait partie en pointillé de l'imaginaire de la gauche française au début du XIXe. Elle ignore à quel point l'heure en est passée et combien ce rêve anachronique est perçu désormais comme une injustifiable agression. D'autant plus irréalisable que sa concrétisation se heurte désormais à une puissance militaire de premier plan. Une chose est d'avoir à sa porte trois évêques électeurs et une poussière de seigneuries et de se heurter à un Royaume efficace et moderne dont le prince fut un moment un des quatre ou cinq grands capitaines de l'histoire.

On comprend mal pourquoi après avoir favorisé l'unité italienne, (à un *iota* près), la France ne sut faire de même pour l'unité allemande. Les revendications malencontreuses après Sadowa montrent le caractère nocif de la chimère des « frontières naturelles ». Ce torchon accroché à la hampe du drapeau républicain est un élément de propagande intérieure. De toute manière, il n'est pas raisonnablement question d'arracher le trophée à la Prusse.

Et ce cadeau empoisonné de 1792 va contribuer à cette authentique catastrophe que fut la guerre de 1870, et au traité de Francfort que le baron de Bismarck avait tenté de modérer. Les Français ont réussi à oublier deux vérités désagréables, que leur gouvernement, pour d'obscures raisons (déraisonnables) de basse politique intérieure, avait déclenché et déclaré la guerre en 1792 et en 1870. Qui se souvient des foules braillant le 19 juillet sur les grands boulevards à Paris « A Berlin, A Berlin ». C'est aux portes puis à Paris qu'ils rencontreront les Prussiens quelques mois plus tard. Que le chancelier Bismarck ait monté un piège diplomatique en 1870, ce n'est pas douteux, ... mais il fallait un gouvernement imbécile pour s'y laisser prendre. Bismarck aurait voulu faire de Sedan un autre Sadowa (Königsgraetz), c'est-à-dire une victoire se terminant par une paix blanche, permettant l'unité achevée, la Réconciliation. On connaît sa mise en garde : « Les Français ne nous le pardonneront jamais..., vous pouvez désormais préparer la guerre sur deux fronts ». Toute sa politique des traités de réassurance et ses avances à la France (acceptation de la République conservatrice moins belliqueuse que la monarchie, moins capable de déclencher la guerre, facilités offertes pour l'expansion coloniale ce dérivatif, le... refus d'engager une course aux armements, sa... politique sociale hardie sont un modèle d'intelligence politique. Jusqu'à 1887, date à laquelle le potentiel militaire allemand dépasse définitivement (démographie commandant, les branches des ciseaux s'écartent) les forces militaires françaises.

Si la période 1887-1914 est moins rassurante, elle n'en est pas moins au niveau planétaire la plus grande ère de paix jamais vécue. Le refus de signer la Réassurance avec la Russie, *casus belli* entre le jeune empereur et le vieux chancelier enclenche (1893)... l'alliance franco-russe (militaire, secrète, défensive)..., nous entrons dans une autre forme de régulation, celle des deux systèmes d'alliance qui équilibrent les forces et écartent le déclenchement sur un seul coup de tête. Quels sont les risques, risques maîtrisés ? Le but avant comme après 1887 est... le maintien de la compétition, ce facteur de progrès dans les limites raisonnables d'une compétition pacifique, ce qui n'exclut pas des conflits locaux maîtrisés cantonnés et finalement clos par un arbitrage.

Entre la France et l'Allemagne, l'Alsace-Lorraine est une blessure ouverte. L'opinion allemande, paradoxalement, en est tellement convaincue... qu'elle a tendance à en maximaliser la portée. Il me semble maintenant parfaitement établi qu'aucun milieu responsable n'a jamais imaginé en France une reconquête au terme d'un conflit franco-allemand déclenché dans ce but. L'opinion compte sur je ne sais quel triomphe de Dieu ou du Droit. Bien évidemment en cas d'un conflit général non souhaité, le retour de l'Alsace-Lorraine serait la revendication unique mais irrémissible. L'Alsace-Lorraine nous a, du moins, débarrassé de la « rive gauche du Rhin ».

Paradoxalement, la montée en puissance de l'Allemagne s'accompagne d'un sentiment obscur d'insécurité. Croissance démographique maintenue, économique foudroyante, (l'Angleterre est rattrapée), culturelle, c'est la rafle des Nobel. De 1900 à 1914, l'Allemagne à elle seule publie chaque année (32 000 titres) plus de titres que l'Angleterre, Les Etats-Unis et la France réunis. L'Allemand est devenu la langue de la Science. De même que les Allemands surestiment l'irrédentisme français..., les Français surestiment les manifestations tapageuses d'un pangermanisme braillard. Je résume, en un mot, vieille nation, mais état récent et fragile (oui, j'ai dit fragile)... les Allemands s'habituent mal, s'adaptent mal à leur puissance – paradoxalement ils supposent que les autres la jugeront insupportable et ils s'ingénient inconsciemment à la rendre peu supportable.

Tandis que les Anglais et les Français ont tendance à croire qu'ils demeurent, *ne varietur,* dans la position qui fut la leur. Les Anglais ne supportent pas l'idée de partager le contrôle des mers et les Français sont à la fois conscients de leur fragilité militaire et politique, qu'ils compensent par l'illusion d'une domination culturelle qu'ils surestiment depuis le milieu du XVIIIe siècle.

Je crois avoir montré d'ailleurs [3] que le déclenchement de la guerre de Trente Ans (1914-1945) – autant la 2e phase (1939/40) appartient à une implacable logique – ressortit à la logique de l'imprévisible. Un série d'erreurs d'appréciation en chaîne, sur un climat de tensions qui auraient pu se résorber sans une malencontreuse étincelle.

Les erreurs d'appréciation sont connues, l'imputation du meurtre de Sarajevo au gouvernement serbe, la réplique disproportionnée de la mobilisation russe (cet aveu d'impuissance), interviennent sur un mauvais climat – dû en partie à une tentative de désescalade allemande en faveur des Anglais, au détriment des Français. Je rappelle : 1911, Agadir, Le Maroc était une pièce d'un accord tacite, la réplique allemande est disproportionnée, dirigée contre la France, elle est mal vue par l'Angleterre, inquiète de la course vers la puissance navale engagée par Guillaume II.

Or, en 1912, l'Allemagne a décroché, elle donne un signe d'apaisement à l'Angleterre, elle le croit en faisant passer une partie des crédits militaires de la marine à l'artillerie, en renonçant en fait de continuer à tenter de dépasser l'Angleterre sur mer. Ce signe est en fait inquiétant. Il appartient au choix politique non plus seulement militaire du plan Schlieffen. Le plan Schlieffen, ou comment éviter d'avoir à répondre au risque de la guerre sur deux fronts. L'ennemi dangereux est la Russie dont la puissance est surestimée, l'ennemi secondaire, la France ... qu'il faut écraser en six semaines en vue de l'affrontement principal avec la Russie et du maintien de l'empire britannique hors du conflit. L'exécution du plan Schlieffen implique le risque énorme du viol de la neutralité belge (le chiffon de papier). Il suppose que la rivalité anglo-russe empêchera une réaction immédiate des Anglais à l'occupation de la Belgique, aux côtés des Russes, cas de figure concevable seulement dans le cas d'une agression caractérisée de la France.

La faute énorme du Cabinet allemand en 1914 aura été l'application du plan Schlieffen dans le cas de figure où il ne pouvait s'appliquer et du plan Schlieffen renforcé par la rage d'en finir vite... La parade de *Viviani* coûteuse militairement (mais capitale psychologiquement et diplomatiquement) du repli à 10 km de la frontière de la couverture française désigne l'agresseur.

Même si les Allemands ont vécu la psychose de la forteresse assiégée condamnée à une sortie, ... la France, elle, a répondu par l'Union sacrée au sentiment qui l'a soutenue pendant 52 mois, d'avoir été la victime innocente d'une inqualifiable agression. Le choix Schlieffen s'accompagne d'une manière de conduire les opérations qui contraste paradoxalement avec 1870 et 1940.

Les Français avaient été contraints de constater (Ernest Lavisse[4] et mes grands-mères) que les Prussiens (les Prussiens non les Bavarois) avaient respecté en 1870 les lois de la guerre réglée,...

de même en France en mai-juin 1940 grâce aux cadres de la Reichswehr... (j'ai dit en France et en mai-juin... sans préjuger de l'Est et de l'administration nazie). En 1914, 1914 surtout... (puis ensuite pour tâcher de desserrer l'étau... les gaz et la guerre sous-marine) le besoin, la hâte de faire vite et une masse militaire moins bien encadrée... ont donné aux Français, aux Belges et aux Anglais des éléments au concept de la barbarie allemande. Du viol de la neutralité, au viol de toutes règles, ... le jugement est excessif, peut-être, mais les souffrances sont telles et, au début, si inégalement réparties, que l'image imprimée est tenace, ineffaçable.

Et c'est ce qu'une analyse serrée des événements du 24 juillet à la fin septembre 1914, permet de dégager. Un monceau d'erreurs de jugement, une logique irréversible de l'imprévisible et 80 ans de malheur programmé.

Le rebondissement du conflit et la paix manquée de 1919 nous apparaissent ensuite dans les 90 jours du 24 juillet à la fin septembre du cruel été 1914. Cet immense conflit, ce premier conflit mondial est strictement national. Le coupable sera donc là, une nation, celle de l'autre bien sûr, et voilà lancée la *Kriegsschuldfrage*. Je ne ferai pas l'histoire aujourd'hui parfaitement et équitablement écrite de la *Kriegsschuldfrage*[5]. Un mot indemnité, traditionnel oui, réparations, wilsonien, non, Wilson joue et gagne. Et la paix perd. S'il y a réparation, c'est qu'il y a un coupable. Les Français, 1 391 000 morts, 2 000 000 de mutilés pour une population citoyenne de 37 millions, un territoire ravagé. Une infériorité payée par un surplus de sacrifices. La supériorité du commandement allemand est contenue en deux chiffres. Sur le front Ouest (Im Wiesten nichts neues), 800 000 morts allemands, français, anglais, américains, ensemble 2 200 000. Et une terrible inégalité, en 1914-1915 surtout (75 % des pertes totales). La guerre est chose sérieuse, elle ne s'improvise pas.

Objectivement, la part de responsabilité en 1914 est inégale, la France est cette fois, ... largement innocentée. Elle le sait. Elle ne pardonne pas. Les Boches (pardon les Allemands) sont des barbares. Et puis sauvés par un miracle... il faut punir et mettre hors d'état de nuire les coupables prêts à récidiver.

De l'autre côté, comptez deux expériences, celle pendant quelques mois de la décomposition d'une société et de la violence anomique triomphante à l'arrière d'une armée dont le noyau central a tenu, et le sentiment d'une colossale hypocrisie de la part des vainqueurs. Je puis sans effort comprendre les Français et les Allemands. Le fossé s'est creusé. Il est clair que l'Allemagne affaiblie, humiliée est sur l'échiquier européen du fait de l'effacement russe et de la décomposition austro-hongroise et des réparations (qui attirent les investissements étrangers) le vainqueur relatif dans le jeu du « qui perd gagne ». La « *Kriegsschuldfrage* » mal posée et mal réglée – elle incite au bouc émissaire – ceux comme le futur chancelier du IIIe Reich qui ont lu et médité la prose romancée d'Artur Dinter ont trouvé les, le coupable et derrière le Juif infiltré, indiscernable. Pour les Français, c'est simple, bien sûr, ce sont les Allemands.

De la guerre nationale à la guerre idéologique

Si on compare 14-18 et 39-45, le crescendo des pertes est formidable, de 8,5 (14 avec la « grippe espagnole ») à combien 40, 50 millions... (?) directes et indirectes. Et la souffrance ne se mesure pas, ne se mesure plus. Et c'est peut-être dans ce plus que gît la différence. La première guerre est nationale, la seconde idéologique. Le départ et le retour d'une partie des ostracisés, et le procès de Nuremberg contribuent à la différence. Français et Allemands seront d'accord rapidement pour découvrir que le coupable ce n'est pas l'autre mais le diable, le diable qui est en nous... Si les nazis et le nazisme, si les communistes et le communisme et les idéologies réductrices et l'antisémitisme latent hérité d'un long passé sont les coupables, l'autre avec son passé, sa langue, ses particularités qui sont aussi une richesse pour le patrimoine commun à tous les hommes, l'autre cesse d'être l'unique, le principal coupable.

Paradoxalement l'émergence de la *Shoâ* au sein des crimes de guerre dont elle se détache pour se particulariser dans le crime par excellence contre l'humanité, en France, vers 1970, contribue à exonérer l'Allemagne au moins autant qu'à la désigner. Même si l'antisémitisme a pris en Allemagne une forme particulièrement cruelle, radicale et exaltée, qui peut prétendre qu'il n'en existe pas ailleurs des formes qui ne demandaient qu'à se développer ? La guerre froide n'a pas seulement encouragé à combler le vide et la division entre République fédérale et DDR, à diminuer les craintes que la puissance allemande pouvait encore susciter aussi mais elle a montré que la page de la lutte contre les idéologies réductrices n'était pas tournée.

Sur ce complexe, que devient le vieux couple, *pars occidentalis*, *pars orientalis* du *Regnum Francorum*, Neustrie et Austrasie (je rappelle que Metz où j'ai été élevé rappelait volontiers qu'elle avait été la capitale de l'Austrasie), Royaume et Empire, France/Allemagne, Germains et Gaulois, Welches et Thiois, vont-ils prolonger de quelques décennies, 75 ans, une querelle sanglante et inutile ?

Je me bornerai à 3 témoignages. Je les emprunte à mon pays, ... vous en apportez d'autres. A un certain niveau, ... il n'y a plus de coupables, ... il y a le malheur. Deux grands historiens, d'abord, une femme. Annie Krigel, vivante dans nos mémoires, dans son très beau *Ce que j'ai cru comprendre...* (elle aurait pu avoir quelque excuse à la rancune) note... traversant l'Allemagne en 1946, ... la découverte horrifiée d'un « pays à 50 cm du sol ». Un homme, mon maître Fernand Braudel, confie à Pierre Daix en 1945, ... sortant d'un camp de représailles où il avait failli être exécuté pour avoir plusieurs fois tenté de s'évader... croisant des bribes d'armée... de soldats allant se rendre, ... leur crie en allemand... mais sauvez-vous donc... prenez des vêtements civils, ..., il dit avoir partagé la souffrance de ces hommes et de ce peuple, « ils connaissent en 1945 ce que nous avons connu en 1940 ». Et à la question, n'avez-vous pas ressenti comme une sorte de vengeance... non, vraiment pas, ... c'était le malheur, ... la communion dans le malheur. Braudel, le Lorrain welche.

En 1919, les Français avaient pu avoir l'illusion d'être sortis vainqueurs (en quel état, à quel prix ?), en 1946, nul n'était assez bête pour croire de telles sornettes. Il n'y avait que des vaincus. C'était l'espèce humaine qui avait perdu. Nous allions à la guerre froide, ajoutez le parcours plus ou moins chaotique d'une difficile décolonisation, dans la mesure où nous avions beaucoup investi dans l'image romaine d'un empire promesse d'une Cité à la romaine élargie. Pardonnez cette réminiscence à des Gallo-romains qui avaient jadis appris par cœur des pages *De viris illustribus urbis Romae.*

Dans sa belle biographie de Jean Monnet[6], Eric Roussel termine l'épisode de la mise sur rail de la CECA, premier maillon de l'Europe communautaire dont le couple, paradoxal hier, France-Allemagne/Allemagne-France est l'axe central, par cet épisode rapporté par un témoin, Paul Leroy-Beaulieu, le chancelier Konrad Adenauer, cette grande figure, ce grand politique et ce magnifique honnête homme « s'est alors tourné vers moi : voulez-vous dire à M. Monnet que lorsqu'il m'a présenté son projet, j'ai remercié Dieu ? », ce projet qui réintégrait l'Allemagne renaissante dans le concert des nations fréquentables.

CECA, Euratum, Traité de Rome... passage de la IVe à la

Ve République, ... Colombey-les-deux-églises, automne 1958, de Gaulle, Adenauer. Un jeune homme sur la photo de famille : l'interprète, mon ami Heirmann Kusterer qui vient de publier chez Neske à Stuttgart un livre que je vous recommande *Der Kanzler und der General*[7] (sur la manière dont on devient interprète en 1946, il vous apprend beaucoup).

En 1946 – Ne serait-ce pas le sujet ?

NOTES

[1] F. Bourin, éditeur, 1993, 304 p.

[2] Je suis le mythe Clovis cette année, dans un dialogue avec un jeune collègue, Eric Mension-Rigau, in *Baptême de Clovis, baptême de la France*, Balland, 301 p., 1996.

[3] Pierre Chaunu, *Les Enjeux de la Paix*, Puf, 1995, 365 p.

[4] Cité par Stéphane Audouin-Rouzeau *L'enfant de l'ennemi* – 1914-1918, Aubier 1995.

[5] J.-B. Duroselle *La grande guerre des Français*, Perrin, 1994.

[6] Eric Roussel, *Jean Monnet*, Fayard 1996, 1004 p., p. 539.

[7] Heirmann Kusterer, *Der Kanzler und der General,* Neske, 1995, 490 p.

Norbert MENDGEN

L'URBANISME : UTOPIE ET RÉALITÉ À L'EXEMPLE DE SARREBRUCK

« Le 10 juillet 1945, la France revenait en Sarre. Cette contrée que nous avions dû quitter à la suite du plébiscite de janvier 1935 et qui était alors extraordinairement prospère offrait à nos yeux un spectacle de désolation propre à décourager les plus forts. [...] La France a en Sarre des desseins à la taille de sa tradition. Elle veut dans ce pays effacer les traces qui, malgré les bombardements, subsistent de l'esprit prussien ; elle veut que le génie de l'urbaniste consacre pour toujours les liens qui unissent la Sarre à la France... »

Ces deux passages sont un extrait de la présentation officielle des premiers projets de reconstruction et d'expansion de la ville de Sarrebruck avec une publication en français « La Sarre, urbanisme 1946 » et en allemand « Die Saar Städtebau 1946 » [1].

La Sarre avait été occupée par les troupes américaines le 21 mars 1945. Avant la capitulation déjà, on nomma un président et rétablit le district administratif de la Sarre telle qu'il avait été défini à l'époque de la Société des Nations. Suivant les négociations entre Alliés, les Américains furent remplacés par les troupes françaises et on instaura un gouvernement militaire français le 30 août 1945.

La même année, soit le 15 novembre 1945, le gouverneur militaire, Gilbert Grandval, fit appel à l'architecte Marcel Roux afin qu'il prenne la responsabilité du « Service d'Urbanisme et de Reconstruction du Gouvernement militaire de la Sarre » dont l'objectif était de « reconstruire la région de la Sarre selon des idées nouvelles ». Il émit le désir que les architectes natifs de la Sarre puissent coopérer amicalement avec son équipe. Parmi les autres membres de l'équipe, il faut nommer Georges-Henri Pingusson pour la programmation de la reconstruction de la ville de Sarrebruck, Jean Mougenot pour le district, Pierre Lefèvre pour Neunkirchen et Edouard Menkes pour Saarlouis.

Les architectes et urbanistes se connaissent grâce à des activités communes passées. L'urbaniste en chef, Marcel Roux et l'urbaniste en chef adjoint, André Sive, sont des amis d'A. Lurçat, du Corbusier, ils ont travaillé en Algérie pendant la guerre. Les autres appartiennent à la rédaction de *L'Architecture d'aujourd'hui*, une revue spécialisée dans laquelle ils allaient présenter les plans de Pingusson pour Sarrebruck et l'ambassade de France locale. G. H. Pingusson, né en 1896 à Clermont-Ferrand, décédé en 1978 à Paris, avait fait ses études de 1920 à 1925 à l'Ecole nationale des Beaux-Arts à Paris. Il travailla jusqu'en 1930 surtout dans le Midi où il construisit plus de vingt villas modernes et plusieurs parcs de loisirs. Son œuvre la plus connue de cette époque est l'hôtel Latitude 43 à Saint-Tropez, construit vers 1929 ; un projet remarqué alors. Après une brève coopération avec Le Corbusier, il fut chargé dès 1936 de préparer l'exposition universelle de 1937 à Paris ; il collabora alors avec Mallet-Stevens, un des plus importants représentants de la modernité à côté du Corbusier. Les deux hommes préparèrent aussi ensemble le concours en vue de l'élargissement de l'aéroport Le Bourget[2].

En 1941-1942, Le Corbusier publia sous anonymat les thèses de la *Charte d'Athènes*[3]. En 1945, cet architecte présenta ses projets de plans d'urbanisme pour Saint-Dié qui eurent manifestement une grande influence sur les travaux de Pingusson.

Après la guerre, Pingusson sera d'abord chargé de la reconstruction des départements de la Moselle et de la Lorraine. Pingusson arriva en avril 1945 à Sarrebruck. En septembre déjà il recevait dans son cabinet de travail et expliquait aux visiteurs la nouvelle planification de la capitale de la Sarre à l'aide d'un grand modèle et de dessins[4]. Il y voyait la chance de recommencer à zéro. Il souligna que l'aspect futur de la ville devait s'orienter selon les dernières découvertes de l'urbanisme, surtout parce que l'importance des ruines offrait la possibilité de transformer totalement l'image de la ville[5].

La présentation officielle du plan de réaménagement eut lieu le 14 juillet 1947 au Centre de métiers d'art, simultanément avec l'ouvrage *La Sarre, urbanisme 1945* ou sa version allemande. Ces riches documents[6] nous permettent d'en présenter les aspects les plus marquants. L'objectif de Pingusson était de réorganiser et d'élargir la ville en vue d'une population de 200 000 habitants[7], puis de construire une cité jardin verticale. (Photo n°1)

Les bases des plans de réaménagement de Sarrebruck par Pingusson reviennent à une analyse des conditions naturelles de l'espace, soit la géologie, la géographie, la végétation, le climat, la température et les vents qui furent mis en rapport avec l'évolution historique, que ce soit la démographie, l'habitat, la densité de population voire les fonctions urbaines comme le commerce, le trafic, l'hygiène, les religions, la culture et les loisirs[8]. Ces valeurs de base auraient été étudiées et publiées par la municipalité avant la Seconde Guerre mondiale[9]. L'ampleur et l'étendue des destructions par les bombardements déterminaient l'entreprise de réaménagement. Pingusson écrivit ainsi : « Il est en effet désirable que le plan futur se meuve à l'intérieur de ce cadre et que de nouvelles démolitions ne soient pas rendues nécessaires pour sa réalisation. »[10] (Photo n°2)

Pingusson projeta deux quartiers entièrement nouveaux. Le centre ville allant de la gare jusqu'à la vieille île du port, puis de l'autre côté de la Sarre, une partie de la vieille ville et à la périphérie est l'agglomération « Bruchwiesen ». Les deux nouveaux quartiers sont formés par des rangées linéaires de gratte-ciel à vitres, illuminés du côté nord et sud, qui étaient reliées par un vaste axe routier allant d'est en ouest. (Photo n°3)

La place centrale (place de la mairie) occupe le noyau de ce nouveau centre ville (voir photo n°3). Pingusson accorda beaucoup d'importance à cette place ; il écrivit : « Aucune place publique ne constitue actuellement un centre de vie publique, d'échanges matériels, intellectuels et sociaux, un forum comme chaque grande ville en possède. »[11] La place devait être limitée au nord par la mairie, à l'est par la direction des mines, à l'ouest par le présidium du gouvernement et l'axe routier allant du nord au sud, et par la Sarre au sud avec de l'autre côté de la rive, l'ambassade de France. Le centre gouvernemental situé à l'ouest de la place centrale « groupait » les administrations publiques majeures sur le plus beau site en bordure de la Sarre »[12]. L'ambassade de France, située non loin du pont construit dans les années 1980 comme tangente « ouest », représente le témoignage le plus significatif du travail conceptuel de Pingusson après la guerre. Le pont se trouve sur l'axe nord-sud projeté par l'architecte. L'actuel ministère de la Culture était conçu comme ambassade dès 1950, et fut décoré par des artistes allemands et français[13]. (Photos n°s 4, 5 et 6)

A l'est, à la périphérie opposée du centre ville, se trouve l'antipode du centre, la « Bruchwiese » ; vingt-et-un gratte-ciel d'habitation y furent projetés. Il s'agissait de maisons allant jusqu'à douze étages, situées dans l'axe est-ouest. Marcel Roux construisit à leur extrémité occidentale deux maisons à cinq étages (1950). L'université de la Sarre, fondée par l'administration militaire française, y obtint quarante appartements destinés aux professeurs.

Selon Pingusson, la réglementation du trafic était un des problèmes fondamentaux de la ville de demain[14]. Il créa alors un concept résolument dirigé vers l'avenir :

1. Sélection de trafics
2. Circulation continue
3. Séparation des voitures en stationnement et du trafic, puis une séparation selon les véhicules, poids lourds, autos normales, vélos et piétons[15].

Il en résulte des projets, modèles compris, qui prévoient comme réseau de communication un boulevard extérieur pour les routiers et poids lourds : « Pour les premières sont prévues deux avenues transversales est-ouest de bord de Sarre et un grand axe nord-sud »[16]. L'axe nord-sud fait aujourd'hui partie de la tangente ouest, une rue formant un axe routier sans carrefour. Les transports en commun faisaient partie de ces projets révolutionnaires. Le tramway devait être remplacé dans le centre par un métropolitain, et dans la périphérie par des trolleybus. Concernant le réseau de chemins de fer, il prévoyait des gares supplémentaires, comme la gare est pour les « Bruchwiesen ». L'aéroport mis à part, il envisageait de petits héliports qui assuraient le transport vers le centre et les « Bruchwiesen ». (Photo n°7)

En dépit de ces projets futuristes, Pingusson restait réaliste : « C'est ce travail que nous avons essayé de conduire dans l'esprit de l'urbanisme français [...] C'est avec discernement qu'il faut composer avec les unes, surmonter et vaincre les autres, se tenir à mi-route entre un conformisme paresseux et une vision chimérique, équilibrer les buts d'un programme vaste et audacieux avec les possibilités des moyens... en sachant qu'un plan, aussi intelligent soit-il n'est bon que s'il se réalise. »[17]

En rétrospective, un témoin raconte : « Ce qui impressionnait des personnes souvent jeunes, peu affectées par le passé, c'était la clarté du concept du plan de Pingusson ; on admirait l'essai de restructuration du sol plausible, car il reconnaissait l'originalité de centres villes historiques comme zones piétonnes tout en évitant l'historicisme excessif et menteur du Reich [...] Le gratte-ciel était la solution pour gérer l'organisation d'un espace vital devenu chaotique, le moyen pour dégager de la place dans la ville afin d'y créer de l'espace vert »[18]. Dans la classe d'architecture de la nouvelle Ecole des Arts et Métiers (fondée en 1946), ces projets furent discutés et soutenus grâce à la fabrication d'un spacieux modèle [19]. (Photo n°8)

Dans la population, ce plan militaire par trop moderne a suscité de vives critiques et il fut disqualifié comme vision cauchemardesque d'une ville à gratte-ciel sans âme. Le travail de Pingusson fut un échec, si l'on fait abstraction des quelques vestiges qui peuvent encore documenter son travail. Or, même des projets de reconstruction contemporains, tels Saint-Dié en France ou Mayence en Allemagne, témoignent d'une volonté de modernisation qui n'avait pu être réalisée [20]. L'échec de ces projets de réaménagement est toujours expliqué par les arguments suivants :

– Le droit du sol allemand, qui n'aurait pas admis les réaménagements de terrains et les dédommagements qui en auraient résulté.

– Le Conseil de la ville démocratiquement élu (15.9.1946) avait décidé le 15 janvier 1947 que « le plan du gouvernement militaire devait par principe être considéré comme base de reconstruction. Or, on omit d'organiser la procédure de constat de planification suivie des obligatoires décisions, ceci pour le projet dans son ensemble comme pour les projets partiels. L'administration de la ville (où siégeaient encore des spécialistes d'avant-guerre) avait d'autres soucis.

– On avança des arguments économiques, manque de moyens et changes fluctuants entre le Reichsmark, le Saarmark et le franc français [21].

Pingusson voyait une « chance pour un redémarrage complet », le Conseil de la ville et les citoyens émergeaient à peine des ruines. Ils ne pouvaient se détacher du passé et avaient des problèmes plus fondamentaux que ceux d'une perspective apparemment utopique [22]. Les suites de la peur de décider résolument une planification se répercutent jusqu'à nos jours [23]. Certains défauts décrits par Pingusson – la situation du trafic près de la gare, l'orientation de certains quartiers par rapport aux régions industrielles, l'aménagement des rives de la Sarre et l'absence du centre ville – n'échapperaient pas à une enquête similaire. En l'absence d'une génération, on cherche à nouveau à discuter ces travaux refoulés jusqu'alors ou discriminés comme utopie [24].

[1] « Avant-propos », *La Sarre, urbanisme 1946*, p. 3.

[2] « Notice biographique de l'architecte Pingusson ». Ecole Nationale Supérieure des Beaux-Arts, Sere/EV/YP/N°1746, 1987.

[3] Le Corbusier, *Entretien avec les étudiants des écoles d'architecture : La Charte d'Athènes*. L'auteur y fait allusion à l'oppression générale et à la paralysie qui aurait envahi l'architecture et l'urbanisme, catégories pour lesquelles Athènes était un étendard lumineux et où le mot Charte revenait à un ordre.

[4] *SBZ*, (Saarbrücker Zeitung), le 14 septembre 1946 « Sur la construction de Sarrebruck ».

[5] *Loc. cit.*

[6] Il n'y a que peu de plans ou maquettes qui ont été conservés.

[7] En 1939, Sarrebruck comptait 135 000 habitants, en 1955, 120 000.

[8] Pingusson, « Le projet de reconstruction de Sarrebruck », Heft 1, p. 37-51 ; *La Sarre, urbanisme 1946*, p. 40-56.

[9] Hermann Stolpe, Manuscrit de conférence « Les premiers plans français pour Sarrebruck. Le plan de Pingusson (1945-1947) », 1987, p. 7.

[10] La Sarre, urbanisme 1946, p. 46.

[11] « Le projet de reconstruction de Sarrebruck », Bau-Zeitschrift, Heft 1, p. 47 ; *La Sarre, urbanisme 1946*, p. 44.

[12] *Ibid.*, p. 47 et 48.

[13] J. Dumond, Décoration ; Raphaël, bureau de l'ambassadeur ; B. Kleint, foyer de la Cantine et bar (détruits).

[14] Pingusson, « Le projet de reconstruction de Sarrebruck », *Bau-Zeitschrift*, Heft 1, p. 49 ; *La Sarre, urbanisme 1946*, p. 52.

[15] *Loc. cit.*

[16] *Loc. cit.*

[17] *Ibid.*, p. 38 et 40. Dans la traduction en allemand, « français » est donné par « moderne ».

[18] Dieter Heinz, « Konflikte beim Wideraufbau », in : *Von der Stunde O zum Tag X* », Historisches Museum, Saar, Ausstellungskatalog, 1990, p. 87.

[19] « Jusqu'alors, il n'y avait pas grand-chose à dire sur la vie culturelle à la Sarre. Toute cette lettre n'aurait pas existé si l'on ne pouvait pas parler de cette magnifique oasis qui s'érige et s'étend dans les ruines. Je parle de l'Ecole des arts et métiers de Sarrebruck [...] », Hans Groh, « Die Situation an der Saar », *Aussaat*, Heidelberg, 1947, p. 127.

[20] Jean-Louis Cohen, Hartmut Franck, *Architettura dell'occupazione : Francia e Germania, 1940-1950*, Milan, 1990.

[21] Voir Hermann Stolpe, Manuscrit de conférence « Les premiers plans français pour Sarrebruck. Le plan de Pingusson (1945-1947) », 1987.

[22] « La question d'une annexion de la Sarre à la France sur le plan politique et économique ne suscita pas de débats incontrôlés. On pouvait définir l'atmosphère de manière suivante : Qu'ils fassent ce qu'ils veulent mais qu'on ne nous pose pas de questions. Par « ils », on entendait à la fois les partis allemands, la France ou tous les Alliés. Cette attitude exprime la défaite totale telle qu'elle n'avait jamais été perçue à l'époque contemporaine. Comment pouvait émerger, dans une telle grisaille, une volonté vraiment artistique ? » Hans Groh, « Die Situation an der Saar », *Aussaat*, Heidelberg, 1947, p. 126.

[23] Ulrich Höhns, « Saarbrücken : verzögerte Moderne in einer kleinen Groß-

stadt», *Neue Städte aus Ruinen: Deutscher Städtebau der Nachkriegszeit*, 1992, p. 291.

[24] H. Stolpe / Deutsche Akademie für Städtebau und Landesplanung, 1987, N. Marchais, 1990, J.-L. Cohen/ H. Frank etc, 1990 et U. Höhns, 1992.

(traduit de l'allemand par Francine-Dominique Liechtenhan)

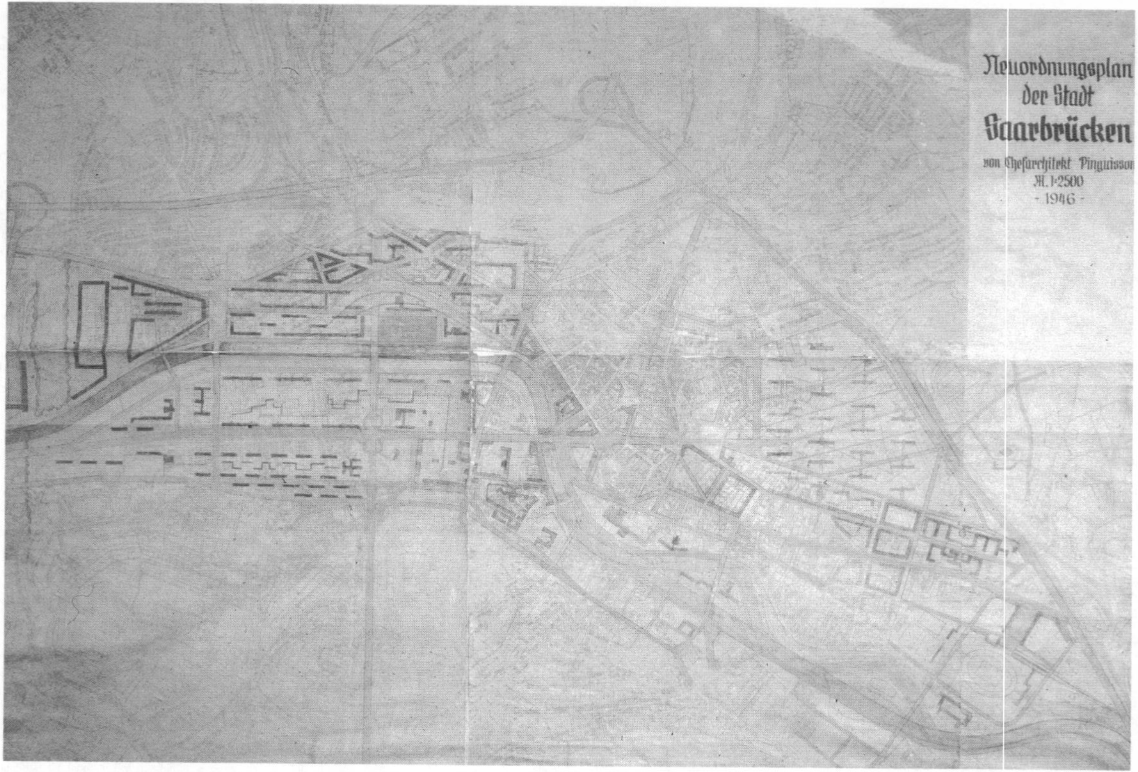

Neuordnungsplan
der Stadt
Saarbrücken
von Chefarchitekt Pingusson
M. 1:2500
- 1946 -

Plan de réaménagement de la ville de Sarrebruck par l'architecte principal Pingusson, 1946

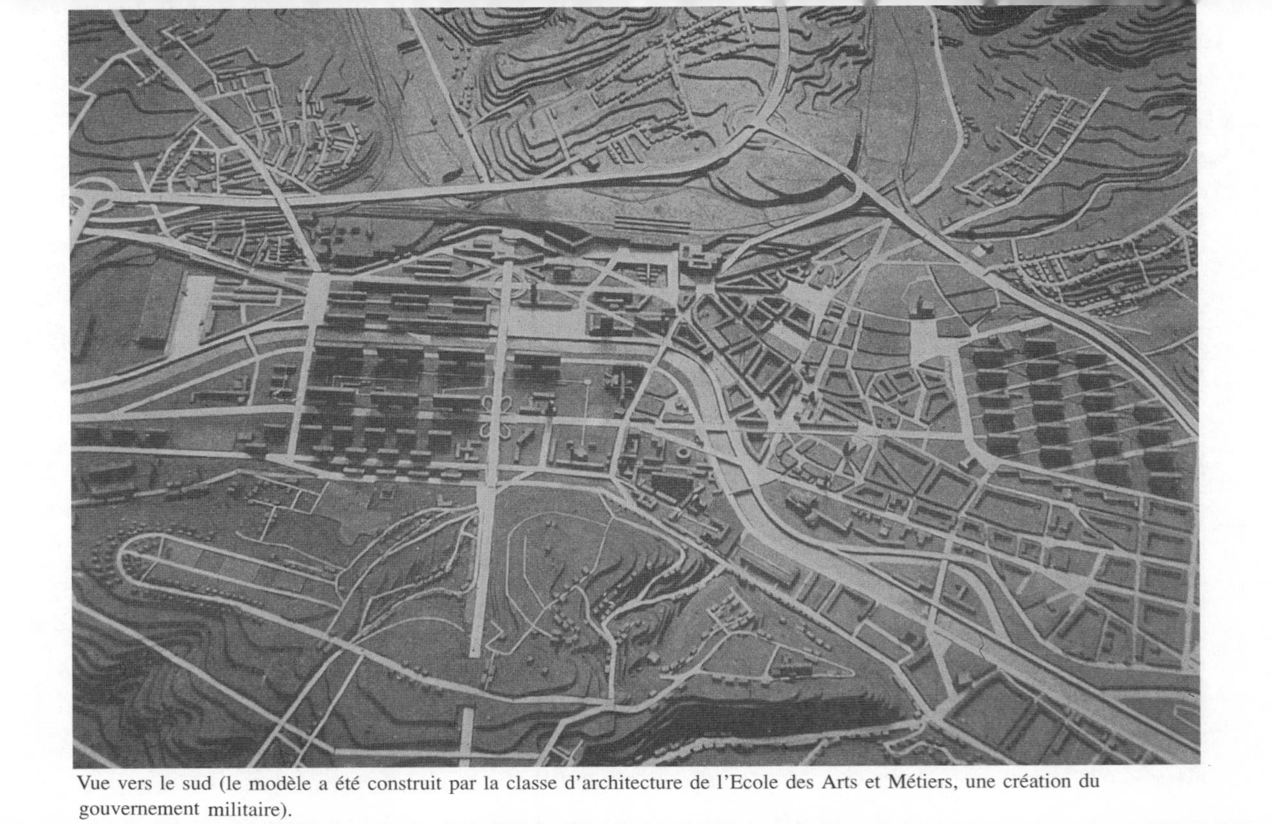

Vue vers le sud (le modèle a été construit par la classe d'architecture de l'Ecole des Arts et Métiers, une création du gouvernement militaire).

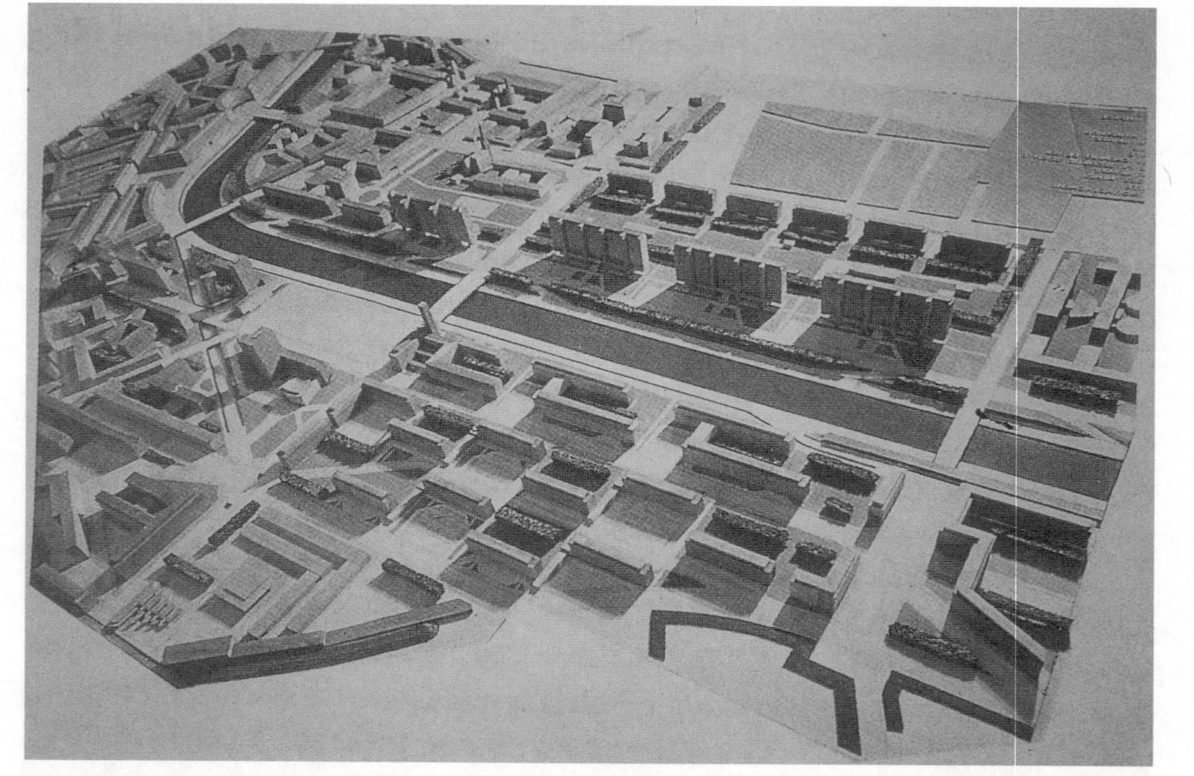

Modèle, deuxième version de 1947-1948. Vue du nord-ouest sur les quartiers gouvernementaux et commerciaux du centre ville

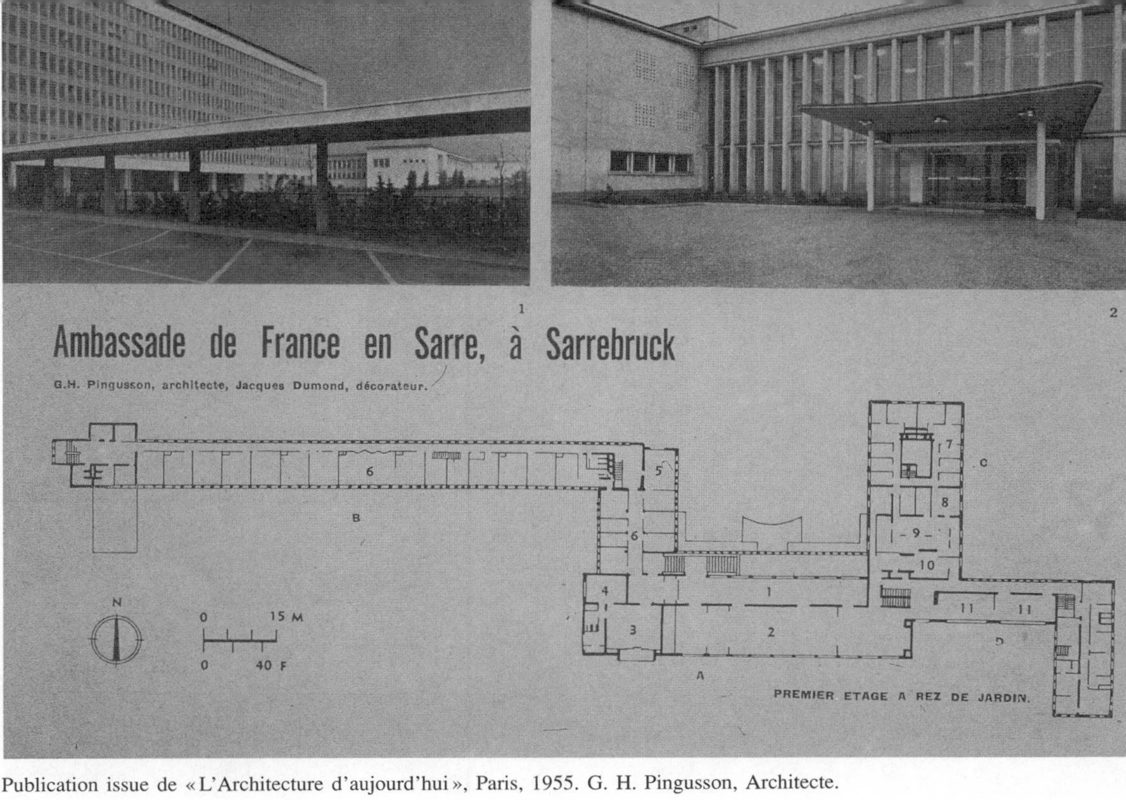

Publication issue de « L'Architecture d'aujourd'hui », Paris, 1955. G. H. Pingusson, Architecte.

Foyer de la cantine et bar (dit aussi la salle de bibliothèque, détruit). Conception artistique, Boris Kleint, professeur à l'école

Bureau de l'ambassadeur, en 1996 du ministre de la Culture. Raphaël dessina les meubles (Paris vers 1953). Les travaux de laque ont été accomplis par des artistes japonais.

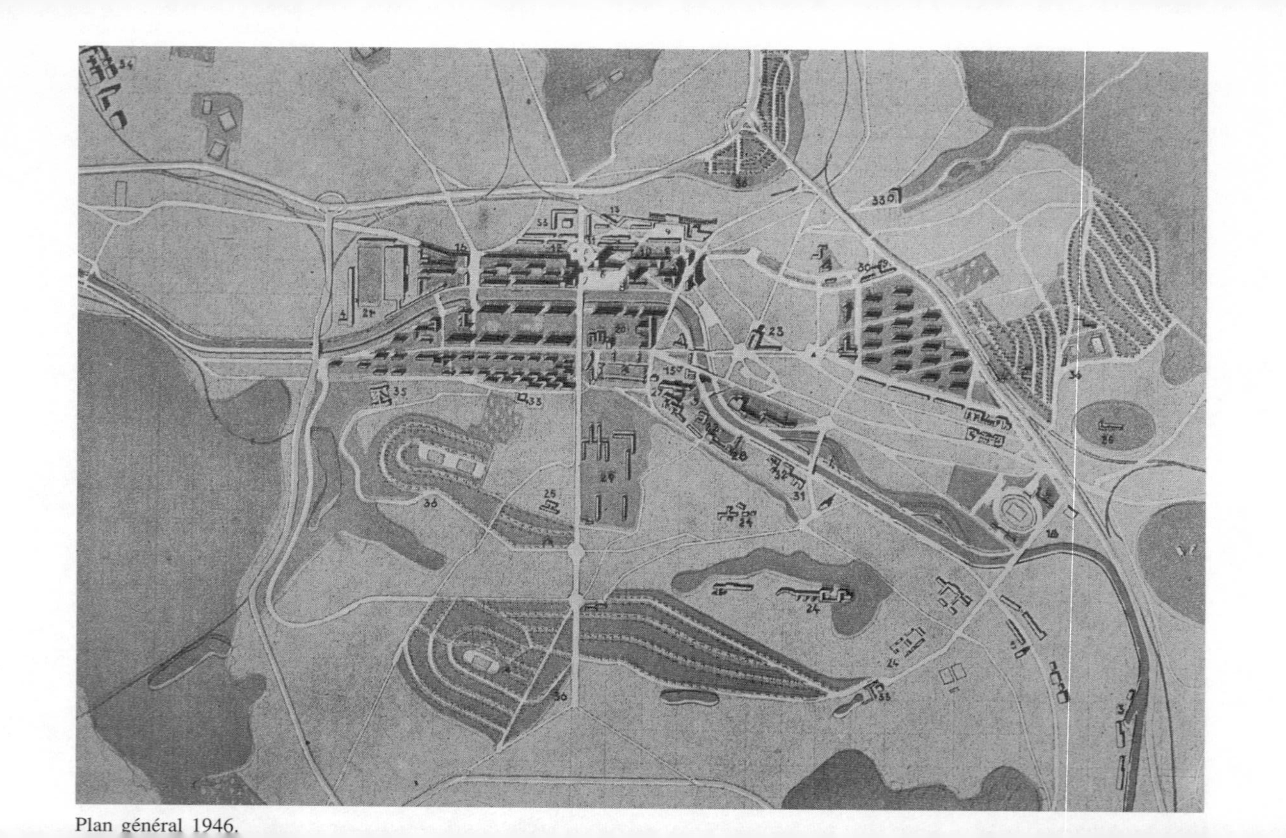

Plan général 1946.

Etudiants en architecture à l'Ecole d'Etat des Arts et Métiers discutant les projets de Pingusson avec leurs professeurs Gowa (quatrième à droite) et Guevrekian (troisième à droite).

Matthias WASCHEK

QUESTIONS DE STYLE ET RÊVES DE CONFORT EN 1946 : LA FRANCE D'APRÈS-GUERRE À LA LECTURE DE QUELQUES REVUES SPÉCIALISÉES *

« Après les heures noires, (...) la colère et les deuils, après le drame terrible, est-il possible de reprendre en toute quiétude l'entretien au point où il fut si cruellement interrompu et de considérer la tourmente d'où nous sortons – comme sans conséquence sur l'évolution du goût, sur l'invention artistique (...) ? » [1]

Cette phrase sert d'introduction à l'éditorial que Francis Jourdain a consacré au premier numéro d'après-guerre de la revue *Art et décoration*. Le point de vue exprimé par ce critique qui, dès la fin du XIXe siècle, avait publié diverses contributions dans le domaine des arts appliqués, témoigne de l'importance que l'on continue d'accorder en France, au cours de cette période, à la production de meubles de luxe. Sa réflexion sur l'influence exercée par la guerre sur la production de « pièces uniques » va à l'encontre de la position des architectes et autres « designers » de la nouvelle génération, qui voyaient dans la reconstruction une occasion de finalement réaliser leur programme de fabrication en série d'objets mobiliers. Nous allons ici examiner la situation particulière du décor d'intérieur au cours de l'après-guerre à la lumière des quatre revues suivantes : *Art et décoration, Elites françaises, La maison française et Le Décor d'aujourd'hui.*

* Nous tenons à remercier ici Sylvia Brun-Fabry pour l'aide précieuse qu'elle a apportée à la réalisation de la version française de notre texte.

Le mobilier et son mode de fabrication ne peuvent être envisagés indépendamment de la situation générale que connaît le marché immobilier à cette époque particulière. Les destructions causées par la guerre ne sont pas seules responsables de la tension qui règne dans le domaine de l'immobilier. Contrairement aux autres pays industrialisés d'Europe, comme l'Allemagne, la Grande-Bretagne ou les Pays-Bas, la France s'était signalée, entre les deux guerres, par un manque de dynamisme notoire dans le domaine de la construction et de l'urbanisme. Mis à part l'engagement relativement modéré de l'Etat dans ce secteur particulier, le gel des loyers[2] paralysait pour une bonne part le marché de l'immobilier en freinant toute spéculation et surtout en décourageant les propriétaires qui auraient pu entreprendre la restauration des maisons d'habitation ou des appartements[3].

En outre, la reconstruction, et même la construction de logements neufs, ne démarraient que très lentement, malgré les besoins manifestes éprouvés par la population. Selon les chiffres officiels, seulement 2 % des 310 000 édifices totalement sinistrés étaient reconstruits à la date du 1er juillet 1946, la priorité allant à la reconstruction des édifices industriels (33,4 %) et à celle des édifices officiels (30 %). Les édifices partiellement détruits étaient restaurés à 77 % pour les maisons d'habitation, qui connaissaient là un traitement plus favorable ; néanmoins, les édifices industriels se voyaient relevés de leurs ruines à 51 % et les édifices officiels à 93 %. En raison de cette situation particulière, l'Etat français décida, à partir de 1946, d'octroyer des sommes considérables en faveur de la reconstruction des habitations proprement dites et projeta pour la même année la reconstruction de 25 000 appartements nouveaux. Selon les sources du ministère de la Reconstruction et de l'Urbanisme, les traces des dégâts causés par la guerre ne pourraient pas avoir totalement disparu d'ici à 1955. Dans une telle situation, nous pensons qu'il n'était même pas possible de prévoir quand pourrait être absorbé le retard pris entre les deux guerres dans le domaine de l'équipement et du logement[4].

Les ressortissants des milieux favorisés étaient peu touchés par la crise du logement, en comparaison des couches plus modestes de la population. Cette situation explique pour une part l'évolution de l'industrie du meuble en France depuis la fin de la Première Guerre mondiale, par rapport aux autres pays industrialisés : la fabrication de « pièces uniques » de prestige demeura en France relativement importante, tandis que le marché en faveur des productions en série voyait ses possibilités d'extension plus limitées. Un reportage publié dans *Art et décoration*, lors du premier *Salon des Artistes décorateurs* d'après-guerre (organisé à Paris au palais de Tokyo en 1946), confirme que cette situation semble avoir perduré même au-delà de la guerre. Parmi les meubles présentés dans le cadre de ce reportage, la part des pièces de prestige fabriquées à l'unité occupe une place prépondérante, une bonne partie d'entre elles provenant des commandes effectuées pour le compte du *Mobilier National*, qui les destinait aux cérémonies et autres représentations à caractère officiel. Nous reconnaissons, entre autres, un salon du palais de l'Elysée, en placage de citronnier de Ceylan et deux « bureaux officiels », l'un en palissandre indien, l'autre, plus modeste, en noyer ; les chaises qui accompagnent le bureau en noyer sont néanmoins drapées de satin beige et l'ensemble est présenté sur un tapis manufacturé. En revanche, la proportion des meubles destinés à une clientèle modeste paraît plutôt insignifiante[5] : de surcroît, il est tout à fait symbolique que l'on ne trouve exposés que des « prototypes » destinés à une éventuelle production en série. L'exemple le plus remarquable, parmi la sélection proposée, est le mobilier provenant du groupe UTA : il s'agit d'un ensemble d'aspect rustique composé de planches en pin brut ; la notice évoque « un mobilier économique et démontable, étudié pour la fabrication en grande série. Le montage se fait sans aucun assemblage ni ferrure »[6]. Reste à savoir si les fabricants français n'étaient fondamentalement pas en mesure de lancer sur le marché des meubles de ce type, comme un rapporteur a pu le supposer[7], ou si de telles réalisations étaient tout simplement difficiles à écouler.

La concentration du marché du meuble autour d'une gamme de prestige reflète une constante de nature économique et politique au sein des arts appliqués en France, dont l'origine remonte au XIXe siècle, et même au-delà : dans la concurrence qui sévissait entre les pays dans le domaine de l'industrie du meuble, la France, qui dut affronter successivement l'Angleterre, les Etats-Unis, le « Deutscher Zollverein » (« l'Union douanière allemande ») et, plus tard, la Belgique, préféra jouer la carte de la production de luxe. On retrouve d'ailleurs chez les rapporteurs français de l'époque, à l'occasion des expositions universelles, les sempiternelles allusions au « savoir-faire » français[8] et à la supériorité du goût français. C'est d'ailleurs dans le domaine des arts appliqués de luxe que la production française obtient des distinctions, les médailles récompensant les productions en série revenant le plus souvent aux concurrents spécialisés dans un mode de production de type industriel. La fabrication en série d'objets mobiliers à bas prix à destination du marché intérieur était accessoirement laissée à l'initiative étrangère[9]. Ainsi les chroniqueurs de l'immédiat après-guerre ne se privaient pas d'agiter l'épouvantail des entreprises étrangères qui risquaient de rafler un marché jugé à juste titre potentiellement lucratif[10], mais n'oubliaient pas d'évoquer le commerce de luxe international pour justifier la tradition de la fabrication des pièces uniques, comme si celle-ci leur appartenait de droit[11].

La supériorité de goût dont se prévalait la France sur le marché mondial se révèle dans le domaine purement créatif – pour la décoration intérieure d'une manière générale, et plus particulièrement pour le mobilier, sur le plan spécifique du style et des valeurs qu'il recouvre. C'est vraisemblablement dans le but de garder à la France son hégémonie dans ce domaine précis que Francis Jourdain a évoqué le phénomène du « style » dans le passage que nous avons évoqué. Sous la forme déguisée d'une interrogation, il semble au fond attendre des épreuves de la guerre qu'elles influent directement sur la création artistique. Le meuble serait ainsi à l'image de son époque, en l'occurrence de l'après-guerre. Mais quel a été en réalité le rôle de la guerre dans le domaine de la création et du style ? Gaston Diehl nous donne un élément de réponse dans sa critique du *Salon des artistes décorateurs.* Une bonne partie des pièces uniques présentées dans le cadre du Salon témoigne de la volonté des artistes à « dégager un style hautain, sévère, sans luxe inutile et en étroite correspondance avec le sentiment de notre époque »[12]. Mais qu'est-ce qui justifie au fond une telle analogie entre « le sentiment de l'époque » et l'austérité des formes ? Le style austère pouvait-il à lui seul encourager un nouveau démarrage national ? En appelait-il, par certains côtés, aux vertus de la modestie et de la rigueur ? L'auteur de l'article, ainsi d'ailleurs que ses confrères, ne nous disent rien à ce sujet.

La revue *Art et décoration* présente régulièrement, dans les pages qu'elle consacre à l'étude des styles, des exemples illustrant l'histoire de la décoration intérieure en France. Dans le premier numéro de 1946, sont présentés les styles Directoire et Empire[13], dans le suivant les « Dessins d'intérieur de Percier et Fontaine »[14] et, dans l'un des numéros ultérieurs, le style Restauration[15]. Cet idéal de sobriété est également bien représenté dans la revue *Elites Françaises*[16]. Cette dernière, cependant, ne voit pas dans l'austérité formelle l'expression authentique du style de l'époque, mais considère qu'elle représente une constante du « bon goût » français. Dans l'éditorial du numéro fondateur de 1945, Georges Lecomte, de l'Académie, affirme qu'il est indispensable d'être attentif aux souhaits de la nouvelle élite française et même de prévenir ses désirs en matière de goût. Le fait de savoir si cette nouvelle élite était réellement attirée par l'austérité « vieille France » reste évidemment sujet à caution – un critique de la revue devait d'ailleurs constater, à son grand regret, l'omniprésence, dans les appartements cossus de la nouvelle élite s'entend, des pompeux décors style Napoléon III. Dans le souci d'informer le lecteur, il souligne que « nos décorateurs et ensembliers constituent une tradition bien française, celle de la sobriété ». Et, pour illustrer par l'exemple son propos, trois intérieurs de luxe sont passés en revue dans les pages qui suivent ; chaque décor correspond à un style français bien précis : « qu'ils soient d'un modernisme très avancé ou qu'ils évoquent le passé, les trois appartements que nous présentons ici, de styles différents tous les trois, sont à l'image de cette sobriété » [17].

Le meuble, et, plus spécialement le décor intérieur, reflètent une certaine « rhétorique », chez les élites progressistes comme chez les conservateurs [18]. Chez les uns, le décor se veut le reflet de l'époque, chez les autres il évoque des principes établis pour toujours. Cette opposition dans l'argument stylistique n'est en réalité pas nouvelle. Elle est déjà contenue de manière décisive dans le discours romantique et dans ses épiphénomènes avant-gardistes depuis le XIXe siècle. Elle nous renseigne en même temps sur le désir de renouveau qui se fait jour à cette époque (en raison notamment de la situation particulière de l'après-guerre), et sur la nécessité de valider globalement la création artistique en la fondant sur des « lois à valeur générale » [19]. Cette problématique particulière du style comme « valeur rhétorique » apparaît très clairement dans les revues que nous nous proposons d'examiner ; elle s'applique exclusivement aux « pièces uniques » et aux meubles de série. Le problème d'une éventuelle fabrication à grande échelle des meubles de série sera d'ailleurs présenté différemment après la guerre.

« A côté du meuble de luxe, quelle est la place du meuble utilitaire de série ? » C'est la question que pose *Elites françaises*, qui répond aussitôt par une allusion aux problèmes liés à la reconstruction. La description des prototypes présentés au *Salon des Artistes décorateurs* montre d'ailleurs que la valeur « rhétorique » que l'on confère habituellement au style ne s'applique pas au meuble produit en série : « On notera que le hêtre et le chêne ciré ont surtout été utilisés. Les formes sont nettes, souvent aimables *(sic)*. Les meilleurs envois sont ceux de René Gabriel (chambre d'étudiant et mobilier pour jeune ménage)... » [20] Il est manifeste que, dans cette perspective, le « style » répond aux besoins de représentation des élites et de l'Etat, tandis que la production en série correspond plus spécifiquement aux besoins privés des classes plus modestes. Ce type de production doit au mieux se caractériser, dans son apparence extérieure, par une « qualité indéniable de présentation » ; c'est ce que déclare Gaston Diehl, qui, à un autre endroit du reportage, louait avec force arguments l'austérité du mobilier de luxe[21].

L'intérêt particulier que les deux revues citées ont accordé à la réalisation de la « cité préfabriquée » du centre minier lorrain de Creutzwald devrait nous éclairer sur l'attitude adoptée face au mobilier de série. L'architecte Emile Aillaud avait entrepris, pour le compte d'un industriel, la construction de cités minières composées de maisons d'habitation édifiées à l'identique et comprenant trois ou quatre pièces. Selon une libre adaptation du modèle anglais de la « garden city », les maisons sont accrochées à la pente et reliées entre elles par des allées sinueuses. Les commentateurs louent chaque fois, à côté des équipements sanitaires, l'aménagement intérieur desdites maisons. On a même prévu, en plus des débarras et des placards, un mobilier « construit spécialement pour ces maisons, dont il complétera l'atmosphère de robuste et accueillant confort »[22].

Le modèle de Creutzwald rappelle la structure des cités ouvrières apparues au XIXe siècle à l'initiative du patronat industriel ; il est tout à fait significatif, dans ce type de construction, que le mobilier ait été spécialement fabriqué en petite série, l'ensemble constituant l'équivalent d'une « œuvre d'art totale », avec, à la clef, l'idée de confort. Contrairement aux revues élitistes que nous avons déjà citées, *Le décor d'aujourd'hui* et *La Maison française* s'intéressaient à d'autres types de construction. Elles opposaient la cité lorraine de Creutzwald à la cité de Roubaix : avec le concours des délégués CGT, CFTC et CGC, 97 % des employeurs de la région avait mis en œuvre la construction d'habitations destinées aux ouvriers[23]. L'aménagement intérieur de ces habitations était également prévu, mais, manifestement, le type définitif n'en avait pas encore été arrêté. A coté des projets de Pierre Lecomte et de René Gabriel, apparaissaient ceux d'un certain Jansen. Les habitations devaient être faciles d'entretien, les meubles « économes, simples et de bon goût »[24], et, qui plus est, ils devaient s'adapter à un espace restreint. Sur le plan formel, ces meubles ne présentaient pas de différences avec ceux de Creutzwald : ici aussi, c'est un confort robuste qui prévalait, « les bahuts devant être faits de casiers superposés, les tables avoir des rallonges à l'italienne, les chaises des pieds assemblés en diagonale, les traverses étant remplacées par un croisillon»[25]. A ces initiatives privées ou collectives en matière d'équipement et d'urbanisme, s'ajoutaient les projets de l'Etat. Ces projets concernaient pour la plupart la reconstruction des villes détruites, et faisaient l'objet d'une présentation à *l'Exposition de l'urbanisme et de l'habitation* du Grand Palais. Pour chacun de ces programmes, on avait bien sûr prévu l'aménagement intérieur des maisons, et leur conception tout entière était présentée sous forme de prototypes. Comme pour le projet de Roubaix, la réalisation à l'échelle industrielle de ces prototypes ne semblait pas cependant devoir être assurée dans l'immédiat[26].

Comme à l'accoutumée dans ses reportages documentés, la revue *Art et décoration* présentait de façon extrêmement détaillée les aménagements intérieurs des habitations projetées par l'Etat dans le cadre de la reconstruction[27]. La concrétisation de ce type de projets nous paraît aujourd'hui bien insipide. Cet effet vient probablement de l'emploi généralisé de matériaux «pratiques» comme le linoléum, la présence systématique de placards muraux ou des meubles en chêne non traité, décoloré ou ciré. Les différents projets d'aménagement se ressemblent également en tous points pour ce qui est de l'inspiration proprement dite. Les dessinateurs de prototypes, qu'il s'agisse de René Gabriel pour Le Havre, Marcel Gascoin pour Sotteville, André Lurçat (!) et Jean Bedovici pour Maubeuge, ou encore Jacques Hauville pour Toulon, ont tenté avec plus ou moins de bonheur d'adapter l'esthétique des objets fabriqués en série aux matériaux de bois qu'ils mettaient en avant: on voit ainsi apparaître des buffets suspendus à des supports latéraux en forme de boomerangs, qui rappellent vaguement des maisons préfabriquées dont les éléments d'assemblage seraient visibles de l'extérieur, ou des fauteuils dont l'armature évoque soit des viaducs, soit d'élégants ponts suspendus.

Jacques Adnet, reconnu depuis longtemps comme créateur de meubles de luxe, présenta toutefois un décor original pour le projet de Brest: il proposa un prototype de mobilier néoclassique en merisier, qui devait prendre place sur un linoléum rouge pompéien. Les clients visés par le projet de ce créateur, n'avaient vraisemblablement pas les moyens de s'offrir un mobilier personnalisé, mais ils aspiraient à un décor différent de celui que l'on destinait habituellement aux classes plus modestes, même s'il était également produit en série. On a considéré, depuis la fin de l'Ancien Régime, soit, d'après Neil McKendrick, dès la naissance de la «société de consommation», que l'élite devait donner le ton en matière de goût. On retrouve encore cette conception dans les années d'après-guerre, mais cette fois l'exemple inspiré par l'élite ne s'adresse plus à l'ensemble des consommateurs : il vise seulement les revenus moyens [28]. Des avis critiques se font cependant entendre à cet égard, et le problème de l'intérieur bourgeois moyen se voit ainsi formulé par un rapporteur prétendument progressiste : « Le home bourgeois, situé entre le manoir du seigneur et la maison du paysan, mais inspiré du premier et simplifié dans le sens de l'agrément et du confort, n'a pas échappé à l'avilissement du goût (...), à l'avènement de l'industrialisme. » [29]

Nous avons déjà entrevu, pour la France, à l'occasion du *Salon des Artistes décorateurs*, l'éventualité d'une production en série des éléments mobiliers. Ces meubles se rapprochaient souvent de modèles rustiques et rappelaient de façon manifeste la « maison du paysan » dont il était question il y a un instant. Sachant que, dans les revues dont nous avons parlé, l'intérêt allait davantage vers l'aménagement « citadin », ces tentatives à l'échelle industrielle en faveur d'un mobilier d'inspiration rustique, et l'écho que ces dernières rencontraient chez les différents rapporteurs, ont de quoi surprendre. Nous avons affaire ici en réalité à un discours de nature sociale, si ce n'est à un discours de « classe », qui ne saurait là non plus concerner la « bourgeoisie ». C'est Gaston Diehl, de nouveau, qui fait état d'une troisième ouverture pour le marché mobilier, située cette fois entre les « pièces uniques » et la production à l'échelle industrielle de meubles standardisés à bas prix : « Et cette année apparaît même un dernier ordre de tentation, encore plus intéressant par sa portée pratique : celle de réaliser pour les classes moyennes des ensembles dont le montage pourrait être réduit à de simples manœuvres » [30]. Plus que la notion de goût, c'est l'idée de la facilité du montage qui est mise en avant : le client qui se propose de monter son meuble lui-même a, pour la première fois, la possibilité de le faire individuellement avec des matériaux fabriqués à l'échelle industrielle.

Le Décor d'aujourd'hui nous renseigne sur l'extension prise par le meuble préfabriqué après la guerre. Le reportage débute par la photo d'une jeune et souriante blondinette en train de transporter des planches en bois. Nous restituons ici la totalité du texte qui accompagne la reproduction : « Si cette jeune Suédoise a le sourire, c'est qu'elle emporte dans ses bras, pour le monter elle-même chez elle, son buffet de salle à manger. Et c'est une performance que bien des Françaises peuvent aujourd'hui regarder avec envie. » La conception de ce mobilier est très facile à imaginer : il s'agit en fait d'éléments en bois de format standard pouvant servir à composer indifféremment une bibliothèque, un buffet, un secrétaire, un chiffonnier, une table et même des chaises; selon la notice, ce type de mobilier s'adapte, grâce à sa formule standardisée, aux besoins individuels et offre une grande souplesse de réalisation [31]. Le stockage et le transport à moindres frais, et, pour le client lui-même, la facilité du montage, constituaient autant d'éléments en faveur de ce mobilier; l'ensemble de ces avantages, comme le prix relativement modique des meubles proposés, devaient parfaitement convenir à une clientèle issue des « classes moyennes ». A côté d'un mobilier qui devait apparaître plus curieux que pratique aux yeux du lecteur d'après-guerre, étaient présentés des modèles en provenance des Etats-Unis. Là aussi, les reportages avaient de quoi surprendre et amuser le lecteur : on rencontre, au fil des pages, une construction en aluminium en forme d'oignon, construite spécialement en pièces détachées pour l'armée de l'air – les parties habitables de la construction en question sont climatisées et garnies de meubles encastrés [32]. On tombe également, à un autre endroit, sur des propositions liées aux problèmes posés par la reconstruction. Le reportage fait référence, cette fois, à l'exposition de la *National Housing Agency* au Grand Palais; le titre, à lui seul, donne le ton : « Les techniques américaines doivent inspirer la construction française » [33]. Les usines américaines avaient largement devancé le marché européen au cours de la guerre et avaient développé un système de production en série de pièces détachées : des villes entières furent construites, démontées et reconstruites ailleurs de toutes pièces en un temps record. Pour gagner du temps, les maisons n'étaient même plus démontées avant le transport et voyageaient telles quelles, avec leur équipement complet. De fait, c'était ce type d'aménagement complètement standardisé qui frappait le plus les Français. Le reportage commentait longuement ce mobilier composé de pièces détachées standardisées, pouvant faire fonction d'armoire, de coiffeuse, de secrétaire, et même servir de séparation entre les pièces [34]. En outre, la qualité des équipements impressionnait particulièrement les commentateurs : « Tout l'équipement de la maison (...) a été transporté dans la remorque, la cuisinière électrique, le réfrigérateur, le radiateur, la penderie, etc. On voit sur ces photos que cet équipement n'a rien de primitif, encore qu'il soit simple. L'entretien en est des plus faciles, grâce aux meubles laqués, au sol en linoléum, et aux rideaux lavables. » [35]

Des expositions de ce genre, ainsi que les reportages diffusés dans les revues spécialisées et les actualités de la semaine, marquaient profondément les consommateurs. Si l'absence de confort, et même l'absence de logements tout court, avaient pu paraître supportables à la population pendant l'entre-deux-guerres (dans l'impossibilité où elle était d'établir des comparaisons dans ce domaine), de tels inconvénients dans la vie quotidienne devenaient maintenant inacceptables. Un article de *La Maison française* souligne que le pays traverse une phase « de transformation des goûts et des mœurs dans le domaine de l'habitation ». Des souhaits très précis en matière de confort furent exprimés à l'occasion d'une enquête menée auprès d'une clientèle ciblée. En plus des exigences courantes déjà enregistrées par les modernistes, tels que le désir d'avoir une maison claire, facile d'entretien et bien agencée, on rêvait d'équipements modernes, d'appareils électriques, de chauffage central, d'eau chaude courante et d'une salle de bains aménagée. Plus les personnes interrogées étaient jeunes, plus la demande de tels équipements était forte. D'ailleurs, on avait choisi d'interroger des groupes socioprofessionnels précis, qui se déclaraient prêts à payer le nécessaire pour avoir accès à ce type de confort, contrairement aux « classes » représentées par les ouvriers et les employés : la catégorie socioprofessionnelle interrogée était essentiellement constituée par des professions libérales, des industriels et des commerciaux [36]. Nous ne sommes pas à même de dire ici dans quelle mesure une telle analyse n'a pas été, au fond, dictée par les intérêts de ses auteurs. Cependant, les chiffres concernant la période de l'après-guerre sont éloquents et font état d'une lente mais progressive généralisation du « confort ». Si en 1954, c'est-à-dire juste après la fin programmée des travaux de reconstruction, encore 41,6 % des habitations en France n'étaient pas munies d'eau courante et 73,4 % de W. C., en l'espace des vingt ans qui ont suivi, 3 % seulement n'avaient toujours pas d'eau courante et 30 % de W. C. Dans les années 80, de notables progrès avaient encore pu être enregistrés [37].

Cette parenthèse sur les problèmes posés par les installations sanitaires, les équipements électriques et la clarté des maisons semble nous avoir quelque peu éloignés du propos qui nous intéressait au départ, c'est-à-dire celui du décor intérieur – encore que le concept général de confort fasse aussi partie du discours sur le meuble fabriqué en série. Celui-ci se définit, comme nous l'avons montré, par des éléments tels que la facilité d'entretien, ou encore la fonctionnalité, qu'elle soit réelle ou simplement affirmée. Une connotation d'ordre social de fait jour dans les affirmations qui émaillent les revues, et elle a quelque chose de curieux, si l'on considère le nivellement progressif de la société de consommation : les meubles préfabriqués sont censés convenir aux ouvriers, tandis que les éléments composables s'adressent plutôt aux

« classes moyennes ». Il n'est pas avéré qu'une telle distinction sociale recoupe véritablement la réalité.

La problématique d'une éventuelle influence de la guerre sur le décor intérieur est tout entière posée dans l'introduction de notre contribution : d'un côté l'expérience de la guerre a ravivé l'idée d'un style national à vocation rhétorique, de l'autre la dernière période de la guerre, et celle qui a immédiatement suivi, ont ouvert la voie à un autre rêve, celui d'un confort standardisé, que d'autre pays occidentaux avaient déjà atteint. Un film comme « Mon Oncle »[38] de Jacques Tati, produit à la fin de la première période de modernisme à tout crin, nous montre le prix à payer pour un confort qui se veut l'équivalent du confort proposé à l'échelle internationale : à l'appartement français miteux mais douillet d'autrefois se voit opposé l'univers moderne du linoléum et du mobilier encastré, façon « design », de M. et Mme Arpels.

Notes

[1] Francis Jourdain, éditorial du premier numéro d'après-guerre de la célèbre revue *Art et décoration.*

[2] La loi sur le prix des loyers remonte au 9 mars 1918. Ses conséquences furent significatives, si l'on compare la France aux autres pays industrialisés. C'est ainsi qu'en France, en 1939, seulement 6 % du revenu était consacré au loyer, contre 20 % en Allemagne et 25 % aux Etats-Unis et en Grande-Bretagne. Cf. *Art et décoration* 1946, 2, p. 136.

[3] Une étude de la situation immobilière en France apparaît dans les ouvrages suivants : *Histoire de la vie privée en France* (5e volume). Philippe Ariès, Georges Duby, Paris Ed. du Seuil 1987 (p. 68-73) et *Histoire des Français (XIXe et XXe siècles),* 2e volume. « La Société », p. 376 sq.

[4] Cf. le résumé des chiffres officiels in *La Maison française*, « Où en est la reconstruction ? », 1946, 3, p. 13-20.

[5] Gaston Diehl, « Le 32e salon des Artistes décorateurs », *Art et décoration* 1946, 2, p. 80, 81, 83.

[6] Gaston Diehl, « Le 32e salon des Artistes décorateurs » *Art et décoration* 1946, 2, p. 35.

Voir également, à quelques pages d'intervalle, Michel Dufet, « Au salon de la Société des Artistes décorateurs », *Le Décor d'aujourd'hui*, 1946, 36, p. 28. « C'est une amusante recherche vers le dépouillement qu'ont tenté Louise et Fabienne, Sagui et Terzian. Primitivisme voulu, et d'ailleurs sympathique, bahut rudimentaire fait de planches équarries et vissées, table à croisillons, bancs, ont été exécutés par les sourds-muets d'Asnières ».

[7] S.J. Dumont « Sièges en contreplaqué », *Art et décoration* 1947, 7, p. 67.

[8] Cf., entre autres, l'exemple de l'exposition universelle de 1900, examiné par

Debora Silverman, *Art nouveau in Fin-de-siècle France – Politics, Psychology and Style*, Berkeley, Los Angeles et Oxford, 1989, et Matthias Waschek, *Handbuch der französischen Keramik* (1850-1914) (publication prévue en 1997, Stuttgart, Arnoldtsche Verlagsanstalt).

[9] Le cas de l'industrie de la céramique est ici représentatif: dès la fin du XVIIIe siècle la faïence française était remplacée par la faïence fine anglaise, et même la fabrication en série des porcelaines était passée aux mains des anglo-saxons – l'entreprise Haviland à Limoges n'est qu'un exemple parmi d'autres de ce phénomène.

[10] J. Dumont, « Sièges en contreplaqué moulé », *Art et décoration* 1947, 7, p. 67.

[11] Gaston Diehl, « Le 32e salon des artistes décorateurs », *Art et décoration*, 1946, 2, p. 71-90. L'auteur décrit ici les deux possibilités qui s'offraient aux constructeurs de meubles d'après-guerre: « ... ou continuer pour une clientèle sélectionnée et pour l'étranger la tradition de la pièce unique du meuble de grand luxe, ou satisfaire aux besoins combien pressants du plus grand nombre et établir des prototypes de mobilier de série... »

[12] Gaston Diehl, « Le 32e salon des Artistes décorateurs », *Art et décoration* 1946, 2, p. 71-90.

[13] Michel Faré, « Entre Directoire et Empire », *Art et décoration* 1946, 2, p. 45-48.

[14] Jacques Lethève, « Dessins d'intérieur de Percier et Fontaine », *Art et décoration* 1946, 2, p. 93-96.

[15] Jacques Laroche, « Charme du mobilier Restauration », *Art et décoration* 1947, 4, p. 259-263.

[16] Georges Lecomte, de l'Académie, « Elites de France », *Elites françaises*, 1945, 1, p. 2-3.

[17] J. Balthus-Jacquard, « Trois styles, une tradition », *Elites françaises*, 1946, 9, p. 16.

[18] L'une des thèses consacrées à l'origine de la notion de style dans les arts figuratifs fait précisément état d'un emprunt à la rhétorique. *Cf.* Jan Bialostocki, « Das Modusproblem in den bildenden Künsten » *Stil und Ikonographie – Studien zur Kunstwissenschaft*, Cologne 1981 (traduction française chez Gérard Monfort, 1996).

[19] Cf. à ce sujet, Matthias Waschek, *Eklektizismus und Originalität – Die Grundlagen des französischen Symbolismus am Beispiel von Emile Bernard,* Konstanz, 1990, p. 124-128.

[20] Marcel Zahar, « Le meuble moderne », *Elites françaises* 1947, 14-15, p. 32-36.

[21] Gaston Diehl, « Le 32e salon des Artistes décorateurs », *Art et décoration* 1946, 2, p. 71-90.

[22] Anonyme, « La Cité préfabriquée de Creutzwald », *Art et décoration* 1946, 2, p. 91-92.

[23] Une description plus précise du projet nous est donnée dans l'article de D. Parker, « Une solution au problème du logement populaire », *La Maison française*, 1947, 5, et, anonyme, « A la cité expérimentale de Roubaix » *Le Décor d'aujourd'hui* 1946, 37, p. 58.

[24] Anonyme « A la cité expérimentale de Roubaix » *Le Décor d'aujourd'hui*, 1946, 37, p. 58.

[25] *Loc. cit.*

[26] Cette exposition consacrée, à côté des projets de l'Etat, aux propositions des entreprises privées spécialisées dans le matériel préfabriqué en France et à l'étranger, aurait dû avoir lieu en 1946, mais pour des raisons d'organisation, elle ne fut présentée qu'en 1947.

[27] Gilles Delafont, « Les immeubles de l'Etat et la reconstruction française », *Art et décoration* 1947, 7, p. 15, sq.

[28] Gaston Diehl, « Le 32e salon des Artistes décorateur », *Art et décoration* 1946, 2, p. 80 : « si l'on oublie la retenue nécessaire avec laquelle le Mobilier National a dû procéder à ses premières importantes commandes, on trouve dans ce geste un autre gage d'espoir en l'avenir, à condition que cet acte (...) entretienne une généreuse et clairvoyante émulation. C'est par l'autorité du grand exemple que le grand public se laissera convaincre et admettra ses erreurs... » Le nouvel aménagement du palais présidentiel paraît d'autant plus intéressant dans ce contexte. Cet aménagement nous est très précisément décrit par Jacques Laroche, « Au palais de l'Elysée – nouveaux aménagements des appartements privés » *Art et décoration* 1947, 5, p. 13-19.

[29] Anonyme, « L'exemple de la Suède », *Le Décor d'aujourd'hui* 1946, 35, p. 65 sq.

[30] Gaston Diehl « Le 32e salon des Artistes décorateurs », *Art et décoration*, 1946, 2, p. 71-90.

[31] Anonyme, « L'exemple de la Suède », *Le Décor d'aujourd'hui*, 1946, 35, p. 65 sq.

[32] Anonyme, *La Maison française* 1946, 2, p.8 ; anonyme, « Une maison métallique... » *Le Décor d'aujourd'hui* 1946, 36, p. 62-63.

[33] Anonyme, « Les techniques américaines doivent inspirer la construction française » *La Maison française* 1946, 36, p.50-69.

[34] *Ibid.*, p. 68-69.

[35] *Ibid.*, p. 55.

[36] R. B. Lescot, « Comment les Français veulent-ils se loger ? », *La Maison française* 1946, 3, p. 52.

[37] Philippe Ariès et Georges Duby, *op. cit.* p. 68.

[38] Jacques Tati, *Mon oncle* – (France 1958), avec Jacques Tati, Jean-Pierre Zola, Alain Becourt, Adrienne Servantie. Le film est une coproduction de Specta Films, Gray Films et Alter Films (diffusion Parafrance).

Sylvie LINDEPERG

LES PORTES DE LA NUIT OU LE RÉCIT DU VAIN COMBAT

> *« Apprendrez-vous jamais*
> *à ne pas regarder en arrière ?*
> *A ce petit jeu, il y en a qui*
> *se changent en statues de sel. »*
> *Jean Cocteau,* Orphée [1].

« Février 1945, vers la fin d'une journée d'hiver, le dur et triste hiver qui suivit le magnifique été de la Libération de Paris. La guerre n'est pas encore finie, mais au nord de la ville, la vie coutumière reprend son cours, avec ses joies simples, ses grosses difficultés, ses grandes misères, ses terribles secrets »...

Sur ce triste et morne constat égrené en voix-off s'ouvrent *Les Portes de la nuit* tandis qu'un long panoramique découvre le ciel mouillé, sali et enfumé des Batignolles à Barbès. Le Paname d'avant-guerre est mort et, « sous les toits de Paris », les quartiers populaires n'ont plus l'insouciante gaieté d'un film de René Clair.

« Entre le deuil et l'espoir »... le titre générique de cette conférence aurait pu aisément convenir aux fictions et documentaires français forgés dans les premiers mois de la Libération ; il ne s'accorde déjà plus avec les films tournés et présentés pendant l'année 1946 dont *Les Portes de la nuit* constitue un cas exemplaire. En dépit de son échec public, cette œuvre de Marcel Carné, scénarisée par Jacques Prévert, apparaît en effet symptomatique de la réorientation progressive d'un cinéma français installé dans le deuil mais déplacé en aval de l'espoir sous le signe de désillusions tout à la fois politiques et cinématographiques. C'est à cette double logique que j'aimerais m'attacher en montrant que le film propose un bilan politique de l'immédiat après-guerre recroisé sur un bilan esthétique et professionnel du cinéma français sorti de l'âge d'or. Le décryptage du film à la lumière de ce double agenda révèle l'originalité profonde d'une année 1946 qui portait, dans le même temps, le deuil de la guerre et celui des espoirs de la Libération.

De l'été radieux au triste hiver... le deuil de l'espoir

Pour construire le scénario des *Portes de la nuit,* Prévert procéda au couplage narratif entre une description quasi-documentaire du Paris populaire de l'hiver 1945 et un conte poétique inspiré du ballet *Rendez-vous* qu'il avait écrit pour la troupe de Roland Petit.

L'argument du livret évoquait l'amour fatal de deux jeunes gens qui, en l'espace d'une seule nuit, se rencontrent, s'aiment et sont séparés par la mort. L'apesanteur temporelle de cette fable romantique fut enchâssée par le scénariste dans une actualité socio-politique brûlante saisie à travers les destins croisés des habitants d'un immeuble du quartier Barbès.

C'est à cette peinture de la Libération que je voudrais tout d'abord m'intéresser en y relevant les éléments de rupture et de continuité avec le cinéma des années 1944-45.

Un manichéisme ossifié sur le thème de la lutte des classes

Situé au nord-est de la station Barbès, l'immeuble du père Sénéchal propose une représentation miniaturisée de la France libérée qui s'inscrit de plain-pied dans la logique manichéenne du cinéma héroïque. La galerie de portraits composée par Prévert joue ainsi du contraste entre les forces du Bien (la pittoresque tribu Quinquinna et ses douze gavroches ; le cheminot communiste Lecuyer, héros de la Résistance interprété par Raymond Bussières) et les forces du Mal (le propriétaire maréchaliste enrichi sous l'Occupation et son fils Guy, un ancien milicien qui s'est illustré dans la torture et la délation).

Si le film préservait l'héritage manichéen des fictions épiques de l'année 1945, il innovait radicalement en le fixant sur un arrière-fond de lutte des classes. Le récit de Prévert tranchait en effet en opposant la veulerie des possédants au courage du prolétariat héroïque. « Encore un qui croit que la France a perdu la guerre à cause des congés payés » constate ironiquement Lecuyer à propos du père Sénéchal ; la ligne de fracture résistant/collaborateur recoupait désormais l'opposition exploité/exploiteur présentée comme le véritable moteur d'une histoire prenant sa source dans les luttes du Front populaire. Si l'on ajoute à cette série de portraits fortement typés celle du grand bourgeois réfugié à Londres pour y continuer des affaires juteuses, on se fera une idée du fissurage de l'histoire irénique codifiée dans l'enthousiasme des premiers beaux jours. Dans son livre de souvenirs *La Vie à belles dents,* Marcel Carné estime que la cabale organisée contre son film fut essentiellement provoquée par cette rupture audacieuse avec l'oecuménisme politique en vigueur dans le cinéma libéré. Il en rejette la faute sur son scénariste, accusé d'avoir politisé à outrance l'anodin livret de *Rendez-Vous* :

« A mon vif étonnement, je l'avais vu mêlé, dès la Libération, à tout un monde ayant appartenu à la Résistance. Je n'aurais rien eu à dire si je n'avais senti que les conversations sur ce sujet accaparaient une grande partie de son temps, et avaient une influence certaine sur son travail. C'est ainsi que d'un ballet intemporel : *Le Rendez-vous*, il avait imaginé une histoire d'une certaine actualité, où se heurtaient violemment collaborateurs et résistants.

En vain avais-je tenté à plusieurs reprises de lui faire comprendre que, n'ayant pas combattu personnellement dans les rangs de la Résistance, je trouvais inconvenant de mettre en scène certains de ses protagonistes. Je n'osais pas ajouter : 'Toi non plus', tant il prenait à cette époque des airs mystérieux afin de laisser supposer qu'il avait peut-être participé à des faits d'armes dont je n'avais rien su... »[2]

Jacques Prévert avait en fait appartenu à la Section cinéma du Front national mise en place en 1942 par l'écrivain communiste René Blech. Nébuleuse de réalisateurs, scénaristes, comédiens qu'unissait un commun refus de la collaboration, cette organisation joua un rôle de mentor au sein de la profession en exerçant des pressions sur certains de ses membres pour les dissuader de participer à des œuvres de propagande. A partir de 1943, le rôle du FN s'étoffa grâce à la création de l'hebdomadaire l'*Ecran fran-*

çais inséré dans les numéros des *Lettres françaises* clandestines. Vers la fin de l'Occupation, le Front national fusionna avec le Réseau des Syndicats fondé par le réalisateur communiste Jean-Paul Le Chanois pour créer le Comité de Libération du Cinéma français (CLCF) qui joua un rôle de premier plan pendant les derniers mois de l'année 1944. Le Comité se chargea notamment de la mise en place des premières commissions d'épuration professionnelle et obtint la nomination de Jean Painlevé, issu de ses rangs, à la tête de la Direction générale du Cinéma. Cette « embellie » fut de courte durée : à partir de l'hiver 1945, les commissions d'épuration établies par le CLCF furent vidées de leurs pouvoirs avant d'être remplacées par les structures officielles ; peu de temps après, certains membres du Comité de Libération lancèrent dans les colonnes de l'*Ecran français* de violentes attaques contre ces nouvelles instances en s'inquiétant de leur lenteur et en accusant les tribunaux d'exercer une justice de classes qui chargeait les lampistes pour mieux épargner les patrons[3]. En mai 1945, le renvoi de Jean Painlevé, remplacé par un démocrate-chrétien, sonnait définitivement le glas des espoirs du CLCF. Ces inflexions conjoncturelles internes au monde du septième art coïncidaient avec celles de la sphère politique ; Jean-Pierre Rioux retient ainsi les municipales de mai 1945 comme date du premier accroc dans l'unité proclamée et point de départ d'une ère de « restructuration de la vie politique sur les airs anciens »[4].

Comme Carné l'avait pressenti, l'implication de Jacques Prévert dans les combats du CLCF eut un impact indéniable sur l'écriture des *Portes de la nuit*. Conçu dans la phase de reflux du CLCF, le scénario rompait avec le mythe consensuel de l'Union sacrée patriotique pour imposer cette même lecture de classes qui refleurissait dans les colonnes de l'*Ecran français*. Portant le deuil des espoirs politiques et cinématographiques engendrés par la Résistance, Prévert proposait également une vision désenchantée de la Libération qu'il réinscrivait dans la continuité de la période d'Occupation.

De la révolution à la restauration

Dans les premiers films sur la Résistance, le départ des Allemands coïncidait avec l'avènement des jours radieux : l'annonce des lendemains qui chantent s'y signifiait par un jeu de lumières célébrant d'une vive clarté la fin de la longue nuit d'Occupation. Le régime nocturne est au contraire de rigueur dans *Les Portes de la nuit* tandis que la promesse du retour des beaux jours est faite à une mourante.

Le « magnifique été 44 », re-cadré par les jours noirs de l'Occupation et de l'hiver 45 est réduit dans le film à une embellie sans lendemain, à une parenthèse, à une promesse non tenue. Car comme l'indique d'emblée le prologue, revenait déjà, avec l'hiver, le temps de la corruption, des misères quotidiennes, de l'exploitation.

Ce sentiment d'échec s'exprime à travers l'image d'une France libérée qui n'a nullement ébranlé l'immuabilité de l'ordre social et dans laquelle les exploités et les résistants d'hier sont les possédés du lendemain tandis que le Chant des partisans se monnaie à la criée sur la place publique.

« De nos jours ça court les rues, les héros » ironise Diego ; de fait, tandis que Lecuyer combattant de l'ombre torturé par la police française retourne à la clandestinité des mémoires, le fils Sénéchal troque son uniforme de milicien contre celui de FFI et s'amuse à faire la leçon à la famille du cheminot invitée par Diego dans un restaurant du marché noir (« ils se refusent rien les damnés de la terre... »). Comme Lecuyer l'apprendra plus tard, c'est le même Sénéchal qui l'a dénoncé naguère et conduit devant le peloton d'exécution nombre de ses camarades.

De son passage avenue Henri-Martin dont il conserve les stigmates sur une main paralysée, Lecuyer parle avec une distance ironique en évoquant ses séances de massage facial, d'hydrothérapie et de manucure. Ce refus du pathos peut être interprété comme une prise de distance esthétique et morale vis-à-vis des fictions de l'année 1945 qui, à grand renfort de pelotons d'exécution et de scènes de torture, avaient exploité sans vergogne la sensibilité d'une époque.

Lorsqu'il découvre la vérité sur son délateur, Lecuyer refuse cependant de se faire justice pour – dit-il – ne pas donner le mauvais exemple ; mais le Destin veille et les méchants seront punis. Epargné par la magnanimité de sa victime, Guy Sénéchal mourra sous les roues d'un train dans lequel Lecuyer effectue son service de nuit[5]. Cette mort du milicien mérite que l'on s'y attarde pour la vision allégorique qu'elle propose de l'épuration mais aussi pour l'ambiguïté d'une fable dont la morale reste ouverte.

Les premiers films du cinéma libéré envisageaient la mort des traîtres sous le signe d'une nécessaire immolation des boucs émissaires : le sacrifice des collaborateurs constituait le seul moyen de rendre sa pureté à la communauté nationale. Dans *Le Jugement dernier* (René Chanas, 1945), l'heure de la délivrance est ainsi différée de la victoire sur l'occupant à l'exécution du délateur responsable de la chute du réseau : le réalisateur traite les premières heures d'une Libération obscurcie par la trahison selon le même éclairage crépusculaire choisi pour illustrer les images de la clandestinité ; mais dès l'instant où disparaît le mouton noir, le film se trouve baigné dans une vive clarté.

Précisément, l'exécution du châtiment ne rétablit point la lumière dans *Les Portes de la nuit* où le jour qui se lève conserve l'obscurité d'un ciel gris, tâché, définitivement souillé. La mort de Guy Sénéchal n'accomplit pas sa fonction cathartique ; elle peut d'autant moins racheter la culpabilité de la communauté que le père du milicien, collaborateur économique mû par le seul appât du gain, pourra continuer à exploiter ses locataires et à leur vendre au prix fort le bois de récupération de son entreprise de démolition, florissante dans les ruines de la Libération.

Le récit des *Portes de la nuit* constitue ainsi une étape transitoire dans le discours cinématographique sur l'épuration : s'il renie la croyance dans les vertus purificatrices de l'immolation des coupables, il ne remet pas en cause son bien-fondé comme le firent, peu de temps après, certains films de Clouzot (*Manon ; Le retour de Jean*) ou de Cayatte (*Nous sommes tous des assassins ; Avant le déluge*). Dans ses œuvres conçues par des réalisateurs « inquiétés » à la Libération[6], l'épuration perdait toute légitimité pour apparaître comme une boucle supplémentaire dans la spirale d'une violence endémique, engendrée par la guerre et l'Occupation.

Si le film de Prévert et Carné contient dans ses plis les méandres de la conjoncture, son image de l'épuration pourrait également rendre compte de l'hétérogénéité politique de l'équipe réalisatrice. Le récit permettait de faire habilement cohabiter la sensibilité de Prévert – épousant les critiques du Comité de Libération à l'égard des commissions officielles d'épuration – et celle de Marcel Carné qui, pour avoir signé un contrat pourtant non honoré avec la Continental allemande, avait eu le triste privilège de figurer sur la première liste de suspects dressée par le CLCF[7].... Le cinéaste s'en tira finalement avec un blâme affiché sur son lieu de travail mais conserva quelque amertume de ces troubles épisodes. Dans ses mémoires, Carné précisa que s'il n'entendait nullement absoudre ceux qui avaient participé à des actes passibles des tribunaux, il regrettait, en démocrate, que ceux-ci aient été trop souvent « d'exception ». Ces attaques étaient dirigées à mots couverts contre les commissions du Comité de Libération dont il épinglait le président Pierre Blanchar en rapportant avec délice les propos de Cocteau sur l'homme au « regard d'aigle dans une tête de moineau »[8].

Si la vision allégorique de l'épuration tentait de suturer les blessures d'un couple politiquement désassorti, Carné et Prévert se retrouvèrent pour célébrer l'avènement d'une nouvelle philosophie de l'histoire frappée au sceau de la fatalité. Les fictions sur la Résistance conçues en 1944-45 se fondaient sur une philosophie prométhéenne de l'histoire nourrie par la croyance dans la capacité des hommes à agir, ensemble, sur leur propre destinée. Incarné par Jean Vilar sous les traits d'un clochard musicien, le personnage du Destin souligne au contraire, par l'accomplissement même de ses prophéties, l'absence de liberté des personnages dont la trajectoire est écrite et scellée par avance. Si Georges Sadoul défendit Carné et Prévert contre les attaques politiques dont ils firent l'objet, il achoppa sur cette figure désespérante d'un implacable fatum[9]. Invité par Pathé à contribuer à la plaquette promotionnelle du film, Paul Eluard prit quant à lui à rebours cette éthique de la résignation : « le destin est un clochard dont on brûlera, au grand jour, les loques, la vermine et la sottise rapace »[10]...

Ce personnage du Destin nous entraîne dans l'univers parallèle de la fable qui suggère un second niveau de lecture du film où s'inscrit en creux, sous le signe d'Orphée, un état esthétique et professionnel du cinéma français.

Du prométhéisme à l'orphisme : le deuil de l'âge d'or

Dans un wagon bondé se dirigeant vers Barbès, un homme au visage aigu scrute Diego avec insistance. Dans le regard de l'ancien résistant se lisent tout à la fois l'agacement et l'empreinte d'une peur inscrite par les traques de l'Occupation. Ces premières images du film hantées par la mémoire du cinéma héroïque n'installent le spectateur dans cette scénographie familière que pour mieux l'en extraire.

« Vous descendez à la prochaine... Moi aussi je descends » affirme péremptoirement le personnage du Destin. Et c'est bien à une longue descente que Carné nous convie, des marches du métro aérien de la station Barbès aux bas-fonds du quartier populaire. Cette plongée dans la nuit – où se joignent l'étincelle d'une rencontre et les cendres d'une séparation éternelle – prend tout son sens dans les dernières images du film ; lorsque Diego remonte en sens inverse l'escalier du métro aérien, il nous apparaît en Orphée moderne qui n'a pu sauver son Eurydice d'une nuit, tuée par un mari jaloux. La dimension orphique du récit [11] a été suggérée dans les scènes de rencontre où Carné filtre le regard de Diego sur Malou au moyen d'une vitre salie ou d'un reflet de miroir. C'est précisément à travers les thèmes du regard, de la descente et du retour sur le passé, tous associés au mythe d'Orphée, que j'aimerais dévoiler certains enjeux latents du film.

L'utopie de l'île de Pâques

L'univers du conte poétique s'inscrit dans le film au moyen de deux espaces d'évasion : l'île de Pâques – ce désert hanté par d'étranges statues de pierre – que les deux amants ont visitée séparément avant-guerre joue la fonction de paradis perdu ; le chantier où ils se rencontrent en est une sorte d'ersatz qui signale la cassure de la guerre et ravale le passé au rang d'inaccessible utopie. Le chantier du père Sénéchal entrepose en effet pêle-mêle les vestiges de bâtiments détruits : portails de fer forgé ouvrant sur le vide, statues détachées de leurs socles, chaises de style dépareillées, meubles démantelés, débités en bois de chauffage... Pourtant, les amants vont tenter de remonter le temps et de se déplacer dans l'espace afin de retrouver le vert paradis de l'enfance ; ils s'égarent ainsi en pensée vers l'île de Pâques pour s'y découvrir un passé commun. Cet itinéraire est ouvert par la caméra de Carné/Agostini qui, en une série de longs travellings arrières, accompagne l'avancée à rebours des amants entre les grilles de fer, les statues et les colonnes qui s'ordonnent en une allée de lumière. La séquence se conclut sur la valse des amants (la chanson des feuilles mortes écrite par Kosma) avant de retomber dans la froide nuit de l'hiver sur l'image d'une grosse voiture américaine conduite par le mari de Malou, présage de sa mort prochaine.

Cette évasion dans le passé, cette absence de futur écrasé dans l'obscurité peuvent précisément être interprétées, à leur niveau allégorique, comme une métaphore du cinéma libéré.

Pour le comprendre, il faut se remémorer la situation paradoxale du septième art sous l'Occupation : en effet, les années noires furent d'or pour les cinéastes français, ceux du moins qui n'avaient pas choisi l'exil ou souffert des rigueurs de la législation antisémite [12]. En dépit d'une censure omniprésente et des contraintes propres à l'économie de guerre, le cinéma hexagonal fit en effet preuve d'une exceptionnelle vitalité, bénéficia d'une réorganisation de la profession et de l'assainissement de ses pratiques financières ; il sut enfin mettre à profit l'absence de concurrence américaine pour construire un produit culturel typiquement national dont les intrigues se nourrissaient d'épisodes phares de l'histoire de France traités au moyen d'un langage cinématographique nouveau, sorte d'antithèse de la manière hollywoodienne [13].

Pour ce cinéma français, la Libération fut moins une délivrance qu'un réveil douloureux, une plongée progressive dans les ornières de l'académisme. Lorsque Carné tourna *Les Portes de la nuit*, la sortie de la guerre ouvrait une ère d'incertitudes aggravée par l'atmosphère pesante de l'épuration et par la sortie brutale du protectionnisme. Celle-ci fut consacrée en mai 1946, par la signature des accords Blum-Byrnes considérés par la corporation comme un Munich cinématographique qui ouvrait le marché français aux films américains [14]. Ce régime de contingentement – auquel le gouvernement français mit fin en juillet 1948 – souleva une levée de boucliers de la profession qui se mobilisa pendant l'année 1947 sous la houlette d'un parti communiste entré en guerre froide.

Cet état paradoxal du cinéma français, qui inversait les perspectives du deuil et voyait dans les libérateurs la figure des envahisseurs, se lit dans le filigrane du conte et dans le jeu des références esthétiques. La question de la nouvelle identité du cinéma national confronté à la concurrence américaine et au retour des exilés se trouve allusivement posée dans le film par le personnage de Malou, la fille de Sénéchal réfugiée aux Etats-Unis dont la première apparition, éclairée par le flash d'une cigarette au travers du pare-brise de sa rutilante berline, se référait clairement aux canons de l'esthétique hollywoodienne. C'est cette même voiture qui casse la scène de valse des amants et signale leur échec avant de se transformer, passés les douze coups de minuit, en une ambulance/corbillard qui transportera le corps agonisant de Malou.

On relèvera un autre clin d'oeil malicieux de Prévert dans les harangues du père Quinquinna vantant sur les marches de la station Barbès les mérites des lampes « liberator » modèle américain, fabrication française. Le premier montage financier des *Portes de la nuit* visait précisément à promouvoir un modèle cinématographique français fabriqué avec l'aide de fonds américains : le film devait être co-produit par la maison Pathé et la société américaine

RKO qui s'était finalement retirée du projet à la suite d'un désaccord sur le casting [15].

Cette réflexion sur la nouvelle identité du cinéma français trouve son expression la plus accomplie dans l'esthétique du chantier, comme l'a finement démontré l'historienne anglaise Jill Forbes [16]. Marcel Carné y joue en effet sciemment avec les références aux décors utopiques et exotiques du cinéma des années noires : l'image du chantier, reflet affadi de la mythique île de Pâques, exprimait la conscience d'une tradition artistique démembrée, enfouie dans les décombres de la Libération.

La trajectoire personnelle du réalisateur devait vérifier cette prescience d'un cinéma tourné vers le passé, condamné à vivre de ses vestiges. Après *Les Visiteurs du soir* et les *Enfants du Paradis* qui avaient porté Carné au firmament de sa gloire cinématographique, l'échec retentissant des *Portes de la nuit* allait mettre un terme brutal à cette série de succès ; les mêmes critiques qui l'avaient naguère encensé lui firent savoir sans ménagement que sa carrière était désormais derrière lui. Comme si le Destin sorti de l'écran avait joué un dernier tour à Carné, son film inscrivait dans sa trame l'image de son propre déclin ; jusque dans son titre, *Les Portes de la nuit* préparait la descente et la chute après l'ascension lumineuse des *Enfants du Paradis*.

Mais si la caméra du réalisateur hantait les décors du cinéma d'Occupation à la recherche d'un âge d'or révolu, son scénariste entendait plutôt réactiver et adapter aux temps nouveaux la matrice féconde du cinéma d'avant-guerre. Ce décalage des références s'était exprimé dès l'origine du projet : Carné avait exprimé le souhait de poursuivre dans la voie du fantastique et du merveilleux qui leur avait si bien réussi ; Prévert estimait que le refuge dans le passé n'avait été qu'une réponse circonstancielle aux contraintes de l'Occupation. Désirant inscrire le film sous le signe d'un réalisme poétique renouvelé, il tenta de recomposer le trio qui avait fait les beaux jours du cinéma des années trente.

Orphée ou Lazare...
Néo-réalisme contre réalisme poétique

Le personnage de Diego avait en effet été écrit pour Jean Gabin dont la participation devait permettre de reconstituer l'équipe du *Jour se lève* et de *Quai des brumes*. L'acteur emblématique du populisme tragique, devenu entre-temps un combattant de la France libre, s'était choisi pour partenaire sa compagne d'alors, Marlène Dietrich. La figure de la star germano-hollywoodienne en rupture de ban avec son pays natal aurait sans doute donné toute son épaisseur au personnage de Malou, découvrant à son retour d'Amérique la figure d'un géniteur abject compromis dans la collaboration. Mais Marlène n'apprécia point toutes les subtilités du scénario et refusa notamment de souscrire à l'imagerie féroce [17] d'une France déchirée par les luttes intestines, pour la liberté de laquelle elle avait lutté aux côtés des Alliés ; elle se retira du projet suivie de près par Jean Gabin [18]. Le couple vedette fut remplacé par Yves Montand et Nathalie Nattier qui faisaient leurs débuts à l'écran et souffrirent d'avoir été glissés dans des costumes trop amples pour eux.

Le déchirement de l'équipe d'avant-guerre marquait le premier échec de cette tentative de retour au réalisme poétique. Le second échec porta sur le rejet de la greffe narrative pratiquée par Prévert. Aux yeux des spectateurs et des critiques, la tragique réalité de la guerre et de la Libération ne pouvait en effet cohabiter avec l'exotisme éthéré du conte merveilleux. Prévert proposait Orphée là où ses contemporains attendaient Lazare...

Car si triomphaient conjointement sur les écrans français *La Belle et le Bête* et *La Bataille du rail, La Symphonie pastorale* et *Rome ville ouverte*, chacun de ces films accordait son style à l'univers qu'il s'était choisi : si le deuil pouvait se distraire dans l'évasion d'un poème fantastique de Cocteau, le traitement de la guerre et de la Libération appelait un nouveau style de réalisme dont René Clément semblait seul avoir pris la mesure. En décembre 1945, le jeune cinéaste avait revendiqué la paternité d'un art nouveau, marqué au sceau du concentrationnat :

« Après Buchenwald, on ne peut plus faire de films mièvres. Il y a quelque chose d'autre à exprimer (...) Sciemment ou non, tous les metteurs en scène recherchent l'illusion du vrai. Alors pourquoi ne pas aborder franchement le problème ? Pourquoi ne pas se mesurer avec cette grise réalité ? On triche trop souvent avec la réalité et elle se venge. » [19]

La question d'une esthétique lazaréenne, ancrée dans le réel et modelée par l'empreinte du deuil, fut traitée dans la *Bataille du rail* suivant un mode inverse de celui des *Portes de la nuit*. Clément avait habilement fondé le succès de son épopée héroïque sur un label d'authenticité qui passait par l'emploi des décors naturels, du matériel de la SNCF et de la figuration cheminote. Le réalisme de la reconstitution devait donner ses accents de vérité à la fable unanimiste sur l'Union sacrée de la Résistance à la Libération.

Erigeant *La Bataille du rail* et *Rome ville ouverte* en étalon-mètre d'un nouveau cinéma, les critiques reprochèrent à Carné et à son décorateur Trauner d'avoir voulu créer du vrai avec du faux en reconstruisant pièce par pièce en studio le gigantesque décor de la station Barbès. A la question d'une nouvelle esthétique réaliste s'étaient ajoutées des considérations morales et financières sur le coût de l'entreprise : Carné fut taxé de mégalomanie pour avoir englouti un budget de près de 120 millions de francs, somme jugée indécente en des temps où la France vivait sous le signe des restrictions...

Paradoxalement, le débat sur un art nouveau, nourri par l'expérience de la guerre, qui condamnait les tentatives d'acclimatation de la veine la plus féconde des années trente, contribua à enraciner le cinéma français d'après-guerre dans le terreau des années noires. Adaptations littéraires, fresques historiques, contes fantastiques ou merveilleux..., les réalisateurs de la IVe République allaient succomber à la « tentation d'Orphée » [20] avant que la Nouvelle Vague n'ouvre l'âge moderne du cinéma français.

Nappe de passé, pointes de présent

Dans une étude célèbre de l'*Année dernière à Marienbad*, Gilles Deleuze explique que les deux personnages ne peuvent se rejoindre parce qu'ils appartiennent en fait à des temporalités différentes : présent de passé chez X, présent de futur chez A. La femme est proche de Resnais et de sa conception des nappes de passé ; l'homme emprunte à Robbe-Grillet sa vision discontinue des pointes de présent [21].

C'est à travers cette grille d'interprétation que je propose d'éclairer l'hétérogénéité narrative et esthétique des *Portes de la nuit :* Diego serait, sous le signe d'Orphée, un double de Carné enfermé dans une nappe de passé qui contiendrait l'âge d'or du cinéma français ; Lecuyer serait le porte-parole des désillusions de Prévert, sautant d'une pointe de présent politique à une pointe de présent cinématographique. L'apparent fissurage du film viendrait de son inscription simultanée dans des agendas différents et c'est dans cette juxtaposition même que s'éclaire l'originalité profonde de l'année 1946 dans le domaine du septième art.

Sur le plan des représentations, celle-ci apparaît comme une année transitoire avant la date bissectrice de 1947 qui allait ouvrir l'ère du cinéma de guerre froide. Après l'unanimisme prométhéen du cinéma libéré qui portait tout à la fois l'espoir des lendemains qui chantent et le deuil des héros (plutôt que des victimes), l'année 1946 marquait le pas sous le signe d'un fatalisme désabusé et de la vision de classes d'un peuple déchiré par l'Occupation. Pour autant, le récit des *Portes de la nuit* vivait toujours sur l'héritage des valeurs et des espoirs de la Résistance dont il portait précisément le deuil. Le cinéma des années 1947-48 amorçait au contraire un processus de réversibilité du mythe qui substituait au culte des héros celui des victimes de l'épuration, déconstruisait la légende héroïque pour les échos de la légende noire.

Sur le plan esthétique et cinématographique, l'année 1946 inversait les perspectives du deuil : tandis que les incertitudes du présent alimentaient en eux le rêve nostalgique de l'âge d'or, les réalisateurs français échouèrent à inventer un cinéma nouveau, marqué au sceau de ce lazaréisme en lequel l'écrivain déporté Jean Cayrol voyait le seul moyen pour l'art de porter l'empreinte de la guerre et de survivre à l'expérience des camps.

NOTES

[1] Cité par Pierre Billard in *L'Age classique du cinéma français.* Paris : Flammarion, 1995, p. 477.

[2] Marcel Carné, *La vie à belles dents*, Paris : Belfond 1989, p. 187.

[3] Voir Jean-Pierre Bertin-Maghit, *Le Cinéma sous l'Occupation*, Paris : Olivier Orban, 1989.

[4] Jean-Pierre Rioux, *La France de la IVe République. L'ardeur ou la nécessité*, tome 1, Paris : Le Seuil, « coll Points Histoire, 1980, p. 89.

[5] Cette séquence rappelle celle de *La Bête humaine* où Gabin/Lantier, le regard perdu, avance en somnambule sur les rails, après le meurtre de Séverine qui le conduira au suicide.

[6] Les deux cinéastes avaient en effet travaillé pour la Continental ; cependant si Clouzot fut suspendu sine die, Cayatte fut finalement relaxé.

[7] cf J.P Bertin-Maghit, *op. cit.*

[8] *La Vie à belles dents, op. cit*, p. 176-177.

[9] *Les Lettres françaises*, p. 13-12-46.

[10] Cité par Marcel Carné, *op. cit*, p. 200.

[11] Relevée par plusieurs critiques et historiens du cinéma (voir notamment Jill Forbes « The Libération of the French cinéma », *French Cultural Studies* n°15 octobre 1994, p. 260).

[12] Voir François Garçon, *De Blum à Pétain. Cinéma et société française 1936-1944.*, Paris: Le Cerf 1984; Jean-Pierre Jeancolas, *15 ans d'années trente. Le cinéma des français 1929-1944*, Paris: Stock, 1983; Jean-Pierre Bertin-Maghit, *op.cit.*

[13] cf Jill Forbes, *op.cit*, p. 256.

[14] Jean-Pierre Jeancolas a démontré récemment que l'opinion des professionnels était sur ce point erronée et que les accords Blum-Byrnes furent en fait bénéfiques pour le cinéma français (cf « Blum-Byrnes. L'« Arrangement » ». Revue *1895* n°13, décembre 1992).

[15] La firme RKO avait en effet désapprouvé le choix de Marlène Dietrich comme partenaire de Gabin: « A l'annonce que le couple Gabin-Marlène serait présent à l'écran, la maison de production d'outre-Atlantique reçut des Ligues de vertu yankees un tel monceau de lettres indignées qu'elle crut plus prudent de renoncer à sa participation au film. Les deux interprètes avaient affiché leur liaison aux Etats-Unis à un point tel qu'il eût été révoltant que le film apportât à celle-ci une sorte de consécration officielle !... » (Marcel Carné, *La Vie à belle dents*, *op.cit*, p. 184).

[16] « The Liberation of the French cinema » *op.cit*, p. 261.

[17] Dans une lettre à la société Pathé datée de janvier 1946, Marlène Dietrich écrivait: « *Several scenes evoking regrettable attitudes under the Occupation create in certain parts of the picture an atmosphere that seems to me to have the potential for constituting harmful propaganda abroad and thereby makes my cooperation distressing* » cité par Edward Baron Turk, *Child of Paradise. Marcel Carné and the Golden Age of French Cinema*, Harvard University Press, Cambridge, Massachusetts – London, England, 1989, p. 354.

[18] cf Marcel Carné, *La Vie à belles dents*, *op.cit.*

[19] L'*Ecran Français* n° 24, 12-12-1945, p. 8.

[20] Pierre Billard, *L'Age classique du cinéma français*, *op.cit*, p. 477.

[21] Gilles Deleuze, *Cinéma 2. L'image-temps*. Paris: Editions de Minuit, 1985, p. 154.

Anne SIMONIN

LA SURVIE D'UNE ENTREPRISE CLANDESTINE : LES ÉDITIONS DE MINUIT EN 1946

Comment une entreprise née dans la clandestinité parvient-elle à se normaliser ? La question a-t-elle un sens ? Après tout, à la Libération, les Editions de Minuit sont tirées d'affaires : elles sont parvenues, sans avoir à déplorer aucune perte et indépendamment de la législation répressive édictée par les Allemands, à publier un catalogue clandestin riche de vingt-cinq titres. Le premier d'entre eux, *Le Silence de la mer* de Vercors, publié en 1942, est mondialement célèbre. Cet exploit, sans équivalent dans l'Europe occupée, fait incontestablement des Editions de Minuit la réussite la plus accomplie de la « Résistance civile » (Jacques Sémelin) en France. Les lendemains ne peuvent qu'être enchanteurs. Ils le seront. Mais pour un temps très bref. Dès le début de leur activité légale, les Editions de Minuit ne se conçoivent pas comme une entreprise, inévitablement soumise à des critères de rentabilité mais comme la poursuite d'une aventure commune. L'année 1946 est, de ce point de vue, singulière dans l'histoire de la maison. C'est, en quelque sorte, le point culminant d'une aberration : en 1946 il devient évident que la survie des Editions de Minuit est liée à leur échec commercial. Un paradoxe qu'il convient d'expliquer.

Caractéristiques d'une entreprise née dans la Résistance

Entreprise née dans la Résistance, les Editions de Minuit demeurent, en 1946, une entreprise résistante, comme en témoignent à la fois la structure de leur capital, leur stratégie éditoriale de rupture et la complexité de leurs rapports avec les communistes.

Structure du capital

Les Editions de Minuit se transforment, à la date du 10 octobre 1945, en une « société anonyme au capital de 500 000 francs divisé en 500 actions de 1000 francs chacune ». Première singularité : les 9/10e des actions (soit 450) sont réparties en échange d'un « apport », non pas financier mais en nature, dont la « nature » ne sera jamais définie [1]. En réalité, le seul capital que possèdent les Editions de Minuit en 1945 est un « capital de prestige ». Indépendamment de la procédure, il est important de noter que ce « prestige » était tel en 1945 que tout le monde – notaire, juristes, commissaires aux comptes – a trouvé cela sinon juridiquement conforme du moins naturel. La Résistance avait cours sur les marchés financiers : les Editions de Minuit clandestines pouvaient être estimées à 500 000 francs.

Autre singularité des Editions de Minuit : le souci de maintenir la filiation résistante. Vercors, fondateur, Yvonne Desvignes, cheville ouvrière des Editions de Minuit clandestines, détiennent une écrasante majorité : ils possèdent à eux deux les deux tiers du capital (300 actions sur 500). D'autres participants aux Editions de Minuit clandestines sont également représentés : Ernest Aulard, principal imprimeur, Léon Motchane, réorganisateur de la distribution et auteur, Pierre Doré, contremaître chez Ernest Aulard, Claude Oudeville, imprimeur du *Silence de la mer*. Tous les détenteurs d'actions des Editions de Minuit légales ont en fait travaillé, à des titres divers, pour les Editions de Minuit clandestines. A l'exception d'un seul, Jacques Goldschmidt, mais encore a-t-il participé à la Résistance intellectuelle à Alger et vient-il d'être embauché dans la maison ! En 1945, sans difficultés aucunes, les Editions de Minuit auraient pu faire appel à des souscripteurs extérieurs : ce n'est pas la voie par elles choisie. Entreprise née dans la Résistance, elles décident de rester une entreprise aux mains de la Résistance. C'est donc une « unité de génération » – des gens qui appartiennent au même ensemble générationnel et sont liés entre eux par un lien concret, la commune participation à l'aventure clandestine[2] – qui détient le pouvoir aux Editions de Minuit.

Le maintien d'une stratégie éditoriale de rupture

Tout-puissant au sein du capital de la maison, ce groupe d'amis n'a aucune expérience du monde des lettres. Privées de l'apport de leurs auteurs clandestins qui, dès les premiers jours de la Libération sont retournés chez leurs anciens éditeurs, les Editions de Minuit, entre la fin de l'année 1944 et 1946, vont principalement publier une littérature sur la Résistance faite par des Résistants. Autrement dit une littérature d'acteurs et non d'auteurs. Mais aucun de ses grands titres, ni *Mon Village à l'heure allemande* de Bory (Flammarion, 1945), ni *L'Univers concentrationnaire* et *Les Jours de notre mort* de David Rousset (Editions du Pavois, 1946 et 1947) ; ni *L'Espèce humaine* de Robert Antelme (Robert Marin, 1947), par exemple. A l'exception du premier, ces titres ne leur ont même pas été proposés. C'est bien ce qui pose problème. La position des Editions de Minuit, éditeur naturel de la Résistance, est battue en brèche. Peut-être parce qu'elles n'ont pas su éviter l'écueil dénoncé par Jean-Paul Sartre, dès novembre 1945, sous le titre « La nationalisation de la littérature » : « [...] dans les milieux littéraires, écrire et avoir résisté sont devenus synonymes [...] ». Il en résulte un mode tout particulier de confraternité. « Comment, se demande le critique, dirai-je moi, résistant, à cet ancien résistant que je ne trouve point bon son dernier roman sur la Résistance ? »[3] Ces affres, Vercors les éprouve lorsqu'il est confronté à des manuscrits de Résistants ou de Déportés. Il ne parvient pas à les refuser, et contrevient ainsi au sacro-saint principe du métier d'éditeur : « savoir dire non »[4]. Lorsque la situation économique de la maison imposera des choix drastiques, Vercors préférera ne pas lire ces manuscrits plutôt que de ne pas les publier !

Dans ces années, les Editions de Minuit avaient fait un pari : promouvoir un nouveau modèle éditorial, être la première maison d'édition engagée dans la défense et l'illustration d'un nouvel humanisme né de la guerre. Or, que révèle leur catalogue en 1946 ? Que ce pari, elles ne le tiennent pas. A de rares – et intéressantes – exceptions près, elles ne promeuvront pas une littérature – ces « romans lazaréens » dont parlera Jean Cayrol – ou une pensée inspirées par la guerre mais se limiteront à publier des livres écrits par des Résistants.

Le poids des communistes

Pendant la clandestinité, les communistes étaient incontournables. Jusqu'en 1947-1948, il en sera de même. Comme le soulignera le philosophe Maurice Merleau-Ponty: «Chacun de nous se sent responsable, chargé de patrie et de parti, comme on est chargé de famille»[5]. Avant d'être à Moscou, les communistes sont dans toutes les têtes pensantes. Il faut avoir présent à l'esprit cette donnée fondamentale du jeu intellectuel dans la France de l'immédiate Libération qu'est la présence communiste pour ne pas mésestimer le travail accompli par les Editions de Minuit, «compagnons de route» certes, mais éditions militantes jamais. Au grand désespoir d'Aragon.

Les interventions d'Aragon ne laissent pas de traces écrites. La mésaventure de François Wetterwald le montre bien. Cet ancien Résistant, médecin à Mauthausen, publie aux Editions de Minuit, au printemps 1946, *Les Morts inutiles*. Un texte atypique de la littérature concentrationnaire à cause de son pessimisme absolu[6]. Il se souvient:

> «Ce livre a été en partie rédigé durant mon séjour à Ebensee; en partie durant mon hospitalisation à mon retour. Je n'avais aucune intention de publier ces feuillets qui, à mes yeux, avaient surtout un intérêt documentaire. Je les ai montrés à un des mes amis qui les a communiqués à Yvonne Desvignes. Lors de mon premier rendez-vous avec Vercors aux Editions de Minuit, j'étais complètement sidéré par les compliments qu'il me faisait: je n'avais aucune prétention littéraire. Selon lui, mon «œuvre» était promise au plus grand succès: tirée à 10 000 exemplaires, on conserverait les «flans» à l'imprimerie pour être en mesure de réimprimer le plus rapidement possible... Je n'y connaissais rien, j'étais médecin, tout cela pour moi était un peu extérieur. Lorsque mon livre a été imprimé, ils m'ont fait envoyer des tas d'exemplaires. J'ai bénéficié d'un bon accueil dans la presse... [...]»

Brusquement, tout change:

> «Nos rapports ont été idylliques pendant quelques mois. Un jour, passant aux Editions, je trouve Vercors qui faisait une mine longue comme ça. Il me dit: «Vous savez, il nous arrive une tuile

> avec votre livre. Louis Aragon est venu, il nous a engueulés parce qu'on vous avait publié. Il a dit qu'on n'avait pas le droit de publier un livre sur les camps qui ne parlait pas des communistes. C'est ennuyeux... ». A partir de ce moment là, ça a été fini. Ils ont interrompu toute promotion des Morts inutiles. » [7]

Les colères d'Aragon sont terribles, et d'abord pour l'objet de son ressentiment : les Editions de Minuit ne publieront plus d'autres ouvrages de François Wetterwald. Pourtant, *Les Morts inutiles*, selon Pierre Dumayet, « ça, c'était très bon »... Cette anecdote militerait en faveur de l'absence de réelle indépendance des Editions de Minuit, devenues un des rouages de l'empire Aragon : dès que le Poète hausse la voix, les Editions rectifient la ligne. Mais d'autres exemples choisis dans des années postérieures à 1946 permettraient de nuancer le propos et d'évaluer positivement la marge de manœuvre que les Editions de Minuit ont réussi à préserver par rapport au PCF. Face à des oukases interdisant la diffusion de certains titres, les Editions de Minuit ne luttent pas, c'est exact. Mais comment auraient-elles pu le faire sans rompre, autrement dit sans remettre en question cette « unité de la Résistance » dont elles sont censées être dépositaires en tant que maison d'édition de la Résistance justement ?

Le marché, quel marché ?

Douloureux bilan

Les résultats économiques de la maison sont catastrophiques. Pourtant, tout avait plutôt bien commencé. Le premier exercice des Editions de Minuit qui couvre – exceptionnellement – la période du 1er janvier 1945 au 31 mai 1946 [8] dégage un bénéfice de 502 000 francs. Ce résultat est, en fait, purement conjoncturel, imputable à la réimpression des ouvrages clandestins en une collection « Sous l'oppression » à tirage limité, vendu par souscription à un prix élevé – entre 2000 et 5000 francs selon la qualité du papier. Paul Silva-Coronel est formel : « S'il n'y avait pas eu ces ventes de collections, ce n'est pas un bénéfice de 502 000 francs qui aurait été enregistré au 31 mai 1946, mais une perte de l'ordre de 2 millions et demi. » [9] Dès leur premier exercice légal, les Editions de Minuit sont en réalité déficitaires.

A partir du printemps 1946, on enregistre un net désintérêt du public concernant toutes les publications ayant trait à la guerre, désintérêt qui n'épargne pas l'auteur-phare de la maison. Les Editions de Minuit tirent, en décembre 1946, *Les Armes de la nuit* à 33 000 exemplaires, certaines de les écouler « dans les quatre ou cinq mois prochains » : 22 000 seulement vendus au mois de mai 1947.

La courbe des ventes des ouvrages de Vercors est descendante. L'ensemble des besoins de trésorerie courante des Editions de Minuit est, en fait, couvert par *Le Silence de la mer* et *La Marche à l'étoile*[10]. Autrement dit, les Editions de Minuit légales vivent sur deux titres publiés par elles durant la clandestinité... Ces éléments comptables laissent une question en suspens : comment les Editions de Minuit n'ont-elles pas été obligées de déposer leur bilan ? Comment ont-elles réussi à éviter la faillite alors que le seul poste qui augmente régulièrement à leur bilan est celui de leurs dettes ?[11]

Les Editions de Minuit vont réussir à transformer leur inadaptation au monde marchand en ressource : ce sont leurs bilans-catastrophes qui attestent de la pureté de leur projet éditorial ; ce sont leurs déficits qui montrent à quel point elles restent fidèles à une certaine idée de la Résistance qui, en 1947, n'a plus cours sur le marché du livre. Elles doivent donc être aidées. Elles le seront.

Les amis retrouvés ?

Le sauvetage des Editions de Minuit échappe à toute rationalité économique : l'argent investi ne l'est pas dans une entreprise en faillite mais dans la maison d'édition de la Résistance en difficultés. Témoins les conditions de réalisation de la première augmentation de capital.

Le 25 octobre 1946, une assemblée générale extraordinaire se tient au siège social des Editions de Minuit. Placée sous la présidence de Vercors, elle enregistre « l'augmentation du capital social de 500 000 francs à un million de francs ». En règle générale, une telle opération est un signe de prospérité de l'entreprise, dont le développement nécessite un capital plus important. Ce n'est, on l'a vu, pas le cas des Editions de Minuit qui ont besoin de cette augmentation pour éviter la faillite[12]. Première anomalie. Surtout, les 500 actions nouvelles de 1 000 francs chacune sont émises assorties d'une prime de 5 000 francs. La « prime » est un « [...] droit d'entrée que paient les nouveaux actionnaires pour avoir leur part dans les réserves visibles ou occultes constituées avant leur entrée dans la société». Dans la mesure où les seules «réserves» des Editions de Minuit, ce sont leurs dettes, l'importance de la prime consentie par les six nouveaux souscripteurs ne correspond en rien à la réalité économique de l'entreprise. En fait, ce sont trois millions de francs (1946) – 500 000 francs de capital et 2,5 millions de prime – qui sont investis dans la société et ce en acceptant que la génération résistante conserve la majorité. Vercors et Yvonne Desvignes possèdent désormais 416 actions, Maxime Lévy et la banque Kanapa et Jourda, les deux principaux nouveaux actionnaires, en totalisent 383 [13]. Pourquoi Maxime Lévy, homme d'affaires habitant en Argentine a-t-il accepté de conclure un tel marché? Nous ne sommes pas en mesure de le préciser n'ayant retrouvé aucun renseignement le concernant [14]. En revanche, les motivations de la banque Kanapa et Jourda – qui fut pendant la guerre victime de l'aryanisation économique et placée sous administrateur provisoire le 30 décembre 1942 [15] – sont plus explicites:

> «Vous nous avez demandé en mai 1946 de participer à une augmentation de capital des Editions de Minuit. Les Editions de Minuit, pour nous, c'était Vercors et la défense de la pensée française sous l'Occupation. Nous avons immédiatement répondu à votre appel dans des conditions qui n'étaient pas des conditions d'affaires, mais en nous plaçant simplement au point de vue moral et amical: Vercors avait combattu, il était normal que nous l'aidions. Aussi avons nous accepté qu'il reste maître des Editions de Minuit.» [16]

L'argent n'est pas investi dans l'édition mais dans la Résistance, moins dans les Editions de Minuit que dans le symbole que représente Vercors. Or, si l'investissement est conséquent, il est insuffisant pour assurer la continuation de la maison d'édition. Dès le mois de février 1947, Paul Silva-Coronel sait que deux millions de francs supplémentaires – au moins – sont nécessaires. C'est encore le prestigieux passé de la maison qui devrait permettre de les obtenir. Lui et Vercors vont avoir conjointement l'idée d'une association, les Amis des Editions de Minuit, «[...] initiative très originale [...] qui ne peut être entreprise que par les Editions de Minuit parce que notre Maison avec Vercors possède une signification dont aucune autre firme ne peut se prévaloir». Cette société de mille bibliophiles n'acceptera en son sein que ceux en mesure de fournir la preuve d'indiscutables états de résistance [17]. Chaque adhérent souscrira un abonnement pour les vingts prochains ouvrages à paraître, à dater du 1er juin 1947. En fait, il s'engage pour l'ensemble de la production annuelle des Editions de Minuit... Autrement dit, cette association a moins une visée bibliophilique qu'un but commercial : mille abonnés à 2 500 francs représentent 2,5 millions de francs, soit la quasi-totalité du prix de fabrication de vingt ouvrages [18]. Grâce aux Amis des Editions de Minuit, la maison d'édition devrait voir les frais de son programme éditorial pour l'année 1947-1948 entièrement couverts et une partie de sa diffusion – 1 000 volumes pour un tirage moyen de 3 000 exemplaires environ – automatiquement assurée. On ne peut qu'être frappé par l'analogie existant entre cette situation et celle connue par les Editions de Minuit pendant l'Occupation. Tout se passe comme si les Editions de Minuit essayaient de recréer leurs conditions d'activités clandestines – l'écoulement garanti d'une production vendue par abonnement. Ultime négation d'un marché concurrentiel auquel depuis trois ans elles tentent de s'adapter... Négation malheureuse puisqu'elle se solde par un échec. Au printemps 1947, les Amis des Editions de Minuit sont loin d'avoir réalisés tous les espoirs mis en eux : les mille adhérents prévus n'ont pas été recrutés et les sommes recueillies par leur intermédiaire atteindront à peine le quart de celles attendues – soit 600 000 francs (1947) [19] ! Reste donc à trouver un million et demi. En réalité, beaucoup plus.

Les besoins de trésorerie des Editions de Minuit, vu l'importance de leurs frais généraux et l'accumulation de leurs invendus – dont il faut néanmoins payer l'impression – ne cessent d'augmenter. Lorsque l'on fait la mise à plat de la situation financière de la maison en mai 1947, ce sont sept millions de francs qui se révèlent nécessaires à la survie de l'entreprise. On abandonne le rayon bonnes œuvres pour celui de l'opération financière à hauts risques. Une seule certitude : aucun des actionnaires actuels ne souhaite souscrire. Dès lors, où trouver l'argent frais indispensable ? Existe-t-il une autre solution que la faillite ?

En 1946, les Editions de Minuit voient fondre comme neige au soleil leur seul véritable capital, leur prestigieux passé de seule maison d'édition de la Résistance en France occupée. Deux ans après la Libération, leur « marque » est dévaluée en tout cas sur le marché du livre mais pas parmi les Résistants qui se mobilisent pour les aider à survivre. La clandestinité, malgré ses dangers, fait figure d'âge d'or : alors ne se posait aucun problème économique. Dans un contexte sur-politisé, les Editions de Minuit étaient parvenues à maintenir une relative indépendance éditoriale, qu'elles sauvegardent à la Libération mais au prix d'une stratégie éditoriale onéreuse (cf. *supra*) qui, à terme, les entraîne à la faillite. Vercors a pensé interrompre l'activité des Editions de Minuit : il ne l'a pas fait. En 1948, il est évincé de la direction de l'entreprise mais, grâce aux états de guerre irréprochables de leur nouveau PDG, Jérôme Lindon, les Editions de Minuit restent aux mains de la Résistance. Ce maintien de la filiation résistante à la tête de l'entreprise révélera toute son importance au moment de la guerre d'Algérie : *Le Silence de la mer* est le texte-mémoire de la littérature française de la Seconde Guerre mondiale ; *La Question* d'Henri Alleg, publié aux Editions de Minuit en 1958, sera le « livre-événement » de la guerre d'Algérie. A croire qu'une certaine idée de l'édition restait indissociable d'une certaine idée de la France.

NOTES

[1] Lettre de Paul Silva-Coronel à M. Goxes, le 21 novembre 1946 : « Vous seriez aimable de me confirmer que l'attestation constatant la réalité des versements des premiers actionnaires à la création de la société établie par Maître X. est entre les mains de ce dernier, car je ne la retrouve pas dans mon dossier. » Nous n'avons pas retrouvé la réponse à cette lettre, ni trace d'aucun versement concernant la constitution du capital social dans les archives des Editions de Minuit.

[2] Pour la distinction « situation de génération, ensemble générationnel, unité de génération » voir Karl Mannheim, *Le Problème des générations*, Nathan, 1990, pp. 58-69.

[3] Jean-Paul Sartre, « La Nationalisation de la littérature », *Les Temps Modernes*, n°2, 1er novembre 1945, p. 206.

[4] Bernard Grasset, *Evangile de l'édition selon Péguy,* André Bonne, 1955, p. 85 : « Savoir dire non : je pense, comme Péguy, que c'est la première qualité requise chez un homme qu'on nomme éditeur. »

[5] Cité par Auguste Anglès, « Chantage à la politique », *Confluences*, n°11, avril 1946 in *Circumnavigations. Littérature, voyages, politique 1942-1983*, Presses Universitaires de Lyon, 1986, p. 98.

[6] Annette Wieviorka, *Déportation et génocide. Entre la mémoire et l'oubli*, Puriel, 1995, p. 182.

[7] Témoignage de François Wetterwald, le 28 avril 1992. *Les Morts inutiles* ont fait l'objet d'une réimpression à compte d'auteur en 1991, édition augmentée d'une « Préface ». En fait François Wetterwald ne « néglige » pas les communistes : il les ignore, et volontairement. Lors de son arrivée au camp de Mathausen, il est reçu par un médecin qui jouissait d'un statut ultra-privilégié car il assurait la formation d'un jeune médecin SS. Celui-ci lui demande tout de go : « Etes-vous communiste ? » Wetterwald, interloqué qu'on ne l'interroge pas d'abord sur sa spécialité, répond que non. Les choses en restent là. Peu de temps après, ce médecin est emmené par le jeune SS qui change de camp et est, en fait, transféré dans un

camp d'expérimentation... A la fin de la guerre, ce médecin sera fusillé et sa famille poursuivie par les Polonais pour crime contre l'humanité. C'est François Wetterwald, sur la demande de la famille, qui interviendra et obtiendra l'abandon des poursuites.

[8] Et ce à cause des perturbations entraînées par la guerre.

[9] Examen du bilan provisoire des Editions de Minuit au 5 février 1947. Archives Editions de Minuit.

[10] « [...] la réimpression du *Silence de la mer* et de *La Marche à l'étoile*, respectivement à 45 000 et 30 000 exemplaires [...] couvrent les besoins des 6 ou 8 mois à venir, suivant la courbe constante des ventes de ces deux ouvrages [...] ». Archives Editions de Minuit.

[11] Bénéfice de l'exercice 1945-1946 : 502 996, 50 francs ; Déficit de l'exercice 1946-1947 : 994 072, 60 francs ; Déficit de l'exercice 1947-1948 : 1 186 206, 45 francs.

[12] La loi prévoit qu'une société dont les trois quarts du capital ont été perdus doit normalement être dissoute, *in* A. Dalsace, *Manuel des sociétés anonymes*, Dalloz, 1947, p. 112. L'exercice 1946-1947 des Editions de Minuit va se solder par une perte d'un million de francs, soit le double de leur capital social initial. Il est donc impératif d'augmenter ce dernier si la société souhaite poursuivre ses activités.

[13] Les nouvelles 500 actions se répartissent de la façon suivante : *Vercors,* 17 ; Mme Bruller, 17 ; Maxime Lévy, 217 ; Paul Silva-Coronel, 11 ; Charles de Jong, 4 ; Ets Mecanoca, 34 ; Banque Kanapa et Jourda, 166 ; Etienne Touze, 34. Archives Editions de Minuit.

[14] Si ce n'est une lettre de Paul Silva-Coronel au Cabinet Laurent, Lemière, David, Drouet, le 23 septembre 1946 : « Nous avons reçu de M. Maxime Lévy, et à titre de dépôt en attendant l'augmentation de capital à laquelle nous allons procéder et destinée à cette augmentation de capital, une somme de 500 000 francs. » Arch. EdM.

[15] Informations données par Claire Andrieu. Lire aussi dans son ouvrage *La Banque sous l'Occupation. Paradoxes de l'histoire d'une profession*, Presses de la FNSP, 1990, « Le comité d'organisation. Un rouage de l'aryanisation économique », *op. cit.*, pp. 268-279 et, du même auteur, « Le mythe de la banque juive et les réalités de l'aryanisation », *Pardès,* n°16, 1992, pp. 71-102.

[16] Lettre de Jeanne Teutsch, représentant la banque Kanapa et Jourda, aux Editions de Minuit, le 27 mai 1947. Archives Editions de Minuit.

[17] Le manifeste joint au bon de souscription stipule : « [...] nous sommes obligés de vous demander d'accompagner votre adhésion : soit du nom d'un RÉPONDANT, garantissant votre attitude pendant la période 1940-1944 ; soit d'un bref curriculum vitae, précisant vos occupations durant cette période. [...] les Amis des Editions de Minuit doivent garder la même pureté que les Editions de Minuit ellesmêmes. » Archives Editions de Minuit.

[18] « En effet, pour un tirage de 5 000 exemplaires (tirage courant) et pour un livre de 200 à 250 pages (importance moyenne) le prix de fabrication s'élève à 125 000 francs, environ. Soit pour 20 ouvrages 2 500 000 francs. La seule différence qui intervienne est le prix du papier [...] ». Archives Editions de Minuit.

[19] Compte-auteur des Amis des Editions de Minuit : juin 1947, 686 585 francs ; octobre 1948, 440 400 francs ; juin 1949, 446 800 francs ; octobre 1950, 455 900 francs ; juin 1951, 388 696 francs. Archives Editions de Minuit.

Antoine de TARLÉ

LA RENAISSANCE DE LA PRESSE EN EUROPE

En 1945, la situation de la presse en Europe est très contrastée.

En Grande-Bretagne et dans les pays neutres, la presse bénéficie d'un grand prestige. En effet, en dépit de la censure, elle est demeurée libre entre 1939 et 1945 et a informé au mieux les citoyens sur une guerre et des bouleversements d'une importance énorme. Certes, en Suisse et en Suède, les journaux ont fait preuve de prudence, en fonction de l'évolution de la guerre. En revanche, les médias anglo-saxons, anglais et américains ont été les grands vainqueurs du conflit. Des hommes comme Ed. Murrow, correspondant de CBS à Londres pendant le Blitz ou William Shirer à Berlin, ont acquis un prestige international.

Dans les pays vaincus ou occupés, il en est allé tout différemment. La presse a été totalement asservie par les services nazis, notamment ceux du Dr Goebbels, passé maître dans l'art de la propagande et de la désinformation. Du coup, les journaux sont complètement discrédités. Il faut repartir à zéro. Cette reconstruction sera brutale et difficile. Elle va exercer une influence déterminante sur l'organisation de la presse au cours du dernier demi-siècle.

Dans ce cadre limité, il n'est pas possible de tracer un panorama de tous les pays concernés. On se limitera donc à deux cas de figure, l'Allemagne et la France.

L'Allemagne : une rénovation imposée

L'Allemagne est écrasée au printemps de 1945, les structures nazies se sont effondrées, la presse de l'ancien régime est interdite.

Par ailleurs, le pays est divisé en quatre zones d'occupation et administré directement par les vainqueurs. Il en résulte deux conséquences.

Tout d'abord, un clivage s'opère dès le début entre la zone soviétique et la « trizone occidentale ».

Dans la partie sous influence soviétique, les libertés publiques ne sont pas rétablies, les journaux deviennent des instruments de propagande, exprimant de manière directe ou indirecte, la ligne du parti. Ils s'alignent sur Neues Deutschland, le quotidien du PC qui exprime la volonté de l'occupant, relayée par le bureau politique.

Dans le secteur occidental, la préoccupation des alliés, au contraire, est de réintroduire la démocratie et le pluralisme.

Il en résulte une deuxième conséquence, dans ce pays sans gouvernement, donc sans Etat, la situation de la presse est le reflet fidèle de la volonté des autorités d'occupation.

Pour la suite, on se limitera à la zone occidentale. Celle-ci, en effet, a été le berceau de la totalité de la presse allemande d'aujourd'hui puisque la chute du mur de Berlin en 1989 a entraîné la disparition de la presse communiste d'Allemagne de l'Est.

Les Alliés suivent dans le secteur des médias la même démarche que dans le reste de la vie publique : très répressifs dans les premiers mois qui suivent la capitulation, ils cherchent ensuite des accommodements afin de réintégrer le plus rapidement possible les Allemands dans la communauté démocratique et d'obtenir leur appui au début de la guerre froide.

Les premiers titres sont autorisés par des licences, accordées à des personnes physiques présentant des garanties politiques. C'est ainsi que naissent *Kurier*, le *Telegraf*, *Tagenspiegel*. Le contrôle des contenus, très strict au début, s'atténue ensuite et disparaît avec la création de la République fédérale en 1949.

169 licences sont ainsi accordées dans un premier temps. 650 titres sont lancés la première année. Très rapidement, des personnalités s'affirment et lancent des titres nouveaux : Axel Springer à Hambourg, bâtit un empire à partir d'un hebdo de radio, *Hör Zu* (*Bild*, son titre vedette qui diffuse à 5 millions d'exemplaires, est lancé en 1952). En 1946, une aristocrate prussienne, Marion

von Donhoff, crée avec des amis, l'hebdomadaire *Die Zeit*, le titre phare de l'intelligentsia allemande. De même Rudolf Augstein lance *Der Spiegel*, en s'inspirant des news magazines américains. Avec leurs orientations politiques très différentes mais leur commune hostilité au nazisme, ces trois personnes incarnent le renouveau de la presse allemande.

On peut dire, schématiquement, que cette presse se met en place entre 1945 et le début des années 50, sous l'égide des trois gouvernements militaires. La vision anglo-saxonne des médias est dominante : les journaux doivent être indépendants, accorder un rôle important aux critères de gestion, chercher la puissance et la satisfaction du public plus que les sympathies partisanes. Les journalistes sont profondément marqués par une éthique rejetant à la fois les séquelles du nazisme et le modèle communiste et se méfient des interférences du pouvoir politique.

Les décennies suivantes, 50 et 60, sont marquées par d'importants mouvements de concentration et la mise en place des grands groupes actuels, Bertelsmann, Springer, Burda. Ceux-ci reflètent le foisonnement d'une presse riche et pluraliste qui essaimera ensuite en Europe et aux Etats-Unis dans les années 70 et 80.

La conception française : un service public de la presse

La France a une approche très différente. Le système mis en place à la Libération reflète une vision de l'information très éloignée de celle des Anglo-Américains et, par extension des Allemands.

Il n'existe qu'un seul point commun avec notre voisin d'outre-Rhin : la nécessité de faire table rase d'une presse complètement inféodée à l'ordre nazi et donc, d'en interdire la reparution.

Les principes de base de cette véritable révolution sont inscrits dans les « cahiers bleus », rédigés au printemps 44 sous l'autorité de Pierre Henri Teitgen qui sera ensuite ministre de l'Information du gouvernement provisoire. L'objectif est de créer une presse nouvelle, indépendante des puissances d'argent et fortement aidée par l'Etat qui lui garantira une sorte de statut de service public. En dépit de leurs divergences, les responsables de la Résistance partagent la même conviction : l'argent est, pour la presse, une menace beaucoup plus grave que la puissance publique. Celle-ci doit être l'acteur principal de la reconstruction. Les ordonnances d'août 1944 donnent une forme juridique à ce programme qui vise à assurer la transparence et le pluralisme des entreprises de presse.

A partir d'août 1944, les journaux se mettent en place, à Rennes, première ville libérée, puis à Paris et dans les grandes villes de France. Ils occupent les installations dévolues à la presse de la collaboration et disposent des imprimeries confisquées. Deux traits caractérisent cette presse nouvelle.

D'une part, elle est très politisée, chaque parti, chaque mouvement de résistance a ses titres qui expriment leur « message ».

D'autre part, ses responsables, qui, en général, n'ont guère d'expérience, pratiquent le « gouvernement par délégation ». Ils se préoccupent avant tout de la ligne éditoriale mais se soucient peu de l'impression et de la distribution. L'impression, au moins pour la presse parisienne, est déléguée au syndicat du livre, qui a constitué un pool d'ouvriers travaillant pour tous les titres, la distribution est dévolue à une sorte de monopole public, fixé par la loi Bichet de 1947, les Nouvelles Messageries de la Presse parisienne. En 1945-46, Albert Bayet, premier président de la Fédération nationale de la Presse française, réaffirme à maintes reprises cette conception d'une presse de service public, fortement assistée par l'Etat.

Il en résulte que, contrairement à ce qui se passe en Allemagne, la santé et même la survie des titres dépend, dans une large mesure, de décisions prises à l'extérieur des entreprises : interventions étatiques sur les aides à la presse, grèves à répétition du syndicat du Livre, fonctionnement défectueux des NMPP.

La conjonction de l'inexpérience des dirigeants et de ces mouvements extérieurs provoque la « chute des feuilles ». Des dizaines de titres disparaissent entre 1945 et 1948. Il y avait 300 titres à la Libération ; aujourd'hui, on compte moins de 80 quotidiens.

Seuls s'en tirent les journaux qui ont fait le choix de servir un certain public : c'est le cas du Monde qui vise le sérieux et l'objectivité et acquiert un lectorat fidèle. La presse régionale, forcée de s'imprimer et de se distribuer elle-même, bénéficie d'une beaucoup plus grande maîtrise de son destin que les journaux nationaux. Un cas typique est celui de France Soir dont la métamorphose entre 1944 et 1946, est bien décrite par Olivier Wieviorka dans son livre sur le mouvement « Défense de la France ». Ce quotidien, issu du journal clandestin « Défense de la France », est obligé, pour survivre, de faire appel à un professionnel de l'avant-guerre, Pierre Lazareff, ancien rédacteur en chef de *Paris Soir*, puis de laisser Hachette lui apporter les capitaux nécessaires, et donc, prendre son contrôle.

Au début des années 50, le paysage de la presse est déjà très différent de celui qui avait été imaginé à la Libération. La presse à caractère idéologique a presque disparu, Hachette a reconquis la plupart de ses positions d'avant-guerre ; la presse régionale est devenue largement majoritaire dans le pays. Les décennies suivantes seront marquées par de nouvelles concentrations et de nombreuses disparitions de titres.

Aujourd'hui, avec 50 ans de recul, on constate que la conception française d'une presse considérée comme un service public et fortement assistée par l'Etat a très largement échoué face au système anglo-saxon et allemand qui a prévalu dans la plupart des autres pays d'Europe. En 1995, on lit deux fois moins de journaux par 1000 habitants en France qu'en Grande-Bretagne, en Allemagne ou dans les pays scandinaves. La presse quotidienne, qui est malade chez nous, est en bonne santé chez la plupart de nos voisins.

La vie intellectuelle : mirages et espoirs

Michel Cadot

LES INTELLECTUELS FRANÇAIS ENTRE LES ÉTATS-UNIS ET L'URSS

Ce titre peut paraître trop ambitieux, notamment en raison du peu de temps disponible pour le traiter. Je me limiterai donc à l'examen de cette tension caractéristique de l'après-guerre en France entre l'attrait exercé de longue date auprès de nos intellectuels par l'Amérique, comme on disait couramment à l'époque, son mode de vie, sa situation de grand vainqueur, sa littérature, son cinéma, et la séduction plus récente qui amena toute une partie de l'intelligentsia française à admirer l'URSS, auréolée de sa lutte héroïque et victorieuse contre l'Allemagne nazie, et parée de son prestige de première puissance révolutionnaire au monde.

La documentation étant immense, j'ai décidé de me limiter à un inventaire rapide des livres concernant l'histoire ou la littérature de ces deux pays, publiés en France au cours de l'année 1946, et à un dépouillement de quelques publications hebdomadaires ou mensuelles disponibles dans les grandes bibliothèques parisiennes. Les revues en question sont *Confluences* (février-avril), *Le Littéraire* (à partir du 23 mars), *Les Lettres françaises, Les Cahiers du Sud, Europe, Critique* (à partir de juin), *La Vie intellectuelle, Fontaine*. On a également utilisé l'index du *Monde* pour 1946. Parmi les ouvrages importants relatifs au sujet, on a retenu ceux de David Caute, de Tony Judt et de François Furet [1].

En ce qui concerne les livres relatifs aux deux pays, la *Bibliographie de la France* pour 1946 réserve une surprise de taille : en face de la quarantaine de publications recensées relatives aux Etats-Unis (non comprises les publications à caractère militaire), y compris les traductions d'œuvres littéraires, j'ai trouvé quatre-vingts publications relatives à l'URSS ou à la Russie pré-révolutionnaire, là encore y compris les traductions littéraires. Parmi les romans américains figurent des œuvres importantes, qui feront l'objet de recensions souvent fort détaillées dans les revues mentionnées plus haut : citons parmi les auteurs anciens Edgar Poe, traduit par Baudelaire (*Le double assassinat de la rue Morgue, Le Sphinx, Gordon Pym, La chute de la maison Usher),* Washington Irving, édition bilingue de *Rip van Winkle,* Nathaniel Hawthorne *(La Lettre écarlate, La maison aux sept pignons),* O. Henry *(Contes du Far West, Nouveaux Cones du Far West, Les nouvelles aventures de Jeff Peters, Les Quatre Millions, New York Tic-Tac,* ces deux titres déjà parus en 1940*);* la littérature moderne est représentée par Hemingway (*En avoir ou pas, Dix Indiens*, tr. Maurice Duhamel), John Steinbeck (*La grande vallée*, tr. M. Duhamel et Max Morise), William Faulkner (*Pylône*, tr. M. Coindreau), Henry Miller, dont plusieurs livres paraissent en anglais *(Black Spring, Tropic of Cancer, Tropic of Capricorn, Max and the Phagocytes),* puis en français, John Dos Passos (*La grosse galette,* tr. Ch. de Richter), William Saroyan *(Les acrobates*, nouvelles, tr. M. Schaeffer, *L'audacieux jeune homme au trapèze volant*, tr. J. Havet) ; il convient d'ajouter les auteurs de la Série Noire, Peter Cheyney (*Sinistre rendez-vous,* tr. M. Arnaud*),* Horace Mac Coy *(Un linceul n'a pas de poches),* James Hadley Chase *(Pas d'orchidées pour miss Blandish,* tr. M. Duhamel). Il convient d'ajouter que *Les raisins de la colère* de J. Steinbeck furent publiés dans *Les Lettres françaises* pendant une bonne partie de l'année 1946.

Plusieurs des écrivains américains les plus importants étaient déjà connus en France avant la guerre : Sartre avait dès 1938 écrit sur Faulkner et Dos Passos, Hemingway et Steinbeck étaient déjà traduits. La grande nouveauté de 1946 est Henry Miller, interdit de publication aux Etats-Unis et, même en France, objet de scandale pour certains, d'admiration pour d'autres : nous y reviendrons plus loin.

Du côté russe, la moisson est beaucoup plus importante en nombre. En premier lieu on trouve plusieurs manuels : Mme Stoliaroff et R. Chenavard, *Introduction au russe,* préf. P. Pascal, J. Racmanoff, *Le russe simplifié*, Nina Potapova, *Le russe*, X. de Bouge et P. Grélier, *Le russe sans peine en 4 mois* (29e éd.), Irène Ivanoff, *Premiers éléments de conversation français-russe (Le russe à la portée de tous).* Une synthèse d'Ivan Thorgevsky, *De Gorki à nos jours : la nouvelle littérature russe*, éd. Vozrojdenie, à Paris, eut droit à un éreintement de Jean Pérus dans *Europe* (nov. 1946) qui la traita d'« impudent factum » dans son article « L'art de mentir ». M. et R. Hofmann donnèrent *La vie en Rus-*

sie, choix de textes accentués des grands écrivains russes du XIXe *et du XX*[e] *siècles*. Parue la même année, l'*Histoire de la littérature russe* de M. Hofmann ne dépassait pas 1920 et ne valait pas la grande *Histoire de la littérature russe* du même auteur parue chez Payot en 1934. Le *Pouchkine* d'H.Troyat sort en 1946.

Les grands auteurs du XIXe siècle sont assez bien représentés. Pouchkine avec *La Dame de pique*, tr. Mérimée, préf. R. Mortier, *Doubrovski*, tr. H. Welli et A. Landré, *La Fille du Capitaine,* tr. L. Viardot, Lermontov avec *Le Héros de notre temps,* tr. Abelsen et Bella Chabot; S. Aksakov, *Une chronique de famille*, tr. S. Luneau, Tolstoï, *Enfance, Adolescence et Jeunesse*, tr. Daria Olivier, *Résurrection*, tr. Edouard Beaux, Dostoïevski, *Scandaleuse histoire*, tr. Alexis Remisoff et Jean Chuzeville, Tourguéniev, *Les Récits d'un Chasseur, Poèmes en prose*, tr. A. Mazon et Ch. Salomon, Gogol, *Viï,* tr. G. Arout, *La Foire de Sorochiniets* et *Tarass Boulba*, préf. Louis Viardot, Tchékhov, *Salle n°6*, tr. Denis Roche.

La littérature du XXe siècle n'est pas négligée: Gorki ouvre la marche avec *La Mère*, tr. S. Persky, *Le métier des lettres*, tr. V. Volmane; l'émigration est représentée par A. Remizov, *La maison Bourkov (Sœurs en croix),* tr. R .et Z. Vivier, lettre-préf. de R. Rolland, *Sentiers vers l'invisible,* N. Berdiaiev, *La Russie en guerre, L'esprit de Dostoïevski*, tr. A. Nerville, Ivan Chmélov, *Les Voies célestes*, roman, tr. H. Emeryk. D'URSS viennent V. Kataïev; *Veuve,* tr. M. Eristov et P. Hau, N. Ostrovski, *Et l'acier fut trempé,* Alexandre Beck, *La chaussée de Volokolamsk,* tr. R. Hofmann, Alexis Tolstoï, *Les récits d'Ivan Soudarev*, tr. J. Hepner, Konstantin Simonov, *Maïdanek, La Russie en guerre (récits),* Dmitri Fourmanov, *Tchapaev* tr Alice Orane et G. Roux, préf. P. Vaillant-Couturier, Léonid Léonov, *La prise de Vélikochoumsk*, roman, tr. L. Savitzky, Nadejda Tchertova, *Klavdia,* roman, tr. M. Matveev et D. Canivet, A. Kalinine, *Le Cosaque Tchakane*, tr. V. Volmane, Lyon, Léonid Soloviov, *Quelqu'un troubla la fête*, tr. G. Andersen et H. Mottis, *Nikouline, marin russe*, roman. A part les *Contes de ma patrie* d'André Platonov, inspirés du folklore russe, le *Maïakovski, poète russe* d'Elsa Triolet avec la tr. par E. Triolet et L. Aragon du poème «A pleine voix», et les thèses de Sophie Bonneau *L'œuvre poétique d'Alexandre Blok,* et Armand Coquart, *Dmitri Pisarev (1840-1888).*

Cette liste n'est pas exhaustive, mais elle permet de constater le succès éditorial de la littérature russe, celle d'avant et celle d'après la Révolution, qui paraît nettement plus marqué que le succès rencontré par la littérature américaine, déjà bien explorée avant la guerre. L'URSS bénéficiait d'un fort courant de sympathie auprès des Français de 1946, bien différent de l'adhésion inconditionnelle des communistes au pays de la révolution. Certes les *Lettres françaises,* hebdomadaire dirigé par des communistes ou des compagnons de route, offrent d'excellents spécimens de prose dithyrambique, comme l'article de Jean Fréville (25 janvier) intitulé « Lénine et la culture », où l'édition soviétique est vantée pour sa diffusion massive des écrivains russes du XIXe siècle et ses traductions de Zola, Barbusse, R. Rolland, A. France, Mérimée, W. Scott, les matérialistes français du XVIIIe siècle, et tous les socialistes, de Marx à Jaurès et Aulard... La littérature soviétique célèbre l'héroïsme de l'homme nouveau, les techniques et les sciences, elle a fait preuve d'une « foi brûlante dans les destins de l'homme, a vaincu et montré que le chemin de la culture était le chemin de Lénine ». On est plus surpris encore de lire le 22 février, sous la plume de Gustave Aucouturier, excellent slavisant, un article célébrant « Un triomphe de la volonté. L'essor de Vorkouta », ce sol inhospitalier auquel « savants, ingénieurs et travailleurs soviétiques ont décidé un jour d'arracher les richesses qu'il renferme » : il ne manque à cette énumération que les déportés, tellement enthousiastes de leur condition qu'ils voulurent se révolter : de 1934 à 1949 ils ne reçurent ni vêtements pour se changer au retour de la mine, ni couvertures pour garnir les planches où ils dormaient[2]. Mais dès le début de l'année 1946 un autre son de cloche se faisait entendre, celui du *Monde* de H. Beuve-Méry, qui rappelait à propos des élections du 10 février que les adversaires politiques du régime avaient été supprimés au cours des fameux procès où s'était illustré le procureur Vychinski, qui emploie ses talents « à combattre la politique étrangère de la Grande-Bretagne à la tribune de l'ONU » (13 février). Le 19 avril, Claude Morgan reprochait dans les *Lettres françaises* à tous les partis politiques anglais de vouloir « donner » la Ruhr à l'Allemagne.

La revue *Europe,* très proche des positions communistes, recourait en février à la plume de Vercors pour dénoncer la menace de la bombe atomique et l'illusion d'une paix fondée sur la terreur ; quant à Jean-Richard Bloch, il utilisait les témoignages de trois Américains qui avaient passé une partie de la guerre en URSS : Edmund Stevens, *Il n'y a pas d'énigme russe*, Henry C. Cassidy, *Moscou 1941-43*, et Margaret Wettlin, *Sur les routes russes,* et qui faisaient part de leur admiration pour le courage des Russes dans cette période si dure. Andrée Denis reprenait le titre de Stevens en conclusion de son article « A la découverte du monde connu », *Lettres françaises* du 22 mars : tout est clair, tout est transparent dans le système soviétique. Il est piquant de placer en face le grand texte de Marc Chadourne intitulé « L'énigme du Nouveau Monde », où l'écrivain essayait de comprendre les raisons de l'extraordinaire essor de l'économie américaine, de cette « booming America ».

Une caractéristique très frappante de cette période est la coexistence, non seulement dans l'ensemble de la presse française, de tendances antagonistes au sujet de l'URSS et des Etats-Unis, mais encore au sein d'une même publication, pourtant nettement orientée politiquement comme les *Lettres françaises :* à partir du 11 janvier, le rédacteur en chef George Adam publiait une série d'articles intitulés « Visa américain n°811 », où il racontait ses voyages en compagnie d'un journaliste du *New Yorker,* A.-J. Liebling, sans la moindre hostilité pour le mode de vie américain, faisant au contraire ressortir l'efficacité de leur organisation et la chaleur de leur accueil. Il faut également citer, dans le même ordre d'idées, la série d'articles de Robert Goffin consacrée à « La passionnante histoire de Louis Armstrong. Le Roi du Jazz » à partir du 18 octobre, ou la série « Clefs pour l'Amérique. Le ciel est ma frontière », due à Claude Roy (1, 8, 15, 22 novembre) et également dépourvue de toute hostilité à l'égard des Etats-Unis[3]. Sans doute la rédaction des *Lettres françaises* tint à rétablir tant soit peu l'équilibre, dangereusement rompu au détriment de l'URSS, où il n'était évidemment pas aussi facile de circuler qu'aux Etats-Unis. Elle publia les 24 et 31 mai sous le titre « Dans les ruines de la guerre. Batailles pour la paix. Choses vues en URSS » deux articles d'Edith Thomas, qui avait fait partie de la délégation des Femmes françaises invitée pour la fête du 1er mai, et fit consciencieusement l'éloge des qualités éminentes du peuple russe, sa vaillance, son dévouement à la patrie socialiste, etc. Le deuxième article, « Sens profond d'une fête », faisait même apparaître la restitution des valeurs sociales, notamment la famille[4].

Paradoxalement, c'est dans *Le Littéraire*, le supplément hebdomadaire du *Figaro* de Pierre Brisson, que l'on trouve quelques réserves sur l'engouement général pour l'Amérique. D'abord ces quelques mots d'Ilya Ehrenbourg dans une conférence de presse tenue à l'ambassade soviétique à Paris : « On parle beaucoup depuis quelque temps de la « civilisation atlantique »... Je ne connais, moi, que la civilisation universelle. Ce ne doit pas être la même dont nous parlons. » Réaction carrément nationaliste chez André Billy, qui accusait le « roman métaphysique » (entendez celui de Sartre ou de Camus) et l'existentialisme d'entraîner « une sorte d'asphyxie du roman français au profit des auteurs étrangers» (18 mai). Les normaliens de la rue d'Ulm, interrogés par Paul Guth, chargeaient Jean Izoulet d'exprimer leur point de vue: «Ce qu'on a pris dans le roman américain, c'est la désagrégation du style, la phrase atomique». Les Américains ne voulaient pas de romantisme, ce qui a poussé vers eux les jeunes intellectuels français: mais ils peignent précisément des personnages romantiques, prostituées ou autres. Et Izoulet en trouvait la cause dans leur conscience de protestants refoulés, selon l'explication de G. Gusdorf dans un article des *Temps modernes*. Quant aux polytechniciens, ils se contentaient d'une formule lapidaire: «Les romanciers américains sont des gens qui ont vécu. Les romanciers français des gens qui ont appris.» Denis de Rougemont, qui connaissait bien les Etats-Unis où il vécut de 1940 à 1947, donnait dans *Le Littéraire* du 13 juillet 1946 des «Conseils à un Français pour écrire à l'américaine». Il faut commencer par la *catch phrase,* qui attrape et force l'attention. Les seuls romanciers américains qui contestent vraiment *l'American way of life* sont H. Miller avec son *Air-Conditioned Nightmare* (1945), et Philip Wylie, auteur de *Generation of Vipers*. C'est le journalisme, poursuit D. de Rougemont, qui est une des clés de l'art du roman illustré par la génération des Dos Passos, Steinbeck et Hemingway, «dont tant de jeunes auteurs s'inspirent depuis quelques années». En vérité c'est une mise en garde que leur adresse l'écrivain suisse, soucieux de défendre la culture européenne contre les dangers qui la cernent de toute part: «L'auteur américain, et pour d'autres raisons le soviétique et d'une manière plus générale tous les écrivains engagés soit au service de l'opinion, soit à celui d'un parti ou d'une secte, sacrifient volontiers leur style individuel aux nécessités de l'action.» Pour lui, l'Européen, attaché au détail du style autant qu'à l'ordonnance des idées, «transmet une qualité unique qui seule rend efficace l'acte d'écrire». De son côté André Rousseaux, parlant le 4 mai des nouveaux romans d'Hemingway, insistait sur leur technique naturiste et directe, et sur la méfiance qu'ils manifestent envers les idées. La récupération idéologique apparaît crûment à travers ces mots de Claude Roy, qui voit (*Europe*, septembre 1946) dans *Big Money (La grosse galette)* de Dos Passos «l'épopée américaine du matérialisme dialectique». Jean Lartigue, rendant compte de *Pour qui sonne le glas* dans les *Cahiers du Sud* (1er semestre 1946, p. 160) mettait le roman en parallèle avec *L'Espoir* de Malraux: mais tandis que celui-ci explique et généralise, Hemingway se borne à décrire, sans viser au type. Dans un grand article intitulé «De Faulkner à Henry Miller», Louis Parrot expliquait (*Lettres françaises* du 9 août) les appréciations portées par

Maurice-E. Coindreau dans son *Aperçu des lettres américaines*. Le célèbre traducteur y voyait, selon Parrot, une littérature de type picaresque, alcoolique et brutale. Il dédaignait Miller, et n'appréciait guère *Pylône* de Faulkner, qu'il venait de traduire en français[5], ni la production récente de Saroyan. En revanche il consacrait à Steinbeck un grand article chaleureux dans les *Lettres françaises* du 26 avril, et le périodique entamait le même jour la publication de larges extraits des *Raisins de la colère*, traduits par Coindreau. Quant à Claude-Edmonde Magny, elle étudia avec talent dans une série d'articles de *Poésie 45* intitulée « Roman américain et cinéma » les affinités stylistiques du film, qui procède par succession de plans, avec le roman impersonnel américain dont Dos Passos fournit les exemples les plus frappants. Le cinéma américain était traité avec beaucoup de soin, et de façon en général favorable par Georges Sadoul dans les *Lettres françaises*, sauf pour Walt Disney, accusé le 29 novembre pour son dessin animé *Fantasia* d'être un « créateur de folklore commercialisé ».

Le cas de Miller est particulier : salué avec enthousiasme ou traité par un silence méprisant, il ne laisse personne indifférent : Jean Blanzat trouvait incomparable son art du portrait qui lui rappelait « les plus grands conteurs russes » (*Le Littéraire*, 8 juin), tandis que Georges Bataille, dans « La morale de Miller » (*Critique*, n°1, juin 1946), lui reprochait son parti-pris de vulgarité « parfois gênant » et dénonçait « les personnes qui vivent *puérilement* au pouvoir de l'instant » : on retrouve ici avec un peu de surprise le vieux cliché de l'Américain grand enfant si courant en France entre les deux guerres. Le « Courrier d'ailleurs », rédigé par Renne et Serbanne dans les *Cahiers du Sud* (1er sem., p.148), développait un point de vue analogue à propos de l'art américain : « Il existe en France un mythe de l'Amérique, dont on retrouve la trace jusque dans les groupes d'avant-garde. Le roman ou la poésie américaine ont déjà atteint leur maturité, l'*art* américain n'en est encore qu'au stade expérimental, au stade du greffage, en ce sens à « la traîne » de l'art européen… »

La plus remarquable preuve de l'intérêt rencontré en France par la poésie américaine contemporaine est fournie par le numéro des *Cahiers du Sud* (n°279, 2ème sem. 1946) intitulé *Le sang noir.* Il s'agit de textes africains et américains réunis par P. Guerre, dont plusieurs traduits par Léopold Sedar Senghor. La partie Etats-Unis, p. 196-212, comprend des spirituals, des blues (« Blues de la silicose », « Blues des temps difficiles ») et des poèmes de P.-L. Dunbar, Langston Hugues (« Le nègre parle des fleuves », « Chant de lynch », tr. Senghor, « Chant pour une blanchisseuse nègre », tr. O. de Mourgues), F. Marshall Davis, Waring Cuney, Sterling Brown (« Memphis Blues », tr. L. S. Senghor). De ce dernier, un poème, « Ah ! Oublier » contenait le vers suivant : « C'est le silence des villes détruites là-bas en la blanche Russie. » Un bel ensemble « entre le deuil et l'espoir », qui associait les longues souffrances des Noirs en Amérique et en Afrique aux immenses destructions matérielles et humaines subies par la Russie.

La littérature russe n'est pas aussi largement traitée dans les périodiques retenus pour cette enquête, alors que le nombre des publications sur la Russie semble largement supérieur : ce paradoxe apparent s'explique de plusieurs façons. D'abord la difficulté de traiter de la Russie, encore largement inconnue du public et même des journalistes. Ensuite par le fait que le relativement petit nombre des traductions d'ouvrages américains est plus que compensé par la notoriété de la plupart des auteurs : en face de Hemingway, Faulkner, Caldwell, Dos Passos ou Miller, que pèsent aux yeux des critiques français les livres d'Alexis Tolstoï, de Fourmanov, de Léonov, d'Ostrovski, ou même de C. Simonov et d'A. Beck ?

Il est d'autant plus intéressant que l'écrivain Jean Blanzat (1906-1977), Limousin de naissance, ancien instituteur à Paris, résistant, un des fondateurs des *Lettres françaises*, puis directeur littéraire chez Grasset de 1945 à 1953, ait donné au *Littéraire* de Brisson de bien plus précises analyses de plusieurs de ces romans soviétiques que les *Lettres françaises,* il est vrai assorties le 20 juillet de ce commentaire : « Les romans soviétiques, inspirés par la guerre et traduits en français, commencent à être fort nombreux. Ils nous paraissent souvent gâtés par un esprit de propagande qui heurte nos habitudes et nos goûts. Il faut, pour être juste, considérer que ces livres ont été écrits pour un peuple serré à la gorge, menacé de mort, et qui tenait dans sa propre littérature une arme de défense immédiate. » Et il rendait compte dans cet esprit de *La chaussée de Volokolamsk* d'A. Beck, et de *Nikouline, marin russe* de Léonid Soloviov, qualifié de « type moyen » du roman soviétique de guerre[6]. Augustin Fontaine, à propos des *Ecrits sur la guerre* d'Alexis Tolstoï, présentés par B. Goriély, évoquait dans le premier numéro des *Lettres françaises* du 4 janvier « la crise profonde que la guerre actuelle provoqua dans l'âme du peuple russe » : A. Tolstoï rappelait la question d'Ivan à son frère Aliocha Karamazov, faut-il accepter de torturer un enfant pour sauver le monde, et opposait sa propre réponse au silence d'Aliocha (et de Dostoïevski, ajoute-t-il) : « Oui, j'accepte de tuer un enfant pour sauver le monde, à condition que cet enfant soit moi. » Le même numéro inaugural de la nouvelle série des *Lettres françaises* reconnaissait franchement le caractère particulier de la littérature soviétique : « La plupart des livres soviétiques depuis la Libération, à l'exception de la *Chute de Paris* d'Ilya Ehrenbourg, et de *Quelqu'un troubla la fête* de Soloviov, sont en général des documents, les éléments dont se servira plus tard un grand écrivain lorsqu'il voudra, à la manière de [Léon] Tolstoï, ranimer toutes les images dramatiques de ces dernières années. C'est ainsi que nous avons eu de très nombreux témoignages sur la vie des partisans russes, des récits de bataille, et notamment *Les jours et les nuits de Stalingrad*, le très beau roman de C. Simonov, des récits de la vie héroïque des combattants et des civils... »

Louis Parrot, dans un article intitulé « Vieille Russie » (*Lettres françaises,* 27 septembre), notait le « regain de curiosité » du public envers la littérature classique russe, peut-être dû, selon lui, « à la publication, fort désordonnée d'ailleurs, des livres soviétiques d'aujourd'hui », formule qui laissait planer un doute sur la qualité desdits ouvrages, en face desquels il place les traductions récentes de Tolstoï, Dostoïevski, Tourguéniev, Gogol, Aksakov et Gontcharov. « Vieille Russie » encore, intimement liée à la Russie moderne, que ces *Contes de ma patrie* d'André Platonov, édités par La Jeune Parque, que Francine Béris, dans les *Cahiers du Sud* caractérisait comme des « récits de guerre où toujours la brutalité inévitable de l'événement se mêle de poésie et de l'amour ingénu que le Russe porte à sa terre, à sa fiancée, à sa mère ». Récits où l'on voit des marins héroïques, des enfants subtils, des grands-pères à l'humour railleur et rusé. « Le vieil homme mort, le babaï Yachtagar, la vieille femme de fer » sont à la fois des personnages de folklore et des personnages vivants de la Russie soviétique, proches de nous par leur humanité courageuse et leur tendresse ». Enfin dans le numéro des *Cahiers du Sud* consacré aux surréalistes étrangers (2e sem. 1946), on notait, sans autre explication, que le groupe « Zaoum » n'avait connu « aucun développement effectif », mais que le roman *Le monde de l'indéfini* de V. Rozanov (1856-1919), achevé en 1915, était « un ouvrage présurréaliste, incohérent, touffu, mais chargé de descriptions hallucinantes », qu'il serait intéressant de rapprocher d'*Ulysses* ou de *Finnegan's Wake* de Joyce.

L'impression laissée par ces commentaires sur la production littéraire de la Russie, telle qu'elle parvenait aux Français en 1946, est celle d'une gêne chez les critiques proches du parti communiste devant le caractère monotone de son inspiration, toujours liée aux souffrances de la guerre et aux exploits de l'homme nouveau soviétique, tandis que la critique « bourgeoise », comme on aimait à dire en ces temps déjà lointains, faisait preuve d'une évidente bonne volonté, à la recherche d'éléments authentiques rappelant l'admirable littérature pré-révolutionnaire.

Il nous reste à terminer cet exposé en essayant de montrer quelles traces on trouve dans le corpus étudié du durcissement idéologique qui sera appelé « guerre froide » en novembre 1947 par le journaliste W. Lippmann. Dès le 12 juillet 1946 G. Sadoul, dans un violent article des *Lettres françaises* intitulé « Charlie Chaplin censuré et exécuté », déclarait que le cinéma américain était redevenu le fief des intérêts Morgan-Rockefeller, que la General Electric avait dû financer le *Bikini* d'Orson Welles, et dénonçait les « abjectes attaques » contre Charlie Chaplin, accusé d'activités anti-américaines. Bientôt le même périodique s'en prenait à l'accord franco-américain concernant le cinéma autorisant la diffusion de 70 % de films américains dans les salles françaises, et reproduisait en anglais le commentaire du *Film Daily* saluant cette victoire américaine.

Le 27 septembre André Mandouze, qui avait quitté en 1945 *Témoignage chrétien,* s'en prenait à un nommé Jean Hani à propos de V. Kravtchenko, dont le livre, d'abord publié aux Etats-Unis, parut en France sous le titre *J'ai choisi la liberté* et fut au centre d'un procès retentissant en 1947-48[7]. Ce Hani écrivait qu'en 1944 Kravtchenko avait rompu avec son passé, et Mandouze se déchaîne en ces termes : « Ou c'est un imbécile qui avait besoin de la vision du paradis américain pour comprendre l'enfer russe, ou bien c'est un hypocrite qui continua à servir un régime par lui depuis longtemps condamné. Les témoignages d'imbéciles ou d'hypocrites ne nous sont d'aucun secours. » Et Mandouze était un chrétien au grand cœur… Jean Duché, dans le *Littéraire* du 14 septembre, décrivait une « Nouvelle tornade à Moscou », l'exclusion de l'Union des Ecrivains d'Anna Akhmatova, de Zochtchenko, de N. Tikhonov, et en profitait pour régler son compte aux nombreuses œuvres soviétiques traduites depuis deux ans : « La faiblesse de leur qualité littéraire a frappé les lettrés français » : Aucune ne mérite d'entrer dans l'assemblée où les nations échangent leurs meilleurs livres, car, ajoute Duché, « c'est un vieux secret : pas de littérature sans liberté ». *Critique* publiait de grands extraits de la motion du Comité central, par exemple sur Akhmatova, « représentante typique de la poésie creuse, sans idéologie, dont les vers imprégnés de pessimisme et de défaitisme expriment les goûts poétiques et salonards d'autrefois ». Ces écrivains, ajoute

Critique avaient été tolérés, et même populaires pendant la guerre, pour faire plaisir aux Occidentaux, mais un an plus tard, la situation internationale devient tendue, le ton change à l'intérieur. Le dernier mot reviendra à Arthur Kœstler, qui déclarait dans *Le Littéraire* du 2 novembre : « L'URSS est le grand pays le plus réactionnaire de notre temps [...] L'enthousiasme de gauche pour l'URSS est généralement en raison inverse de leur connaissance des faits. » Ce qui n'empêcha nullement les Français d'envoyer à l'Assemblée 183 députés communistes, élus par environ 26 % de l'électorat, en novembre 1946...

Notes

[1] David Caute, *Le Communisme et les intellectuels français 1914-1966*, Paris, NRF, 1967. Tr. de *Communism and the French Intellectuals 1914-1960*, London, 1964. Tony Judt, *Le Passé imparfait. Les intellectuels de France 1944-46*, Paris, Fayard, 1992. Tr. de *Past Imperfect. French Intellectuals 1944-46*. Univ.of California Press, 1992. François Furet, *Le passé d'une illusion. Essai sur l'idée communiste au XXe siècle*. Paris, R. Laffont, 1995.

[2] P. Barton et D. Rousset, *L'institution concentrationnaire en Russie 1930-1957,* Paris, Plon, 1959, p. 288 (tém. du journaliste allemand Dieter Friede, rapatrié de Vorkouta, *Kölner Stadtanzeiger*, 21 avril 1956).

[3] David Caute, *op.cit.* p. 204, remarque que le ton des *Lettres françaises* ne changea vis-à-vis de l'Amérique qu'en janvier 1947, avec un article de Michel Gordey « L'Amérique n'est pas le Nouveau Monde ».

[4] Edith Thomas, qui avait adhéré au Parti en 1942, le quitta en 1950 après s'être expliquée dans une lettre à *Combat* le 16 décembre 1949 : elle n'acceptait pas la rupture avec Tito.

[5] Le même roman était au contraire loué par A. Rousseau dans *Le Littéraire* du 19 octobre, qui regrettait « qu'on préfère aujourd'hui Steinbeck à Faulkner, pourtant largement supérieur ».

[6] Blanzat associait dans le même compte rendu (28 septembre) le *Robert Cain* de William Russell, roman de la Louisiane, avec *Le grand fleuve* de V. Lidine, qui se passe en Mandchourie.

[7] Claude Morgan, dans les *Lettres françaises* du 13 novembre 1947, accusait Kravtchenko d'avoir fait écrire son livre par un agent américain de l'Intelligence Service.

Jean SOLCHANY

L'ASPIRATION AU RENOUVEAU DANS L'ALLEMAGNE DE L'IMMÉDIAT APRÈS-GUERRE (1945-1949)

Dans les premières années de l'après-guerre, les intellectuels allemands sont dans un état de mobilisation permanente. L'effondrement de 1945, la révélation des crimes nazis, la présence de l'occupant, la détresse matérielle et morale de la population constituent autant d'événements dramatiques qui incitent de nombreux publicistes et universitaires à s'interroger sur le devenir de l'Allemagne, dans une perspective d'ailleurs moins politique et économique que spirituelle et éthique. Au terme de douze années de tyrannie souvent présentées comme la victoire de la force sur l'esprit, du matérialisme sur la spiritualité, une mission apparaît de la plus haute importance: indiquer à un peuple déboussolé les voies du renouveau et de la régénération. A l'image du célèbre historien Friedrich Meinecke, les intellectuels de l'immédiat après-guerre aspirent donc à tirer les leçons de la « catastrophe allemande »[1]. Les idées susceptibles de guérir et de purifier l'Allemagne sont soumises à une investigation poussée: les principes démocratiques, les valeurs chrétiennes, l'idéal du socialisme, la perspective du fédéralisme, la remise à l'honneur de l'humanisme et du classicisme figurent ainsi en bonne place parmi les remèdes envisagés. Comprendre le passé et penser le futur, tels sont les deux impératifs qui structurent des méditations intellectuelles ambitieuses qui ont rencontré une audience considérable et marqué les esprits de façon durable.

Au lendemain immédiat de 1945, les avis émanant des milieux intellectuels sont d'autant plus écoutés qu'ils sont fréquemment émis par des personnalités connues, voire prestigieuses. Aux côtés de Friedrich Meinecke (1865-1954), qui, en 1948, devient recteur honoraire de l'Université libre (*Freie Universität*) de Berlin, d'autres universitaires tout aussi renommés tels que l'historien Gerhard Ritter (1888-1967), le philosophe Karl Jaspers (1883-1969) ou le sociologue Alfred Weber (1868-1958) multiplient les interventions sur les causes et les conséquences du nazisme ou sur des questions jugées vitales pour le redressement allemand, qu'il s'agisse de l'université, de l'idée européenne ou de la préservation de la paix [2].

Au-delà de ces représentants les plus éminents de la cléricature allemande, nombre de participants aux discussions des années 1945-1949 sont loin d'être des inconnus. Directeur de la prestigieuse *Deutsche Rundschau* et figure influente dans les milieux de la révolution conservatrice durant l'entre-deux-guerres, le publiciste Rudolf Pechel (1882-1961) s'est converti à un conservatisme plus modéré sous le choc du nazisme et, après la guerre, donne à sa revue une tonalité plus démocratique qui s'inscrit parfaitement dans le climat de remise en cause de l'immédiat après-guerre [3]. Etoile montante de l'université allemande avant sa révocation par le régime nazi, l'économiste Wilhelm Röpke (1899-1966) s'est forgé un nom dans le monde de l'émigration: ses nombreuses publications sont traduites en plusieurs langues; ses analyses du passé allemand ou de la crise des sociétés modernes sont bien connues des clercs de l'immédiat après-guerre [4]. S'il devient après 1945 l'une des figures de proue de l'intelligentsia progressiste ouest-allemande, le publiciste Walter Dirks (1901-1991) compte dès la fin des années de Weimar parmi les représentants les plus actifs d'une nouvelle génération d'intellectuels catholiques. Quant à Eugen Kogon (1903-1987), auteur d'une analyse du système concentrationnaire nazi appelée à connaître une célébrité durable et cofondateur avec Walter Dirks des *Frankfurter Hefte*, il a déjà derrière lui une carrière de publiciste conservateur dans l'Allemagne et l'Autriche des années trente [5].

Pour d'autres clercs plus jeunes ou plus anonymes, les discussions intellectuelles de l'immédiat après-guerre permettent d'accéder à une certaine notoriété dans des délais relativement brefs. Membre de la social-démocratie pragoise avant d'évoluer vers l'extrême-droite à la fin des années trente, Emil Franzel (1901-1976) devient, après la guerre, le principal rédacteur de la revue *Neues Abendland* et s'affirme comme l'un des hérauts d'un catholicisme ultra-conservateur. C'est également au sortir du conflit que le psychanalyste Alexander Mitscherlich (1908-1982) se fait connaître du public cultivé : en collaboration avec Fred Mielke, il publie alors une vigoureuse dénonciation des crimes commis dans les camps de concentration par les médecins nazis, à l'occasion du procès qui leur est consacré à Nuremberg par les autorités américaines (Ärtze-Prozeß). Membre du cercle de réflexion qui gravite autour de la revue *Die Wandlung*, il rédige également avec Alfred Weber une publication sur le thème du socialisme[6].

Le vaste écho que rencontrent les publications de l'immédiat après-guerre – les lettres de lecteurs submergent les rédactions des grandes revues – témoigne de la soif de comprendre qui habite de nombreux Allemands déstabilisés par le traumatisme nazi et le séisme de la défaite. Dans toute l'Allemagne se constituent en outre des groupes de réflexion, malheureusement très mal connus, dans le but de méditer sur les causes et les conséquences du drame nazi. Dans ces cercles de réflexion, à travers la lecture collective de textes jugés stimulants, des Allemands plus ou moins anonymes s'efforcent de repenser les fondements spirituels, philosophiques et politiques d'une nation provisoirement rayée de la carte. L'Allemagne de l'immédiat après-guerre ne compte ainsi pas moins de 388 « cercles de lectures » occupés à discuter et à faire connaître les idées développées dans les *Frankfurter Hefte*. Une fraction de la population, celle qui dispose des référents identitaires et de la culture nécessaires à la pleine compréhension de méditations parfois ambitieuses, se trouve donc à l'affût de réflexions susceptibles d'atténuer son trouble existentiel à un moment charnière de l'histoire allemande.

Le succès des méditations de l'immédiat après-guerre est le fruit de la convergence entre l'aspiration au renouveau manifestée par les milieux intellectuels et la soif de comprendre qui émane des couches cultivées. Mais, aussi réelle soit-elle, cette convergence n'aurait pas suffi, à elle seule, à susciter l'épanouissement d'une vie intellectuelle intense. Il a fallu également des circonstances exceptionnelles. De 1945 à 1949, du fait de la tutelle exercée par l'occupant, les lois traditionnelles de l'offre et de la demande qui régissent habituellement le marché éditorial sont abolies. Le nombre et la nature des publications proposées aux Allemands sont déterminés par les autorités d'occupation qui, en outre, contingentent autoritairement les volumes de papier disponibles pour chaque maison d'édition. La pénurie de papier qui résulte d'un contexte économique difficile constitue ainsi un instrument de contrôle supplémentaire.

Usant de leurs pouvoirs, les occupants favorisent la publication d'ouvrages et de revues dont il est attendu de grandes vertus rééducatrices. Car en 1945, l'heure est à la rééducation du peuple allemand. Américains, Soviétiques, Britanniques et Français accordent une importance considérable à la parution de grandes revues intellectuelles soucieuses de promouvoir l'autorééducation des vaincus. A côté des ouvrages et des brochures explicitement consacrés à l'analyse du drame nazi ou au redressement spirituel de l'Allemagne, ces publications doivent permettre une mutation en profondeur de l'état d'esprit de la population occupée. Le paysage éditorial des années 1945-1949 présente donc un visage très particulier : les magazines de divertissement, la presse de boulevard ne figurent pas parmi les priorités des autorités d'occupation et souffrent du manque de moyens ; en revanche, les grandes revues intellectuelles qui, dans des temps plus normaux, connaissent généralement des tirages confidentiels, sont diffusées à une échelle tout à fait étonnante [7].

En 1933, la *Deutsche Rundschau* paraît à un rythme de 3000 à 4000 exemplaires mensuels. En 1945, lorsque la revue reparaît après quelques années d'interdiction par le régime nazi, sa diffusion est multipliée par dix. D'autres grandes revues peuvent se glorifier de tirages similaires ou encore plus élevés, aux alentours de 35 000 exemplaires par numéro pour *Die Wandlung*, de 40 000 pour le *Merkur*, de 50 000 pour les *Frankfurter Hefte* et *Der Ruf*, de 100 000 pour *Die Weltbühne*, et de 220 000 pour *Die Gegenwart* [8]. En dehors des périodiques, certains ouvrages bénéficient également d'une diffusion importante. *La déviance d'une nation,* du communiste Alexander Abusch (1902-1982), est rééditée à trois reprises de 1946 à 1949 pour un tirage total de 80 000 exemplaires [9]. La « catastrophe allemande » de Friedrich Meinecke et la « question allemande » de Wilhelm Röpke connaissent plusieurs éditions, simultanées ou successives [10]. En outre, dans une période où l'intérêt est très vif pour les publications intellectuelles, les livres et les revues circulent de mains en mains, ce qui multiplie le nombre de lecteurs.

Cette période exceptionnelle s'achève en 1948-1949 : avec la réforme monétaire et l'abolition progressive de la tutelle des occupants, c'est la fin de l'âge d'or pour les intellectuels et le grand retour de la presse de divertissement. Les prestigieuses revues des premiers temps de l'après-guerre connaissent une chute dramatique de leur audience, quand elles ne disparaissent pas purement et simplement dans la tourmente de la normalité retrouvée. Mais pendant trois ou quatre ans, des réflexions d'une grande intensité ont connu une diffusion somme toute considérable. Certes, elles ne touchent que les élites, en particulier la bourgeoisie des talents (*Bildungsbürgertum*). Mais cette minorité représente une composante non négligeable de la société allemande, celle qui contrôle les leviers de commande non seulement intellectuels, mais aussi politiques et économiques. Les réflexions de l'immédiat après-guerre ont eu un grand impact sur la culture politique des élites allemandes de la fin des années quarante. Facteur de remise en cause, elles ont contribué à la démocratisation des esprits, notamment à travers l'évocation du passé allemand et des douzes années de la domination nationale-socialiste sur l'Allemagne.

Comprendre le passé

Le passé nazi, encore brûlant, est au centre des réflexions de l'immédiat après-guerre. La question épineuse des origines du phénomène hitlérien s'avère particulièrement lancinante et deux schémas d'interprétation, l'un et l'autre très ambitieux, tentent d'y apporter une réponse [11]. La thèse de la déviance (*Irrweg*) constitue la première explication proposée aux Allemands. Depuis Luther, voire plus tôt, les Allemands auraient suivi la voie de l'autoritarisme et du militarisme dont l'Allemagne hitlérienne serait l'aboutissement. Une dramatique continuité conduirait de Luther à Hitler en passant par Frédéric II et Bismarck. Le nazisme ne serait ainsi qu'une forme particulièrement pernicieuse de militarisme et de prussianisme. Avec un degré de systématisme variable et suivant un certain nombre de nuances liées à la diversité idéologique de ses promoteurs, la thèse de la déviance est défendue par la majorité des intellectuels libéraux, marxistes et catholiques [12]. Sous une forme plus germanophobe, elle est également dominante à l'étranger et les opposants au nazisme qui ont pris le chemin de l'exil après 1933 ont sans nul doute subi l'influence des jugements souvent péremptoires portés sur l'Allemagne par les intellectuels et les hommes politiques français, anglais ou américains [13]. En Allemagne même, seuls les conservateurs protestants sont hostiles à un schéma d'explication jugé caricatural. Si le publiciste Rudolf Pechel se montre très critique vis-à-vis du passé allemand, le théologien Walter Künneth ou l'historien Gerhard Ritter s'efforcent au contraire de dégager le luthéranisme ou la Prusse de toute responsabilité véritable dans l'avènement du nazisme [14]. Mais s'ils sont globalement réfractaires à la thèse de la déviance, les conservateurs n'en ont pas moins reconnu la dimension destructrice du nationalisme allemand. Cette concession est d'importance : l'année 1945 marque la fin de la vision nationaliste et autoritaire du passé allemand qui était jusqu'alors dominante dans les esprits et que les historiens avaient grandement contribué à diffuser dans le corps social [15]. Certes, il faut attendre les années soixante pour que les historiens universitaires abandonnent un historicisme de plus en plus archaïque. Mais dès le lendemain de la Seconde Guerre mondiale, l'idée selon laquelle l'Allemagne aurait connu une destinée historique exemplaire, une sorte de *success story* autoritaire à l'écart des troubles révolutionnaires et des désordres parlementaires, est discréditée par les atrocités nazies et l'effondrement final du Reich nazi. La vision du passé qui donnait une cohérence redoutable à la culture antidémocratique des élites conservatrices est mise à bas au lendemain de 1945.

Le schéma de la déviance ne constitue cependant pas la seule interprétation du phénomène nazi élaborée dans l'Allemagne de l'immédiat après-guerre. Nombreux sont les intellectuels à privilégier un autre schéma explicatif qui diagnostique dans la monstruosité hitlérienne l'une des retombées les plus funestes de la modernité : la massification et la sécularisation, deux processus accusés de bouleverser les sociétés européennes depuis l'avènement de la machine à vapeur et l'éclatement de la Révolution française, sont rendus responsables de l'émergence du nazisme. Les conservateurs, tant catholiques que protestants, sont très séduits par une interprétation en concordance parfaite avec leur sensibilité antimoderniste. Dans cette perspective, l'idéologie nationale-socialiste apparaît comme une pseudo-religion, un ersatz de croyance qui a conquis l'âme esseulée d'un peuple déstabilisé par les effets déstructurants de l'industrialisation et de la perte de la foi [16]. Matérialisation la plus dramatique de l'avènement des masses et du nihilisme, le nazisme est l'une des manifestations du phénomène totalitaire, à côté de la Révolution française, du fascisme et du communisme. Pour les conservateurs de l'immédiat après-guerre, le concept de totalitarisme représente en réalité bien plus qu'une simple théorie explicative : « bouée de sauvetage » identitaire, il permet de surmonter intellectuellement l'effondrement du Reich édifié par Bismarck. 1945 a ouvert la voie à une redéfinition de l'identité conservatrice, dont le fondement n'est plus le nationalisme, la grandeur de l'Allemagne, mais la lutte contre le matérialisme, contre le totalitarisme. Cette reconstruction identitaire permet à la fois de donner une légitimité nouvelle à l'anticommunisme toujours virulent des élites conservatrices, de justifier l'acceptation de la démocratie considérée comme un rempart contre le nihilisme et la menace totalitaire et de donner un sens à l'alliance avec les Etats-Unis. L'analyse du passé est donc inséparable d'une méditation sur l'avenir de l'Allemagne, qu'il s'agisse de remédier à plusieurs siècles de « déviance » ou de mettre fin au « nihilisme ». En ce sens, la réflexion sur le nazisme a été la matrice des considérations plus larges sur les perspectives de renouveau qui se présentent aux Allemands au lendemain de 1945. Dans le climat de remise en cause et d'effervescence de l'immédiat après-guerre, quelques thèmes lourds de signification et chargés de connotations multiples permettent de condenser la diversité et l'imprécision des attentes et des espoirs [17].

Penser le futur

Après douze années de terreur nazie, l'invocation de la liberté, du droit et de la justice est fréquente et ne saurait surprendre. Pour autant, la démocratie est loin d'apparaître comme une perspective allant de soi aux yeux de nombre d'hommes politiques et d'intellectuels. Sans doute n'est-il guère question de plaider en faveur de solutions autoritaires discréditées au lendemain du fiasco nazi. Certains publicistes sont cependant soucieux, à l'instar de Rudolf Pechel dans les colonnes de la *Deusche Rundschau* ou de Heinz Holldack dans les colonnes de *Hochland*, de mettre en garde contre les potentialités « totalitaires » de la démocratie [18]. En se référant à la Suisse ou aux Etats-Unis plutôt qu'à la France héritière de 1789, les clercs conservateurs expriment clairement leur préférence pour une démocratie de tonalité conservatrice qui s'inscrive harmonieusement dans la tradition sans constituer une rupture brutale avec le substrat historique de la nation [19]. Mais la méfiance à l'encontre de la démocratie ou du moins de certaines de ses manifestations jugées dangereuses touche également les intellectuels plus progressistes. Le publiciste Dolf Sternberger, le directeur de la revue *Die Wandlung*, juge ainsi que le vote proportionnel ne mérite pas le qualificatif de démocratique [20] ; c'est pourquoi il milite activement contre son rétablissement et participe à la fondation de l'« Association allemande des électeurs » (*Deutsche Wählergesellschaft*). Quant à Walter Dirks, il s'interroge sur les dangers d'une démocratie formelle qui risque selon lui d'entraver l'indispensable rénovation spirituelle et sociale de l'Allemagne[21]. L'impuissance de 1933 demeure donc gravée dans toutes les mémoires et l'ordre politique auquel aspirent les élites de l'immédiat après-guerre se conçoit autant par refus d'un retour à Weimar que par rejet de la période hitlérienne. Après 1945, chacun souhaite éviter la répétition des erreurs réelles ou supposées de la période 1918-1933. Derrière ces considérations inquiètes sur la démocratie se dissimule une peur fantasmatique devant la montée des « masses ». Dans cette optique, la formation d'une élite compétente et responsable apparaît comme le préalable indispensable à l'édification d'une Allemagne véritablement démocratique[22]. En fin de compte, ce sont les communistes allemands, en mal de légitimité, qui se révèlent les laudateurs les plus lyriques d'une démocratie dont ils se gardent cependant de dessiner les contours au-delà de l'évocation de sa dimension humaniste et progressiste[23]. Mais tant chez les conservateurs que chez les sociaux-démocrates ou les communistes, la démocratie ne saurait constituer une fin en soi : pour être opératoire, elle doit être associée à une perspective plus large. Les clercs aspirent plus à l'instauration du socialisme démocratique ou de la démocratie chrétienne qu'à la simple mise en œuvre de la démocratie parlementaire.

Au lendemain de 1945, le nazisme est souvent présenté comme l'irruption du démoniaque dans un monde gangrené par le matérialisme. D'aucuns voient dans le retour aux valeurs chrétiennes le meilleur antidote contre les ravages du nihilisme. Les succès électoraux remportés par la CDU témoignent de la force de cette conviction et de l'impact du discours « antimatérialiste » des hommes politiques qui se réclament de la démocratie chrétienne. A l'instar de Johannes Robert Becher (1891-1958), président de la *Ligue culturelle pour le renouveau démocratique de l'Allemagne* (*Kulturbund zur demokratischen Erneuerung Deutschlands*), les communistes eux-mêmes prennent en compte la profondeur de cette aspiration à un renouveau spirituel et rangent le christianisme dans le camp des forces progressistes[24]. Mais la perspective du socialisme retient également l'attention des intellectuels les plus divers. Le constat suivant lequel le capitalisme libéral porte une lourde part de responsabilité dans l'avènement du national-socialisme est en effet largement répandu et invite à reconstruire l'Allemagne sur des bases différentes. Les catholiques s'interrogent ainsi sur la signification du socialisme chrétien ; une réflexion que le dominicain Eberhard Welty (1902-1965) et sa revue *Die neue Ordnung* prennent très à cœur. Aux yeux des catholiques de gauche des *Frankfurter Hefte,* le socialisme constitue même la seule perspective de renouveau envisageable pour l'Allemagne [25]. Quant à la tonalité progressiste du programme d'Ahlen élaboré par la CDU en février 1947, elle témoigne sinon d'une inclinaison vers le socialisme au sein de la démocratie-chrétienne naissante du moins de l'importance accordée à la réforme d'un ordre ancien accusé d'avoir failli. Au lendemain de 1945, la notion de socialisme reçoit les contenus les plus divers et relativement rares sont les intellectuels qui se réclament du marxisme en l'évoquant. Dans sa configuration la plus oecuménique, elle permet de cristalliser l'aspiration à plus de justice et à plus de démocratie dans un cadre politique et social renouvelé. En 1946, Alfred Weber et Alexander Mitscherlich plaident ainsi en faveur d'un socialisme libre [26]. Même dans les colonnes de la *Deutsche Rundschau* ou de la revue libérale *Die Gegenwart*, la question du socialisme est évoquée [27]. Seuls les libéraux les plus farouches, à l'instar de Wilhelm Röpke, se refusent à cautionner un terme qui demeure à leurs yeux synonyme de collectivisme et de dirigisme, dénoncent l'utopie du socialisme démocratique et défendent le bilan du capitalisme [28].

Outre les valeurs chrétiennes et le socialisme, le fédéralisme est un autre thème mobilisateur dans l'Allemagne de l'immédiat après-guerre. Notamment dans le camp catholique, les intellectuels présentent dans l'année 1933 l'aboutissement d'un processus contre nature, à savoir l'hégémonie de la Prusse sur l'Allemagne, un pays qui semblait pourtant destiné à une logique fédérative de par son histoire et sa géographie. Au sein de *l'Association des fédéralistes allemands* (*Bund deutscher Föderalisten*), fondée en août 1947, des publicistes aussi éminents qu'Eugen Kogon, Franz Albert Kramer (fondateur en 1946 du *Rheinischer Merkur*), Johann Wilhelm Naumann (directeur de *Neues Abendland*), Rudolf Pechel et Franz-Joseph Schöningh (directeur de *Hochland*) s'efforcent de promouvoir la cause fédérale aux côtés d'hommes politiques influents tels que Peter Altmeier (ministre-président de Rhénanie-Palatinat), Heinrich von Brentano, Heinrich Hellwege (président de la *Deutsche Partei*), Wilhelm Hoegner ou Adolf Süsterhenn [29]. Les plaidoyers en faveur du fédéralisme se traduisent sur le plan éditorial par des publications abondantes [30]. En 1947, Walter Ferber, l'un des défenseurs les plus actifs du principe fédéraliste, choisit d'ailleurs de quitter la rédaction de *Neues Abendland* pour fonder les *Föderalistische Hefte*.

Enfin, l'évocation des traditions humanistes du passé allemand et tout particulièrement l'exaltation du classicisme constituent le dernier point de condensation des espoirs et des attentes de l'immédiat après-guerre. En 1949, Goethe, quintessence de toutes les potentialités positives de la culture allemande, est longuement célébré à l'occasion du bicentenaire de sa naissance. Après la dictature de Hitler, incarnation de l'inculture et du demi-savoir, le retour aux sources de la civilisation allemande et occidentale est jugé fondamental et Friedrich Meinecke en appelle à la constitution de communautés goethéennes (*Goethegemeinden*) chargées de transmette les trésors de la musique et de la littérature aux jeunes générations [31]. Goethe et le classicisme allemand sont en effet des modèles d'existence, non seulement pour les élites bourgeoises mais aussi et surtout pour l'homme de la masse à la recherche de nouveaux repères. Karl Jaspers est l'un des rares intellectuels à s'interroger sur la pertinence de cette « Goethemania » dans l'Allemagne de l'immédiat après-guerre [32]. Dans la zone soviétique, les communistes allemands ne sont pas en reste et présentent dans leur action politique l'aboutissement d'une quête de liberté entamée par les grandes figures du classicisme allemand [33]. En outre, le bicentenaire de 1949 fait l'objet d'une préparation soigneuse de la part des autorités et donne lieu à de multiples commémorations. Quant à la revue *Aufbau*, la grande publication intellectuelle de la zone orientale, elle consacre de nombreux articles à l'actualité de la vie et de l'œuvre du grand écrivain allemand [34].

Conclusion

Méditation à chaud menée à l'ombre des ruines et d'un passé immédiat encore brûlant, les débats intellectuels de l'immédiat après-guerre marquent le pas à partir de 1948. A une phase d'intense mobilisation des clercs et de réelle remise en cause des certitudes passées succède le silence relatif des années cinquante. Une fois passé le choc de 1945, l'heure n'est plus à des réflexions ambitieuses sur le passé allemand destinées à l'ensemble des élites ; seuls les centres de recherches entament un labeur plus terre à terre, celui de l'analyse véritablement scientifique de la période hitlérienne. Les réflexions critiques sur les zones d'ombre du passé se font beaucoup plus rares ; l'oubli, voire le refoulement du traumatisme nazi caractérisent alors de larges pans de la société ouest-allemande ; en RDA, l'« antifascisme » officiel pratiqué par la dictature communiste dissimule tant bien que mal l'absence de réflexion réelle sur le phénomène nazi. Enfin, dans le contexte de la guerre froide, les opinions d'Allemagne de l'Ouest et de l'Est se sont forgées de nouvelles certitudes : le besoin d'une grande réflexion existentielle sur l'avenir de l'Allemagne est devenu bien moindre.

Pour autant, les discussions intellectuelles de l'immédiat après-guerre ont constitué l'amorce d'une mutation durable des cultures politiques allemandes, notamment en RFA. Certes, le diagnostic et la thérapie proposés aux Allemands au lendemain de 1945 apparaissent à bien des égards passéistes : la dénonciation des masses, l'acceptation parfois réticente de la démocratie, l'exaltation des valeurs de l'humanisme et du christianisme témoignent de l'univers mental d'un *Bildungsbürgertum* encore profondément imprégné de la tradition élitiste et idéaliste qui est la sienne depuis le XIXe siècle. Même chez des économistes comme Wilhelm Röpke ou Alfred Müller-Armarck, la reconstruction de l'après-guerre se conçoit d'abord comme un sursaut spirituel. En outre, les réflexions sur une réforme en profondeur de la société allemande se sont révélées vaines, voire utopiques. En 1949, Alfred Weber se demande si les Allemands ont échoué dans leur aspiration à la rénovation et, en 1950, Walter Dirks dénonce les forces de la restauration à l'œuvre dans l'Allemagne de l'après-guerre[35]. Mais les réflexions sur la déviance et les excès du nationalisme allemand ont débouché sur une dénationalisation durable de l'imaginaire politique des élites, même si la problématique du *Sonderweg* ne sera reprise par les historiens que bien plus tard, au cours des années soixante. Les réflexions sur le totalitarisme ont posé les fondements d'un consensus antitotalitaire qui, en dépit de ses excès, – notamment la phobie anticommuniste –, n'a pas peu contribué à la démocratisation de la société ouest-allemande et à l'enracinement des institutions démocratiques issues de la Loi fondamentale de 1949. En dernière analyse, l'aspiration au renouveau sous toutes ses formes que connaît l'Allemagne de l'immédiat après-guerre témoigne d'un effort de régénération qui peut être considéré rétrospectivement comme la premier effort de « maîtrise du passé » qu'ait connu l'Allemagne de l'après-guerre, une première tentative à bien des égards imparfaite et lacunaire menée dans le contexte très particulier d'un pays détruit et occupé.

[1] Friedrich MEINECKE, *Die deutsche Katastrophe. Betrachtungen und Erinnerungen*, Wiesbaden, 1946.

[2] Karl JASPERS, *Die Idee der Universität*, Berlin, 1946 (Cet ouvrage se présente comme une réflexion nouvelle sur le thème de l'université et non comme la simple réédition du livre déjà publié sous ce titre en 1923), Karl JASPERS, *Die Schuldfrage*, Heidelberg, 1946, Karl JASPERS, *Vom europäischen Geist*, Munich, 1947, Gerhard RITTER, *Geschichte als Bildungsmacht. Ein Beitrag zur historisch-politischen Neubesinnung*, Stuttgart, 1946, Alfred WEBER, *Abschied von der bisherigen Geschichte*, Hambourg, 1946, Alfred WEBER, *Sozialisierung zugleich als Friedenssicherung*, Heidelberg, 1947.

[3] Sur Rudolf Pechel et la *Deutsche Rundschau* après 1945, voir Rosemarie von dem KNESEBECK, *Rudolf Pechel und die «deutsche Rundschau» 1946-1961. Zeitgeschehen und Zeitgeschichte im Spiegel einer konservativen politischen Zeitschrift. Eine Studie zur konservativen Publizistik in Deutschland nach dem Zweiten Weltkrieg*, Göttingen, 1975. Sur Rudolf Pechel, voir également Gérard IMHOFF, «Rudolf Pechel : image et contre-image», in Louis DUPEUX (dir.), *La révolution conservatrice allemande sous la République de Weimar*, Paris, 1992, p. 237-251.

[4] Voir notamment Wilhelm RÖPKE, *Die Gesellschaftskrisis der Gegenwart*, Erlenbach, Zurich, 1943, Wilhelm RÖPKE, *Civitas Humana. Grundfragen der Gesellschafts- und Wirtschaftsreform*, Erlenbach-Zurich, 1944 et Wilhelm RÖPKE, *Die deutsche Frage*, Erlenbach-Zurich, 1945.

[5] Eugen KOGON, *Der SS-Staat. Das System der deutschen Konzentrationslager*, Francfort-sur-le-Main, 1946. Sur Walter Dirks et Eugen Kogon, voir Karl PRÜMM, *Walter Dirks und Eugen Kogon als katholische Publizisten der Weimarer Republik*, Heidelberg, 1984.

[6] Alexander MITSCHERLICH et Fred MIELKE, *Das Diktat der Menschenverachtung. Eine Dokumentation*, Heidelberg, 1947, Alexander MITSCHERLICH et Alfred WEBER, *Freier Sozialismus*, Heidelberg, 1946.

[7] Sur les revues intellectuelles de l'immédiat après-guerre, voir notamment Doris von der BRELIE-LEWIEN, *Katholische Zeitschriften in den Westzonen 1945-1949. Ein Beitrag zur politischen Kultur der Nachkriegszeit*, Göttingen, 1986, Ingrid LAURIEN, *Politisch-kulturelle Zeitschriften in den Westzonen 1945-1949. Ein Beitrag zur politischen Kultur der Nachkriegszeit*, Francfort-sur-le-Main, Berne, New York, Paris, 1991, Jens WEHNER, *Kulturpolitik und Volksfront. Ein Beitrag zur Geschichte der Sowjetischen Besatzungszone Deutschlands 1945-1949*, Francfort-sur-le-Main, Berne, New York, Paris, 1992. Pour une présentation succinte, voir Doris von der BRELIE-LEWIEN et Ingrid LAURIEN, «Zur politischen Kultur im Nachkriegsdeutschland. Politisch-kulturelle Zeitschriften 1945-1949. Ein Forschungsbericht», *Politische Vierteljahresschrift*, 24, 1983, p. 406-427.

[8] Sur les tirages des revues de l'immédiat après-guerre, voir Ingrid LAURIEN et Iris VIELBERG, *Politisch-kulturelle Zeitschriften in den deutschen Besatzungszonen, 1945-1949*, Göttingen, 1986.

[9] Alexander ABUSCH, *Der Irrweg einer Nation. Ein Beitrag zum Verständnis deutscher Geschichte*, Berlin, 1946. Sur les tirages des livres et des brochures parus dans l'Allemagne de l'immédiat après-guerre, voir Christoph COBET, *Deutschlands Erneuerungs 1945-1950. Bio-Bibiographische Dokumentation mit 433 Texten*, Francfort-sur-le-Main, 1985.

[10] Friedrich MEINECKE, *Die deutsche Katastrophe*, *op. cit.*, Wilhelm RÖPKE, *Die deutsche Frage*, *op. cit.*

[11] Sur cette question, voir Jean SOLCHANY, *Comprendre le nazisme dans l'Allemagne des années zéro. La réflexion sur le national-socialisme dans l'Allemagne de l'immédiat après-guerre (1945-1949)*, Strasbourg, 1994, thèse dactylographiée. Une version légèrement remaniée de ce travail est à paraître aux *Presses Universitaires de France*. Pour une présentation succinte, voir Jean SOLCHANY, « Y-a-t-il eu « maîtrise du passé » dans l'Allemagne des années zéro ? », in *Liber. Revue internationale des livres*, n°18, juin 1994, p. 12-13. Des éléments d'information dans Barbro EBERAN, *Luther ? Friedrich « der Grosse » ? Wagner ? Nietzche ? ... ? ... ? Wer war an Hitler schuld ? Die Debatte um die Schuldfrage 1945-1949*, 2nde édition, Munich, 1985, Ingrid LAURIEN, *Politisch-kulturelle Zeitschriften in den Westzonen 1945-1949, op. cit.*, p. 148-194 et Wolfgang WIPPERMANN, « Deutsche Katastrophe » oder « Diktatur des Finanzkapitals » ? Zur Interpretationsgeschichte des Dritten Reiches im Nachkriegsdeutschland », in Horst DENKLER et Karl PRÜMM (dir.), *Die deutsche Literatur im Dritten Reich. Themen, Traditionen, Wirkungen*, Stuttgart, 1976, p. 9-43.

[12] Voir notamment Alexander ABUSCH, *Der Irrweg einer Nation*, *op. cit.*, Walter FERBER, « Geschichtliche Betrachtung zur Schuldfrage », *Neues Abendland*, 1946, n°8, p. 24-25, Robert HAERDTER, « Der falsche Weg », *Die Gegenwart*, 1946, n°8-9, p. 9-11, Wolfram von HANSTEIN, *Von Luther bis Hitler. Ein wichtiger Abriß deutscher Geschichte*, Dresde, 1946, Fritz HARZENDORF, *So kam es. Der deutsche Irrweg von Bismarck bis Hitler*, Constance, 1946, Ludwig HEILBRUNN, *Kaiserreich, Republik, Naziherrschaft. Ein Rückblick auf die deutsche Politik 1870-1945*, Hambourg, 1947, Fritz HELLING, *Der Katastrophenweg der deutschen Geschichte*, Francfort-sur-le-Main, 1947, Eugen KOGON, « Das Dritte Reich und die preußisch-deutsche Geschichte », *Frankfurter Hefte*, 1946, n°3, p. 44-56, Franz Albert KRAMER, *Vor der Ruinen Deuschlands. Ein Aufruf zur geschichtlichen Selbstbesinnung*, Coblence, 1946, Wilhelm RÖPKE, *Die deutsche Frage*, *op. cit.*, Karl THIEME, *Das Schicksal der Deutschen. Ein Versuch seiner geschichtlichen Erklärung*, Bâle, 1945, Veit VALENTIN, *Geschichte der Deutschen*, Berlin, 1947.

[13] Voir notamment Geoffrey BARRACLOUGH, *The Origins of Modern Germany*, Oxford, 1947, Albert BEGUIN, *Faiblesse de l'Allemagne*, Paris, 1946, Rohan D. O. BUTLER, *The Roots of National Socialism 1783 to 1933*, Londres, 1942, Edward H. CARR, *Conditions of Peace*, Londres, 1942, William Montgovery MAC GOVERN, *From Luther to Hitler. The History of Fascist-Nazi Philosophy*, Londres, 1946, Robert MINDER, *Allemagnes et Allemands*, Paris, 1948, Henry MORGENTHAU, *Germany is our Problem*, New York, 1945, Alan John Percival TAYLOR, *The Course of German History. A Survey of the Development of Germany since 1815*, Londres, 1945, Robert VANSITTART, *Black Record. German Past and Present*, Londres, 1941, Edmond VERMEIL, *L'Allemagne. Essai d'explication*, Paris, 2e édition, 1945.

[14] Voir Rudolf PECHEL, *Deutschenspiegel*, Berlin, 1946, Walter KÜNNETH, *Der grosse Abfall. Eine geschichtstheologische Untersuchung der Begegnung zwischen Nationalsozialismus und Christentum*, Hambourg, 1947 et Gerhard RITTER, *Europa und die deutsche Frage. Betrachtungen über die geschichtliche Eigenart des deutschen Staatsdenkens*, Munich, 1948.

[15] Voir Bernd FAULENBACH, *Ideologie des deutschen Weges. Die deutsche Geschichte in der Historiographie zwischen Kaiserreich und Nationalsozialismus*, Munich, 1980.

[16] Voir notamment Thomas AICH, *Massenmensch und Massenwahn. Zur Psy-*

chologie des Kollektivismus, Munich, 1947, Wilhelm HOFFMANN, *Nach der Katastrophe*, Tübingen, 1946, Hermann KAPPHAN, *Wo liegt Deutschlands Zukunft? Vom Sinn der Katastrophe*, Seebruch am Chiemsee, 1947, Alfred MÜLLER-ARMACK, *Das Jahrhundert ohne Gott. Zur Kultursoziologie unserer Zeit*, Münster, 1948, Gerhard NEBEL, *Tyrannis und Freiheit*, Düsseldorf, 1947, Hermann RAUSCHNING, *Die Zeit des Deliriums*, Zurich, 1947, Wilhelm RÖPKE, *Civitas Humana. Grundfragen der Gesellschafts- und Wirtschaftsreform*, Erlenbach-Zurich, 1944, Hans WINDISCH, *Führer und Verführte. Eine Analyse deutschen Schicksals*, Seebruch am Chiemsee, 1946.

[17] Pour plus de précisions sur les perspectives de renouveau tracées dans l'Allemagne de l'immédiat après-guerre, nous renvoyons à Jean SOLCHANY, *Comprendre le nazisme dans l'Allemagne des années zéro*, *op. cit.*, ainsi qu'aux analyses de la vie intellectuelle des années 1945-1949 mentionnées plus haut: voir notamment Doris von der BRELIE-LEWIEN, *Katholische Zeitschriften in den Westzonen 1945-1949, op. cit.*, Ingrid LAURIEN, *Politisch-kulturelle Zeitschriften in den Westzonen 1945-1949, op. cit.* et Jens WEHNER, *Kulturpolitik und Volksfront, op. cit.*

[18] Heinz HOLLDACK, «Die Gefahr der demokratischen Diktatur», *Hochland*, 1949/1950, p.548-561, Rudolf PECHEL, «Gefahren der Demokratie», *Deutsche Rundschau,* 1947, n°10, p. 1-6.

[19] Voir par exemple Hermann RAUSCHNING, *Le temps du délire*, Paris, 1948, p. 301, Wilhelm RÖPKE, *Die Gesellschaftskrisis der Gegenwart*, Erlenbach-Zurich, 4 ed, sans date, p.165 et 289 (la première édition date de 1943), Hans ROTHFELS, *Die deutsche Opposition gegen Hitler. Eine Würdigung*, Krefeld, 1949, p. 196 (L'ouvrage a d'abord été publié aux Etats-Unis: Hans ROTHFELS, *The German Opposition to Hitler*, Hinsdale, 1948). Il est à noter que l'expérience de l'émigration a joué un rôle fondamental dans la prise en compte des «modèles» suisse ou américain.

[20] Dolf STERNBERGER, «Über die Wahl, das Wählen und das Wahlverfahren», *Die Wandlung*, 1, 1946, n°11, p. 923-942.

[21] Walter DIRKS, «Die neuen Verfassungen», *Frankfurter Hefte*, 1946, n°3, p.3 et suivantes.

[22] Sur les réticences suscitées par la démocratie et sur le traumatisme qu'a représenté l'échec de la République de Weimar, voir Hans MOMMSEN, «Der lange Schatten der untergehenden Republik. Zur Kontinuität politischer Denkhaltungen von der späten Weimarer zur frühen Bundesrepublik», in Karl-Dietrich BRACHER, Manfred FUNKE et Hans-Adolf JACOBSEN (dir.), *Die Weimarer Republik 1918-1933*, Düsseldorf, 1987, p. 552-586.

[23] Voir notamment Johannes Robert BECHER, *Deutsches Bekenntnis. Fünf Reden zu Deutschlands Erneuerung*, Berlin, 3 ed, 1946, p. 40 et 41.

[24] Voir Johannes. Robert BECHER, «Auferstehen», in *Gesammelte Werke*, Berlin, Weimar, 1966, tome 16, p. 454-462, p.460. Ce texte a d'abord été publié dans *Manifest und Ansprachen, gehalten bei der Gründungskundgebung des Kulturbundes zur demokratischen Erneuerung Deutschlands am 4. Juli 1945*, Berlin, 1945.

[25] Voir par exemple Walter DIRKS, «Das Abendland und der Sozialismus», *Frankfurter Hefte*, 1946, n°3, p. 67-76, Walter DIRKS, «Marxismus in christlicher Sicht», *Frankfurter Hefte*, 1947, n°2, p. 125-143 et Eberhard WELTY, «Christlicher Sozialismus», *Die Neue Ordnung*, 1946/1947, n°1, p. 39-70.

[26] Voir Alexander MITSCHERLICH et Alfred WEBER, *Freier Sozialismus*, *op. cit.*

[27] Voir Klaus-Peter SCHULZ, «Sozialismus und Gegenwart. Wandlungen eines

Staats- und Gesellschaftsgedankens», *Deutsche Rundschau*, 1946, p. 128-136. Bernhard GUTTMANN, «Der demokratische Sozialismus», *Die Gegenwart*, 1945-1946, n°22-23, p. 12-14.

[28] Voir Wilhelm RÖPKE, *Die Krise des Kollektivismus*, Munich, 1947.

[29] Sur les débats consacrés au fédéralisme dans l'Allemagne de l'immédiat après-guerre, voir Ernst DEUERLEIN, *Föderalismus. Die historischen und philosophischen Grundlagen des föderativen Prinzips*, Bonn, 1972, p. 171-184, Gerhard KRAIKER, *Politischer Katholizismus in der BRD. Eine ideologiekritische Analyse*, Stuttgart, 1972, p. 213-242 et Hans-Peter SCHWARZ, *Vom Reich zur Bundesrepublik. Deutschland im Widerstreit der außenpolitischen Konzeptionen in den Jahren der Besatzungsherrschaft 1945-1949*, Berlin, 1966, p. 406-422.

[30] Voir notamment Boddo DENNEWITZ, *Der Föderalismus. Sein Wesen und seine Geschichte*, Hambourg, 1947, Eugen KOGON, «Demokratie und Föderalismus», *Frankfurter Hefte*, 1946, p. 1-3, Walter FERBER, «Das Wesen des Föderalismus», *Neues Abendland*, 1946, n°1, p. 4-5, Walter FERBER, *Der Föderalismus*, Augsbourg, 1948, O. Freiherr von GLAUBITZ, «Einheitsstaat oder Bund?», *Neues Abendland*, 1946, n°5, p. 23-25, Wilhelm HAUSENSTEIN, «Der Sinn des Föderalismus», *Rheinischer Merkur*, 1946, n°47, p.1, Hans PETERS, *Deutscher Föderalismus*, Cologne, 1947 et Oskar STARK, *Wege zur Demokratie in Deutschland*, Fribourg-en-Brisgau, 1947.

[31] Friedrich MEINECKE, *Die deutsche Katastrophe*, *op. cit.*, p.168.

[32] Karl JASPERS, «Unsere Zukunft und Goethe», *Die Wandlung*, 2, 1947, p.559-578. Ce discours de 1947 a été réédité, sous la forme d'une brochure, à Zurich, en 1948. Voir également Richard ALEWYN, «Goethe als Alibi?», *Hamburger Akademische Rundschau*, 3, 1948/1949, p. 685-687 et Leo SPITZER, «Zum Goethekult», *Die Wandlung*, 4, 1949, p. 581-593.

[33] Voir les propos tenus par Johannes Robert Becher lors de la fondation du Kulturbund le 4 juillet 1945: *Manifest und Ansprachen bei der Gründungskundgebung des Kulturbundes am 4. Juli 1945 im Haus des Berliner Rundfunks*, Berlin, sans date, p. 39. Voir également Alexander ABUSCH, *Der Irrweg einer Nation*, *op. cit.*, p. 138, 139, 144 et 146.

[34] Voir Alexander ABUSCH, «Goethes Botschaft», *Aufbau*, 1949, n°8, p. 693-706, Ernst FISCHER, «Goethe und die deutsche Misere», *Aufbau*, 1949, n°8, p.676-690, Georg LUKACS, «Zur Enstehungsgeschichte des Faust», *Aufbau*, 1949, n°8, p. 712-720 et n°9, p. 831-838, Heinz-Wilfried SABAIS, «Goethe in dieser Zeit. Eine Rede», *Aufbau*, 1948, n°8, p. 664-668. Sur la place occupée par Goethe dans la mémoire allemande, voir Karl Robert MANDELKOW, «West-östliche Goethe-Bilder. Zur Klassikrezeption im geteilten Deutschland», *Aus Politik und Zeitgeschichte*, 1982, n°11, p. 3-16, Karl Robert MANDELKOW, *Goethe in Deutschland. Rezeptionsgeschichte eines Klassikers. Band 2 : 1919-1982*, Munich, 1989.

[35] Alfred WEBER, «Haben wir Deustschen seit 1945 versagt?», *Die Wandlung*, 1949, p. 735-747. Walter DIRKS, «Der restaurative Charakter der Epoche», *Frankfurter Hefte*, 1950, n°9, p. 942-954.

Jan Philipp REEMTSMA

1946 – LE RAPATRIÉ DE GUERRE CHEZ WOLFGANG BORCHERT ET ARNO SCHMIDT

« 21.3.1946 : sur papier-cul britannique. Jaune bouteille gisait la lune fêlée, j'eus un renvoi en bas dans la brume violette (plus tard encore). »

« Des lapins », dis-je ; « très simple : comme les lapins ! » Et les suivis du regard, une demi-douzaine, cartables bringuebalants dans l'air froid, sur jambes-allumettes. Suivis de trois plus robustes ; donc les fistons des paysans du coin. Par les temps qui courent, les parents qui font encore des enfants, faudrait les punir (les taxer : 20 marks par mois pour le premier enfant, 150 pour le deuxième, 800 pour le troisième). « Pourquoi 800 justement ? ». Je le regardai : un homme âgé (plus exactement d'un certain âge). Gros vêtements de laine, bottes, devant lui une brouette de feuilles mortes de la plus belle espèce, mates, rouges et rougeâtres. Avec précaution, j'en pris une (d'érable) et la tins dans la lumière : magistral, magistral, la transparente. (Quel gaspillage ! A du foin dans ses bottes, çui-là !) « Bon », dis-je affable (voulais encore un renseignement rapport à la géographie !), « 1 000, si ça vous chante ! – Pensez pas que ce serait bien ? » « Hum, pourquoi pas », il poussa pensif. « Sont trop sur cette terre : les humains ». (...) J'avais peu de temps ; de plus, un vent glacial dévalait la belle laie embroussaillée ; je demandai à Bottes-de-fourrure (...) : « C'est encore loin, Blakenhof ? » Sa large tête indiqua : « Là ! », bougonna-t-il : « un petit bled » et : « Venez pas des fois d'un camp de prisonniers, vous ? » [1].

C'est ainsi que commence le roman d'Arno Schmidt, *Brand's Haide*, écrit en 1950, publié en 1951 chez Rowohlt, et que la critique accueillit avec un intérêt certain, mais qui passa presque inaperçu pour le public. Ce roman décrit l'installation, dans un village de Basse-Saxe en 1946, d'un soldat allemand de retour d'un camp de prisonniers anglais près de Bruxelles. Dans un langage à la fois précis et riche en métaphores qui emprunte volontairement à l'expressionnisme littéraire des années 20 (phénomène très rare dans l'Allemagne d'après-guerre), il relate la vie tout à fait quotidienne d'alors. Cartes d'alimentation, colis américains, cigarettes faisant office de monnaie, vols nocturnes de pommes, lavage fastidieux du linge rare et râpé, etc... Le roman est aussi une histoire d'amour. Le héros-à-la-première-personne-du-présent tombe amoureux de l'une des deux jeunes femmes qui habitent dans une autre partie du bâtiment, dans lequel on lui a donné une mansarde, mais ça ne finit pas bien : elle le quitte, préférant la sécurité que lui promet un mariage avec un riche émigré en Amérique du Sud.

Malgré l'emploi d'un langage non conventionnel pour l'époque (mais aussi grâce à lui, tant il intègre langue familière et dialecte), le réalisme du roman a été si évident que diverses irritations et divergences sont carrément passées inaperçues. Des feuilles mortes dans une brouette, en mars ? Et que dire de : « J'eus un renvoi – plus tard encore », et pourquoi : « dans la brume violette » ?

Pour cette dernière expression, il y a deux interprétations possibles. Tout d'abord, ce pourrait être une allusion directe à la « fleur bleue » du romantisme, et la littérature romantique allemande joue un rôle important dans ce roman. Mais ce pourrait aussi être une allusion à un autre auteur, également publié par Rowohlt, mais qui était déjà mort lorsque *Brand's Haide* fut écrit : Wolfgang Borchert, dont le texte *Das ist unser Manifest* (= Voici notre manifeste) commence ainsi : « Déposez casque ! On a perdu ! Compagnies, bataillons, armées. Les grandes armées. Seules les armées de morts sont encore debout. Debout comme des forêts qu'on ne peut manquer : sombres, violettes, pleines de voix ». Tout le texte est voué à la couleur violette : « violet de froid », « le lait est violet de pauvreté », « la nuit, nos cieux sont violets », « le violet est criard », « une délivrance violette ? », « le violet ne laisse pas le temps de faire de la grammaire » – Borchert voulait saisir le sentiment d'après-guerre de sa génération en invoquant une couleur, mais cette tentative n'a convaincu à aucun point de vue, esthétique compris.

L'affirmation selon laquelle la « brume violette » d'Arno Schmidt serait une allusion au « violet » de Borchert est passablement osée, et pourtant, le début de *Brand's Haide* s'appuie encore plus nettement sur ce dernier. Dans sa pièce de théâtre à succès *Dehors, devant la porte* (probablement conçue en 1946, écrite en janvier 1947, diffusée à la radio en février, jouée pour la première fois sur scène à Hambourg en novembre, le lendemain de la mort de Borchert), la Mort apparaît dans un « prélude ». Grasse, la sous-ventrière tendue, elle déclare : « Comme des mouches ! Comme des mouches, je vous dis ! » – « Des lapins, dis-je ; très simple : comme les lapins ! ». L'écho, dans *Brand's Haide* est méchant, et comme chez Borchert la grosse Mort rote, dans *Brand's Haide*, on lit : « J'eus un renvoi en bas dans la brume violette (plus tard encore) ».

La différence de ton est manifeste et caractéristique des deux œuvres. Alors que pour Borchert, le retour du soldat est l'occasion de pousser une jérémiade sans fin (« Où aller ? De quoi vivre ? Avec qui ? Pour quoi ? Où donc aller dans ce monde ? »), le roman de Schmidt est dénué de tout larmoiement. Inspection d'un lit provisoire :

« Ça s'appelle comment : un divan sans appuie-tête ni ressorts et qui n'a plus de tissu ? »[2] – « Poudre dentifrice : garantie inoffensive : telle quelle, l'inscription ! (Marrant, notre monde de 46, non : elle aurait pu avoir un bon goût par exemple, ou des des vertus hautement abrasives, ou du Radium G – non, non : elle était simplement inoffensive !). Et je rigolai à en avoir mal aux joues : pas moyen de trouver une assiette à soupe, mais il suffisait de retourner le masque mortuaire de *L'Inconnue de la Seine*, 38 marks 50, pour avoir quelque chose d'approchant. « Et voyez : tout était bien ! »[3]

Les deux ouvrages se caractérisent par une tendance antimilitariste nette. Schmidt : « Fermai les yeux ; vis – Callot : Les misères et les malheurs de la guerre – les arbres pleins de généraux : ils pendaient là avec nos invertébrés politiques, Franz à côté de Hjalmar ; et sifflai un strident mélange de *C'est la lutte finale* et *Allons enfants* (mais l'Allons davantage !) »[4]

Dès sa parution, le « Dehors, devant la porte » de Borchert devint LA pièce du pacifisme ouest-allemand et jouée jusqu'à nos jours comme aucune autre pièce publiée par les éditions Rowohlt, et encore plus en 1957, année de renaissance de l'armée, ainsi que dans celles marquées par la protestation contre le réarmement de l'OTAN en missiles à moyenne portée. Wolfgang Borchert devint LE personnage symbolique de l'« autre » (donc meilleure) Allemagne, qui reprit la parole après 1945. En cette année 1996, un monument doit être érigé en sa mémoire à Hambourg.

Les faiblesses esthétiques de la pièce n'ont pu rester éternellement cachées : « Mais répondez ! Mais pourquoi vous taisez-vous ? Pourquoi ? Personne ne répondra-t-il donc ? Personne ne répond ? Personne, personne ne répondra-t-il donc ? ? ? ». Bien sûr, personne n'a osé prononcer le seul mot qui convienne ici : kitsch... On a mis cela sur le compte de la jeunesse de Borchert (26 ans quand même), et puis, naturellement, tout fut plongé dans la lumière atténuée, diffusée par sa biographie : jaunisse contractée près de Smolensk, hôpital militaire, dénonciation pour avoir raconté des blagues à caractère politique, prison, renvoi au front, camp de prisonniers, fuite, mort un jour avant la première mondiale de sa pièce. Voilà quelqu'un qui, peu avant de mourir, rassemble ses dernières forces pour dire la vérité, la vérité de sa génération envoyée à l'abattoir : qui pourrait lui reprocher certains manquements esthétiques ?...

Personne (mis à part Arno Schmidt dans son persiflage railleur, disons-le, en introduction de *Brand's Haide*) n'a rien eu à reprocher non plus au message politique de cette pièce, alors qu'il est en fait aussi catastrophique du point de vue politique et moral, que la pièce du point de vue esthétique. « Beckmann », le rapatrié de Borchert pense d'abord à se suicider, parce que sa femme en a un autre, puis il se lie à une jeune femme, mais il a alors une apparition : il voit un cul-de-jatte (le mari de la jeune femme), qui a perdu sa jambe sur le front, lors d'une attaque que lui, Beckmann, avait dû commander. Beckmann recherche l'officier qui était son supérieur à l'époque pour lui rendre la responsabilité qu'il lui avait déléguée et parle d'une façon extatique d'un cauchemar qui le hante la nuit. Enfin, il veut rentrer chez ses parents – « Chez moi ! Oui, je veux rentrer chez moi ! Je veux revoir ma mère ! Je veux enfin revoir ma mère ! » – mais ils ne sont plus en vie. Une voisine lui explique pourquoi : « Vous savez, les Beckmann, c'était un vieux couple, ils n'en pouvaient plus. Il faut dire qu'ils avaient un peu forcé sous le Troisième Reich, vous le savez bien ! Qu'est-ce qu'un vieux bonhomme comme ça a à faire en uniforme ! ? Et puis, il en avait un peu trop contre les Juifs, hein, vous savez bien, vous qu'êtes le fils ! ? Votre paternel, il pouvait pas pifer les Juifs. (...) Il voulait les envoyer lui-même un par un en Palestine, qu'il braillait. (...) Ben, puis quand le temps du marron a été passé, ils l'ont coïncé, votre bon papa. A cause des Juifs. Faut dire qu'il y avait été fort avec les Juifs. Pourquoi qu'il pouvait pas la fermer, aussi ? (...) Et quand les marrons ont plus été là, ben ils lui ont pris la température, quoi ! ». Et c'est là-dessus que les Beckmann se seraient tués. Le père de Beckmann était un nazi, il portait l'uniforme, il était donc SA ou SS. Ensuite, il aurait tenu des discours antisémites. Et puis, après 1945, on lui aurait tellement bien « pris la température », qu'il aurait été obligé de se tuer ? C'est parfaitement invraisemblable. Ou y avait-il eu autre chose ? Non, ce n'est pas ce que veut insinuer Borchert, car la scène ne lui sert qu'à compléter les lamentations de son héros : des délateurs sans cœur ont poussé ses parents au suicide à cause de bavardages pas trop raisonnables...

L'insinuation venait de plus loin. Le sous-officier Beckmann, qui voulait « rendre sa responsabilité » à son colonel, ne s'intéressait qu'à ses camarades tombés à la guerre. Pas une phrase ne parle de ceux que lui-même et ces derniers ont tués. Mais il est peut-être normal que ce genre de pensée n'ait pas été de mise en 1947. Le mort que l'on déplore est toujours plus proche que celui avec lequel on n'a en commun que l'acte de tuer. De la même façon, de tous les Allemands, seuls ceux qui l'ont vécue savaient ce qui aujourd'hui, un demi-siècle plus tard, commence à se dire, à savoir que la guerre menée par la Wehrmacht dans les pays de l'ancienne Union soviétique a été, dès le début, clairement planifiée contre une population, donc un crime contre l'Humanité en soi.

La pièce de Borchert a servi à accueillir le soldat allemand chez lui comme une victime. Victime d'une abstraction : « de la guerre ». Sur ce qu'il a fait, « Dehors, devant la porte » dit aussi peu de choses que sur l'extermination des Juifs, dont les seules victimes semblent n'être, ô ironie, que les parents antisémites de Beckmann. La transition était parfaite : de l'atermoiement, on passait à la distanciation par rapport au régime. Car c'est lui qui avait envoyé le peuple allemand à la guerre – et on en payait les pots cassés. Quels espoirs on avait nourris avec lui, ce qu'on avait fait volontairement ou avec indifférence – tout cela disparaissait derrière le désir du jeune soldat de « rentrer chez lui », « enfin rentrer chez ma mère ! ». Beckmann est un rapatrié au sens strict du terme : il veut rentrer chez lui et y trouver tout inchangé. Lorsque le rapatrié « Schmidt » – à ne pas confondre avec son auteur du même nom – trouve une chambre, il jette un oeil dans la salle à manger de sa logeuse, une paysanne : « complètement verte et dorée sur tranche. Sur le mur d'en face, des pyrogravures ; dans le temps ça faisait riche et distingué (mes parents aussi...) ; une bibliothèque, j'y courus aussitôt ; (...) des livres. 200 environ. « Nous avons tout Ganghofer », fière ; et elle montrait la rangée vert chasseur. « Oui, oui, je vois » répondis-je sinistre : donc pyrogravure plus Ganghofer : je vais me sentir comme à la maison ici. »[5]

Ce rapatrié-là ne veut pas rentrer chez lui. Vraiment pas, mais pendant des années, des décennies même, les lecteurs ne l'ont pas saisi. Jusqu'à la parution des œuvres de jeunesse de Schmidt, après sa mort. Né en 1914, il s'était essayé, entre 1937 et 1943, à la narration de style romantique, allant jusqu'à l'imitation, quand cette forme et la réalité – Schmidt était stationné en Norvège dans l'artillerie côtière – finirent par s'entrechoquer de manière incurable. Dans *Brand's Haide*, des personnages sortent du monde surnaturel romantique – c'est ainsi que le Schmidt du roman se voit présenter un « Monsieur Gaza », esprit élémentaire tiré d'une œuvre de jeunesse de l'auteur. Le Schmidt du texte ne le reconnaît pas. Ici, à la parution de *Brand's Haide*, personne ne pouvait rien remarquer, puisque personne ne connaissait les œuvres de jeunesse d'Arno Schmidt. Mais personne n'a non plus remarqué, comme nous le disions plus haut, la brouette pleine de feuilles mortes au printemps. Et pour cause : Arno Schmidt usant d'un style suggestif, dans lequel le lecteur voit avec les yeux du héros-à-la-première-personne-du-présent, personne n'a remarqué ce que ce dernier n'a pas remarqué lui-même ! « Aur'voir ! » Il se passa la main sur le visage et disparut (de nos jours tout un chacun peut disparaître ; moi j'en ai vu disparaître à côté d'un obus de 28 !) »[6] Aveuglant, le souvenir de guerre rend lui-même invisible la disparition de quelqu'un.

C'est ainsi : le soldat Schmidt du roman, rapatrié et casé n'importe où, ne peut plus se rendre dans les patries romantiques imaginées par l'auteur qui porte son nom. Il ne remarque pas quand il est en face d'un personnage issu du livre de contes, lui qui, comme son auteur, a écrit une biographie du romantique Friedrich de la Motte Fouqué, ne le comprend plus : « Fouqué – » dit-il avec importance : « un homme de bien, ça – un baron, non ? » « Et grand poète de surcroît », dis-je avec rudesse, « je ne suis rien de tout cela. Quoique ! ». D'un coup, il me parut singulier : « Vous connaissez Fouqué ? ! » questionnai-je en montrant un intérêt mitigé. (...) « Ici chacun d'entre nous erementaschen connaît l'Ondine », répliqua-t-il avec componction ; il y avait un mot que je n'avais pas saisi ; voulais pas perdre de temps non plus, j'en avais mal aux os de porter. »[7] Cet avant-dernier mot, qu'il ne comprend pas, c'est un galimatias de nous, les élémentaires », autrement dit « les esprits élémentaires », et Ondine, qu'ils connaissent tous, est l'une d'entre eux[8]. Lorsqu'on demande au Schmidt-du-livre ce qu'il écrit et comment, il répond comme aurait pu le faire son auteur : « hier au miel, aujourd'hui au bâton ! ». La « brume violette » se rapporte à son propre passé. Le Schmidt-du-livre se sépare de plus encore. Par exemple, de la femme dont il tombe amoureux et qui en prend un autre. Elle est une réminiscence d'un amour de jeunesse de l'auteur et quiconque ne voit dans le livre que les yeux de l'amoureux n'y verra rien de plus qu'une simple histoire d'amour. Mais qui voit ce que l'auteur veut dire au lecteur tout en ne le révélant pas à ses personnages, a de quoi être interloqué. Pourquoi diable veut-elle rejoindre un émigrant en Amérique du Sud, qu'une photo montre dans un corps étudiant pangermaniste ? Pourquoi porte-t-elle en permanence un insigne sportif sur sa veste ? Est-ce pour couvrir l'endroit qu'a marqué celui du Parti ? Pourquoi le livre se termine-t-il par un extrait de Turandot de Puccini : « Ne pleure pas, Liu », précédé d'un « Donc » ?

Il ne rentre pas, il tourne le dos. *Brand's Haide* utilise l'atmosphère de l'histoire réaliste d'un retour au pays pour décrire une réinstallation dans le monde, et notamment celle de l'auteur lui-même, lequel joua tellement bien cartes sur table que ses lecteurs remarquèrent aussi peu dans le livre que dans la réalité que les vrais problèmes étaient bien ailleurs que dans la question de savoir comment se refaire au plus vite un foyer pour se sentir à nouveau comme chez soi : « Les réfugiés avec leurs maudits cabanons et potagers et débiles enclos tout de traviole vous salopent le paysage le plus original ! (J'en suis un moi aussi, mais il y a des limites !) »[9] Les lecteurs de Borchert se sont trompés sur son compte jusqu'à aujourd'hui, à moins qu'ils ne lui aient plutôt donné raison, ce qui est probable : pour lui, ce qui est terrible dans la guerre et le national-socialisme, c'est le dommage causé à l'Allemagne car, comme le disait déjà le général Jodl à Reims à la capitulation, « aucun peuple n'a plus souffert de cette guerre que le peuple allemand »... On ne s'étonne donc pas de lire chez lui : « Quand il est possible d'effacer le passé, il faut le faire ! ». A quelqu'un qui lui demandait si à son avis « l'Allemagne pourrait se remettre du national-socialisme et du militarisme », il répondit : « Tant qu'aux frontières de l'Allemagne on défilera et on réclamera des sécurités nationales, on ne pourra discuter de cette question ! ». Et à cette autre : « Comment définissez-vous les concepts de « démocratie » et de « liberté individuelle », ceci : « Tant que les mégots de puissances militaires étrangères traîneront dans les rues (ce n'est pas après les cigarettes que j'en ai) (...), ça n'aura aucun sens de discuter de démocratie et de liberté individuelle ! »

Dans *Brand's Haide* d'Arno Schmidt, on entend ceci : « Ça alors ! ! Vous voulez que je vous dise, Herr Bauer ? : j'espère que l'occupation durera 50 ans ! – Et n'allez pas me raconter que tous les scrutins à 98 % en faveur de Hitler ont été truqués : il n'avait même pas besoin de ça ! Puisqu'ils étaient tous on ne peut plus contents d'arborer des épaulettes et des grades militaires, de marcher en cadence et d'obéir enclaquant des talons. »[10]

Deux instantanés littéraires de l'état d'âme allemand d'après-guerre. Borchert et Schmidt. Le représentant jusqu'à aujourd'hui de la soi-disant autre Allemagne et le marginal en littérature. Borchert « Car nous aimons ce gigantesque désert nommé Allemagne. C'est cette Allemagne que nous aimons. Et maintenant encore plus qu'avant ! ». Schmidt : « Le Führer a ordonné : nous obéissons ! : y a-t-il rien de plus répugnant que quémander des ordres ? Foutre diou, les Allemands : non merci ! »[11]

NOTES

[1] Arno Schmidt, *Brand's Haide* in : Werk, Bargfelder Ausgabe (BA) I,1, p. 117 – Trad. française : Arno Schmidt, *Brand's Haide*, traduit par Claude Riehl, C. Bourgois Editeur, p. 9.

[2] *Ibid.*, p. 120/ 15.

[3] *Ibid.*, p. 162/ 94.

[4] *Ibid.*, 139/ 49 et suiv.

[5] *Ibid.*, 119/ 12 et suiv.

[6] *Ibid.*, 118/ 11 et suiv.

[7] *Ibid.*, 118/ 11.

[8] Malheureusement, le traducteur français n'a pas compris le second degré et a laissé l'allemand « erementaschen », au lieu de chercher une analogie. La traduction anglaise propose, elle : « we elmettals ».

[9] 141/ 53.

[10] *Ibid.*, 168/ 105.

[11] *Ibid.*, 168/ 105 et suiv.

Bernard GENTON

LA CULTURE DU REMORDS

Trois œuvres nées à Berlin en 1946

Quel est ce « deuil » dont on parle sitôt qu'on évoque la dernière guerre ? Est-ce le deuil au sens habituel – perte, douleur, cérémonies, vêtements rituels – ou s'agit-il aussi du processus complexe que décrit la psychanalyse et par quoi le sujet se libère peu à peu d'un fardeau affectif et existentiel intolérable ? Peut-on transposer à des collectivités nationales ces expériences-clés de la psychologie individuelle ? Ce « deuil » de guerre, et son cortège de notions plus ou moins claires – la *Vergangenheitsbewältigung* des Allemands, la *mémoire* des Français – semble instituer, du moins entre la France et l'Allemagne, une sorte de dénominateur affectif commun dans l'appréhension de la Seconde Guerre mondiale, une douleur d'autant plus vague qu'elle est partagée et que ses causes s'éloignent de plus en plus dans les brumes du passé. Il n'est pas inutile de rappeler les termes d'un débat dont on oublie trop souvent qu'il fut pour commencer allemand, un débat qui s'amorça rapidement après la fin de la guerre, en 1946 justement, et qui sera relancé plusieurs fois par la suite, dans les années soixante, puis à nouveau après de la chute du mur de Berlin. L'année 1946 pourrait certes donner l'impression d'un deuil pour ainsi dire administré de l'extérieur : l'un des événements les plus marquants de cette année-là ne fut-il pas le procès de Nuremberg, qui s'achève en octobre ? C'est pour ce procès que furent inventées les notions juridiquement nouvelles de « crimes de guerre » et de « crimes contre l'humanité », notions qui n'ont rien perdu de leur actualité depuis. Et le « deuil » dont nous parlons, c'est en effet cet ensemble un peu hétéroclite de devoirs moraux, d'obligations juridiques et politiques, de respect humain que nous devons aux victimes innombrables de la folie criminelle déclenchée par le national-socialisme. Mais les effets du procès de Nuremberg, le faible nombre des condamnés, furent moins pédagogiques que ne l'avaient espéré les organisateurs alliés [1]. Le véritable « travail de deuil » ne pouvait être entrepris que par les Allemands eux-mêmes. Notre hypothèse est que l'examen *sub specie doloris*, pour ainsi dire, de trois œuvres artistiques qui comptèrent parmi les toutes premières productions allemandes de l'après-guerre, nous permettra d'approcher au plus près une certaine intimité allemande, et de mieux cerner la nature du deuil porté quelques mois après la catastrophe allemande. En évoquant trois œuvres issues des ruines de Berlin, la capitale déchue d'un Etat momentanément rayé de la carte – nous voulons également, ne serait-ce que par bribes, redonner la parole à l'année 1946.

Un débat allemand

Dans une étude qui fit quelque bruit à la fin des années soixante, les psychanalystes Alexandre et Margarete Mitscherlich formulaient sur l'Allemagne fédérale un diagnostic sévère. Appliquant à cette collectivité « nationale » les méthodes de la psychanalyse freudienne, les auteurs constataient un mécanisme de refoulement d'une telle ampleur et d'une telle immédiateté qu'il avait entraîné vingt ans plus tard une « inaptitude au deuil » et un immobilisme dangereux. Certes, on ne pouvait attendre des Allemands de 1945 qu'ils s'épuisent en lamentations :

> Si à l'égard de la période du troisième Reich il n'était pas intervenu de mécanismes de défense (dénégation, isolement des faits, inversion de la réalité en son contraire, retrait de l'attention et des affects, bref, déréalisation générale), la conséquence inévitable en eût été, dans l'Allemagne de l'après-guerre, une douloureuse mélancolie pour la majorité des habitants, à cause de leur amour narcissique pour le Führer, et à cause des crimes commis au nom de cet amour, au mépris de toute conscience [...] Certes la déréalisation et les autres processus de défense ont empêché la mélancolie d'éclater, mais ils n'ont pu qu'imparfaitement écarter « l'appauvrissement démesuré du moi ». Cela nous semble la clé de l'immobilisme psychologique, c'est à dire l'incapacité à s'attaquer de façon progressiste aux problèmes de notre société. [2]

Cette « psychanalyse », on le voit, ne se fonde pas seulement sur « l'observation spontanée »[3] de phénomènes psychologiques, et si les Mitscherlich, tout en reconnaissant que la société allemande des années soixante est prospère, y décèlent aussi un manque, une absence (cet « *im*mobilisme, cette « *in*capacité »), c'est parce qu'ils sont eux-mêmes animés par une inquiétude de nature politique, ancrée dans un « progressisme » présenté comme allant-de-soi.

De l'inquiétude de l'analysant à l'apathie de l'analysé, voici donc la thèse posée : l'effondrement de 1945 et la disparition d'un *Führer* aussitôt suicidé aussitôt oublié ont suscité un processus de refoulement collectif radical. La période nazie est – dans le meilleur des cas – considérée comme un intermède, une maladie infantile, alors que les crimes commis étaient eux d'une monstruosité aussi réelle qu'adulte. « Seul le malade qui souffre plus de son symptôme qu'il ne gagne à le refouler est prêt à relâcher peu à peu la censure de son conscient pour laisser revenir ce qu'il avait nié et oublié »[4]. En déréalisant le passé, en sélectionnant ses souvenirs, l'Allemagne dépense une énergie psychique considérable et, n'ayant toujours pas accompli son travail de deuil, se trouve en état de paralysie politique et morale, ce qui constitue à terme une menace pour la démocratie. « En contemplant la RFA », écrivent Alexandre et Margarete Mitscherlich, « l'observateur ne peut s'empêcher de se demander si la passion de la démocratie survivrait à une baisse sensible du niveau de vie de ce pays. »[5]

Cette analyse de 1967 est-elle pertinente ? Y-eut-il au lendemain de la guerre un phénomène général de refoulement, de « déréalisation » du passé immédiat ? On sait aujourd'hui que l'immédiat après-guerre se caractérise par une « prise en compte » intellectuelle de ce passé, qui se manifesta entre autres par une profusion – relative – d'écrits politiques, sociologiques, philosophiques et historiographiques[6]. Cette prise en compte du passé ne fut pourtant ni immédiate, ni spontanée ; en 1945, les conditions matérielles et morales ne se prêtaient guère à une renaissance rapide : pénuries de toutes sortes, mauvais état des imprimeries, sentiment d'humiliation, perte de souveraineté, contrôle tatillon exercé par les Alliés, il n'y avait dans la vie publique de l'époque que peu d'éléments favorables à l'éclosion intellectuelle et artistique. Du reste, les « tiroirs » des créateurs étaient « vides »[7], et il fallut du temps pour que paraissent les premières œuvres allemandes de l'après-guerre – des mois pour les premiers livres, plus d'un an pour le premier film.

En 1946, l'Allemagne raisonnable peut à nouveau s'exprimer – sous le contrôle des autorités alliées. Un bulletin interne de l'armée américaine le constate au printemps 1947 : « Quatre Allemands – un historien, deux philosophes et un sociologue ont récemment écrit des livres publiés par des éditeurs sous licence américaine, des livres traitant du passé allemand et qui devraient passionner tous ceux qui s'intéressent à l'histoire et à l'esprit allemands »[8]. Les quatre livres en question sont, toujours d'après le rédacteur de l'armée américaine : *Die Schuldfrage* de Karl Jaspers, « un professeur de philosophie à l'université de Heidelberg », « à ce jour le traité le plus intelligent et le plus complet sur la thèse de la culpabilité allemande »[9] ; le second ouvrage sur la liste, c'est *Die deutsche Katastrophe*, « écrit par l'historien âgé de quatre-vingt quatre ans Friedrich Meinecke » et qui, toujours selon le commentateur américain, attribue au manque de modération des nazis leur échec dans la synthèse entre le nationalisme et le socialisme. Le professeur de philosophie Julius Ebbinghaus, pour sa part, réunit sous le titre *Zu Deutschlands Schicksalswende*, plusieurs conférences qui appellent à un retour à la morale. Enfin, le sociologue d'origine viennoise Eugen Kogon publie *Der SS Staat,* une étude documentaire sur le système concentrationnaire présentant une « profusion de matériel authentique »[10]. L'article américain, en reprenant à son compte une opinion attribuée à Kogon, s'achève sur une note pessimiste : « l'occasion de transformer les atrocités, leur réalité et leur ampleur en leçon morale pour les Allemands a été jusqu'à présent manquée. Et Kogon conclut que la régénération morale de l'Allemagne en est devenue d'autant plus difficile »[11].

Le livre de Karl Jaspers, qui n'a pas perdu sa pertinence, mérite qu'on s'y attarde quelques instants. C'est au printemps 1946 que paraît *Die Schuldfrage*, version imprimée de l'introduction du cours sur la « situation spirituelle de l'Allemagne » que Jaspers avait donné pendant l'hiver 1945-1946 à l'université de Heidelberg[12].

Karl Jaspers distingue quatre types de culpabilité : criminelle, politique, morale et métaphysique. La culpabilité criminelle est celle qui est définie par les lois et évaluée par système judiciaire : elle concerne les individus qui ont commis des crimes. La culpabilité politique est celle de tout citoyen, co-responsable de la manière dont l'Etat est ou a été gouverné : dans le cas de l'Allemagne, cette culpabilité est administrée par les Alliés, vainqueurs du Reich. La culpabilité morale concerne chaque individu responsable de ses actes en dernier ressort, en dépit de toutes les

« excuses » qui peuvent être trouvées : l'instance décisionnaire est alors la conscience. La culpabilité métaphysique, enfin, rend toute personne responsable devant Dieu et l'humanité tout entière. Pour Jaspers, l'agenda des Allemands s'établit dès lors comme suit : comme la seule responsabilité « collective » des Allemands est d'ordre politique, ils sont conduits pratiquement à accepter et à payer les « réparations » demandées par les puissances occupantes. Lorsque des crimes ont été commis, il faut que les individus responsables de ces crimes soient jugés et châtiés. Mais il importe aussi, explique Jaspers, que chaque Allemand procède à une réflexion personnelle et approfondie sur le destin de l'Allemagne en assumant toute la culpabilité morale et métaphysique qui lui revient :

> Elucider notre culpabilité, c'est du même coup élucider notre vie nouvelle et ses possibilités. De là naissent le sérieux et la résolution. Alors la vie n'est plus simplement là pour qu'on en jouisse avec une sérénité ingénue. Le bonheur, lorsqu'il nous est accordé, entre deux efforts, quand nous reprenons haleine, nous pouvons bien le saisir, mais il ne remplit plus la vie ; il apparaît, sur un fond de tristesse, comme une aimable figure magique. Dans son essence, la vie n'est plus permise que si on se laisse dévorer par une tâche.
>
> La conséquence, c'est la modestie. En agissant à l'intérieur de nous-mêmes, devant la transcendance, nous prenons conscience de la finitude et de l'imperfection humaine. Notre être essentiel n'est plus qu'humilité.
>
> Dès lors, libres de toute volonté de puissance, nous devenons capables de lutter fraternellement, avec amour, les uns avec les autres, en cherchant la vérité, et de nous unir tous ensemble en elle.
>
> Dès lors nous savons nous taire sans agressivité, – la simplicité du silence mettra en nous la clarté de ce qui peut être communiqué par des mots.
>
> Dès lors la vérité et l'activité importent seules. Nous sommes prêts à supporter sans ruse ce qui est notre lot. Quoi qu'il arrive, il nous reste, tant que nous vivons, notre tâche humaine, qui dans le monde ne s'achève jamais.[13]

On peut retenir de cette brève évocation du débat allemand autour du nazisme et des conséquences de la Seconde Guerre mondiale deux éléments principaux :

– l'idée qu'une réflexion directe sur le passé est indispensable n'est pas réservée aux Alliés : en 1946, plusieurs ouvrages allemands paraissent qui, chacun dans son style – connaissance des faits avec Eugen Kogon, interprétation historique avec Friedrich Meinecke, questionnement philosophique avec Karl Jaspers, proposent à la fois une lecture du passé et un agenda pour le présent ;

– la thèse des Mitscherlich, formulée en 1967, sur le refoulement et la négation de la culpabilité est anticipée par un débat qui a commencé dès 1946, notamment en zone américaine.

Des œuvres qui examinent le passé

L'examen du passé allemand en 1946 ne fut pas l'apanage des historiens, des philosophes ou des sociologues. Approches essentiellement cognitives de la « catastrophe allemande », ces démarches procédaient certes d'une « méditation douloureuse » commune à beaucoup d'intellectuels allemands, mais leur méthode était bien celle d'un « raisonnement à froid » [14]. Lorsque ce sont des créateurs, des artistes qui choisissent comme thème le passé immédiat, la méthode et les objectifs ne sont plus les mêmes : à la fois reflet et création, forme et message, l'œuvre artistique fait intervenir des options esthétiques, laisse le choix au lecteur ou au spectacteur, ne livre pas un savoir exactement défini, mais constitue néanmoins un ensemble de signes et de symptômes parlants. Pourquoi choisir des œuvres « berlinoises » de 1946 ? Peut-être parce que Berlin, l'ancienne capitale politique, économique et dans une certaine mesure culturelle du Reich, qui avait fini par symboliser l'aspect le plus odieux de l'Allemagne – le militarisme prussien et la folie meurtrière national-socialiste – représentait maintenant la défaite, l'effondrement, et l'occupation alliée.

En 1946, Berlin, comme le reste de l'Allemagne, est encore en état de punition. Soumise à un système de contrôle quadripartite aussi rigoureux que complexe, en pleine dénazification, Berlin connaît aussi une sorte de renaissance culturelle – concerts, pièces de théâtre, cabarets, cinémas tâchent de distraire les Berlinois de la faim, du froid, de la fatigue, de l'humiliation de la défaite – et l'on note dès 1946 la parution – l'apparition – d'un certain nombre d'œuvres artistiques nouvelles, les premières de l'après-guerre. Si certaines retiennent encore l'attention, c'est parce qu'elles cherchaient, non pas à distraire ou à (faire) oublier, mais à *faire face* au passé. Il en est trois qui s'imposent presque d'ellesmêmes : une pièce de théâtre, produite en mars au Hebbel-Theater, un recueil de poèmes édité en août, un film présenté en octobre – la pièce *Les Clandestins* (*Die Illegalen*) de Günther Weisenborn, les *Sonnets de la prison de Moabit* (*Moabiter Sonette*) d'Albrecht Haushofer, le film *Les Assassins sont parmi nous* (*Die Mörder sind unter uns*) de Wolfgang Staudte. Trois médias différents, trois explications, trois manières d'affronter la réalité allemande, en 1946. Au lendemain de la première de la pièce de Weisenborn, Friedrich Luft, s'écrie, plein d'enthousiasme : « C'est vraiment une grande chance qu'on nous fasse le cadeau d'une vraie pièce de théâtre inspirée par ces dernières années. » [15]

Les auteurs

Les auteurs de ces trois œuvres ont deux points communs : celui d'appartenir à la même génération – Albrecht Haushofer est né en 1903, Günther Weisenborn en 1902, Wolfgang Staudte en 1906 – et celui d'être restés en Allemagne pendant la guerre.

Le premier est le fils d'un universitaire célèbre, Karl Haushofer, l'inventeur de la géopolique [16] ; la propre carrière d'Albrecht, le fils, est rapide et quasiment faite en 1939. Professeur de géopolitique à l'université de Berlin, conseiller occasionnel de la *Wilhelmstrasse* puis du « bureau Ribbentrop » [17] jusqu'en 1941, proche de Rudolf Hess, homme de lettres, grand voyageur, Albrecht Haushofer avait, comme tant d'autres, observé l'arrivée des nazis au pouvoir avec une condescendance amusée [18]. Après avoir tenté en vain de modérer la politique nazie, il se persuade peu à peu qu'un attentat sur la personne du Führer est la seule solution, mais ne participe apparemment à aucun des complots de l'opposition administrative et militaire, ce qui ne l'empêche pas d'être catalogué comme « opposant ». Après l'attentat manqué du 20 juillet 1944, il est surveillé, pourchassé : il sera finalement arrêté en Bavière le 7 décembre 1944, alors qu'il tentait de se cacher dans les Alpes ; immédiatement transféré dans la prison de Moabit, il fut exécuté par les SS d'une balle dans la nuque, quelques jours avant la chute de Berlin. Son corps fut retrouvé serrant dans la main droite les feuillets « maculés de sang » d'un manuscrit de 80 poèmes écrits pendant la détention. Ce sont les *Moabiter Sonette*, les *Sonnets de la prison de Moabit* [19].

Günther Weisenborn, lui, est un authentique résistant. Après une jeunesse passée en Rhénanie et un premier poste d'« assistant dramaturge» au théâtre de Hambourg, Weisenborn s'installe à Berlin en 1928, travaille avec Brecht et Eisler, écrit des chansons – pour Lotte Lenya par exemple. En 1930, il tente sa chance en Argentine, comme tant d'autres, puis regagne Berlin, où la vie devient rapidement impossible sous les nazis: il émigre une seconde fois à New York, mais revient à Berlin en 1939 et, grâce à l'appui de Heinrich George[20], trouve un poste à la radio, qu'il utilise pour ses activités de résistance dans le cadre du réseau de l'Orchestre rouge. Arrêté par la Gestapo, condamné pour haute trahison, il passera de longs mois en prison avant d'être libéré par l'armée soviétique. En décembre 1945 il fonde avec Carl Sandberg la revue satirique *Ulenspiegel*, et lorsqu'il en a le temps, conseille Karl-Heinz Martin, le directeur du *Hebbel-Theater*, la salle la plus prestigieuse du secteur américain[21].

L'histoire personnelle de Wolfgang Staudte est moins romanesque, moins aventureuse: né en Sarre, il grandit à Berlin où sa famille s'installe en 1912. Après des études supérieures à Oldenbourg, Staudte devient acteur à la *Volksbühne* en 1926, puis rejoint les troupes de Max Reinhardt et de Piscator avant de devenir acteur de cinéma en 1931. Ses difficultés avec les nazis – il est interdit de scène dès 1933 – l'amènent à exercer des métiers divers – réalisation de films documentaires, animation radiophonique, petits rôles au cinéma, y compris dans les films de propagande nazie[22] – avant de se lancer dans la réalisation de longs métrages en 1942[23].

Un jeune et brillant professeur de géopolitique, homme de lettres et conseiller du prince, que la catastrophe imminente finit par rendre lucide, un cinéaste vraisemblablement de gauche, mais qui a su s'adapter aux circonstances et tirer son épingle du jeu, un écrivain, compagnon de route des communistes, qui a résisté activement au nazisme. Trois Allemands de l'intérieur.

Les œuvres

Un recueil de poèmes

Les *Sonnets de la prison de Moabit* paraissent pour la première fois sous forme de livre chez un éditeur à la fin de l'été 1946[24]. Pour Albrecht Haushofer, qui à Moabit même ne semble pas avoir cru réellement à ses chances de survie, les *Sonnets* sont le livre le plus sincère et la plus important de sa vie. Ecrits au plus noir de l'hiver 1944-1945, ces quatre-vingts sonnets d'une facture classique, d'une langue simple, presque prosaïque, traduisent une prise de conscience tardive mais radicale. Les titres à eux seuls donnent une idée du projet de Haushofer: *Dans les chaînes* (*In Fesseln*), *Barbarie* (*Barbarentum*), *Les gardiens* (*Die Wächter)*, *Fidelio*, *Mes compagnons* (*Gefährten*), *Le pays natal* (*Heimat*), *Mère* (*Mutter)*, *Mon père* (*Der Vater)*, *Mon crime* (*Schuld*), *L'invasion des rats* (*Rattenzug*), *Les livres au bûcher (Verbrannte Bücher*), *Ruine* (*Untergang)*, *Pluie de bombes (Bombenregen*), *Nemesis*, *Vers la fin* (*Dem Ende Zu*), *Kassandro*, *Albert Schweitzer*... Ces poèmes, qui s'inscrivent dans une certaine tradition « carcérale »[25] tirent le bilan d'une vie, une vie sans avenir, dont l'unique horizon est la prison, dont la seule liberté est celle des souvenirs et de commentaires sur la situation du monde, une vie qui s'achève sous les bombardements alliés, en hiver, dans une prison de Berlin:

> Les bombes s'abattent sans cesse dans une pluie sonore
> Menaces de mort tombant d'un ciel clair –
> Menaces de mort, comme leur course paraît calculée
> A qui derrière des barreaux écoute leur sifflement!
>
> Nous tous savons bien que nos vies
> Ne valent pas plus que de la paille – la corde des Allemands,
> La brusque balle des Russes dans la nuque,
> Les bombes des Anglais sont notre lot.[26]

Au centre du recueil figurent, sous les numéros 38 et 39, deux poèmes que l'on peut considérer comme essentiels – *Der Vater* et *Schuld*:

> Ich trage leicht an dem, was das Gericht
> mir Schuld benennen wird: an Plan und Sorgen.
> Verbrecher wär'ich, hätt'ich für das Morgen
> des Volkes nicht geplant aus eigener Pflicht.
>
> Doch schuldig bin ich auch anders als ihr denkt,
> ich mußte früher meine Pflicht erkennen,
> ich mußte schärfer Unheil Unheil nennen –
> mein Urteil hab ich viel zu langt gelenkt ...
>
> Ich klage mich in meinem Herzen an:
> ich habe mein Gewissen lang betrogen,
> ich habe mich selbst und andere belogen –
>
> ich kannte früh des Jammers ganze Bahn
> ich hab gewarnt – nicht lang genug und klar!
> und heute weiß ich, was ich schuldig war...

Malgré une légère emphase, le propos est limpide, émouvant : l'auteur se déclare coupable d'un crime bien plus grave que celui pour lesquel un tribunal nazi l'a condamné. Il s'accuse « en son propre cœur » d'un manquement au devoir supérieur de la conscience, il « savait » et n'a rien dit. La première traduction française de ce poème est une transposition élégante en alexandrins, signée Luc Bérimont, sous le titre *Mon crime* :

> Je porte en ma prison le poids de lourdes fautes :
> Trahison, plans pervers, menées contre l'Etat
> Mais pour nos lendemains, pour la raison des autres
> Quel visage est le mien ? Quels crimes sont-ce là ?
>
> Coupable je le suis. Différemment peut-être
> De ce que l'on entend dans le peuple aujourd'hui
> Car mon devoir à moi était de faire admettre
> Le malheur à son poids et la larme à son prix.
>
> Trop tard, je viens trop tard témoigner ma colère
> J'ai trop longtemps gardé mes secrets dans mon cœur ;
> Je me suis abusé en abusant mes frères.
>
> J'ai dénoncé trop tard le vrai nom du malheur
> Et je m'accuse ici d'un crime inexpiable :
> Celui d'avoir caché mes armes dans le sable. [27]

Le poème *Der Vater* est quant à lui une attaque frontale contre Karl Haushofer, le père du poète, l'inventeur de la géopolitique, accusé d'avoir libéré le mauvais génie allemand :

> Mein Vater hat das Siegel aufgebrochen.
> Den Hauch des Bösen hat er nicht gesehn
> Den Dämon ließ er in die Welt entwehnn.
>
> Mon père a brisé le sceau
> Il n'a pas senti le souffle du malin
> Il a lâché le démon par le monde. (JR) [28]

Si les sonnets 38 et 39 peuvent apparaître comme centraux, le recueil développe également plusieurs thèmes connexes : dans *Kassandro*, comme en contrepoint à *Schuld*, l'auteur s'attribue en quelque sorte des circonstances atténuantes :

> Kassandro hat man mich im Amt genannt,
> Weil ich der Seherin von Troja gleich,
> Die ganze Todesnot von Volk und Reich
> Durch bittere Jahre schon vorausgekannt. [29]

Mon entourage m'appelait Cassandre
parce que, pareil à la voyante troyenne,
j'avais pronostiqué les tortures mortelles
de notre peuple et de notre pays pendant de cruelles années (JR)

tandis que la douloureuse problématique de la patrie est présentée sous plusieurs facettes. D'un côté l'attachement viscéral à la terre allemande :

Ich wollte nicht aus meiner Heimat gehn.
Sie schien mir lange guten Schutz zu gönnen.
Dann hat auch sie mich nicht mehr bergen können,
Ich werde lebend kaum sie wiedersehn. [30]

Je ne voulais pas quitter mon pays natal.
Il me paraissait devoir m'accorder pour longtemps un sûr asile.
Mais lui non plus n'a pu m'abriter davantage :
Je ne le reverrai guère de mon vivant (JR)

mais de l'autre, la tentation de la « haute trahison » : rappel de l'exemple de Thomas More [31], souvenirs d'une conversation avec Lord Vansittart [32], un soir de fête national-socialiste :

Jetzt feiern sie mit Fahnen Ihren Sieg.
Bald brüllen sie nach Blut. Dann sind sie echt.
Vansittart schweigt, ich auch. Der Lord hat recht [33]

Maintenant, ils célèbrent leur victoire avec des étendards.
Bientôt ils réclameront du sang en hurlant. C'est alors qu'ils seront vrais.
Vansittart se tut. Moi aussi. Le Lord avait raison. (JR)

Vansittart, cet ennemi juré de l'Allemagne, avait donc « raison » : avant d'autres, il a vu où mènerait la folie national-socialiste : au sang. Faut-il comprendre cela comme l'une des (rares) allusions que comporte le recueil d'Albrecht Haushofer aux crimes commis par les nazis ? Ou n'y voir qu'une référence à la guerre ? Il semble bien que pour Haushofer, le crime suprême est celui qui a été commis par les nazis contre l'Allemagne. Le sonnet n°46, intitulé simplement *Untergang* (« naufrage », « ruine », « disparition ») exprime cette idée non sans une certaine brutalité [34] :

Wie hört man leicht von fremden Untergängen,
Wie trägt man schwer des eignen Volkes fall !
Von fremden ist's ein ferner Widerhall,
im Eignen ist's ein lautes Todesdrängen.

Comme on prend légèrement la chute des nations étrangères,
Comme on a peine à supporter la ruine de son propre peuple !
De l'étranger, on ne perçoit qu'un lointain écho,
tandis que pour sa patrie on endure les affres de la mort. (JR)

Et qui est responsable de cette mécanique du *Untergang ?* Les « maîtres sans mesure » qui sont en réalité des « laquais », ces nazis vulgaires, indignes des « grands morts » de la civilisation allemande [35] :

Ein Kant, ein Bach, ein Goethe werden zeugen
noch lange für zerstörtes Volk und Land,
Und wenn die Menge nie den Sinn verstand.

Un Kant, un Bach, un Goethe témoigneront
Longtemps encore pour le peuple et le pays détruit
Même si le peuple ne les a jamais compris. (BG)

Les *Sonnets de la prison de Moabit* ne délivrent pas de message clair et structuré mais, au delà de la faute centrale et avouée de l'intellectuel qui n'a pas assez parlé (*Schuld*) ou qui n'a pas été entendu (*Kassandro*), la catastrophe semble se limiter au « territoire » allemand et la responsabilité principale aux *Knechte* nazis. Présentés dans une sorte d'écrin exotique – douze poèmes sont inspirés par l'Orient ou l'Extrême-Orient – les sonnets de Haushofer vont aussi loin que possible dans la reconnaissance des causes et des responsabilités : un pays tout entier, avec ses richesses et son passé, s'est laissé entraîner par une bande de voyous ; c'est ainsi que l'expérience vécue *in fine* par le poète lui-même, l'emprisonnement, devient une métaphore de la condition allemande ; jusqu'aux pauvres jeunes gens des « régions orientales » qui gardent la prison sont des victimes :

Noch warten sie vielleicht auf Lebenszeichen.
Sie dienen still. Gefangen – sind auch sie.
Ob sie's begreifen ? Morgen ? Später ? Nie ? [36]

Ils attendent peut-être encore quelque signe de vie.
Ils font leur service en silence...prisonniers eux aussi.
Le comprendront-ils ? Demain ? Plus tard ? Jamais ? (JR)

Il n'y a pas d'exigence démocratique dans la poésie de Haushofer, un homme hanté par la fuite, et par un rêve de perfection allemande, comme en témoigne le sonnet n° 68 intitulé *Albert*

Schweitzer – où le prisonnier s'imagine interrogeant le médecin de Lambaréné sur les raisons qui l'ont poussé à partir :

> Vielleicht verwies er auf die wirre Zeit,
> vielleicht auch lächelt er : Du blinder Tor !
> und spielte mir die « Kunst der Fuge » vor.
>
> Peut-être s'exila-t-il pour fuir notre époque troublée ?
> Peut-être aussi sourit-il : « Fou aveugle que tu es ! »
> et me joue-t-il l'Art de la fugue. (JR)

La ligne de fuite du recueil d'Albrecht Haushofer est un bonheur imaginaire : *L'Art de la fugue* de Bach jouée par le Dr Schweitzer sur son orgue et résonnant dans « l'obscur Congo », le rêve d'une dissolution dans les neiges des Alpes, comme dans l'avant-dernier sonnet *Val Tuoi* :

> Wär's nich ein schöner Schluß für meine Tage,
> dort oben müd im weichen Schnee zu sinken... [37]
>
> Ne serait-ce pas une belle fin pour moi
> Que de sombrer là-haut dans un sommeil de neige...(BG)

Une pièce de théâtre

La pièce *Die Illegalen* de Günther Weisenborn, dont la première eut lieu à Berlin en 1946, est un événement théâtral et littéraire. C'est, dans la chronologie du théâtre allemand, la première pièce écrite par un Allemand resté en Allemagne dont le thème soit lié au passé immédiat. Inspiré de l'expérience personnelle de l'auteur – Günther Weisenborn avait été lié à l'Orchestre rouge – ce « drame tiré de la résistance allemande » est écrit « comme stèle à la mémoire du front de l'échafaud » [38]. Dans un style dramatique assez efficace, en trois actes et quarante et un tableaux rapides, la pièce mêle l'évocation réaliste d'un groupe de résistants dans la dernière période de la guerre à quelques passages didactiques, où les personnages principaux s'adressent au public par des chants ou des poèmes.

Alors qu'un homme et une femme collent des affiches antinazies dans les rues de Berlin, les autres membres du petit groupe de résistants auquel ils appartiennent se réunissent dans un café. La serveuse Lill espère recruter Walter, le fils de la patronne. Mais Walter est en fait un résistant confirmé, appartenant à un autre groupe, et de plus l'animateur d'une radio clandestine. La jeune femme de la première scène entre, seule, essoufflée : son compagnon vient d'être arrêté. Le responsable, qui vient d'autoriser le recrutement de Walter, prend aussitôt la décision de désactiver l'ensemble du groupe. Mais l'étau se resserre : le résistant arrêté sera démasqué et emmené, et Walter, qui entre-temps vit un bref et intense amour avec Lill, se sacrifie pour sauver ses camarades : il achève sa dernière émission antinazie et, conformément aux instructions, se suicide en se précipitant sur le revolver du policier venu l'arrêter.

Dans le choix personnel de Walter, il y a l'affirmation – nous sommes en 1946 – qu'une « autre » Allemagne a existé – ces poignées de combattants de la résistance qui, à défaut d'avoir pu empêcher le pire, se sont sacrifiés pour l'avenir. Une Allemagne anonyme, obscure, fort éloignée des feux de la rampe, sans rapport avec la résistance « officielle » du 20 juillet 1944. Mais le propos n'est ni vengeur, ni manichéen. La mère du héros, « apolitique » d'autant plus convaincue que c'est précisément l'engagement politique de son premier mari qui l'a rendue veuve, incarne la passivité du peuple, une passivité qui parfois s'explique :

> Tous vos projets de refaire le monde ne sont que des fadaises. Ce monde, on ne peut pas le changer. Mon premier mari aussi, il voulait changer les choses. C'est pour ça qu'au moment des grèves à Hambourg ils l'on jeté dans le port, et il ne restait plus que son chapeau, trouvé par deux gamins le dimanche suivant. Vous savez, mademoiselle, c'est une drôle de sensation quand on avait un mari menuisier qui chiquait et rigolait, que ça ne gênait pas de ronfler au lit, et que du jour au lendemain il ne vous reste qu'un chapeau dans une armoire. Ce qu'il y avait en dessous du chapeau, ma petite, c'était du solide, on pouvait le toucher. Mais ça c'est parti ! C'est ce besoin de refaire le monde qui me l'a enlevé ! Et puis voilà encore dans notre pays des agités qui causent tout bas derrière les portes, qui dévergondent les innocents. Vous comprenez, maintenant, pourquoi je veux pas en entendre parler, de tout ça ?[39]

Une passivité dont on trouve aussi, un peu plus loin, une amusante comptabilité, lors d'une scène de dupes, où la serveuse Lill croit « recruter » le jeune Walter :

> Voyez-vous, il y a 4 millions d'habitants à Berlin, là-dessus il y en a trois qui ne réfléchissent pas, reste 1 million. Sur ce million, 900 000 ont peur, sont des suiveurs, applaudissent, profitent,

restent 100 000, dont 90 000 sont trop occupés, ou disent qu'ils sont apolitiques et ne peuvent pas, restent 10 000. Là-dessus, il y en a 9000 qui ont été découverts, restent 1000. Mille hommes et femmes déterminés sur l'ensemble du territoire du Grand-Berlin, sur ces mille, il y en a 993 que je ne connais pas, restent 7 personnes, et c'est notre groupe. Si nous ne sommes que 7 sur 4 millions, alors vous allez peut-être penser que ce ne fait pas beaucoup. Mais nous savons que quelque part dans Berlin, il doit bien y en avoir d'autres. [40]

Dans la pièce, les personnages nazis sont à peine esquissés: menace de fond, le monstre fait pour ainsi dire partie du décor, et n'est représenté sur scène que par des ombres, des fonctions, des exécutants – trois policiers, quelques dénonciateurs – routiniers, sans relief, ordinaires. Le drame se joue presqu'entièrement entre les «clandestins» eux-mêmes et leur environnement immédiat, neutre, qui ne prend pas parti et vaque à ses occupations. La leçon principale est bien celle du sacrifice: sacrifice de la jeune héroïne qui renonce à sa vie de femme pour mener son combat:

Chut...Un mot de trop, et le soupçon est là.
Nous autres filles qu'avons-nous en cette époque,
Si froide même au milieu des hommes, de l'amour?
[...] l'époque ne nous aime pas, nous autres filles. [41]

Sacrifice du père de famille qui refuse de trahir ses amis à la Gestapo et qui, alors qu'on l'emmène à la mort en présence de sa propre fille, s'écrie:

Et s'ils te demandent pourquoi je suis parti, Marie, alors dis-leur: pour la liberté, Marie, pour la liberté. Ne l'oublie jamais! [42]

Sacrifice du groupe qui, ne vivant que pour l'avenir, renonce au présent:

Nous les clandestins sommes une communauté silencieuse dans le pays. Nous sommes habillés normalement, nous nous comportons normalement, mais nous menons une double vie entre la trahison et la tombe. Nous ne projetons aucune ombre, nous vivons pour l'avenir dont nous sommes les racines, les racines solitaires de l'avenir. Nous devons être inhumains, voilà tout. [43]

L'idée de sacrifice est aussi le sujet principal de la première émission de la radio clandestine Waldemar I, qui s'adresse tout autant aux spectateurs en chair et en os de 1946 qu'aux auditeurs imaginaires de 1944 :

> Allemagne réveille-toi. Allemand, réfléchis, commence enfin à réfléchir ! Il n'y a pas d'appel plus sincère que celui qui appelle l'homme à la réflexion. [44]

Une exhortation suivie d'une longue « prophétie », anticipation apocalyptique des crimes :

> C'est ainsi que le peuple allemand s'avance, dans le fracas d'un gigantesque défilé, vers son destin de ruine. Les fanfares sonores sont devant, elles recouvrent les gémissement de ceux que l'on torture, les hosannas résonnent jusqu'à l'horizon, les cris Sieg-Heil s'élèvent de Vienne à Oslo. Mais derrière on entend, semblables au un crépitement de grêle, les coups secs des balles dans la nuque. Et au dessus du peuple tout entier se dressent en forêts silencieuses les fumées des chambres à gaz, accusation blafarde... [45]

Pour conclure cette émission de radio dans la pièce de théâtre, cette prophétie-bilan, Weisenborn en appelle à nouveau à la réflexion, c'est à dire en l'espèce à la mémoire :

> Le peuple entier, comme un seul homme, se précipite dans l'abîme, et avec lui le joueur de pipeau de Braunau, le souffleur de chimères sorti de la chancellerie du Reich. A la guerre totale succèdera l'effondrement total ! Est-ce cela que vous voulez, vous les Allemands ? Réflechissez ! Réveillez-vous ! [46]

Le sens de la pièce – on serait presque tenté de dire l'objectif – est réaffirmé dans le « discours à la jeunesse allemande » [47] que le héros peut encore émettre sur les ondes de sa radio clandestine quelques instants avant que la Gestapo ne vienne l'arrêter :

> Il y eut bien des héros sur bien des fronts dans cette guerre, mais le pire de tous, c'était le front de l'échafaud, ici plus nombreux furent ceux qui en colonnes pâles et silencieuses te montrent le chemin de l'avenir, le chemin qui mène à l'humanité. [48]

Un film

Le film *les Assassins sont parmi nous* est le premier long métrage allemand de l'après-guerre, l'une des preuves les plus convaincantes de l'efficacité et de l'ambition des Soviétiques en matière de culture[49]. Hildegard Knef[50] tient le rôle de l'héroïne, Ernst Wilhelm Borchert, son partenaire, est l'acteur qui incarnait Walter dans la pièce de Weisenborn : un seul visage pour deux approches différentes de la mémoire allemande, troublante coïncidence.

L'argument du film de Staudte : le chirurgien Hans Mertens, rescapé du front oriental, erre dans Berlin en ruines, vivant au jour le jour dans un immeuble à demi détruit. Au même moment, la jeune Suzanne, retour de camp de concentration, regagne elle aussi la ville. Si Mertens n'est plus qu'une loque alcoolique, Suzanne est au contraire pleine d'espoir dans la vie qui recommence. Dans l'appartement familial, elle trouve Mertens installé dans une déchéance autant physique que morale. Apitoyée, elle ne le chasse pas et, au contact de la jeune fille, Mertens reprend peu à peu goût à la vie. Mais le passé resurgit brusquement, lorsque Mertens apprend que l'officier commandant sa compagnie en Pologne – il avait ordonné un massacre de civils polonais le soir de Noël de l'année 1942 – vit encore et réside à Berlin. Ce Ferdinand Brückner est maintenant un homme d'affaires prospère, reconverti dans la transformation de casques militaires en ustensiles de cuisine. Mertens décide de le tuer. Il l'emmène dans un quartier désert, mais son geste est empêché *in extremis* par une mère qui cherche un médecin pour sauver un enfant gravement malade. Mertens abandonne son projet, sauve l'enfant, et envisage de reprendre son métier de chirurgien. Mais il est rongé par l'existence de Brückner : le soir de Noël 1945, alors que le chef d'entreprise vient d'adresser ses vœux à son personnel, Mertens l'attire dans un coin sombre et s'apprête à tirer... Mais Suzanne intervient : le meurtre ne sera pas commis et Brückner ira en prison.

Staudte, dont le scénario initial prévoyait l'accomplissement de la vengeance de Mertens, avait projeté d'appeler son film : « l'homme que je vais tuer »[51]. Mais après une intervention des autorités soviétiques, qui souhaitaient un dénouement plus positif, il modifia la fin du film – Brückner s'en tire avec la prison – et le titre[52]. Le thème central restait bien celui de la culpabilité et du remords : culpabilité « criminelle » de Brückner, qui a presque négligemment donné l'ordre d'exécuter des civils, femmes et enfants compris, remords de l'officier en second Mertens, impuissant à empêcher le massacre. Le film prend aussi une dimension allégorique : Brückner incarne le *Pg* – le *Parteigenosse* responsable, le nazi actif et conscient, qui se cache maintenant derrière une respectabilité bourgeoise dont on ne sait trop si elle est récemment acquise ou simplement retrouvée. Ce qui est clairement indiqué dans le film, c'est l'adhésion de Brückner aux principes capitalistes – au moment où Brückner suit Mertens dans les ruines de Berlin, il lui expose sa philosophie de l'existence : « Que l'on fabrique des casques en acier avec des casseroles, ou des casseroles avec des casques, ça n'a aucune importance, ce qui compte, c'est de s'y retrouver. » [53] La vulgarité et le cynisme de Ferdinand Brückner, capitaliste de base, rappellent discrètement l'interprétation officielle du nazisme selon Dimitrov, de même que la réaction de Hans Mertens après sa première entrevue avec son capitaine laissé pour mort en Pologne : « Des rats, des rats, partout des rats, la ville revit » [54].

Mertens personnifie le remords – remords d'ordre moral pour des fautes dont il n'est pas directement responsable, tandis que le personnage de Suzanne représente la beauté et la jeunesse du recommencement, et une forme d'innocence (de non culpabilité), celle que donne l'expérience « directe » de la dictature : internée, ayant perdu son père, résistant « emmené » par les nazis, Suzanne est pure de toute faute. Si le message du film est optimiste – le meurtre est empêché, Mertens renaît avec et grâce à Suzanne, le meurtrier « caché » est démasqué et remis à la justice. Si Mertens rejoint *in fine* le monde des vivants, c'est à dire de ceux qui veulent reconstruire la vie et la ville, c'est parce qu'il se rachète par son adhésion aux valeurs du droit. Une simple phrase prononcée avec la plus grande douceur par Suzanne : « Nous n'avons pas le droit de vengeance » [55] et Mertens est immédiatement transformé : « Non, Suzanne, mais nous avons le devoir de porter accusation, d'exiger l'expiation, au nom de millions d'êtres humains innocents assassinés » [56] tandis que Brückner, qu'on aperçoit derrière des barreaux, hurle dans le vide : « Mais que me voulez-vous ? Vous voyez bien que je suis innocent, innocent, innocent... » [57]

Quel « travail de deuil » ?

La parution en 1946 des trois œuvres que nous venons d'évoquer brièvement administre la preuve « philologique » pour ainsi dire que le refoulement du passé nazi ne fut ni immédiat, ni total, ni unanime. Albrecht Haushofer fixe sous forme de *Sonnets* le remords de n'avoir rien dit ni fait quand il le fallait et qu'il en était encore temps. Günther Weisenborn cherche plutôt à dépasser le remords : en rappelant le comportement honorable – et minoritaire – de ceux qui dans l'ombre et l'anonymat se sont opposés à Hitler, en mettant en scène le sacrifice des combattants de l'ombre, il affirme l'existence d' une mémoire « positive ». Plus complexe est le propos de Staudte ; son film est comme une allégorie, où les personnages incarnent des idées utiles aux impératifs de la relance de l'Allemagne, et plus particulièrement de Berlin – reconstruire, partir sur de nouvelles bases, tout en traitant les criminels de guerre comme ils le méritent – et propose également, par touches discrètes, une interprétation du nazisme. Mais l'élan général du film tend au dépassement de la douleur, à l'optimisme de la reconstruction et du recommencement.

Ces trois œuvres, qui abordent d'une manière différenciée la thématique de la culpabilité allemande, sont parmi les toutes premières productions de ce qu'on pourrait appeler une culture du remords, et c'est en cela qu'elles amorcent un « travail de deuil ». Qui dit remords dit faute, et il paraît dès lors intéressant d'interroger les sonnets de Haushofer, la pièce de Weisenborn, et le film de Staudte sur la manière dont sont représentées les fautes commises.

La *faute principale,* c'est bien, « objectivement », la ruine, le naufrage de l'Allemagne. Chez Haushofer et Weisenborn, cette faute est décrite dans des termes presque identiques : dans le sonnet *Untergang* c'est une « pulsion de mort, née de la haine, engendrée par l'orgueil et le ressentiment » [58] qui entraîne le peuple, tandis que dans l'avant-dernier message émis par la radio clandestine, le peuple tout entier « se précipite dans l'abîme » [59]. Quant au film de Staudte, il montre la « catastrophe allemande » dès les premières images : quatre minutes de cinéma sans parole présentent la convergence des deux protagonistes – Suzanne qui regagne Berlin dans un train de réfugiés, Mertens titubant dans les ruines. L'exposition s'achève par un travelling avant sur une affiche touristique représentant un paysage ensoleillé, et tandis que deux mutilés de guerre viennent s'asseoir au pied du mur, on peut lire la mention sur l'affiche déchirée qui se décolle dans la brise : « das schöne Deutschland », comme en écho aux vers de Haushofer :

> Nur Schutt und Asche werden Zeugen sein,
> nur Schutt und Asche, wo in tausend Jahren
> gezeugte Bilder höchsten Daseins waren... [60]

Seuls des décombres et des cendres porteront témoignage;
Des décombres seuls et des cendres aux lieux où pendant mille ans
S'élevèrent les œuvres de la plus haute civilisation...(JR)

Les *crimes commis*, non pas contre l'Allemagne, mais contre les hommes, ne sont passés sous silence dans aucune des trois œuvres que nous comparons. Le sang qu'on voit apparaître dans les *Sonnets de la prison de Moabit* est celui de la guerre comme dans le poème *Bombenregen*, ou celui du juge Freisler dans le sonnet *Nemesis,* dont la mort dans un bombardement de février 1945 sonne comme une revanche du hasard:

Noch gestern hat er vier zum Strick verdammt,
Und heute liegt er tot in den Ruinen...[61]

Hier encore il en condamnait quatre à la corde,
et aujourd'hui son cadavre gît sous les ruines. (JR)

tandis qu'en d'autres passages, des allusions assez contournées peuvent indiquer que des massacres d'une plus grande ampleur ont été commis, comme dans le curieux poème intitulé *Barbarie* (*Barbarentum*) où le lecteur découvre l'humanité relative des «barbares» d'autrefois, qui eux savaient au moins, lorsqu'ils empilaient les crânes de leurs victimes, respecter ceux des «penseurs et des artistes»:

So preisen wir vergangene Barbarei.
In unserer Zeit sin all die Schädel gleich.
An Masse sind wir ja so Schädelreich![62]

Célébrons donc la barbarie de jadis.
A notre époque, tous les crânes se valent
et nous en possédons des masses. (JR)

Mais Albrecht Haushofer n'évoque pas les «crimes de guerre», les «crimes contre l'humanité»[63], la catastrophe, c'est l'*Untergang*, le grand suicide collectif de la nation allemande et le «sang» que «réclame» la «masse ivre» dans ses poèmes[64], c'est d'abord et avant tout du sang allemand.

La pièce *Les Clandestins* procède également par allusions, mais elles paraissent plus claires, plus directes, plus précises: au moment de la première émission de radio clandestine, le héros Walter évoque «les fanfares militaires qui couvrent les gémissements de ceux que l'on torture», puis, quelques lignes plus loin, «les forêts de fumées silencieuses» qui s' élèvent au dessus des chambres à gaz en une « accusation blafarde... »[65]. Dans le film de Staudte, un crime de guerre est à la fois montré et expliqué à l'écran : outre les images de la répression contre une population polonaise punie parce qu'un coup de feu à été tiré contre l'armée allemande, le spectateur est informé sur l'arbitraire – c'est la population du « côté gauche de la rue » qui a été rassemblée – et la cruauté bureaucratique des méthodes : un rapport détaillé du massacre apparaît à l'écran, suffisamment longtemps pour qu'on puisse y lire le nombre des victimes, hommes, femmes et enfants, ainsi que la quantité des munitions utilisées[66].

C'est aussi le film de Staudte qui établit le lien direct entre une certaine « subjectivité » allemande et les crimes commis : au-delà de la « culpabilité morale » du docteur Mertens, qui souffre dans sa chair et dans son âme au point de sombrer dans le cynisme et dans l'alcool, et qui constitue en quelque sorte le *leitmotiv* du film, Staudte suggère un lien plus étroit encore, presque un rapport intime, entre l'individu et les crimes d'Etat : dans un bref tableau muet, on voit Ferdinand Brückner déguster un copieux petit déjeuner, et reposer sa tasse de café sur un journal qui titre : « Des millions de personnes gazées »[67]. On pourrait dire, en reprenant les propos des psychanalystes évoqués au début de cette étude, que Mertens incarne une sorte de remémoration douloureuse, tandis que Brückner est l'illustration du refoulement absolu, le symbole d'une Allemagne à nouveau prospère, déjà repue.

Les trois œuvres examinées installent l'idée que la faute principale est la ruine de l'Allemagne, tandis que toute une série de crimes particuliers ont accompagné et suscité cette faute : les sentences du juge nazi Freisler, les méthodes brutales de la police nazie, les mesures de représailles de la Wehrmacht, les chambres à gaz, la guerre. Qui donc est responsable, qui sont les coupables ? Günther Weisenborn n'aborde pas le problème de la culpabilité allemande à proprement parler, mais cherche plutôt, en mettant en valeur la lucidité et le courage des résistants, à donner une version douce de la passivité du peuple, un peuple terrorisé.

Pour Staudte il y a bien des coupables, mais en petit nombre, ces « meurtriers » qui « sont parmi nous ». Ce qui compte, c'est la majorité des jeunes Allemands, à qui s'adresse en quelque sorte le film : ils doivent prendre modèle sur Suzanne et « travailler, vivre, enfin vivre »[68]. Dans le film de Staudte, il n'y a pas de responsabilité collective des Allemands et, en dernière analyse, il n'y a, à côté des individus « assassins », que des victimes : victimes des décisions et des méthodes du national-socialisme, victimes du système qui en a autorisé l'avènement. L'analyse « globale » proposée par Staudte avait des avantages politiques : le Dr Mertens, moralement complice d'un massacre parce qu'il ne l'avait pas empêché, se rachète moralement par le remords et politiquement par le retour à la société, à la paix, à la légalité. L'Allemagne nouvelle a besoin de tous ses Dr Mertens...

Pour Haushofer enfin, la notion de culpabilité est, nous l'avons vu, limitative : la culpabilité principale est celle de l'intellectuel haut-placé qui, n'ayant rien vu venir, n'a pas été en mesure de guider le peuple, d'empêcher des chefs de bande incultes, sans foi ni loi de mener l'Allemagne au pire des désastres.

Il y a aussi dans ces œuvres des discrétions, et même des silences, qui aujourd'hui paraissent surprenants.

Adolf Hilter, le Führer est évoqué deux fois, peut-être trois, dans les sonnets de Moabit, mais jamais par sa fonction ou par son nom.

> Als Herrscher aller dieser grauen Bahnen
> Steht einer draußen, den die Lust erfüllt,
> wenn andre leiden. Einen, der noch brüllt...
>
> Souverain de tous ces cheminements gris
> quelqu'un se tient au dehors, que la souffrance d'autrui
> comble de joie. Quelqu'un qui vocifère encore...(JR) [69]

L'allusion la plus limpide se trouve dans le sonnet *Dem Ende zu* (*Vers la fin*) :

> Das Ende wittern selbst erprobte Toren.
> Doch kann der Krieg nicht enden dieses Mal
> bis kein Gefreiter mehr, kein General
> behaupten darf, er wäre nicht verloren.
>
> Les fous fieffés eux-mêmes flairent la fin.
> Pourtant la guerre ne finira pas encore cette fois,
> pas tant qu'un caporal, tant qu'un général
> pourra soutenir qu'elle n'est pas perdue. (JR)

Dans la pièce de Weisenborn, il n'apparaît qu'une fois, mais sous forme d'allusions métaphoriques – comme « joueur de pipeau de Braunau » puis comme « souffleur de chimères sorti de la chancellerie du Reich ».

L'autre absence elle, est totale : le racisme constitutif de l'idéologie nazie, la « solution finale », l'extermination programmée des Juifs d'Europe. Dans le film de Staudte, ce sont des civils polonais qui sont fusillés, tandis que les allusions de Weisenborn aux meurtres de masse restent pour ainsi dire non déterminées et que Haushofer se contente à nouveau de références lointaines. Ce n'est que bien plus tard que l'on parlera de « génocide », et qu'on évoquera « l'Holocauste », la « Shoah ».

Un dernier point qui mérite d'être souligné : le style, l'esthétique de ces œuvres. On peut certainement parler d'une « renaissance » culturelle en Allemagne après la guerre, et tout particulièrement à Berlin, mais cette renaissance n'a pas été accompagnée, du moins dans l'immédiat, d'un renouveau des formes, d'une créativité comparable à ce qui s'était passé à Berlin à la fin de l'époque Wilheminienne ou pendant la République de Weimar : la langue artistique que parlent les trois œuvres choisies, c'est *la langue d'avant*.

Haushofer, lorsqu'il recourt à la forme classique du sonnet, est animé par une volonté de renouer avec un passé « intact » de la culture allemande, d'oublier l'académisme totalitaire que la censure nazie avait fini par imposer dans tous les domaines de la création artistique[70].

Weisenborn propose un théâtre mélangé de chansons et de poèmes, où les acteurs s'adressent directement au public pour lui faire la leçon, un peu dans la tradition de l'*agit-prop*, un peu aussi dans le style expressionniste, notamment dans le décalage volontaire entre le réalisme de l'action principale et le sombre lyrisme des interventions didactiques.

Staudte non plus n'a pas oublié les leçons de l'expressionnisme cinématographique : comme M. le Maudit, le Dr Mertens est précédé de son ombre à chacune de ses apparitions. Crescendos, délires, visions, *flashbacks,* noirs profonds, plongées, contreplongées, alternant avec des séquences plus calmes, plus lumineuses, donnent au film un style post-expressionniste assez efficace, même si certaines séquences paraissent aujourd'hui un peu grandiloquentes, lorsque la forme semble trop éloignée du contenu dramatique, comme cette annonce de la première scène d'amour entre Mertens et Suzanne par l'ombre inversée de l'homme dans l'encadrement de la porte, « menace » formelle et maladroite.

Aucune des trois œuvres évoquées ne renouvelle le moyen d'expression choisie. La libération, ou plutôt les retrouvailles avec la liberté, commence par un retour en arrière.

La fortune des trois œuvres étudiées n'est pas identique: oubliée en Allemagne, inconnue en France, la pièce de Weisenborn fut à l'époque bien accueillie par la critique [71], mais ne parvint apparemment pas à dépasser ce succès d'estime: elle n'atteint jamais les foules, même si elle fut programmée dans la plupart des théâtres allemands dans les mois qui suivirent la première à Berlin [72]. Les *Sonnets de Moabit* ont maintenant leur place dans la littérature allemande [73], mais ont été oubliés en France [74]; seul le film de Wolfgang Staudte rencontra un succès critique et public à la fois immédiat et durable [75]. *Les Assassins sont parmi nous* est aujourd'hui un classique du cinéma allemand.

Si l'on se tient au point de vue strictement philologique de l'analyse des œuvres, on constate comme l'amorce d'une approche critique du passé récent: fixation artistique de la « catastrophe allemande », images d'un *Untergang* bien réel et non fantasmatique, indications sur les fautes morales commises – lâcheté, manque de lucidité –, retour à un certain réalisme, à une certaine forme de raison sont les messages principaux que nous adressent ces œuvres nées en 1946. On ne peut parler à leur propos ni de déréalisation, ni de refoulement. Pourtant, on y constate aussi une certaine sélectivité de la mémoire, comme si certains souvenirs étaient supportables et d'autres non: si le *Führer* est à peine évoqué, et jamais par son nom ou sa fonction, si l'extermination des Juifs est passée entièrement sous silence, n'y a-t-il pas là comme une contribution artistique à la diffusion d'un tabou, ou plus simplement l'expression même de ce tabou: en 1946, il était impossible d'évoquer le problème juif [76], ou la personne du Führer, c'est-à-dire deux des éléments constitutifs du nazisme. Lorsque les autorités américaines essayèrent de rééduquer les Allemands par un film documentaire – au demeurant remarquable – sur les atrocités commises dans les camps de la mort, ce fut un échec: le film *Todesmühlen* – les *Moulins de la mort* – fut rapidement retiré de l'affiche [77].

Et pourtant on ne peut nier qu'il existe dans ces œuvres un certain travail de deuil. Mais il porte plus sur l'état dans lequel se trouve l'Allemagne en 1945 que sur les crimes commis. Et si la responsabilité allemande est évoquée, c'est celle d'individus qui n'ont eu ni le courage ni la lucidité de s'opposer à la dictature, qui se sont trompés, qui ne se rendaient pas compte... Quant à la culpabilité, elle n'est nullement collective: tout au plus trouve-ton des individus ayant commis des crimes que l'on peut prouver. L'espoir commence par un retour aux valeurs et aux formes du passé non-nazi, par des retrouvailles avec ce qui était « avant ».

« Travail de deuil » partiel, fragmentaire : ces trois œuvres avaient-elles quelques chances d'amorcer la « perlaboration » dont Alexandre et Margarete Mitscherlich constatent l'absence vingt ans plus tard ? Ou faut-il y voir les premiers résultats de la modestie souhaitée par Karl Jaspers, les premières preuves de cette « humilité essentielle » qui permet le retour à la réalité, les premiers signes d'une langue réinvestie par l'exigence de vérité, une langue « claire », c'est à dire dénuée de sous-entendus, libérée des calculs et des arrière-pensées propres à la pensée totalitaire ? Ces œuvres modestes, qui ne disent pas tout, qui peut-être même ne savent pas tout, ne sont-elles pas aussi honorables ? Ne furent-elles pas parmi les premières à rétablir, maladroitement certes, mais avec toute la sincérité dont l'époque était capable, l'honneur perdu de la littérature et du cinéma allemands ?

Notes

[1] Le tribunal militaire international de Nuremberg siègea de novembre 1945 à octobre 1946, et prononça 11 condamnations à mort, 7 condamnations à des peines de prison, 3 acquittements.

[2] Alexander et Margarete Mitscherlich, *Le deuil impossible (Die Unfähigkeit zu trauern)* (Paris : Payot, 1972, trad. Laurent Jospin), p. 70.

[3] Ibid., p. 16.

[4] *Ibid.*, p. 23

[5] *Ibid.*, p. 7.

[6] Je ne puis que renvoyer ici à l'excellente thèse de Jean Solchany, *Comprendre le nazisme dans l'Allemangne des années zéro*, Université de Sciences Humaines de Strasbourg, 1994, qui fait le point sur cette question de manière précise.

[7] « Die Schubladen waren leer » formule courante dans l'appréciation portée sur la littérature allemande au lendemain de la guerre.

[8] « Four Germans – an historian two philosophers, and a sociologist – recently have written books released by US-licensed pulbishing houses discussing phases of Germany's past which should be of great value to those persons interested in the German mind and history. » Cf. « Books on Germany's past » dans *Weekly Information Bulletin*, OMGUS, 15 mai 1947.

[9] « [...] the most comprehensive and intelligent treatise on the collective guilt thesis to date » *ibid.*

[10] « [...] a wealth of authentic material ». *Ibid.*

[11] « The chance to turn the atrocities, their reality, scope and frequency, into a moral lesson for the Germans has been missed so far. And Kogon concludes that

Germany's moral regeneration has become that much more difficult because of it. » *Ibid.*

[12] Cf Karl Jaspers, *La culpabilité allemande (*Paris : Editions de Minuit, 1948) trad. Jeanne Hersch, 152-179.

[13] Cette traduction française, bien maladroite, ne rend pas justice au texte allemand, mais elle avait la bénédiction de Jaspers en personne. *Op. cit.* 218-219. Texte allemand : « Klärung der Schuld ist zugleich Klärung unseres neuen Lebens und seiner Möglichkeiten. Aus Ihr entspringt der Ernst und Entschluß. / Wo das geschieht, da ist das Leben nich mehr einfach da zu unbefangenem heiterem Genuß. Das Glück, des Daseins, wo es gewährt wird, in Zwischenaugenblicken, in Atempausen, mögen wir ergreifen, aber es erfüllt nicht das Dasein, sondern wird auf dem Hintergrunde der Schwermut hingenommen als liebenswürdiger Zauber. Das Leben ist wesentlich nur noch erlaubt im Verzehrtwerden durch eine Aufgabe. / Folge ist die Bescheidung. Im inneren Handeln vor der Transzendenz wird unsere menschliche Endlichkeit und Unvollendbarkeit bewußt. Demut (humilitas) wird unser Wesen. / Dann können wir ohne Machtwillen im liebenden Kampf die Erörterung des Wahren vollziehen und uns in ihm miteinander verbinden. /

Dann können wir unaggressiv schweigen, – aus der Schlichtheit des Schweigens wird die Klarheit des Mitteilbaren hervorgehen. / Dann kommt es nur noch auf Wahrheit an und Tätigkeit. Ohne List sind wir bereitet, zu ertragen, was uns beschieden ist. Was auch geschieht, es bleibt, solange wir leben, die menschliche Aufgabe, die in der Welt unvollendbar ist. » Cf. Karl Jaspers, *Die Schuldfrage* (Heidelberg, 1946), p. 102-103.

[14] C'est la formule choisie par l'éditeur français de Jaspers, qui précise en quatrième de couverture que l'ouvrage publié – *La catastrophe allemande* – est à la fois « une méditation douloureuse et un raisonnement à froid ». Cf Karl Jaspers, *op. cit.*

[15] « Ich finde es ein Glück, daß uns ein wirkliches Drama aus den letzten Jahren in die Hand gegeben ist ». Cf Friedrich Luft, *Stimme der Kritik* (Berlin : Ullstein, 1982), p. 21.

[16] Karl Haushofer (1869-1946) était considéré comme l'un des soutiens théoriques et universitaires de la pensée national-socialiste. Ancien général de la Reichswehr reconverti dans l'Université, il enseigna à Munich, où Rudolf Hess fut un de ses élèves. Karl Haushofer se suicida avec son épouse en 1946, après que le gouvernement militaire américain lui eut retiré son titre de professeur émérite. Cf. Dan Diner, « Denker des Raumes, Feind der Zeit » dans *Frankfurter Allgemeine Zeitung*, 25 mars 1996.

[17] « Dienststelle Ribbentrop » était une expression familière à l'époque pour désigner le ministère des Affaires étrangères.

[18] « Let's educate our masters » avait coutume de dire cet anglophile notoire, cf. Justus Fetscher, « Albrecht Haushofers Rezeption nach dem Krieg, 1945-1955 », communication inédite, colloque de Berlin, septembre 1994. Pour Albrecht Haushofer, l'ouvrage de référence est : Ursula Laack-Michel, *Abrecht Haushofer und der Nationalsozialismus* (Stuttgart : Klett Verlag, 1974). Albrecht Haushofer y est présenté comme un adversaire politique du nazisme, qui a cru longtemps à la possibilité de modifier les choses de l'intérieur, et dont les origines insuffisamment aryennes – sa mère était une demi-juive – avaient bridé les velléités de révolte publique.

[19] L'histoire de la « découverte » des sonnets de Moabit varie : selon les uns, ils ont été retrouvés dans la main du mort – cf. Ursula Laack-Michel, *op. cit.* et « Nachwort », dans Albrecht Haushofer, *Moabiter Sonette* (Munich : DTV, 1976) p. 91-120. Cf. aussi l'introduction de Percy Knauth à la sélection des *Moabiter*

Sonette publiée dans la revue *Der Ruf*, n°1, 15 octobre 1945 – tandis que d'autres sources affirment l'existence d'une autre copie, remise par l'auteur en personne à son frère et co-détenu Heinz Haushofer, qui transmettra. Cf. Luc Bérimont, « Albrecht Haushofer (1903-1945) », dans *Réalités allemandes*, n°23-24, novembre – décembre 1950, et Jacques Nobécourt, « A la trace d'Albrecht Haushofer » dans *Verger, revue des spectacles et des lettres en Allemagne occupée*, n°5/1948.

[20] Heinrich George (1993-1946) était un acteur de théâtre dont la carrière se poursuivit sous le nazisme. Il fut interné dans le camp de Sachsenhausen par les Soviétiques et y mourut de mauvais traitements en 1946.

[21] Ces éléments sont tirés principalement de Dietz-Rüdiger Moser (dir.) *Neues Handbuch der deutschsprachigen Gegenwartsliteratur seit 1945* (DTV : Munich, 1992).

[22] Wolfgang Staudte tient un petit rôle dans le *Juif Suss*, de Veit Harlan.

[23] Cf. Roland Schneider, *Histoire du cinéma allemand* (Paris : éditions du Cerf, 1990).

[24] Albrecht Haushofer, *Moabiter Sonette* (Berlin : Blanlavet Verlag, 1946). Nous nous réfèrerons pour notre part à l'édition D.T.V. de 1976, *op.cit.*

[25] On songe aux sonnets de prison de Jean Cassou, mais outre le fait que leur auteur a survécu, ces poèmes de la résistance française n'ont rien de commun ni dans leur thématique, ni dans leur forme déliée, moderne – avec ceux d'Albrecht Hausfhofer : ce sont des chants animés par l'espoir, comme en témoigne le Sonnet n° 5, l'un des plus beaux du recueil : « Les poètes un jour reviendront sur la terre. / Ils reverront le lac et la grotte enchantée, les jeux d'enfants dans les bocages de Cythère, / le vallon des aveux, la maison des péchés... » Cf Jean Cassou, *33 Sonnets composés au secret*,, avec une introduction de François La Colère [Aragon] (Paris : Editions de Minuit, 1944).

[26] « Ein Bombenteppich nach dem andern rauscht/ aus hellem Himmel todesnah heran – / Wie todesnah berechnet ihre Bahn, / Wer eingegittert ihrem Brausen lauscht ! / Wir wissen alle wohl, daß unsre Leben / so billig sind wie Stroh – der deutsche Strick, / die Russenkugel jählings ins Genick, / die Britenbombe sind als Los gegeben. » Cf Haushofer, *op. cit.*, 57. Ce sonnet, le trentième de la série, sera interdit par les Alliés et par conséquent omis dans les premières éditions.

[27] C.f. Verger, *op. cit.* La traduction de Bérimont, écrite dans la langue et avec les références de la tragédie classique, altère aussi le ton et la portée de l'original. Là où la version française paraît presque déclamatoire : « J'ai trop longtemps gardé mes secrets dans mon cœur / Trop tard, je viens trop tard témoigner ma colère (...) /Et je m'accuse d'avoir caché mes armes dans le sable », l'original, plus prosaïque, dit simplement : « Longtemps j'ai trahi ma conscience (...)/ Je m'accuse moi-même en mon cœur (...)/ Et aujourd'hui je sais ce que j'aurais dû faire... » La traduction de Luc Bérimont banalise sensiblement le texte original, comme s'il s'agissait d'exprimer non pas un remords radical ne pouvant s'apaiser que dans la mort, mais une culpabilité de convention pour une faute relative. Le premier traducteur français de Haushofer veut pardonner, pardonne déjà.

[28] Nous commençons à utiliser ici la traduction française de Jacques Rébertat, parue aux éditions Seghers en 1954 : d'une exactitude sans défaut, elle permet de comprendre le sens des vers de Haushofer. Cette traduction est signalée par (JR). Dans certains cas, rares, nous avons cherché nous-mêmes un compromis plus satisfaisant entre l'effet poétique et la fidélité à l'original et les initiales (BG) suivent alors le texte de la traduction.

[29] Sonnet n° 60. Luc Bérimont traduit : « Pour se gausser de moi des amis et des maîtres / Découvraient un écho de la femme de Troie / Dans tout ce qui naissait dans ma bouche et peut-être / Assurai-je en effet le relais de sa voix. *Op. cit.*

[30] Sonnet n° 23 : *Heimat* (*Le pays natal*). Luc Bérimont : « Comprenez-moi – Je suis l'enfant de mon pays / Il me semblait qu'en lui se trouvait mon asile / Hélas ! un jour monta où nous dûmes céder / Je ne le reverrai jamais – comprenez-vous ? » *Ibid.*

[31] Sonnet n° 65 intitulé *Sir Thomas More*. On se souvient que Thomas More fut condamné à mort par Henri VIII pour haute trahison.

[32] Diplomate britannique violemment anti-allemand, Lord Vansittart (1887-1957) avait essayé d'infléchir la politique de conciliation menée par Chamberlain dans les années trente.

[33] Sonnet n° 27 intitulé *Die Arena* (L'arène).

[34] Sonnet n° 46.

[35] Sonnet n°46 : *Die großen Toten.*

[36] Sonnet n° 9 *Die Wächter* (*Les gardiens*).

[37] Sonnet n° 79.

[38] « Niedergeschrieben als Denkmal der Schaffotfront » est ce qu'écrit Weisenborn en exergue. Cf. *op. cit.*

[39] « Eure ganze Weltverbesserung ist ein ganz gottverdammnter Unsinn ! Diese Welt läßt sich nicht verbessern ! Mein erster Mann wollte sie auch verbessern ! Darauf haben Sie ihn beim Hamburger Streik ins Fleet geschmissen, nur seinen Hut haben zwei Kinder sonntags gefunden. Es ist ein Verdammtes Gefühl, Fräulein, wenn man einen Tischler als Mann hatte, der priemte und lachte und breit neben einem im Bett schnarchte, und jetzt hat man nichts mehr davon als einen Hut im Schrank. Das was unter dem Hut war, Frollein, das konnte man anfassen ! Das ist weg ! Die Weltverbesserung hat es mir weggenommen ! Und immer wieder stehen solche unruhige Menschen im Land hinter den Türen und flüstern und verführen die Unschuldigen. Verstehn Sie jetzt, warum ich davon nichts wissen will ? », Günther Weisenborn, *Die Illegalen* (Berlin : Aufbau, 1946) p. 26.

[40] « Sehn Sie, in Berlin leben 4 Millionen, davon denken 3 Millionen nicht nach, bleibt 1 Million. Davon haben 900 000 Angst, laufen nach, jubeln und verdienen, bleiben 100 000, von denen haben 90 000 zu viel zu tun, oder sie sagen sie sind unpolitisch und haben keine Gelegenheit, bleiben 10 000. Von denen sind 9000 hochgegangen, bleiben 1000. Tausend entschlossene Männer und Frauen in ganz Groß-Berlin, davon sind 993 mir unbekannt, bleiben 7, das ist unsere Gruppe. Wenn wir also von 4 Millionen Menschen nur 7 sind, so kommt Ihnen das vielleicht ein Bißchen wenig vor. Aber irgendwo in Berlin müssen noch andere sein, das wissen wir. », *Ibid.*, p. 32.

[41] « Pst...Ein falsches Wort... und der Verdacht ist da. / Ach, was haben wir Mädchen in dieser Zeit / In der es kalt ist unter den Männern, was haben wir von Ihnen ? Liebe ? / [...] Die Zeit ist gegen uns Mädchen. », *Ibid.*, p. 52.

[42] « Und wenn sie dich fragen, warum ich gegangen bin, Marie, dann sag Ihnen : für die Freiheit, Marie, für die Freiheit ! Vergiß das nie ! », *Ibid.*, p. 71.

[43] « Wir Illegalen sind eine leise Gemeinde im Land. Wir sind gekleidet wie alle, wir haben die Gebräuche aller, aber wir leben doppelt zwischen Verrat und Grab. Wir werfen keine Schatten, wir gehörend der Zukunft, von der wir Wurzeln sind, vereinsamte Wurzeln der Zukunft. Wir müssen unmenschlich sein, das ist es. » *Ibid.*, p. 56.

[44] « Deutschland erwache ! Deutscher, denk nach, beginn endlich nachzudenken ! Es gibt keinen ehrlicheren Anruf als diesen, der den Menschen zum eigenen Nachdenken auffordert. », *Ibid.*, p. 61.

[45] « So donnert der riesige Schicksalszug des deutschen Volkes in den Untergang. Voraus zieht schallend die Marschmusik, die das Gestöhn der Gequälten übertönt, die Hosiannas schallen von Horizont zu Horizont, die Sieg-Heil Rufe

rauschen von Wien bis Oslo herauf. Hinten aber hört man wie prasselnden Hagelschlag das Knallen der Genickschüsse. Und über dem ganzen Volk erheben sich lautlose Wälder von rauch aus den Gaskammern als fahle Anklage... », *Ibid.*, p. 60.

[46] « Das ganze Volk wird in den Abgrund stürtzen mit Mann und Maus, und mit ihm der Rattenfänger aus Braunau, der Shimärenbläser aus der Reichskanzlei ! Auf den totalen Krieg wird der totale Untergang folgen ! Soll das sein, Deutsche ? Besinnt euch ! Erwacht ! », *Ibid.*, p. 61.

[47] Weisenborn prend ici certains risques... L'écrivain Ernst Wiechert avait tenu en 1945 un « discours à la jeunesse allemande » particulièrement emphatique, un discours qui fut parodié quelque temps après dans le *Kurier,* un quotidien (sous licence française) de Berlin, qui publia un texte anonyme intitulé : « 500e discours à la jeunesse allemande ». Cf. Heinz-Ludwig Arnold (dir.) *Die deutsche Literatur 1945-1960, « Draußen vor der Tür » 1945-1948* (Munich : Deutscher Taschenbuch Verlag, 1995), p. 76-82.

[48] « Es gab viele Helden auf alle Fronten dieses Krieges, aber die bitterste Front war die Schaffotfront, und hier vielen die Helden in bleichen, schweigenden Kolonnen, die dir den Weg gewiesen haben, den Weg in die Menschlichkeit ! » *op. cit.*, p. 90.

[49] Les autorités soviétiques avaient fondé la DEFA au printemps 1946. *Die Mörder sind unter uns* est le premier film produit par cette société de production.

[50] Ce n'est pas son premier rôle au cinéma, mais c'est celui qui la lancera sur le plan international.

[51] Le titre initialement choisi par Staudte : *L'homme que je vais tuer (Der Mann, den ich töten werde)* fut abandonné après qu'un officier soviétique eut suggéré un dénouement plus constructif. Cf. Uta Berg-Ganschow, *Berlin Aussen und Innen, 53 Filme aus 90 Jahren* (Berlin : Stiftung Deutsche Kinemathek, 1984), p. 79.

[52] Le nouveau titre *Die Mörder sind unter uns* renvoyait directement à Friz Lang : ce dernier, à l'époque où il travaillait au projet qui deviendrait *M le Maudit* avait d'abord songé à *Mörder unter Uns* ou même *Die Mörder sind unter Uns*, mais dut retirer ces titres sous la pression national-socialiste pour ne laisser, dans la version allemande, qu'un simple *M* plein de défi. Cf. Michel Marie, *M le Maudit, une étude critique* (Paris : Nathan, 1989) 18, ou Toeplitz, *Geschichte des Films*, volume 5 (Munich : 1977) 216. La reprise d'un titre censuré par les nazis avant même leur arrivée au pouvoir était symbolique, mais qui, en dehors des milieux professionnels et spécialisés, pouvait saisir l'allusion en 1946 ?

[53] « Ob man aus Kochtöpfe Stahlhelme, oder aus Stahlhelmen Kochtöpfe macht, das ist egal, nur zurechtkommen muß man dabei... » Cette citation du dialogue de *Die Mörder sind unter uns,* comme toutes celle qui suivent, sont effectuées à partir de notre propre transcription.

[54] « Ratten, Ratten, überall Ratten, die Stadt belebt sich wieder ».

[55] « Wir haben das Recht nicht, zu rächen... »

[56] « Nein, Suzanne, aber wir haben die Pflicht Anklage zu erheben, Sühne zu fordern im Auftrag von Millionen von unschuldig hingemordeten Menschen. »

[57] « Was wollt ihr denn von mir ? Ich bin doch unschuldig, ich bin doch unschuldig... »

[58] « Ein Todesdrängen, aus dem Haß geboren / In Rachetrotz und Übermut gezeugt... » dans *Untergang*, Sonnet 44, Albrecht Haushofer, *op. cit.*, p. 54.

[59] « Das ganze Volk wird in den Abgrund stürzen mit Mann und Maus, und mit ihm der Rattenfänger aus Braunau, der Schimärenbläser aus der Reichskanzlei ! Auf den totalen Krieg wird der totale Untergang folgen ! » dans Günther Weisenborn, *op. cit.*, p. 61.

[60] Cf. *Verhängnis (Destin)*, Sonnet 40, Albrecht Haushofer, *op. cit.*, p. 48.

[61] Sonnet n°50, *ibid.*, p. 58.

[62] Sonnet n°7, *ibid.*, p. 15.

[63] Si Albrecht Haushofer ne pouvait naturellement pas connaître ces notions mises au point plusieurs mois après sa mort par le tribunal militaire international de Nüremberg, il devait être renseigné sur la nature et l'étendue des crimes commis par l'Allemagne à l'intérieur et en dehors de ses frontières.

[64] Ces expressions sont tirées du sonnet n° 27 *Arena*, cf. *supra.*

[65] Cf. *supra* p. 22.

[66] Le film de Staudte, en montrant le caractère administratif, presque routinier, des méthodes allemandes, anticipe le travail de Raul Hilberg. Cf. Raul Hilberg, *La destruction des juifs d'Europe* (Paris: Fayard, 1988, traduit de l'américain par Marie-France Paloméra).

[67] « Millionen Menschen Vergast ».

[68] « Arbeiten, leben, endlich mal leben... »

[69] Sonnet n° 8: *Rundgang der Gefangengen* (*Ronde des prisonniers*).

[70] On se souvient que Rilke avait remis la forme du sonnet à la mode, suivi par Hermann Hesse un peu plus tard. C'est peut-être à ce dernier que font penser les sonnets de Haushofer.

[71] Friedrich Luft en fait un compte rendu très favorable, presque militant, après la première au Hebbel-Theater: « Ich finde es ein Glück, das uns ein wirkliches Drama aus den letzten Jahren in die Hand gegeben ist » « [Günther Weisenborn] darf sprechen. In seiner Stimme ist Berechtigung und Wahrheit. Und ich will hoffen, daß viele gehen, sie zu hören ».

[72] L'historien du théâtre Hans Daiber parle bien d'une « tournée triomphale » (« Siegeszug ») sur les scènes allemandes, où la pièce fut selon lui représentée dans 350 théâtres. Cf. Hans Daiber, *Deutsches Theater seit 1945* (Stuttgart: Philip Reclam, 1976) 68. Mais le public semble avoir été peu attiré par cette pièce trop didactique (« Tendenzstück »). A Berlin, la salle du Hebbel-Theater ne se remplit jamais. Cf. Ranke, dir. *Kultur, Pajoks und Care – Pakete, eine Berliner Chronik 1945-1949* (Berlin: Nishen, 1990), p. 114-115.

[73] Une édition de poche que l'on trouve partout, des mentions dans la plupart des histoires de la littérature allemande, une place de choix dans la dernière en date des anthologies, cf. Heinz-Ludwig Arnold, *op. cit.*

[74] Malgré l'enthousiasme presque militant de leur premier traducteur Luc Bérimont, malgré l'édition chez Seghers en 1954, malgré leur présence – discrète – dans une anthologie scolaire fort répandue dans les années soixante et soixante-dix, qui inclut *Die Wächter / Les gardiens*, cf. J. Chassard et G. Weil, *Anthologie des auteurs allemands* (Paris: Armand Colin, 1967, t.2) 279. Le germaniste Claude David présente brièvement Haushofer dans une histoire de la littérature allemande: « Ces poésies vengeresses sont écrites dans un style élégant, qui n'évite pas toujours le prosaïsme; mais ce message d'outre-tombe reste un pathétique témoignage »; cf. F. Mossé dir., *Histoire de la littérature allemande* (Paris-Aubier, 1959, nouvelle édition 1995), p. 945.

[75] En pleine guerre froide, une brochure ouest-allemande consacrée au « cinéma de la Zone soviétique » reconnaissait que le film *Die Mörder sind unter uns* était « important sur le plan artistique » (« künstlerisch bedeutend ») et qu'il avait obtenu « une reconnaissance internationale ». Cf. *Bonner Fachberichte aus der Sowjetzone* (Berlin: Bundesministerium für Gesamtdeutsche Fragen, 1964).

[76] C'est un autre film de la DEFA, *Ehe im Schatten*, de Kurt Maetzig (1947) qui sera le premier à évoquer le problème juif, mais en insistant davantage sur les dimensions psychologiques et personnelles de l'antisémitisme sous le IIIe Reich

que sur le génocide programmé. Le lien avec l'extermination et les camps de la mort n'est pas réellement mis en avant.

[77] Cf. notamment Brewster Chamberlin : « An Early American Attempt at Mass-Reeducation » dans George O. Kent (dir.) *Historians and Archivists, Essays on Modern German History and Archival Policy* (Fairfax, Virginia : George Mason University Press, 1991).

Brad ABRAMS

L'EXISTENTIALISME ET LA POLITIQUE TCHÈQUE

Le cheminement de la Tchécoslovaquie vers la démocratie fut différent de celui de ses voisins. Les expériences des accords de Munich, de l'Occupation et de la guerre avaient conduit à une crise dans la vie intellectuelle tchèque. La confiance dans la République d'entre-deux-guerre – et donc dans ses idéaux de démocratie, de réforme sociale en douceur et de son attachement à ses alliés de l'ouest – avait été très affaiblie par l'effondrement de la République. Après la libération en mai 1945, les Tchèques et les Slovaques connurent une « semi-démocratie » de près de trois ans, pendant laquelle eut lieu un large débat sur les thèmes importants de la politique intérieure ; les Tchèques cherchaient alors à s'appuyer sur un terrain de concepts ferme et parlaient le plus souvent de socialisme [1]. Au cours de cette période de relative liberté qui prit fin en février 1948, les intellectuels communistes tchèques aspirèrent à une reformulation de l'identité nationale et à la création d'une « Tchécoslovaquie slave et socialiste ». Afin de gagner le soutien nécessaire à leur présentation de l'avenir de la nation, ils mirent l'accent sur la grandeur de l'Union soviétique, la trahison des puissances de l'ouest en 1938 à Munich et l'échec de la République de l'entre-deux-guerres en matière de défense contre le nazisme. L'opposition anticommuniste était tout aussi passionnée par le socialisme, mais voulait en même temps préserver la démocratie tchèque du collectivisme et du marxisme à la manière soviétique. Dans ce « combat pour l'âme de la nation » [2], le soutien de la classe intellectuelle fut décisif, aussi bien en raison de son importance dans l'histoire du pays que grâce à l'autorité acquise par les intellectuels auprès du peuple suite à leur rôle de premier plan dans la Résistance pendant la guerre. L'existentialisme doit être perçu dans ce contexte plus général de conflit entre les forces communistes et anticommunistes au sujet de l'avenir de l'Etat.

Les Tchèques entamèrent, de manière étonnamment rapide, un débat sur les questions soulevées par la philosophie existentialiste et la littérature, parce qu'elles reflétaient une vive discussion dans les milieux intellectuels sur le rapport entre l'individu et le groupe. Cependant, deux circonstances importantes firent obstacle au débat. Premièrement, les intellectuels tchèques voyaient l'existentialisme à la lumière de la question politique importante du moment : le socialisme. Sa valeur philosophique ne pouvait pas être reconnue dans les circonstances « hyperpolitisées et culturelles à brève échéance » d'après-guerre [3]. Deuxièmement, les Tchèques avaient peu accès aux textes de base français et devaient se contenter de courtes traductions. Cela renforça encore le caractère politique du débat en réduisant l'existentialisme à quelques personnages et concepts importants [4].

Trois groupes d'intellectuels distincts concentrèrent leur attention sur l'existentialisme ou, plus précisément, en tirèrent un profit politique. Le premier se composait de communistes qui voyaient dans l'existentialisme une menace à l'hégémonie idéologique, ce qui justifiait de le combattre vivement. Leurs attaques suscitèrent des tentatives de réconciliation entre socialisme et existentialisme de la part du deuxième groupe, socialiste mais anticommuniste. Ces intellectuels considéraient l'existentialisme comme un phénomène intéressant et politiquement utile car en mettant l'accent sur l'individu et le processus de réalisation de soi, il pouvait être utilisé dans le cadre du grand débat avec les intellectuels communistes sur la liberté intellectuelle et dans la discussion centrale de toute la société sur le sens et le but du socialisme. Les intellectuels catholiques romains tchèques adoptèrent un point de vue compliqué en étant, en général, contre l'athéisme de l'existentialisme ; en même temps, ils considéraient son antimatérialisme comme favorable à leur attitude politique anti-marxiste.

Le débat sur l'existentialisme atteignit son paroxysme après les élections parlementaires de mai 1946 qui virent le Parti communiste de la Tchécoslovaquie (KPC) remporter une grande victoire avec 40 % des voix. La décision des communistes de prendre l'offensive contre les idéologies « hérétiques » à travers le monde fut, en partie, prise suite à ce résultat, mais aussi suite aux changements opérés dans le domaine culturel. En matière de politique culturelle mondiale, les tensions s'étaient renforcées après le durcissement de la ligne culturelle de Moscou. Cette situation résultait de la déclaration du Comité central du Parti communiste de l'Union soviétique qui condamnait les revues *Zvězda* et *Leningrad* et du rapport d'août 1946 d'Andréi Ždanov, idéologue du Parti communiste de l'Union soviétique. Ensuite, le combat culturel tchèque dégénéra en une confrontation ouverte lorsque fut créée, en octobre 1946, la Communauté culturelle (*kulturní obec*) communiste qui se consacra à l'art socialiste et collectiviste, à la littérature et à la science. En riposte, les intellectuels démocrates firent naître l'Union culturelle (*kulturní svaz*) qui se fixa comme but la protection de la liberté artistique et scientifique. Bien que cette querelle prit rapidement fin, les limites culturelles étaient clairement définies.

Les essais critiques qui suivirent du côté communiste doivent être vus dans ce contexte. Comme *Tvorba* (la création), revue idéologique principale du Comité central du Parti communiste tchèque (KPC), publiait presque tous ces essais critiques, nous pouvons les considérer comme représentatifs du point de vue officiel. Le rang des personnes chargées de répondre à l'existentialisme montre l'importance accordée à cette facette de l'offensive idéologique communiste. L'attaque commença en septembre 1946, lorsque *Tvorba* qualifia ainsi l'existentialisme : « Rien d'autre que le dernier élément de ces courants intellectuels idéalistes qui accompagnent la crise de la culture bourgeoise..., la dernière phase du déclin de la philosophie *bourgeoise*. »[5] L'idée selon laquelle l'existentialisme était une philosophie spécifiquement bourgeoise et donc condamnée à disparaître, fut régulièrement exprimée dans *Tvorba* et dans d'autres revues sous le contrôle du parti.

Au cours du débat sur l'avenir de l'existentialisme dans la pensée tchèque, beaucoup de critiques marxistes avancèrent comme argument la nature négative de ses origines. En raison de l'importance des existentialistes français, un critique, sympathisant du communisme, spécula que l'origine de l'existentialisme pouvait être trouvée dans « le sentiment politique de faute que les Français avaient eu après Munich ». Les accords de Munich, écrivit-il dans une attaque contre le principe existentialiste, n'étaient, pour eux, « visiblement qu'un exemple de décision de plus »[6]. Mais ce furent les racines de l'existentialisme dans les œuvres des Allemands Heidegger et Jaspers qui occupèrent les plumes les plus acerbes. Les marxistes cherchèrent à discréditer l'existentialisme sur le principe « d'une culpabilité par association », en pensant, comme par exemple Arnošt Kolman, professeur de philosophie à Moscou, que l'existentialisme

> «est une véritable peste philosophique qui a contaminé l'hitlérisme... Ce n'est pas par hasard que l'existentialisme a puisé ses pages les plus sombres chez ses deux pères allemands Jaspers et Heidegger et chez son ancêtre nordique, le rêveur religieux pathologique Kierkegaard... Enfin, ce n'est pas par hasard que la moralité de l'existentialisme de Nietzsche est celle de l'absolue amoralité»[7].

Les arguments sur la soi-disant nature «bourgeoise» de l'existentialisme et sur son origine dans la pensée allemande (lire «nationale-socialiste») ont souvent été associés. Dans un cas, l'auteur part du postulat selon lequel la bourgeoisie a «perdu le sens de la vie» et qu'elle essaie de s'échapper dans l'existentialisme qui se manifeste par «une résolution sans espoir pour le nihilisme, qui pourrait même servir au fascisme». Pour les marxistes, l'existentialisme était un outil que la bourgeoisie utilisait pour «ne pas avoir à assumer le plus grand devoir actuel de l'humanité – la création d'une société meilleure»[8].

Les conséquences de cette argumentation étaient claires. On pouvait, à l'avenir, être partisan des représentations bourgeoises pessimistes et démodées de l'individu qui ont conduit au fascisme ou adhérer aux forces victorieuses du marxisme dans leur travail actif pour une Tchécoslovaquie et un monde meilleurs.

Ce n'est qu'en janvier 1947, c'est-à-dire après les élections parlementaires, que les communistes s'impliquèrent complètement dans le combat. En mars, le professeur Kolman écrivit un long article qui louait l'avenir merveilleux du matérialisme dialectique et qui le comparait à la «pornographie» de Sartre. L'estimation de Kolman sur l'origine et les buts de l'existentialisme résumait l'attitude communiste vis-à-vis de ce dernier au cours de la dernière année précédant la prise de pouvoir du communisme:

> «Ces signes caractéristiques correspondent, en grande mesure, aux peurs sociales de la classe intellectuelle bourgeoise et de la petite bourgeoisie, à leur peur de la «populace», face au nivellement qui accompagne apparemment obligatoirement le socialisme. Ils correspondent à l'affreuse atomisation de l'intellectuel de l'ouest contemporain dans la mesure où il n'a pas trouvé la voie du socialisme... et avec laquelle les apologistes du capitalisme carnassier ont vacciné les nations. L'existentialisme n'est qu'un jeu de l'apologétique astucieuse du capitalisme... une apologétique qui

ne conteste pas la colère du capitalisme, mais, au contraire, qui érige en principe général et justifie ainsi toutes ses énormités comme naturelles et éternelles... La fonction sociale objective de l'existentialisme est ainsi tout à fait claire... la création d'un mur militaire, politique, économique et idéologique dressé contre la démocratie socialiste, contre l'accomplissement de la vision ancienne de l'humanité qui ne correspond pas seulement aux tentatives des plus grands penseurs slaves et au caractère de la nation slave, mais qui est aussi le but de tous les gens de progrès.»[9]

L'explication de Kolman ne fut pas seulement importante du fait qu'elle déclencha d'autres attaques, mais aussi du fait qu'elle symbolisait les éléments types de la rhétorique anti-existentialiste marxiste. L'existentialisme était antislave – il venait de l'ouest, en particulier de l'Allemagne et d'une France discréditée –, bourgeois, résolument antisocialiste, potentiellement fasciste et condamné par la logique de l'histoire à une fin rapide.

Une des accusations les plus souvent exprimées consistait à dire que le prétendu service rendu par l'existentialisme au capitalisme et à l'impérialisme conduirait à une renaissance du fascisme. A partir de là, l'écrivain communiste Ivo Fleischmann vit le nom de Hitler derrière l'existentialisme de Husserl et la critique de Arnošt Kolman plaça la France d'après-guerre à la même position dans la stratégie capitaliste que l'Allemagne avant la guerre[10]. Cette spéculation intellectuelle sur la peur fut surtout exploitée dans la presse communiste avec l'avertissement selon lequel des millions de petits bourgeois européens, dont le destin serait scellé par la venue du socialisme, pourraient, à la première occasion venue, se transformer en masses possédées par le fascisme[11]. Une telle argumentation était plus qu'un intellectuel comme František Červinka ne pouvait supporter. Il contesta la teneur philosophique des œuvres littéraires des existentialistes et écrivit qu'il ne voulait pas être considéré comme le défenseur d'une philosophie qui donnerait incontestablement des armes aux politiques réactionnaires et à la contre-révolution. Il condamna cependant ouvertement cet auteur communiste qui qualifiait de fascistes les artistes qui suivaient leurs sentiments artistiques. Il était d'avis que les communistes utilisaient, de façon inadmissible, des armes politiques contre un ennemi artistique, là où la critique artistique devait être la meilleure arme et il indiquait, qu'au contraire, les communistes s'approchaient de la tactique fasciste :

« Si l'instauration d'une dictature militaire dans l'Etat était un signe caractéristique du fascisme, alors l'existentialisme serait son contraire et si l'un des signes caractéristiques du fascisme consistait à faire usage de la propagande, à aller contre la vérité pour arriver à ses fins, alors le combat mené contre l'existentialisme par une partie de notre presse ne constituerait pas vraiment le contraire de cette méthode... Si une des méthodes du fascisme était de piétiner la liberté d'une direction artistique dérangeante avec des armes autres que celles de la critique artistique, alors certaines critiques de l'existentialisme ne constitueraient pas véritablement le contraire de cette méthode. »[12]

Les critiques catholiques romains eurent, dans l'ensemble, une relation ambivalente avec l'entreprise existentialiste. Ils refusèrent les convictions athéistes de ses principaux représentants, mais ils applaudirent son refus du matérialisme. Beaucoup de catholiques importants comme le célèbre théologien Dominik Pecka cherchèrent à réfuter l'existentialisme en argumentant que ses enseignements principaux reposaient sur le christianisme et que seul le christianisme détenait les solutions aux dilemmes soulevés par l'existentialisme[13]. Cependant, dans notre perspective, sont plus intéressantes les réflexions des écrivains catholiques qui refusèrent l'existentialisme, mais qui, par la suite, le virent comme un outil utile dans leur débat avec le communisme. Une revue qui, par ailleurs, avait peu de considération pour l'existentialisme et qui réprouvait son athéisme, consacra au « matérialisme et existentialisme » de Sartre un long article à des fins purement politiques. L'auteur rapporta des citations qui montraient que, malgré sa sympathie pour le mouvement communiste, Sartre se refusait à « renoncer à la *liberté de penser* et à se prononcer en faveur de la *discipline du Parti* et la *confiance politique* ». Ainsi, la revue espérait ressusciter le spectre de l'intimidation politique et de l'oppression communistes. Cet article utilisa également Sartre pour démasquer le communisme, injuste par principe. Une affirmation de Sartre était citée selon laquelle les communistes plaçaient la liberté d'une classe au dessus de la liberté de tous, c'est pourquoi il se sentait contraint de trahir soit la classe ouvrière au nom de la vérité, soit la vérité au nom de la classe ouvrière[14].

C'est au cours de la période politiquement très tendue de janvier 1948 que le quotidien du Parti populaire catholique romain attaqua le plus directement l'existentialisme et le communisme. Comme ses opposants marxistes, il considérait l'existentialisme comme une doctrine essentiellement allemande et comme le point culminant d'une crise qui existait depuis longtemps dans la culture européenne. Mais, l'article de fond s'écarta vite de la ligne marxiste. Il voyait la raison de cette crise, non pas dans les contradictions internes du capitalisme, mais dans le fait que les Européens avaient perdu « la conscience de la mission générale culturelle et civilisatrice de l'Europe comme moteur pour la réalisation de l'ancien héritage chrétien-antique ». L'auteur poursuivait avec une critique de l'existentialisme et du marxisme pour ne trouver ensuite qu'un échappatoire à leurs dangers respectifs :

> « On dit que l'existentialisme, en exigeant la liberté humaine, exprime une réaction à une vie sociale qui menace d'être dangereusement transformée par une vie collective. De là, l'isolement de l'homme est, d'un côté, si fort qu'il lui suggère des pensées sur l'absurdité de la vie et du monde, alors que, d'un autre côté, pèse la menace de l'entrave du collectivisme. Mais, dans le christianisme, l'homme n'est menacé ni par l'isolement de l'individu – car la société chrétienne a toujours été une grande association humaine – ni par l'entrave collectiviste dont le christianisme a toujours combattu le manque de justice et de liberté ».[15]

Bien que les intellectuels démocrates fussent, pour la majorité, des sympathisants du socialisme, ils prirent position contre les attaques communistes sur l'existentialisme. Cependant, ils combattirent aussi la description générale du socialisme par les catholiques comme quelque chose d'obligatoire pour la collectivisation de la vie tout comme leur refus de l'existentialisme à cause de son athéisme. Beaucoup considéraient que les doctrines existentialistes pouvaient être mises au service d'une plus large conception sociale démocrate du monde. Pour beaucoup de ces intellectuels, les différences entre le marxisme et l'existentialisme étaient plus une affaire d'idéologie rigide que celle d'idées fondamentales. Comme le marxisme traitait des sciences empiriques et l'existentialisme de la culture et la pensée, il n'y avait aucune contradiction implicite entre les deux. Il devait même y avoir une affinité entre les deux puisque leurs deux créateurs avaient réagi à Hegel et avaient été conduits à leur propre vision du concret – Marx dans les sciences sociales et Kierkegaard dans la subjectivité concrète de l'individu[16].

František Götz fut le premier à chercher à rassembler ces deux philosophies ; ses remarques positives sur l'existentialisme dans *Tvorba* restaient uniques dans une revue contrôlée par les communistes[17]. Tout comme les milieux marxistes et catholiques, Götz voyait les sources de l'existentialisme dans une crise de la culture européenne commençant à l'époque de l'entre-deux-guerre. Des deux côtés du Continent, argumentait Götz, il n'avait pas été possible à l'individu européen d'ordonner sa vie intérieure entre des forces mondiales contraires. En Europe de l'Ouest, on avait perdu la confiance en la force et la grandeur de la *personnalité*, alors, qu'en Europe de l'Est était né un nouvel ordre social qui donnait à l'individu une nouvelle place et un nouveau but dans une organisation collective, mais qui exigeait de lui de changer ses anciens modèles d'actes et de pensée [18].

Beaucoup de penseurs humanistes « entre » le capitalisme et le communisme croyaient que les changements provoqués par la guerre conduiraient à une synthèse synergique de l'existentialisme et du marxisme. Bien que proche des communistes, Götz voyait deux origines à l'existentialisme : une « personnelle » qui se composait des représentations existentielles de l'individu, et une « sociale » qui tendait vers une compréhension de l'individu en tant qu'être social (bytosti pospolité). Pour finir, il voyait une voie vers la création d'une solidarité existentielle et cependant socialiste. Il commença avec la représentation existentialiste, selon laquelle la *personnalité* était créée dans le temps et dans l'espace et se réalisait elle-même dans une société. Puis, il continua avec les idées selon lesquelles :

> « Il n'y a pas seulement, au fond de la personnalité, une volonté de réalisation de soi, mais il y a aussi une volonté de responsabilité d'un tout... et l'amour, la solidarité et la sympathie sont des forces qui appartiennent au noyau essentiel de l'essence humaine et qui mènent à une véritable humanité, l'humanité dont est composée la forme existentielle de la société. » [19]

Tout en ajoutant que cet aspect n'avait pas encore été traité par les écrivains existentialistes, il argumentait qu'il s'agissait là d'un composant fondamental de la pensée existentialiste. Postuler ainsi une certaine volonté comme essence précédant l'existence ne semblait pas le préoccuper davantage que la complexité de la relation entre les individus, sans parler de la relation entre l'individu et la société. Cependant, ce n'est qu'ainsi qu'il pouvait préparer le saut vers un être existentiel socialiste et prétendre ensuite que l'existentialisme

> « ne ramène pas à l'individualisme, n'est pas morose et égoïste. C'est une philosophie humaine et active du travail, du combat et de la solidarité... qui découvre les nouveaux fondements du siècle ; il a sacré la vie et l'humanité, il a uni les oppositions du siècle en une synthèse fiable, il a montré comment un être humain peut devenir un véritable être humain et a révélé la caractéristique sociale de l'âme humaine et même la nouvelle forme de la réa-

lité. Et par-dessus tout, la nouvelle réalité de l'individu et du monde. »[20]

Côté refus de l'existentialisme, le scientifique marxiste Ladislav Rieger arriva à une conclusion semblable. Il prétendait qu'il y avait, dans la conscience humaine, « une conscience d'appartenance mutuelle aux autres » qui se basait, comme dans l'existentialisme, sur une idée anthropologique, sur l'idée de « l'humanité ». C'est pourquoi il argumenta que « même le socialisme a son idée existentialiste, sa philosophie existentialiste ». Le socialisme dépasse cependant « le subjectivisme, c'est-à-dire l'égoïsme théorique et pratique de l'individu pour aller vers le communisme anthropologique – l'humanisme socialiste »[21].

Les remarques du dernier auteur, Václav Černý[22], montrent que Zdeněk Bláha observait avec justesse, quand il écrivait que le débat sur l'existentialisme était véritablement « une recherche de la relation entre l'art contemporain et la société actuelle ». Dans son livre *První sešit o existencialismu* (Premier Cahier sur l'existentialisme), ce rédacteur génial, essayiste et professeur de littérature comparée, tenta une synthèse importante des doctrines existentialistes et social-démocrates. Celle-ci devait être possible, car aussi bien l'existentialisme que la propre doctrine de Cerný étaient des philosophies de « l'être humain en tant que créateur »[23]. Tout comme ses opposants communistes, il voyait la montée de l'existentialisme comme l'apogée de la crise de l'homme moderne, mais, contrairement à eux, pas seulement comme une crise du monde bourgeois. Au lieu de cela, il poursuivait ainsi : « la dégénérescence du monde ancien, c'est-à-dire bourgeois, et l'effondrement parallèle des innombrables optimismes personnels bornés, bienheureux, cosmiques, économiques, moraux et humanistes s'expriment obligatoirement et visiblement par *une catastrophe intellectuelle*. « On pouvait donc s'attendre tout particulièrement à la pensée existentialiste car : « quelle autre philosophie qu'une philosophie de l'absurdité pouvait produire une ère dans laquelle toutes les certitudes ont perdu leur validité ? »[24]

Devant l'analyse de la propre vision de l'existentialisme de Černý, il est intéressant d'examiner comment Černý comprenait les critiques catholiques et marxistes. Il était d'avis que la lutte entre les existentialistes et les catholiques tchèques sur les questions de Dieu et de la relation de l'individu à Dieu pouvait être limitée. En accord avec le théologien Dominik Pecka, il argumentait qu'en dehors de ces questions, certaines catégories existentialistes chez les catholiques présentaient des points de vue irréfutables et étaient souvent proches de lui. Il était même d'avis que « un Christ est, au fond, *un existentialiste croyant* »[25]. Černý considérait que l'existentialisme et le marxisme devaient se rencontrer dans une association naturelle puisqu'ils refusaient tous les deux une essence spirituelle ; ils représentaient des projets révolutionnaires et considéraient l'être humain comme un être historique, sujet de l'histoire, seul responsable du sort du monde. De plus, il se réclamait de Merleau-Ponty qui était d'avis que le marxisme devait absorber l'existentialisme, au lieu de le réprouver. D'un autre côté, Černý reconnaissait que l'existentialisme pouvait passer aux yeux des marxistes pour une philosophie « de la peur de la révolution », pour une expression des contradictions internes du système capitaliste branlant et d'une dépression bourgeoise contre-révolutionnaire. Cependant, d'après Černý, le problème principal des marxistes, en particulier celui de Sartre, est qu'il n'était ni communiste ni anticommuniste, mais seulement *pour le communisme.* Cette incertitude constituait la principale raison du refus de l'existentialisme par les marxistes :

> « Les marxistes considèrent comme une tare décisive le fait que dans l'existentialisme la responsabilité de l'individu soit celle d'un acte absolument libre, c'est-à-dire déterminé intérieurement du début à la fin. Quand Sartre se décide en sa faveur, il le fait par libre décision, justifiable subjectivement seulement, et il n'est pas animé par la nécessité d'une déduction logique universellement valable. »[26]

Comment Černý parvint-il à réconcilier l'existentialisme et le socialisme au point de pouvoir dire que l'existentialisme se trouvait « dans les rangs du socialisme révolutionnaire » ? Il était d'accord avec les communistes sur le fait que la structure sociale du monde bourgeois était un concept déclinant, mais il argumentait que, si l'existentialisme était une expression de cette crise du monde bourgeois, il devait, du point de vue dialectique, contenir également le germe du nouveau monde socialiste. Le but du socialisme s'était manifesté dans l'histoire de l'URSS, lorsque cet Etat devait défendre le socialisme révolutionnaire et se consacrer au devoir technique de l'institutionnalisation de son ordre, au lieu de poursuivre sa révolution humaniste. Cette nécessité provisoire avait mis de côté l'humanité, véritable but du changement social, dont émerge la source d'une crise du socialisme. Cette concentration sur la consolidation interne constituait une erreur tragique qui nécessitait d'être corrigée car

« la révolution serait insensée si elle n'était pas une révolution *pour l'être humain*. Toute l'origine et toute l'autorité du socialisme reposent dans la conscience du droit que tous les êtres humains (et « tous les êtres humains » n'a jamais signifié autre chose que chaque être humain en tant qu'individu) ont pour une réalisation libre d'eux-mêmes... C'est le sens du socialisme »[27].

Aussi longtemps que l'individu sera au centre du socialisme, il sera vainqueur. Ainsi Černý refusa l'impulsion collectiviste de ses opposants marxistes et ouvrit la voie à un socialisme, plus doux, peut-être tchèque, qui se concentrerait davantage sur la force morale que sur la force « scientifique » du socialisme.

Au cœur de la philosophie de Černý, c'est le concept d'un individu qui se crée et se réalise lui-même et la représentation du socialisme qui lui permirent de réconcilier les deux. L'existentialisme est plus un projet qu'un principe de directives morales, il est surtout le projet de soi pour chaque individu, un projet de soi avec le but de créer une *personnalité*. Bien que d'accord avec le positionnement existentialiste de l'individu dans le temps et l'espace, il n'était pas d'accord avec la vision de Sartre sur la relation entre l'individu et l'autre. Černý voyait la société comme dominée par le conflit des sujets et sur le chemin du devenir de la *personnalité*. Avec sa pensée sur la « transformation sociale du sujet », Černý s'opposa à la critique marxiste de l'égoïsme fondamental de la liberté existentialiste, différencia la liberté existentialiste du simple « personnalisme » et créa l'espace pour le développement d'une *personnalité socialiste* spécifique. Černý plaça l'individu dans un domaine de l'activité sociale car sa liberté « n'est pas seulement une liberté formelle, une liberté pour la liberté, mais plutôt la libre décision d'agir pour un but, afin que je soie de plus en plus libre et que je devienne de plus en plus une *personnalité* »[28]. Ceci n'est possible que si la société est organisée de façon à permettre à ses membres d'évoluer vers des *personnalités*. Ainsi situé, Černý développa la responsabilité sociale de l'individu existentialiste :

> « La personnalité signifie donc l'intérêt absolu pour la continuité de la société et, en aucun cas, pour son atomisation... par conséquent, elle signifie l'aspiration à un changement social, à l'essor d'une société dans laquelle ni la structure sociale, ni les autres personnalités ne nuisent au développement de ma personnalité, mais lui sont plutôt utiles, et dans laquelle ma personnalité ne nuira pas à l'ordre de la structure sociale ou aux autres individus, mais où elle leur sera bien plus utile. »[29]

Cette relation entre les individus et entre les individus et leur ordre social porte, selon Černý, un nom très ancien : la justice. En outre, celle-ci caractérise l'expression sociale, tournée vers l'extérieur, de la *personnalité* et même *la liberté* du sujet, objet de la *personnalité* car « la liberté » est la négation de tout ce qui menace le développement du sujet et le développement des autres sujets. A partir de là, pour Černý, il ne reste qu'un petit pas à faire pour associer cette vision de la liberté individuelle et de la réalisation de soi de l'individu avec la pensée socialiste :

> « La relation nécessaire entre la vraie personnalité et le mouvement qui tend à organiser les relations sociales de telle sorte que l'injustice n'est pas seulement un acte répréhensible, mais une impossibilité technique, résulte logiquement de cela : comme elle est déjà sociale, par essence, la personnalité est donc – en tant que phénomène de l'histoire moderne – une personnalité socialiste de par la signification de son contenu moraliste. » [30]

La tentative de Černý de rendre l'existentialisme attrayant pour ses critiques marxistes et pour le sentiment socialiste du grand public tchèque peut être critiquée, pour des raisons philosophiques, mais aussi du point de vue de la tactique politique. Dans l'atmosphère hyperpolitisée de l'après-guerre, Černý fut considéré comme un des critiques les plus bruyants du Parti communiste de la Tchécoslovaquie. Sa voix était très considérée et il portait, de ce fait, une grande part de responsabilité. Sa philosophie, basée sur l'individu et sur la protection de la liberté de cet individu dans un socialisme vraiment humaniste, est importante et digne de tous les honneurs, mais elle abandonna, avant de commencer sa propre défense, tellement de terrain à la rhétorique et à l'idéologie communistes générales qu'elle ne put pas riposter à cette idéologie même. L'argumentation de Černý, aussi louable soit elle, s'égara cependant de la même manière que celle de presque tous les intellectuels, anticommunistes mais socialistes. Dans leur discussion avec les idéologues communistes tchèques, ils n'inclurent pas le fait que les arguments faisant appel aux plus hauts principes et à la bonne volonté manquaient de force. Dans une atmosphère de lutte politique, leurs tentatives d'exposer leur vague conviction socialiste où même de réconcilier leurs positions artistiques et intellectuelles avec des représentations marxistes s'affaiblirent ; restait leur position devant un public encore chancelant par les expériences de la guerre et de l'Occupation, un public qui cherchait la certitude et non le compromis ou une synthèse plus élevée. L'éclatement des intellectuels non communistes au centre du spectre politique conduisit à une querelle dans leurs rangs et leurs tentatives pour surmonter le fossé s'ouvrant grâce à différents éléments de la pensée marxiste et non marxiste, conduisirent à des attaques des deux côtés et à une incertitude interne.

C'est ainsi que se présenta « la transformation sociale du sujet » de Černý, comme le remarqua une recension de son *Premier Cahier sur l'existentialisme* dans un quotidien politique important du Centre. Au cœur de sa philosophie, Černý ne remarqua pas le gouffre profond entre son existentialisme et le marxisme du Parti communiste de la Tchécoslovaquie, entre deux idées profondément différentes du rôle et des valeurs de l'individu, de la *personnalité*[31]. Du côté antimarxiste, dont Černý espérait le soutien, la presse catholique romaine rejeta avec mépris la recherche de cet auteur de rendre l'individu libre obligatoirement socialiste : « Si elle est autonome, il est oiseux de chercher à démontrer que la *personnalité* réalisée avec cohérence est socialiste ou tout autre chose. L'autonomie peut mener à tout. »[32] Malgré la critique de la droite et de la gauche politiques, Černý poursuivit son travail sur l'existentialisme et trouva un existentialisme tchèque spécifique dans la poésie de la nation. Cependant, avant qu'il ait pu exposer sa demande au public tchèque, les communistes avaient pris le pouvoir total en Tchécoslovaquie. Son *Deuxième Cahier sur l'existentialisme*, prêt à être imprimé, ne fut pas publié car la nuit profonde du stalinisme tombait sur le pays de Černý.

NOTES

[1] Il y eut des restrictions légales pour la publication des revues et ni la politique extérieure (par ex. l'alliance avec l'URSS) ni la politique intérieure du gouvernement du « Front national » ne devaient être critiquées. Cette situation a été appelée « une guerre sans confrontation ».Vilém Hejl. Rozvrat. Mnichov a náš osud. [Désordre. Munich et notre destin.] Toronto : 68 Publishers, 1989. p. 139.

[2] Ferdinand Peroutka. « Co se stalo. » [Ce qui s'est passé] *Dnešek* 1 (1946/7) p.145.

[3] František Listopad. « Boj o moderní umění. « [La lutte à propos de l'art moderne.] *Mladá fronta*. 27 avril 1947. p. 7.

[4] En raison de son excellente connaissance des langues étrangères et ses contacts avec le monde intellectuel français, le professeur de littérature comparée Václav Černý fut le mieux à même de juger les textes existentialistes. *Listy,* une publication trimestrielle d'art et de philosophie, fit un pas pour résoudre le problème. Elle

publia, au printemps 1947 tout un cahier avec des traductions de textes existentialistes. Bien que contenant une sélection de Sartre, Heidegger et Jaspers entre autres et des essais remarquables d'auteurs tchèques, les textes étaient trop courts et Václav Černý trop mal traduit pour ouvrir le champ à un débat constructif. *Listy. Čtvrtletník pro umění a filosofii* [Feuillets. Publication trimestrielle d'art et philosophie.] 1:3 (1946/7). La critique par Černý de ce cahier parut dans « Zasvědcení do existencialismu ? » [Une conception de l'existentialisme ?] *Kritický měsíčník* 8 (1947) p. 249-51.

[5] Josef Šedivý. « Existencialismus — poslední moda. » [L'existentialisme—La dernière mode.] *Tvorba* 15 (1946) p. 594.

[6] Vladimír Tardy. « Existencialismus. » *Česká mysl* 40 (1947) p.156. S.a. Recension sarcastique par Tardy du cahier *Listy* « Existentialisme. » *Kulturní politika* 2:30 (1947) p. 8.

[7] Arnošt Kolman. « Dvě tendence v kontinentální filosofii. » [Deux tendances dans la philosophie de l'Europe continentale] *Tvorba* 16 (1947) p.360. S.a. Les deux articles de Tardy cités précédemment et son « Německá filosofie mezi dvěma válkami. » [La philosophie allemande entre les deux guerres.] *Nová mysl* 1 (1947) 81-8.

[8] Ladislav Rieger. « O významu filosofie existentiální. » [Signification de la philosophie existentialiste]. Quelques journalistes catholiques utilisèrent aussi cette tactique, entre autres, un journaliste écrivit (visiblement avec une faible connaissance du sujet) : « L'existentialisme est une doctrine purement allemande, une doctrine de l'époque nazie qui procède de pensées mythologiques racistes. » Eva Jurčinová. « Francouzká filosofie a existencialismus. » [Philosophie française et existentialisme.] *Lidová demokracie*. 18 September 1946. p. 4.

[9] Kolman. « Dvě tendence. » 360-1. Cette intensification de la confrontation fut peut-être imposée par Moscou car à cette époque, les points de vue russes sur l'existentialisme furent mieux connus. Voir, par ex., l'article russe de Gregorij Gaks « Modní směr v buržoasní filosofii. » [L'orientation à la mode vers la philosophie bourgeoise.] dans la revue communiste *Nová mysl* 1 (1947) p. 63-73.

[10] Ivo Fleischmann. « Svatá rodina existencialismu. » [La sainte famille de l'existentialisme.] *Tvorba* 16 (1947) p. 840 und Arnošt Kolman. « Dvě tendence. » p. 361.

[11] Mirko Novák. « Smysl exiscentialismu. » [Le sens de l'existentialisme.] *Kulturní politika* 2:34 (1947) 4.

[12] František Červinka. « Existencialism a kritika. » [Existentialisme et critique.] *Most* 1 (1947) 51-3. On trouve une réflexion pleine d'humour sur l'attaque communiste dans un article pseudonyme. Kab. « Důkaz o tom, že již staří Eskymáci trpěli existencialismem. » [La preuve que même les Esquimaux d'autrefois ont souffert de l'existentialisme.] *Národní osvobození*. 14 Juni, 1947. 5.

[13] Voir par ex. la longue discussion de Pecka sur l'existentialisme dans « Existentialiste. » *Na hlubinu* 22 (1948) 132-9.

[14] Michal Šip. « Existencialismus a materialismus. » [Existentialisme et materialisme.] *Obzory* 3 (1947) 29-30. Souligné dans l'original.

[15] Bohuš Balajka. « Existentialismus a křest'anský světový názor. » [L'existentialisme et la vision chrétienne du monde.] *Lidová demokracie*. 18 janvier 1948. 5.

[16] Jan Vladislav. « Existencialism a existencialita v literatuře. » [Existentialisme et existentialité dans la littérature.] *Čti* 1947:3 (1947) 21.

[17] Il est intéressant de noter que son article fut publié avant les élections parlementaires de 1946 alors que les communistes côtoyaient beaucoup de groupes différents.

[18] František Götz. *Na předělu. Krise světa v zrcadle literatury a dnešní vývojové perspektivy.* [A la limite. La crise mondiale dans le miroir de la littérature et des

perspectives de développement actuelles.] Praha : Máj, 1946. 120. Le mot *personnalité* est ici généralement utilisé au lieu du mot tchèque compliqué *osobnost. Osobnost* est défini comme « la totalité des caractéristiques comme une totalité cristallisée, expressive et particulière qui caractérise un individu ». *Slovník spisovného českého jazyka.* [Dictionnaire de la langue écrite tchèque.] 3. Bd. Praha : Academia, 1989. 598.

[19] František Götz. *Na předělu.* 123.

[20] František Götz. *Na předělu* 124.

[21] Ladislav Rieger. « O významu filosofie existenciální. » [Signification de la philosophie existentialiste.] *Listy* 1 :3 (1946/7) 336.

[22] Zdeněk Bláha. « Úzkost a vedení. » [Peur et commandement.] *Mladá fronta.* 11 mai 1947. 7.

[23] Voir par ex. les essais très actuels de Černý publiés dans *Osobnost, tvorba a boj* [*Personnalité,* création et combat.] Praha : V. Petr, 1947 et *Skutečnost svoboda. Kulturněpolitické stati a polemiky* [Realité Liberté. Essais politiques culturels et polémiques.] Praha : Orientace, 1995.

[24] Václav Černý. *První sešit o exitencialismu.* In : *První a druhy sešit o existencialismu* [Premier et deuxième cahier sur l'existentialisme.] Praha : Mláda fronta, 1992. 59. Souligné dans l'original.

[25] Václav Černý. *První sešit* 62-3. Souligné dans l'original. Selon Černý « l'existentialisme est, selon la vision des critiques catholiques... une philosophie de l'être humain qui, tout d'abord, refuse l'amour, mais qui philosophe ensuite ». Václav Cerný. *První sešit* 64.

[26] Václav Černý. *První sešit.* 65.

[27] Václav Černý. *První sešit.* 60-2. Souligné dans l'original.

[28] Václav Černý. *První sešit.* 70.

[29] Václav Černý. *První sešit.* 70-1.

[30] Václav Černý. *První sešit.* 71. Souligné dans l'original.

[31] G. « Studie o existencialismu. » [Une étude de l'existentialisme.] *Národní osvobození.* 25 janvier 1948. 5.

[32] František Marek. « Filosofická cesta k sebevrazdě. » [La voie philosophique vers le suicide.] *Katolík* 11 (1948) 306.

(Traduit de l'allemand par Christine Lair)

Robert KOPP

DENIS DE ROUGEMONT ET LA RECONSTRUCTION DE L'EUROPE EN 1946

Le 8 septembre 1946, jour de son quarantième anniversaire, Denis de Rougemont prononça aux premières Rencontres internationales de Genève son premier grand discours sur l'Europe. Ce texte résume les idées sur le personnalisme et le fédéralisme que l'auteur avait exposées dans maints écrits antérieurs ; il constitue en même temps le début d'un engagement politique au service de l'idée européenne qui ne devait prendre fin qu'avec la mort de Rougemont, le 6 décembre 1985. C'est à juste titre que ces déclarations capitales figurent en tête des deux gros volumes d'*Ecrits sur l'Europe* qui viennent d'inaugurer la publication de ses *Œuvres complètes*[1]. Elles avaient d'abord été publiées dans les actes des premières Rencontres, consacrées à *L'Esprit européen*[2], aux côtés des interventions de Karl Jaspers, Georg Lukács, Stephen Spender, Jean-Rodolphe de Salis, Jean Guéhenno, Georges Bernanos, Maurice Merleau-Ponty, Raymond Aron, Lucien Goldmann et d'autres. Elles avaient été reprises par Denis de Rougemont dans un volume intitulé *L'Europe en jeu*[3], qui contenait également les discours prononcés au congrès de l'Union européenne des Fédéralistes, à Montreux, en 1947, et au Congrès de La Haye, en 1948.

Dans la pensée et dans l'œuvre de Rougemont, le discours de Genève marque une étape dont l'importance n'apparaissait en pleine lumière que bien plus tard. Répondant, quelques mois avant sa mort, aux questions d'un journaliste, Rougemont déclara : « Sans que je m'en doute, cela a été mon premier acte d'engagement européen. »[4] Quels sont donc, dans sa carrière, les événements qui ont pu le conduire vers cet engagement? Quelles sont les grandes lignes de cet engagement? Et quelles sont les réactions que le discours de Genève a suscitées? Voilà les questions auxquelles nous voudrions répondre.

Sans doute n'est-il pas inutile de rappeler les origines neuchâteloises et protestantes de Rougemont, qui, dès son adolescence, le mettaient en contact avec le monde germanique et expliquent son penchant pour les problèmes d'éthique. A vingt ans, le jeune étudiant en lettres est précepteur chez un «burgrave et comte» en Prusse orientale, non loin de Koenigsberg. Il passe ensuite une année à Vienne et voyage à travers la Hongrie. De cette expérience de la *Mitteleuropa*, il nous reste un récit de jeunesse, *Le Paysan du Danube* (1932), repris en tête du *Journal d'une époque (1926-1946)*[5]. Après avoir terminé ses études de lettres à Neuchâtel, Rougemont monte à Paris et fonde une petite maison d'édition baptisée «Je sers». Il y publie des traductions de textes de Kierkegaard, de Karl Barth, de Berdiaeff, d'Ortega y Gasset. Il collabore à la *NRF* et fonde, avec Emmanuel Mounier, la revue *Esprit*[6]. Il fréquente les non-conformistes des années trente, Alexandre Marc, Arnaud Dandieu, Robert Aron[7], et fonde avec eux la revue révolutionnaire *L'Ordre nouveau*[8]. Dans ce milieu, Rougemont, du fait de son protestantisme, occupe une place à part. Ses références sont Calvin, Luther, Kierkegaard et Karl Barth (dont il traduit plusieurs textes et qu'il est le premier à faire connaître en France). Il publie aussi sa propre revue, *Hic et nunc*, au titre à résonnance biblique. Elle a connu seize numéros tirés à quelque mille exemplaires.

C'est l'éthique protestante qui fournit à Rougemont les notions clefs de sa philosophie: l'engagement et la personne. Dès ses premiers textes, Rougemont fait de l'engagement le thème central de sa réflexion, et ceci à l'époque même où Julien Benda reproche aux intellectuels leur asservissement à des causes idéologiques et prône le désengagement de la pensée. Dans un article publié en 1926 — un an avant *La Trahison des clercs* — et intitulé «Confession tendancieuse», Rougemont déclare: «Ecrire, pas plus que vivre, n'est de nos jours un art d'agrément. Nous sommes devenus si savants sur nous-mêmes, et si craintifs en même temps, si jaloux de ne pas nous déformer artificiellement: nous comprenons que nos œuvres, si elles furent faites à l'image de notre esprit, le lui rendirent bien dans la suite; c'est peut-être pourquoi nous accordons voix, dans le débat d'écrire, aux forces les plus secrètes de notre être comme aux calculs les plus rusés.»[9] Rougemont refuse l'immobilisme, refuse l'introspection à la manière de Gide, refuse l'attentisme. Il faut agir: « Agir sur moi d'abord. [...] Et demain peut-être, agir dans le monde si je m'en suis rendu digne. L'époque nous veut, comme elle veut une *conscience*. [...] Je fais partie d'un ensemble social et dans la mesure où j'en dépens, je me dois de m'employer à sa sauvegarde ou à sa transformation. »[10] Ecrire, pour Rougemont, c'est donc travailler à faire évoluer la communauté dont il fait partie. Aussi, les journaux qu'il a tenus ne sont-ils pas des journaux intimes, ni des mémoires, ni des confessions. Rougemont n'appartient pas à la descendance de Rousseau ni à celle d'Amiel. Ses journaux sont toujours les journaux d'une époque.

En 1932, la maison d'édition qu'il avait fondée fait faillite. Rougemont s'en va vivre une année sur l'Ile-de-Ré, séjour dont il rapporte le *Journal d'un intellectuel en chômage*[11]. L'année suivante, Otto Abetz, chargé des relations culturelles franco-allemandes, propose à Rougemont un poste de lecteur à l'Université de Francfort, dans l'espoir de séduire le jeune intellectuel. C'est l'occasion, pour Rougemont, d'observer la montée du nazisme au quotidien. Il consigne ses réflexions dans son *Journal d'Allemagne* (1938), une des analyses les plus lucides du phénomène national-socialiste.

La célébrité de Rougemont date de la publication, en 1939, de son grand livre *L'Amour et l'Occident*. Il y oppose – on le sait – deux formes d'amour: *Eros* et *Agapè*. Le mythe de Tristan est pour Rougemont l'expression même de la maladie dont souffre l'Europe: l'amour passion, l'amour mystique, celui qui rêve d'harmonie parfaite, mais au prix de supprimer l'autre. Ce n'est pas par hasard que Rougemont considère cette forme d'amour comme une hérésie cathare, d'origine orientale. Rougemont plaide pour l'acceptation de la différence, de l'incomplet, pour la prise en compte de la personne. Pour *Agapè*, contre *Eros*.

Le 2 septembre 1939, Rougemont est appelé sous les drapeaux. Il est affecté à la section « Armée et Foyer » de l'Etat major général, une cellule d'information et d'instruction civique (de « défense spirituelle », comme on disait alors). Il fonde la Ligue du Gothard, organisation préventive de résistance en cas d'occupation allemande.

Au moment de l'entrée des troupes allemandes à Paris, Rougemont publie un article virulent dans la *Gazette de Lausanne* pour souligner que jamais la force brutale ne vaincra l'esprit: « L'envahisseur avait prophétisé: le quinze juin j'entrerai dans Paris. Il y entre, en effet, mais ce n'est plus Paris. Et telle est sa défaite irrémédiable devant l'esprit, devant le sentiment, devant ce qui fait la valeur de la vie.» Et plus loin: «On ne conquiert pas avec des chars les dons de l'âme et les raisons de vivre dont on manque.» Et de prédire la victoire finale de l'esprit sur la matière [12].

Cet article valut à Rougemont quinze jours d'arrêts de rigueur pour insulte à chef d'Etat étranger, peine qui semble avoir été prononcée pour calmer l'ire de la légation allemande en Suisse, et que Rougemont purgea à son domicile près de Berne.

Toutefois, fin août, cet officier par trop remuant pour un pays prétendument «neutre» est envoyé aux Etats-Unis pour une tournée de conférences. Il en reviendra six ans plus tard... A New York, Rougemont fut un des animateurs de la «Voice of America». Il fréquente Lévi-Strauss, Breton, Max Ernst, Duchamp, Buñuel.

C'est sans doute son éloignement qui lui fait prendre conscience de cette entité appelée Europe, pour laquelle il allait s'engager à partir des premières Rencontres de Genève. Son intervention porte le titre significatif «Les Maladies de l'Europe». Après six années d'absence, Rougemont trouve que «l'Europe a mauvaise mine»: c'est qu'elle a perdu la guerre. «Militairement Hitler et ses séides ont été battus et sont morts», mais leurs principes ne sont pas morts avec eux. Pour Rougemont aussi, les assassins sont parmi nous. Ils nous ont légué «la rage antichrétienne, la rage antisémite, la rage nationaliste et policière, la négation du droit et des droits de la personne, une conception de l'homme réduit au partisan, une technique du mensonge et de la délation, les élites asservies à la louange du chef, la politisation totale de l'existence» [13].

En effet, la guerre n'a fait qu'accélerer la déchristianisation de l'Europe, commencée au XVIIIe siècle. La dimension religieuse, dont pouvait encore rêver un Novalis dans son appel *Die Christenheit oder Europa* n'existe plus. «Les masses comme les élites échappent aux Eglises. Elles ne croient plus qu'en l'ici-bas, qu'en cette vie-ci, qu'en un bonheur cinématographique, ou qu'en une justice instaurée par l'inquisition policière, la dictature d'étiquette populaire, les liquidations collectives calculées sur la base de statistiques d'Etat.» [14] Mais cet affranchissement a été le signal de nouvelles servitudes: «[...] le fanatisme d'aujourd'hui n'est plus religieux, mais politique. L'idée de «la fin justifie les moyens» n'est plus jésuite, mais léniniste, mais fasciste.» [15] Le fascisme est vaincu; toutefois, Rougemont voit se lever de nouveaux conformismes, non pas de droite, mais de gauche. «Dans telles grandes capitales d'Europe, on voit des écrivains et des savants donner des gages d'apparente loyauté au parti le plus menaçant, comme autrefois Descartes en donnait à l'Eglise, afin de s'éviter, disent-ils, les pires ennuis. Si ces abus font élever la voix, partout l'on vous chuchote un conseil de prudence. Certes, le conformisme en soi n'est pas nouveau, même chez les intellectuels. Ce qui est nouveau, c'est de le voir pratiqué précisément par ceux de l'avant-garde ou qui se donnent pour tels en politique. Ce qui est nouveau, c'est de le voir défendu par ceux-là mêmes dont la fonction serait de l'attaquer, d'où qu'il vienne. Mais ces lâchetés intellectuelles se parent des noms d'amour du peuple, de discipline révolutionnaire, d'antifascisme, en sorte qu'à les dénoncer, au seul nom de la bonne foi ou de la véracité, on prend l'air d'attaquer la cause des prolétaires, et tout essai de critique libre se voit taxer de réaction. »[16]

Denis de Rougemont avait été parmi les premiers à réclamer l'engagement des intellectuels, et ceci bien avant 1939. Or, la littérature engagée à la manière de Sartre et des *Temps modernes* n'était que la caricature de ce qu'il avait espéré : « Devant cette impuissance pratique à inscrire leurs pensées dans des actes, beaucoup d'intellectuels s'inscrivent dans un parti et c'est là ce qu'ils appellent s'engager. Mais c'est en fait, pour la plupart d'entre eux, une démission de la pensée, un alibi. »[17].

Parmi les maux les plus graves que dénonce Rougemont : le nationalisme et le pessimisme. Dès son premier discours, il fait le procès de l'Etat-nation, de Louis XIV aux Jacobins, de Bonaparte à Hitler, un procès qu'il ne cessera d'instruire avec une vigueur croissante. Cet Etat-nation sous des dehors révolutionnaires, conduit souvent aux pires dictatures. Le jacobinisme, voilà l'ennemi (Hitler cesse d'ailleurs d'être allemand à force d'être jacobin). Et dès les premières Rencontres, Rougemont suggère l'idée d'une Europe construite à partir d'une confédération de régions. En même temps, il se défend contre toute velléité d'un nationalisme pan-européen.

Mais si « l'Europe a mauvaise mine », c'est qu'elle est rongée par l'idée de décadence : « Il semble que *l'idée de décadence*, acclimatée avant la guerre par des penseurs aussi divers que Spengler, Valéry et Huizinga, se soit généralement substituée dans nos esprits à l'idée de progrès automatique. »[18] Aussi n'y a-t-il pas de vainqueurs en Europe, seulement des vaincus. Les vainqueurs, ce sont les Etats-Unis et l'Union soviétique. « *Ce sont eux qui ont gagné la guerre, et non pas nous. Ce sont eux qui ont repris en charge le progrès et la foi au progrès.* Et nous restons avec l'héritage d'une défaite, notre conscience inquiète et fatiguée, notre scepticisme lucide... »[19] Conclusion pessimiste ; mais conclusion provisoire, car dans la seconde partie de son analyse, Rougemont prend du recul et essaie de considérer le problème de l'Europe à l'échelle mondiale.

Cette Europe, ce n'est que depuis qu'il l'a contemplée depuis les Etats-Unis qu'elle lui apparaît comme entité. Dans le temps, ce petit cap de l'Asie, comme disait Valéry, rayonnait à travers le monde. Mais au lendemain de la guerre, les deux grandes idées forces qui ont fait l'Europe – le libéralisme et le socialisme – triomphent hors de l'Europe. « Mais voici que l'Amérique et la Russie viennent de lui ravir coup sur coup les *machines* et les *capitaux*, les *idéaux contagieux* et les *armes*, le *grand commerce* et jusqu'à la *curiosité* de la planète ! »[20] Les excès auxquels conduisent hors de l'Europe ces idées européennes, permettent à Rougemont de prendre conscience de ce que peut encore être l'esprit européen : un équilibre, une mesure.

Si l'Europe était « américanisée » ou « soviétisée », si elle devenait une colonie ou un musée, qu'y perdrait le monde ? « Un certain *sens de la vie* » répond Rougemont, qui n'hésite pas à ajouter : une « certaine *conscience* de l'humain », « *l'âme* d'une civilisation »[21].

Bien qu'il récuse tout nationalisme, Rougemont se lance dans une définition de l'homme européen centrée autour de deux notions : la personne et le fédéralisme.

La notion de personne repose sur celle de la contradiction : « A l'origine de la religion, de la culture et de la morale européenne, il y a *l'idée de la contradiction, du déchirement fécond, du conflit créateur*. Il y a ce signe de contradiction par excellence qui est la croix. Au contraire, à l'origine des deux empires nouveaux, il y a l'idée d'unification de l'homme lui-même, de l'élimination des antithèses, et du triomphe de l'organisation bien huilée, sans histoire, et sans drame. »[22] Que toute tentative d'unification de l'homme soit vouée à l'échec, Rougemont l'avait déja montré à propos du mythe de Tristan : la recherche de l'accord parfait est un leurre.

L'homme de contradiction, c'est la personne. Elle s'accomplit dans la fédération avec une autre personne (*Agapè*) ; elle risque de se perdre dans la fusion avec l'autre (*Eros*). Toutes les structures, de la famille à la religion, seront donc de type fédéraliste. Leur but est d'assurer la paix et d'empêcher la guerre, la fédération européenne n'ayant de sens qu'en vue d'une fédérauté mondiale. Telle est l'utopie de Rougemont (dont certains aspects ne sont pas sans rappeler Proudhon).

Les Rencontres de Genève ont suscité de nombreux échos. Les

réactions au discours de Rougemont étaient d'autant plus vives que la philosophie dont se réclamait l'auteur n'appartenait à aucun des courants de pensée qui au lendemain de la guerre se partageaient les champs de l'intelligence. *La Nef,* dirigée par Lucie Faure et Maurice Druon, reproduisit, dans son numéro d'octobre 1946, de larges extraits du discours de Rougemont. C'est là que Malraux en avait pris connaissance. Il fit écho à Rougemont dès novembre 1946, dans son discours sur « L'Homme et la culture artistique », prononcé à la première conférence générale de l'UNESCO, organisée par Stephen Spender (l'un des orateurs de Genève). Comme Rougemont, Malraux estime que certaines vertus européennes ont quitté l'Europe pour se réincarner aux Etats-Unis ou en URSS : « L'optimisme, la foi dans le progrès sont des valeurs américaines et russes plus qu'européennes. »[23] Pour Malraux, comme pour Rougemont, ce qui caractérise l'Europe, c'est la « volonté de conscience » et « la volonté de découverte » à n'importe quel prix. Ce qui suffirait à expliquer l'importance du mythe de Faust. Et à « l'agonie permanente » dont Rougemont avait fait « la condition de l'homme européen, la source vive de sa grandeur et de sa spiritualité »[24], répond « l'humanisme tragique » de Malraux. Jaspers s'était d'ailleurs exprimé dans des termes analogues : « L'Européen va à travers le désespoir vers une confiance ressuscitée, à travers le nihilisme vers une conscience de soi fondée. »[25]

Tous les échos n'étaient pas aussi positifs que celui de Malraux, loin de là. Aragon, membre influent du PCF, tire à boulets rouges sur les Rencontres de Genève, ainsi que sur la Conférence de l'UNESCO à laquelle il participait. Il s'en prend à Malraux, à Jaspers, à Rougemont. Il fulminait contre les organisateurs de Genève, qui avaient osé convier un philosophe allemand un an après la chute de Berlin et qui avaient omis d'inviter un participant soviétique (il oubliait Vladimir Sokoline et Lukács qui avait passé l'avant-guerre à Moscou). Il s'en prenait ensuite aux « rêveries européennes » de Rougemont, accusant celui-ci d'avoir publié sous le régime de Vichy et d'avoir mis sur le même plan, parmi les maladies de l'Europe, le matérialisme, l'antisémitisme et la résistance[26]. Or, non seulement Rougemont n'a rien publié en France après 1940, mais son *Journal d'Allemagne*, paru en 1938, figurait sur la « liste Otto » et *La part du Diable,* publié à New York en 1942, n'a pu être diffusé ni en France, ni en Suisse, ni dans aucun autre pays européen. Quant à énumérer, sans discernement, les maladies de l'Europe, voici le passage incriminé : « La *Résistance européenne*, admirable sursaut d'une liberté blessée qui se défendait, mais aussi d'un espoir exigeant qui attaquait, est en train d'avorter sous nos yeux, et pas un résistant ne me contredira. Des habitudes prises dans la lutte clandestine, ce sont les pires qui se perpétuent, non les meilleures : le mensonge et non pas le témoignage au risque de sa vie ; le marché noir et non l'entraide communautaire ; de dénonciation partisane, non pas le régime d'union sacrée. Autant de succès remportés par l'esprit du vaincu sur celui des vainqueurs. »[27]

Aragon, en proie à son délire idéologique, ne s'en prenait pas seulement à Rougemont, mais à l'ensemble des orateurs de Genève : « Mesdames, Messieurs, je vous le demande, à qui avons-nous affaire ? A des hommes de culture, à des intellectuels, ou aux pensionnaires d'un asile d'aliénés ? Voilà donc à quoi sert le bavardage sur l'Europe. »[28] Faut-il s'étonner que, dans la suite, Aragon se lance dans une apologie du nationalisme. Son ton est déjà celui du rapport Idanov.

Rougemont pensait répondre dans *La Nef* ; mais la revue disparut en 1947. Il avait réuni quelques matériaux, dont cette phrase de Gide sur Aragon : « Cet auteur, qui a perdu son prénom, et qui pressent que le reste suivra, écrit déjà comme une lettre anonyme. » Or, Rougemont n'avait pas le goût de la polémique. Il ne se défendait qu'en cas d'attaque grave, comme par exemple lorsque Bernard-Henri Lévy calomniait le mouvement personnaliste et les non-conformistes des années 30 dans *L'Idéologie française*[29]. Sa vie durant, Rougemont a refusé le clivage gauche/droite ; d'où un certain nombre d'attaques venant notamment des intellectuels de gauche.

Que reste-t-il du discours de Rougemont cinquante ans après les premières Rencontres ? L'idée qu'aucune paix durable ne sera assurée aussi longtemps que nous n'avons pas éliminé le concept de l'Etat-nation. L'idée, ensuite, qu'aucune paix durable ne sera assurée aussi longtemps que nous faisons la guerre à notre environnement. L'idée, enfin, qu'aucune paix durable ne sera assurée aussi longtemps que nous plaçons l'économique au-dessus du politique et du culturel. Est-ce à dire qu'il faille classer Rougemont parmi les utopistes ? Parmi les moralistes plutôt, car il n'est pas besoin d'espérer pour entreprendre et Rougemont se définissait volontiers lui-même comme un pessimiste actif.

Notes

[1] Sous la responsabilité de Christophe Calame, Paris, Editions de la Différence, 1994.

[2] Neuchâtel, La Baconnière, 1947, un volume de 360 pages, qui ne contient pas seulement les textes des différentes conférences, mais aussi l'intégralité des débats.

[3] Neuchâtel, La Baconnière, 1948.

[4] Cadmos, n° 33, printemps 1986; *Œuvres complètes*, éd. cit., t.III/2, p. 830.

[5] Paris, Gallimard, 1968.

[6] Voir Michel Winock, *« Esprit ». Des intellectuels dans la cité (1930-1950)*, Paris, Editions du Seuil, 1975, nouvelle édition, 1996.

[7] Voir Jean-Louis Loubet Del Bayle, *Les Non-Conformistes des années 30,* Paris, Editions du Seuil, 1969.

[8] Voir Edmond Lipansky « L'Ordre nouveau », in : E. Lipansky et B. Rettenbach, *Ordre et Démocratie*, Paris, PUF, 1967. Rappelons que ce mouvement n'a rien à voir avec les mouvements fascistes portant le même nom.

[9] Publié dans les *Cahiers du mois*, octobre 1926.

[10] *Ibid.*

[11] Dernière réédition : Genève, Slatkine, 1995, coll. « Fleuron ».

[12] Reproduit dans *Journal d'une époque,* Paris, Gallimard, 1968, p. 424-425.

[13] *L'Esprit européen*, éd. cit., p. 144-145.

[14] *Ibid*., p. 145.

[15] *Ibid*., p. 145.

[16] *Ibid*., p. 145-146.

[17] *Ibid*. p.147.

[18] *Ibid*., p. 148.

[19] *Ibid*., p. 148

[20] *Ibid*., p. 151.

[21] *Ibid*., p. 153.

[22] *Ibid*., p. 153-154.

[23] *Les conférences de l'UNESCO*, Paris, Editions de la Revue Fontaine, 1947, p. 87.

[24] L'Esprit européen, éd. cit. p. 157.

[25] *Ibid*, p. 300.

[26] *Les conférences de l'UNESCO*, éd cit. p. 100.

[27] *L'Esprit européen*, éd. cit., p. 146.

[28] *Les conférences de l'UNESCO*, p. 101.— Est accrochée à cette phrase une note que voici : « Voix dans le public : Le sujet, le sujet.— Quel est le titre de la conférence ? »

[29] Paris, Grasset, 1981.

questions au XXe siècle

collection dirigée par Serge Berstein et Pierre Milza

1. RENATA FRITSCH-BOURNAZEL
L'ALLEMAGNE : UN ENJEU POUR L'EUROPE
Préface d'Alfred Grosser

2. MICHELE COINTET-LABROUSSE
VICHY ET LE FASCISME

3. ARIANE CHEBEL D'APPOLLONIA
L'EXTREME-DROITE EN FRANCE
De Maurras à Le Pen

4. OLIVIER MILZA
LES FRANÇAIS DEVANT L'IMMIGRATION

5. RAOUL GIRARDET e.a.
LA DEFENSE DE L'EUROPE

6. JEAN-JACQUES BECKER
LA FRANCE EN GUERRE (1914-1918)

7. JEAN GUIFFAN
LA QUESTION D'IRLANDE

8. PIERRE MILZA et FANETTE ROCHE-PEZARD e.a.
ART ET FASCISME

9. ALAIN DESTEXHE
AMERIQUE CENTRALE
Enjeux politiques

10. NADINE PICAUDOU
LA DECHIRURE LIBANAISE

11. YVES GAUTHIER
LA CRISE MONDIALE
De 1973 à nos jours

12. MICHEL DREYFUS
PCF, CRISES ET DISSIDENCES

13. HENRI MENUDIER e.a.
LA REPUBLIQUE FEDERALE D'ALLEMAGNE
DANS LES RELATIONS INTERNATIONALES

14. MICHELE et JEAN-PAUL COINTET
LA FRANCE A LONDRES
Renaissance d'un Etat (1940-1943)

15. SERGE BERSTEIN e.a.
PAUL RAMADIER : LA REPUBLIQUE ET LE SOCIALISME

16. ANDRE VERSAILLE e.a.
PENSER LE XXe SIECLE

17. JACQUES BINOCHE
DE GAULLE ET LES ALLEMANDS

18. JEAN-PIERRE RIOUX e.a.
LA VIE CULTURELLE SOUS VICHY

19. THIERRY MALLERET et MURIELLE DELAPORTE
L'ARMÉE ROUGE FACE À LA PERESTROÏKA
Le système militaire soviétique à l'heure de Gorbatchev
Avant-propos de l'Amiral Pierre Lacoste et Ilios Yannakakis

20. YVES DURAND
LE NOUVEL ORDRE EUROPÉEN NAZI
La collaboration politique dans l'Europe allemande (1938-1945)

21. SERGE BERSTEIN et PIERRE MILZA
LA FRANCE AU XXe SIECLE
Tome I: 1900-1930

22. SERGE BERSTEIN et PIERRE MILZA
LA FRANCE AU XXe SIECLE
Tome II: 1930-1945

23. SERGE BERSTEIN et PIERRE MILZA
LA FRANCE AU XXe SIECLE
Tome III: 1945-1958

24. FRANÇOIS JOYAUX
GEOPOLITIQUE DE L'EXTRÊME-ORIENT
Tome I: Espaces et politiques

25. FRANÇOIS JOYAUX
GEOPOLITIQUE DE L'EXTRÊME-ORIENT
Tome II: Frontières et stratégies

26. JEAN-PIERRE RIOUX et JEAN-FRANÇOIS SIRINELLI
LA GUERRE D'ALGERIE
ET LES INTELLECTUELS FRANÇAIS

27. MARIUS SCHATTNER
HISTOIRE DE LA DROITE ISRAELIENNE
De Jabotinsky à Shamir

28. JACQUES LERUEZ
LE PHENOMENE THATCHER

29. RENATA FRITSCH-BOURNAZEL
L'ALLEMAGNE UNIE DANS LA NOUVELLE EUROPE

30. OLIVIER BROUET
DROGUES ET RELATIONS INTERNATIONALES

31. ARIANE CHEBEL D'APPOLLONIA
HISTOIRE POLITIQUE DES INTELLECTUELS EN FRANCE
Tome I: 1944-1954, Des lendemains qui déchantent

32. ARIANE CHEBEL D'APPOLLONIA
HISTOIRE POLITIQUE DES INTELLECTUELS EN FRANCE
Tome II: 1944-1954, Le temps de l'engagement

40. ENDYMION WILKINSON
LE JAPON FACE À L'OCCIDENT
Traduit de l'anglais par Eric Philippart

41. NICOLAS ROUSSELLIER
L'EUROPE DES LIBÉRAUX

42. MICHEL DREYFUS
L'EUROPE DES SOCIALISTES

43. ANNE-MARIE DURANTON-CRABOL
L'EUROPE DE L'EXTRÊME DROITE
De 1945 à nos jours

46. DANIEL LE GAC
LA SYRIE DU GÉNÉRAL ASSAD

47. D. PESCHANSKI, M. POLLAK, H. ROUSSO e.a.
HISTOIRE POLITIQUE ET SCIENCES SOCIALES

48. GEORGES AYACHE ET ALAIN DEMANT
ARMEMENTS ET DÉSARMEMENT DEPUIS 1945

49. RALPH SCHOR
L'ANTISÉMITISME EN FRANCE
PENDANT LES ANNÉES TRENTE
Prélude à Vichy

72. JEAN GUIFFAN
HISTOIRE DE L'EUROPE AU XXe SIECLE
T. II : 1918-1945

73. PASCALE & DANIELE FABRE
HISTOIRE DE L'EUROPE AU XXe SIECLE
T. III : 1945-1974 (1ère partie)

74. PASCALE & DANIELE FABRE
HISTOIRE DE L'EUROPE AU XXe SIECLE
T. IV : De 1945-1974 (2e partie)

75. BERNADETTE GALLOUX-FOURNIER
HISTOIRE DE L'EUROPE AU XXe SIECLE
T. V : De 1974 à nos jours

76. BÉATRICE COMPAGNON & ANNE THEVENIN
L'ÉCOLE ET LA SOCIÉTÉ FRANÇAISE

77. PIERRE GROSSER
LES TEMPS DE LA GUERRE FROIDE
Réflexions sur l'histoire de la guerre froide et sur les causes de sa fin

78. ANTONIO BECHELLONI, MICHEL DREYFUS e.a.
L'INTÉGRATION ITALIENNE EN FRANCE

79. JEAN-MICHEL GAILLARD
L'ENA, MIROIR DE L'ÉTAT
De 1945 à nos jours

80. MICHEL DREYFUS
HISTOIRE DE LA C.G.T.

81. JEAN-JACQUES MARIE
LES PEUPLES DÉPORTÉS D'UNION SOVIÉTIQUE

82. FRANÇOISE OUZAN
CES JUIFS DONT L'AMÉRIQUE NE VOULAIT PAS, 1945-1950
Préface d'André Kaspi

83. CLAUDE LIAUZU
HISTOIRE DES MIGRATIONS EN MÉDITERRANNÉE OCCIDENTALE

84. RAOUL GIRARDET
NATIONALISMES ET NATION

85. MURIELLE DELAPORTE
LA POLITIQUE ÉTRANGÈRE AMÉRICAINE DEPUIS 1945
L'Amérique à la croisée de l'Histoire

86. ÉLISABETH DU RÉAU
L'IDÉE D'EUROPE AU XXe SIÈCLE
Des mythes aux réalités

87. JEAN-LOUIS DUFOUR
LES CRISES INTERNATIONALES DE PÉKIN (1900) À SARAJEVO (1995)

88. MARIE-THÉRÈSE BITSCH
HISTOIRE DE LA CONSTRUCTION EUROPÉENNE DE 1945 À NOS JOURS

89. ÉMILE TÉMIME
LA GUERRE D'ESPAGNE
Un évènement traumatisme

90. SERGE WOLIKOW
LE FRONT POPULAIRE EN FRANCE

50. CHAPOUR HAGHIGHAT
HISTOIRE DE LA CRISE DU GOLFE
Des origines aux conséquences

51. GERARD BOSSUAT
L'EUROPE OCCIDENTALE A L'HEURE AMERICAINE
Le plan Marshall et l'unité européenne

52. PIERRE MILZA ET RAYMOND POIDEVIN e.a.
LA PUISSANCE FRANÇAISE A LA BELLE EPOQUE
Mythe ou réalité ?

53. PAUL COQUEREL
L'AFRIQUE DU SUD DES AFRIKANERS

54. AGNES CHAUVEAU ET PHILIPPE TETART e.a.
QUESTIONS A L'HISTOIRE DES TEMPS PRESENTS
Textes de Jean-Jacques Becker, Serge Berstein, Robert Frank, Jacques Le Goff, Pierre Milza, René Rémond, Jean-Pierre Rioux, Jean-François Sirinelli

55. NADINE PICAUDOU
LA DECENNIE QUI EBRANLA LE MOYEN-ORIENT
1914-1923

56. JACQUES PORTES
LES AMÉRICAINS ET LA GUERRE DU VIETNAM

57. SERGE BERSTEIN, JEAN-MARIE MAYEUR, PIERRE MILZA, e.a.
LE MRP ET LA CONSTRUCTION EUROPÉENNE
Conclusions de René Rémond

58. JOSEPH KRULIC
HISTOIRE DE LA YOUGOSLAVIE
De 1945 à nos jours

59. BERNHARD BEUTLER e.a.
RÉFLEXIONS SUR L'EUROPE
Préfaces de Roland Dumas et Klaus Kinkel

60. GUILLAUME PARMENTIER
RETOUR DE L'HISTOIRE

61. MARIE-ANNE MATARD-BONUCCI
HISTOIRE DE LA MAFIA

62. CLAUDE LIAUZU
L'EUROPE ET L'AFRIQUE MÉDITERRANÉENNE

63.ALINE ANGOUSTURES
HISTOIRE DE L'ESPAGNE AU XXe SIECLE

64. SERGE BERSTEIN ET PIERRE MILZA
HISTOIRE DE LA FRANCE AU XXe SIECLE
T. IV : 1958-1974

65. SERGE BERSTEIN ET PIERRE MILZA
HISTOIRE DE LA FRANCE AU XXe SIECLE
T. V : 1974 à nos jours

67. CATHERINE DURANDIN
HISTOIRE DE LA NATION ROUMAINE

68. NICOLE BACHARAN
HISTOIRE DES NOIRS AMÉRICAINS AU XXe SIECLE

69. ANNE-MARIE DURANTON-CRABOL
LE TEMPS DE L'OAS

70. PHILIPPE BUTON
LA LIBÉRATION DE LA FRANCE

71. JEAN RUHLMANN
HISTOIRE DE L'EUROPE AU XXe SIECLE
T. I : 1900-1918

Interventions

ASSOCIATION DROIT DES GENS
À LA RECHERCHE D'UN NOUVEL ORDRE MONDIAL
Tome I : Le droit international à l'épreuve
Tome II : L'ONU : Mutations et défis

BÉRENGÈRE MARQUES-PEREIRA e.a.
L'AMÉRIQUE LATINE : VERS LA DÉMOCRATIE ?

ALAIN GRESH e.a.
À L'EST, LES NATIONALISMES CONTRE LA DÉMOCRATIE ?

ÉRIC PHILIPPART e.a.
NATIONS ET FRONTIÈRES DANS LA NOUVELLE EUROPE

ALAIN GRESH e.a.
UN PÉRIL ISLAMISTE ?

RAUL HILBERG, JOËL KOTEK e.a.
L'INSURRECTION DU GHETTO DE VARSOVIE

MAURICE VAÏSSE e.a.
8 MAI 1945 : LA VICTOIRE EN EUROPE

ASSOCIATION GEORGES POMPIDOU
GEORGES POMPIDOU ET L'EUROPE
Préface d'Edouard Balladur
Postface de Jacques Chirac

RENÉ GIRAULT, GILBERT ZIEBURA e.a.
LÉON BLUM, SOCIALISTE EUROPÉEN

VÉRONIQUE GARROS, JEAN-MARIE CHAUVIER, MARC FERRO, BERNARD GUETTA, MOSHE LEWIN e.a.
RUSSIE POST-SOVIÉTIQUE : LA FATIGUE DE L'HISTOIRE ?

FONDATION CHARLES DE GAULLE
LE RÉTABLISSEMENT DE LA LÉGALITÉ RÉPUBLICAINE – 1944

MÉMORIAL DE CAEN
LES PROCÈS DE NUREMBERG ET DE TOKYO

CENTRE D'ÉTUDES D'HISTOIRE DE LA DÉFENSE
LA FRANCE FACE AUX PROBLÈMES D'ARMEMENT – 1945-1950

CENTRE D'ÉTUDES D'HISTOIRE DE LA DÉFENSE
LA FRANCE ET L'OTAN – 1949-1996

GILLES MANCERON e.a.
ALGÉRIE : COMPRENDRE LA CRISE

Achevé d'imprimer
en novembre 1996
sur les presses
de l'imprimerie Campin
en Belgique (CEE)

En illustration de couverture :
Berlin, Wannsee, 1946.

SA Diffusion Promotion Information
24, rue de Bosnie
1060 Bruxelles

n° 675